Zum Buch:

Atlanta, Georgia: Eine junge Frau verschwindet, nachdem ein Frauenmörder nach über dreißigjähriger Haft aus dem Gefängnis freikommt. Auf der Suche nach ihr muss Amanda Wagner tief in ihre eigene Vergangenheit eintauchen, zurück ins Jahr 1975. Damals wurde eine Prostituierte ermordet, und die Polizeiarbeit wurde alles andere als ordnungsgemäß ausgeführt. Amanda stößt auf Korruption, Sexismus und noch dunklere Geheimnisse – und ihre männlichen Kollegen tun alles, um diese unter Verschluss zu halten. Noch Jahrzehnte später verfolgt Amanda dieser Fall, und schließlich verbindet er sie untrennbar mit Will Trent ...

Zur Autorin:

Karin Slaughter ist eine der weltweit berühmtesten Autorinnen und Schöpferin von über 20 New-York-Times-Bestseller-Romanen. Dazu zählen *Cop Town*, der für den Edgar Allan Poe Award nominiert war, sowie die Thriller *Die gute Tochter* und *Pretty Girls*. Ihre Bücher erscheinen in 120 Ländern und haben sich über 40 Millionen Mal verkauft. Ihr internationaler Bestseller *Ein Teil von ihr* ist 2022 als Serie mit Toni Collette auf Platz 1 bei Netflix erschienen. Eine Adaption ihrer Bestseller-Serie um den Ermittler *Will Trent* ist derzeit eine erfolgreiche Fernsehserie, weitere filmische Projekte werden entwickelt. Slaughter setzt sich als Gründerin der Non-Profit-Organisation »Save the Libraries« für den Erhalt und die Förderung von Bibliotheken ein. Die Autorin stammt aus Georgia und lebt in Atlanta.

KARIN SLAUGHTER

BITTERE WUNDEN

THRILLER

Aus dem amerikanischen Englisch von
Klaus Berr

HarperCollins

Die Originalausgabe erschien 2012 unter dem Titel *Criminal*
bei Delacorte Press, an imprint of The Random House Publishing Group,
a division of Random House, Inc., New York.

1. Auflage 2024
© 2012 by Karin Slaughter
Ungekürzte Ausgabe im HarperCollins Taschenbuch
by HarperCollins in der
Verlagsgruppe HarperCollins Deutschland GmbH, Hamburg
© 2014 für die deutschsprachige Ausgabe by Blanvalet Verlag München,
in der Verlagsgruppe Randomhouse GmbH
Die Rechte an der Nutzung der deutschen Übersetzung
von Klaus Berr liegen beim Blanvalet Verlag, München,
in der Penguin Random House Verlagsgruppe GmbH.
Published by arrangement with William Morrow,
an imprint of HarperCollins Publishers, US
Gesetzt aus der Stempel Garamond
von GGP Media GmbH, Pößneck
Druck und Bindung von ScandBook
Umschlaggestaltung von Hafen Werbeagentur, Hamburg
Umschlagabbildung von Andy & Michelle Kerry / Trevillion Images
Printed in Lithuania
ISBN 978-3-365-00858-4
www.harpercollins.de

Für Vernon – fürs Segelsetzen

1. KAPITEL

15. August 1974
LUCY BENNETT

Ein zimtbrauner Oldsmobile Cutlass rollte mit heruntergelassenen Fenstern die Edgewood Avenue entlang. Der Fahrer hatte sich tief in den Sitz gedrückt. Im Licht des Armaturenbretts konnte man seine schmalen Knopfaugen erkennen, die die Reihe der Mädchen unter dem Straßenschild absuchten. Jane. Mary. Lydia. Der Wagen hielt an. Wie erwartet nickte der Mann Kitty zu. Sie strich ihren Minirock glatt, während sie auf schmalen Absätzen über den unebenen Asphalt zu ihm hinüberstöckelte. Als Juice Kitty vor zwei Wochen zum ersten Mal an dieser Ecke abgesetzt hatte, hatte sie den anderen Mädchen erzählt, sie sei sechzehn, was vermutlich fünfzehn hieß, auch wenn sie nicht älter aussah als zwölf.

Sie alle hatten sie vom ersten Augenblick an gehasst.

Kitty steckte den Kopf in das offene Wagenfenster. Ihr steifer Vinylrock schwang hoch wie der Rand einer Glocke. Sie wurde immer als Erste ausgesucht, was allmählich zu einem Problem wurde. Jeder außer Juice konnte es sehen. Kitty bekam spezielle Vergünstigungen. Sie konnte die Männer zu fast allem überreden. Sie war frisch, fast noch ein Kind, auch wenn sie – wie alle anderen auch – ein Küchenmesser in der Handtasche bei sich hatte und auch wusste, wie sie es benutzen musste. Keine von ihnen wollte tun, was sie taten, aber dass man einem anderen Mädchen – einem neueren Mädchen – den Vorzug gab, schmerzte sie ebenso sehr, als würden sie alle beim Debütantinnenball an der Seitenlinie stehen. Im Oldsmobile war die Transaktion schnell ausgehandelt.

Es gab kein Feilschen, weil das Angebot den Preis wert war. Kitty gab Juice ein Signal, wartete auf sein Nicken und stieg dann ein. Rauch quoll aus dem Auspuff, als der Wagen in einem weiten Bogen in eine schmale Seitenstraße einbog. Das Auto schwankte leicht, als die Automatik auf Parken gestellt wurde. Die Hand des Fahrers kam hoch, packte Kitty am Hinterkopf, und sie verschwand.

Lucy Bennett wandte sich ab und blickte stattdessen die dunkle, seelenlose Avenue entlang. Keine sich nähernden Scheinwerfer. Kein Verkehr. Kein Geschäft. Atlanta war keine Stadt fürs Nachtleben. Der Letzte, der das Equitable-Gebäude verließ, schaltete normalerweise das Licht aus, aber Lucy sah die Glühbirnen im Flatiron hell über den Central City Park leuchten. Wenn sie die Augen zusammenkniff, konnte sie das vertraute Grün des C&S-Schilds sehen, das den Anfang des Geschäftsbezirks markierte. Der Neue Süden. Fortschritt durch Handel. Die Stadt, die zu beschäftigt war, um zu hassen. Wenn heute Nacht noch Männer auf diesen Straßen unterwegs waren, dann führten sie nichts Gutes im Schilde.

Jane zündete sich eine Zigarette an und steckte die Packung dann wieder in ihre Handtasche. Sie war niemand, der gab, aber mit Sicherheit eine, die nahm. Ihr Blick kreuzte den von Lucy. Das Tote in ihren Augen war kaum zu ertragen. Doch anscheinend empfand Jane ebenso. Sie sah sofort wieder weg. Lucy zitterte, obwohl es Mitte August war und die Hitze vom Asphalt hochwehte wie Rauch von einem Feuer. Ihre Füße taten weh. Der Rücken schmerzte. Ihr Kopf pochte wie ein Metronom. Ihre Eingeweide fühlten sich an, als hätte sie eine Wagenladung Beton verschluckt. Ihr Mund war wattig. Ihre Hände prickelten. Heute Morgen war ein Büschel Haare im Waschbecken gelandet. Vor zwei Tagen war sie neunzehn geworden, doch sie war bereits eine alte Frau.

Das Oldsmobile in der Seitenstraße schwankte erneut, und Kittys Kopf kam wieder hoch. Sie wischte sich über den Mund, als sie aus dem Auto stieg. Nur nicht trödeln. Dem Stecher keine Zeit geben, das Geschäft zu überdenken. Der Wagen fuhr an, noch ehe Kitty die Tür schließen konnte, und sie wankte einen Augenblick auf ihren Absätzen, wirkte erst verunsichert, ängstlich und dann wütend. Sie alle waren wütend. Der Zorn war ihre Zuflucht, ihr Trost, das Einzige, was sie wirklich ihr Eigen nennen konnten.

Lucy sah, wie Kitty an die Straßenecke zurückkehrte. Sie überreichte Juice das Geld und wollte schon weitergehen, doch er hielt sie am Arm fest. Kitty spuckte auf den Bürgersteig und verzog das Gesicht, als hätte sie nicht den Hauch von Angst, während Juice die Scheine auffaltete und sie abzählte. Kitty stand nur da und wartete. Sie alle warteten.

Schließlich hob Juice den Kopf. Die Summe war okay. Kitty stellte sich wieder an ihren Platz. Sie sah die anderen Mädchen nicht an. Sie starrte nur mit leerem Blick auf die Straße, wartete auf das nächste sich nähernde Auto, den nächsten Mann, der ihr entweder zunickte oder sie überging. Es hatte höchstens zwei Tage gedauert, bis ihre Augen den gleichen toten Blick angenommen hatten wie die der anderen Mädchen. Was ging ihr durch den Kopf? Wahrscheinlich das Gleiche wie Lucy, das vertraute Mantra, das sie jede Nacht in den Schlaf wiegte: *Wann wird es vorüber sein? Wann wird es vorüber sein? Wann wird es vorüber sein?*

Lucy war auch mal fünfzehn gewesen. Rückblickend konnte sie sich an jenes Mädchen, das sie einmal gewesen war, kaum noch erinnern. Jenes Mädchen, das unter der Schulbank Zettel herumgereicht hatte. Über Jungs gekichert hatte. Jeden Tag von der Schule nach Hause gerannt war, um ihre Lieblingsserie nicht zu verpassen. Die mit ihrer besten Freundin Jill Henderson in ihrem Zimmer zu den Jackson Five getanzt hatte. Lucy war fünfzehn Jahre alt gewesen, als sich das Leben vor ihr aufgetan hatte wie ein Abgrund, und die kleine Lucy war hineingestürzt, tief hinunter in die unbarmherzige Dunkelheit.

Sie hatte mit Speed angefangen, um Gewicht zu verlieren. Zuerst nur Pillen. Benzedrin, das ihre Freundin Jill im Medizinschränkchen ihrer Mutter gefunden hatte. Sie hatten sie sparsam, vorsichtig genommen, bis die Bundesbehörden durchgedreht und die Pillen verboten hatten. Eines Tages war das Medizinschränkchen leer gewesen, und gleich am nächsten Tag – so war es ihr vorgekommen – war sie wieder aufgequollen auf über siebzig Kilo. Sie war das einzige übergewichtige Kind an der Schule gewesen – bis auf den Fetten George, den Jungen, der in der Nase bohrte und beim Mittagessen immer alleine blieb. Lucy verabscheute ihn ebenso, wie er sie verabscheute. Wie sie ihr eigenes Spiegelbild verabscheute.

Jills Mutter war es gewesen, die Lucy das Spritzen beigebracht hatte. Mrs. Henderson war nicht blöd; es war ihr aufgefallen, dass Pillen fehlten, und sie hatte sich gefreut, dass Lucy endlich etwas gegen ihren Babyspeck unternahm. Die Frau beschaffte sich die Drogen aus dem gleichen Grund. Sie war Krankenschwester im Clayton General Hospital. Sie verließ die Notaufnahme mit Glasröhrchen voller Methamphetamin, die in der Tasche ihrer Uniform klapperten wie Zähne. Ein Amphetamin zum Spritzen, hatte sie zu Lucy gesagt. Das Gleiche wie die Pillen, nur gehe es schneller.

Lucy war fünfzehn Jahre alt gewesen, als zum ersten Mal eine Nadel ihre Haut durchstach.

»Immer nur sehr wenig auf einmal«, hatte Mrs. Henderson ihr eingebläut, während sie eine rote Schliere Blut in den Spritzenkolben gezogen und ihn dann langsam nach unten gedrückt hatte. »Du kontrollierst den Stoff. Lass den Stoff nicht dich kontrollieren.«

Es hatte keinen richtigen Kick gegeben, nur ein leichtes Schwindelgefühl und natürlich den willkommenen Appetitverlust. Mrs. Henderson hatte recht. Die Flüssigkeit wirkte schneller als die Pillen, einfacher. Fünf Pfund. Zehn Pfund. Fünfzehn. Und dann – nichts mehr. Als hätte Lucy das »wenig auf einmal« immer wieder neu definiert, bis sie nicht mehr fünf, sondern zehn Kubikzentimeter aufzog, doch dann waren aus den zehn fünfzehn geworden, und schließlich explodierte ihr Kopf, und sie stand in Flammen.

Was ihr danach noch wichtig war? Nichts mehr.

Jungs? Zu blöd. Jill Henderson? Was für eine Langweilerin. Ihr Gewicht? Nie wieder.

Als Lucy sechzehn wurde, wog sie noch knapp fünfzig Kilo. Ihre Rippen, ihre Hüften, ihre Ellbogen stachen hervor wie polierter Marmor. Zum ersten Mal in ihrem Leben hatte sie Wangenknochen. Sie trug einen dunklen Cleopatra-Lidstrich und blauen Lidschatten und glättete ihr langes blondes Haar, sodass es ihr steif gegen den knochigen Arsch klatschte. Das kleine Mädchen, dem der Sportlehrer in der fünften Klasse zur Belustigung aller anderen den Spitznamen »Dampfwalze« verpasst hatte, war jetzt dünn wie ein Model, unbekümmert und – plötzlich beliebt.

Allerdings nicht mehr beliebt bei ihren alten Freundinnen, die sie noch aus dem Kindergarten kannte. Sie alle betrachteten Lucy inzwischen als verloren, als Verliererin. Zum ersten Mal in ihrem Leben war es ihr völlig egal. Wer brauchte schon Leute, die auf einen herabsahen, nur weil man sich ein wenig Spaß gönnte? Lucy war ohnehin immer nur das Maskottchen gewesen – das fette Mädchen, mit dem man sich anfreundete, damit man selbst das hübsche Mädchen sein konnte, das charmante, mit dem die Jungs flirteten.

Ihre neuen Freundinnen hielten Lucy für perfekt. Sie fanden es toll, wenn sie sich sarkastisch über jemanden aus ihrem alten Leben ausließ. Sie tolerierten ihre Spleens. Sie luden Lucy zu ihren Partys ein. Die Jungs führten sie aus. Sie behandelten sie als gleichwertig. Endlich fügte sie sich in eine Gruppe ein. Endlich stach sie nicht mehr heraus als »zu sehr« von irgendwas. Sie war eine unter vielen. Sie war einfach nur Lucy.

Was aber dachte sie selbst über ihr altes Leben? Lucy hatte nichts als Verachtung übrig für alle, die es bevölkert hatten, vor allem für Mrs. Henderson, die ihr eines Tages abrupt den Nachschub versagt und verkündet hatte, sie müsse ihren Scheiß endlich selbst geregelt kriegen. Doch Lucys Scheiß war geregelter, als er es je gewesen war. Sie hatte absolut nicht vor, ihr neues Leben aufzugeben.

Ihre alten Freundinnen waren Spießer, besessen von der Vorbereitung aufs College, die vorwiegend aus der Frage bestand, welcher Studentinnenverbindung man am besten beitreten sollte. Die jeweiligen Eigenschaften dieser Verbindungen, deren Häuser im viktorianischen und griechischen Stil die Milledge Avenue und die South Lumpkin Street an der University of Georgia säumten, hatten seit ihrem zehnten Lebensjahr auch Lucy beschäftigt, doch die Verlockungen des Amphetamins hatten aus dem Griechischen eine tote Sprache gemacht. Die missbilligenden Blicke ihrer alten Freunde brauchte sie nicht. Sie brauchte auch Mrs. Henderson nicht mehr. Sie hatte jetzt eine Menge neuer Freunde, die ihr Stoff besorgen konnten. Ihre Eltern zahlten ihr ein großzügiges Taschengeld. Und in den Wochen, da sie knapp bei Kasse war, bemerkte ihre Mutter gar nicht, dass in ihrer Brieftasche immer wieder Geld fehlte.

Im Nachhinein war es leicht zu erkennen, aber damals schien sie die Abwärtsspirale ihres Lebens innerhalb weniger Sekunden hinabgerast zu sein und nicht in den zwei langen Jahren, die Lucys Absturz tatsächlich gedauert hatte. Zuhause war sie mürrisch und launisch gewesen. Sie hatte angefangen, sich nachts aus dem Haus zu schleichen und ihre Eltern wegen dummer Kleinigkeiten zu belügen. Wegen alltäglicher Kleinigkeiten. Kleinigkeiten, die leicht zu widerlegen waren. In der Schule blieb sie immer wieder sitzen und landete schließlich im Englisch-Grundkurs, zusammen mit dem Fetten George, der in der ersten Reihe saß, Lucy und ihre neuen Freunde in der letzten, wo sie meistens ihre Durchhänger verschliefen und nur die Zeit absaßen, bis sie zurückkehren konnten zu ihrer wahren Liebe.

Der Nadel.

Dieses präzise geschliffene Stück chirurgischen Stahls, das scheinbar so harmlose Instrument der Zufuhr, beherrschte jeden Augenblick ihres Lebens. Lucy träumte davon, sich einen Schuss zu setzen. Dieser erste Einstich ins Fleisch. Das Zwicken, wenn die Spitze in die Ader stach. Das leichte Brennen, wenn die Flüssigkeit injiziert wurde. Die sofort einsetzende Euphorie, wenn die Droge in ihr System eindrang. Das war alles wert. Jedes Opfer. Jeden Verlust. All die Dinge, die sie tun musste, um an sie heranzukommen. All die Dinge, die in dem Augenblick vergessen waren, sobald die Droge durch ihr Blut strömte.

Doch dann kam der Gipfel des letzten Hügels, des höchsten Aufstiegs während ihrer Achterbahnfahrt nach unten.

Bobby Fields. Fast zwanzig Jahre älter als Lucy. Schlauer. Stärker. Er war Mechaniker an einer der Tankstellen ihres Vaters. Früher hatte er sie nie bemerkt. Lucy war für ihn unsichtbar gewesen, ein pummeliges kleines Mädchen mit strähnigen Zöpfen. Aber das änderte sich, sobald die Nadel in ihr Leben getreten war. Eines Tages kam sie in die Werkstatt, die Jeans tief auf ihren frisch verschlankten Hüften, der weit ausgestellte Saum abgewetzt, weil er über den Boden schleifte, und Bobby forderte sie auf, stehen zu bleiben und ein bisschen mit ihm zu plaudern.

Er hörte ihr sogar zu, und erst jetzt erkannte Lucy, dass ihr bisher noch niemand wirklich zugehört hatte. Dann strich Bobby ihr mit seinem ölverschmierten Finger eine lose Strähne aus dem Gesicht. Und dann waren sie plötzlich ganz hinten in der Werkstatt, seine Hand lag auf ihrer Brust, und im gleißenden Schein seiner ungeteilten Aufmerksamkeit fühlte sie sich sehr lebendig.

Lucy war noch nie zuvor mit einem Mann zusammmen gewesen. Auch wenn sie völlig zugedröhnt war, wusste sie, dass sie

Nein sagen sollte. Sie wusste, dass sie sich aufsparen musste, dass niemand verdorbene Ware wollte. Denn so unwahrscheinlich das rückblickend auch klingen mochte, gab es zu jener Zeit noch immer einen Teil von ihr, der davon ausging, dass sie trotz ihrer kleinen Eskapade eines Tages die Universität besuchen, einer Verbindung ihrer Wahl beitreten und schließlich einen ernsten jungen Mann heiraten würde, dessen glänzende Zukunftsaussichten die Zustimmung ihres Vaters fanden.

Lucy würde Kinder bekommen. Sie würde dem Elternbeirat beitreten. Sie würden Plätzchen backen, ihre Kinder in einem Kombi zur Schule fahren und mit den anderen Müttern in der Küche sitzen, rauchen und ihr langweiliges Leben beklagen. Und während die anderen Frauen vielleicht über eheliche Unstimmigkeiten und die Koliken ihrer Babys redeten, würde Lucy freundlich lächeln und sich an ihre verwegene Jugend, ihre verrückte, hedonistische Affäre mit der Nadel erinnern.

Vielleicht würde sie aber auch eines Tages an einer Straßenecke mitten in Atlanta stehen, und ihr Magen würde sich zusammenziehen bei dem Gedanken, die gemütliche Küche, die engen Freundinnen verloren zu haben.

Denn auch wenn die sechzehnjährige Lucy noch nie mit einem Mann zusammen gewesen war, hatte Bobby Fields schon viele Frauen gehabt. Junge Frauen. Er wusste, was er zu ihnen sagen musste. Er wusste, wie er ihnen das Gefühl geben konnte, etwas Besonderes zu sein. Und vor allem wusste er, wie er die Hand von der Brust zum Schenkel, vom Schenkel zum Schritt und von dort zu anderen Stellen bewegen musste, bis Lucy so laut aufstöhnte, dass ihr Vater aus dem Büro nach ihr rief, um sicherzustellen, dass mit ihr alles okay war.

»Alles in Ordnung, Daddy«, hatte sie geantwortet, weil Bobbys Hand sich so gut anfühlte, dass Lucy sogar den Herrgott persönlich angelogen hätte.

Zuerst blieb ihre Beziehung ein Geheimnis, was es natürlich noch aufregender machte. Sie hatten eine Verbindung. Sie hatten etwas Verbotenes miteinander. Fast ein ganzes Jahr dauerte ihre heimliche Affäre. Lucy mied Bobbys Blick, wenn sie am Ende der Woche in die Tankstelle kam, um mit ihrem Daddy das Geld aus der Kasse abzuzählen. Sie tat so, als würde Bobby nicht existieren, bis sie es nicht mehr aushielt. Dann eilte sie in die schmutzige Toilette hinter dem Gebäude, und er packte ihren Arsch mit seinen ölverschmierten Händen so fest, dass sie den Schmerz noch immer spürte, wenn sie sich wieder neben ihren Vater setzte.

Die Gier nach Bobby war fast so intensiv wie die Gier nach der Nadel. Sie schwänzte die Schule. Sie täuschte einen Teilzeitjob und Übernachtungen bei Freundinnen vor, die ihre Eltern nie nachprüften. Bobby hatte eine eigene Wohnung. Er fuhr einen Mustang Fastback wie Steve McQueen. Er trank Bier und rauchte Dope und besorgte Speed für Lucy, und sie lernte, ihm einen zu blasen, ohne würgen zu müssen.

Alles war perfekt, bis sie merkte, dass sie ihr Scheinleben nicht mehr aufrechterhalten konnte. Oder vielleicht einfach nicht mehr wollte. Zur Katastrophe kam es an dem Wochenende, als ihre Eltern verreisten, um ihren Bruder am College zu besuchen. Lucy war die ganze Zeit bei Bobby. Sie kochte für ihn. Sie putzte für ihn. Sie trieben es die ganze Nacht, und tagsüber starrte sie die Uhr an und zählte die Minuten, bis sie ihm eröffnen würde, dass sie ihn liebte. Denn Lucy liebte ihn wirklich, vor allem wenn er abends mit diesem breiten Grinsen auf dem Gesicht und dem kleinen Röhrchen voll Magie in seiner Tasche zurück nach Hause kam.

Bobby war großzügig mit der Nadel. Vielleicht zu großzügig. Er machte Lucy so high, dass ihre Zähne klapperten. Sie war noch immer high, als sie am nächsten Morgen nach Hause stolperte.

Sonntag.

Eigentlich hatten ihre Eltern mit dem Bruder vor der Rückfahrt in die Kirche gehen wollen, aber sie saßen, noch immer in

Reisekleidung, am Küchentisch. Ihre Mutter hatte nicht einmal den Hut abgenommen. Sie hatten die ganze Nacht auf sie gewartet. Sie hatten ihre Freundin, ihr Alibi, angerufen, die eigentlich hätte bestätigen sollen, dass Lucy die Nacht bei ihr verbracht hatte. Zuerst hatte sie gelogen, aber schon auf den geringsten Druck hatte sie Lucys Eltern erzählt, wo ihre Tochter wirklich war und was genau sie in den letzten Monaten getrieben hatte.

Lucy war siebzehn, man betrachtete sie immer noch als ein Kind. Ihre Eltern versuchten, sie in eine Entzugsklinik einweisen zu lassen. Sie versuchten, Bobby verhaften zu lassen. Sie versuchten, andere Werkstätten davon abzubringen, ihn einzustellen, aber er zog einfach nach Atlanta, wo es den Leuten egal war, wer ihre Autos reparierte, solange es nur billig war.

Die nächsten zwei Monate waren die Hölle, doch dann wurde Lucy achtzehn. Und einfach so wurde ihr Leben ein anderes. Oder anders auf eine andere Art. Sie war alt genug, um die Schule abzubrechen. Alt genug, um trinken zu dürfen. Alt genug, um ihre Familie zu verlassen, ohne dass die Bullen sie wieder zurück nach Hause schleiften. So wurde aus Daddys Mädchen Bobbys Mädchen, und sie lebte von nun an in einer Wohnung an der Stewart Avenue, wo sie den Tag verschlief und wartete, bis Bobby am Abend heimkam, um ihr einen Schuss zu setzen, sie zu vögeln und sie dann weiterschlafen zu lassen.

Ein schlechtes Gewissen hatte sie einzig gegenüber ihrem Bruder Henry. Er studierte Jura an der Universität von Atlanta. Er war sechs Jahre älter als sie, eher ein Freund als ein Bruder. Als sie noch zusammengelebt hatten, hatten sie nicht oft miteinander gesprochen, doch seit er angefangen hatte zu studieren, hatten sie sich zwei oder drei Mal pro Monat Briefe geschrieben.

Lucy hatte dieses Briefeschreiben geliebt. In ihrer Korrespondenz war sie wieder die alte Lucy: verschossen in Jungs, ängstlich angesichts der bevorstehenden Abschlussprüfung, ungeduldig, weil sie endlich Autofahren lernen wollte. Kein Ton von der Nadel. Kein Wort über ihre neuen Freunde, die so weit jenseits der Gesellschaft standen, dass Lucy sie nicht einmal mit nach Hause bringen wollte, damit sie nicht das Silberbesteck ihrer Mutter stahlen. Falls ihre Mutter sie überhaupt hereingelassen hätte.

Henrys Antworten waren immer kurz, aber auch wenn er mitten in einer Prüfungsphase steckte, schaffte er es, Lucy ein paar Zeilen zu schicken und sie wissen zu lassen, wie es ihm ging. Er freute sich darauf, dass sie zu ihm auf den Campus kommen würde. Er freute sich darauf, seinen Freunden sein Schwesterchen vorstellen zu können. Er freute sich über alles und dann irgendwann über gar nichts mehr, weil seine Eltern ihm erzählt hatten, dass seine Lieblingsschwester als Hure eines achtunddreißigjährigen, mit Drogen dealenden Hippietrottels nach Atlanta gezogen war.

Danach kamen Lucys Briefe ungeöffnet zurück. »Zurück an Absender«, hatte Henry daraufgekritzelt. Er hatte sie weggeworfen wie Abfall auf die Straße.

Vielleicht war sie ja wirklich Abfall. Vielleicht verdiente sie es, fallen gelassen zu werden. Denn als der Kick irgendwann nachließ, als die Highs weniger intensiv und die Lows fast unerträglich wurden – was blieb Lucy da noch übrig außer einem Leben auf der Straße?

Zwei Monate, nachdem Bobby sie nach Atlanta geholt hatte, warf er sie raus. Aus seiner heißen jungen Maus war eine Junkiebraut geworden, die ihn jeden Abend an der Tür empfing und um einen Schuss anbettelte. Als Bobby aufhörte, ihr Stoff zu besorgen, fand sie in dem Wohnblock einen anderen Mann, der bereit war, ihr zu geben, was sie wollte. Es war ihr egal, dass sie dafür die Beine breit machen musste. Er gab ihr, was Bobby ihr nicht mehr hatte geben wollen. Er befriedigte ihre Bedürfnisse.

Sein Name war Fred. Er putzte am Flughafen die Flugzeuge. Er tat Dinge, die Lucy zum Weinen brachten, doch dann gab er ihr die Nadel, und alles war wieder in Ordnung. Fred hielt sich für etwas Besonderes, etwas Besseres als Bobby. Als er herausfand, dass das Funkeln in Lucys Augen der Droge galt und nicht ihm, fing er an, sie zu schlagen. Er hörte erst damit auf, als sie im Krankenhaus landete. Und als sie in einem Taxi zu dem Wohnblock zurückkehrte, eröffnete ihr der Verwalter, dass Fred ausgezogen sei, ohne eine Nachsendeadresse zu hinterlassen. Und dann meinte der Verwalter, dass sie sehr gerne bei ihm einziehen dürfe.

Das meiste dessen, was danach kam, versank im Nebel, oder vielleicht war es auch derart klar, dass sie es einfach nicht mehr sehen konnte, so wie alles verschwimmt, wenn man die Brille eines anderen aufsetzt. Fast ein Jahr lang wanderte Lucy von Mann zu Mann, von Lieferant zu Lieferant. Sie tat Dinge – schreckliche Dinge –, um an den Stoff zu kommen. Falls es in der Welt des Speed einen Totempfahl gab, hatte Lucy oben an der Spitze angefangen und war im Nu nach unten durchgerutscht. Tagaus, tagein spürte sie den schwindelerregenden Wirbel ihres Lebens, das durch den Abfluss rauschte, und doch konnte sie nichts dagegen tun. Der Schmerz meldete sich. Die Gier. Die Sehnsucht. Das Verlangen, das heiß wie Säure in ihren Eingeweiden brannte.

Irgendwann war sie ganz unten angelangt. Lucy hatte eine Heidenangst vor den Bikern, die das Speed verkauften, doch letztendlich war ihre Liebe zu dem Stoff stärker. Sie warfen sie einander zu wie einen Baseball. Jeder durfte mal ran. Sie alle hatten in Vietnam gekämpft und waren wütend auf die Welt, das System. Und wütend auf Lucy. Sie hatte sich noch nie zuvor eine Überdosis gespritzt, zumindest keine, die sie ins Krankenhaus gebracht hätte. Einmal, zweimal, ein drittes Mal rutschte sie vom Sitz einer Harley vor den Eingang zur Notaufnahme des Grady Hospital. Den Bikern gefiel das alles nicht. Krankenhäuser bedeuteten Polizisten, und Polizisten waren schwer zu bestechen. Eines Abends war Lucy mal wieder zu high, und einer von ihnen holte sie mit Heroin wieder runter – ein Trick, den er in Vietnam gelernt hatte.

Heroin, der letzte Nagel in Lucys Sarg. Wie schon beim Speed war sie eine schnelle Umsteigerin. Das Gefühl der Abstumpfung. Das unglaubliche Hochgefühl. Der Verlust der Zeit. Des Raums. Des Bewusstseins.

Lucy hatte noch nie Geld für Sex genommen. Bis dahin waren ihre Deals immer eine Art Tauschhandel gewesen. Sex für Speed. Sex für Heroin. Nie Sex für Geld.

Doch jetzt brauchte Lucy dringend Geld.

Die Biker verkauften Speed, kein Heroin. Das Heroin war die Droge der Schwarzen. Sogar die Mafia ließ die Finger davon. H war eine Gettodroge. Es war zu stark, zu suchterzeugend, zu gefährlich für Weiße. Vor allem für weiße Frauen.

Und genau so landete Lucy bei einem Schwarzen mit einem Jesus-Tattoo auf der Brust, der sie auf der Straße zum Kauf anbot.

Der Löffel. Die Flamme. Der Geruch brennenden Gummis. Der Stauschlauch, mit dem die Venen abgepresst wurden. Der von einer Zigarette gerissene Filter. Das Ganze hatte etwas romantisch Festliches – ein in die Länge gezogener Prozess, der ihre frühere Affäre mit der Nadel schrecklich primitiv wirken ließ. Auch jetzt noch spürte Lucy die Erregung, wenn sie nur an den Löffel dachte. Sie schloss die Augen, stellte sich das gebogene Stück Silber vor, das ein bisschen an einen Schwan mit gebrochenem Hals erinnerte. Einen schwarzen Schwan. Schwarze Schafe. Die Hure eines schwarzen Mannes.

Plötzlich stand Juice neben ihr. Die anderen Mädchen traten sicherheitshalber ein Stück beiseite. Juice hatte diese Art, eine Schwäche zu erspüren. Mit dieser Masche angelte er sie sich überhaupt erst.

»Was ist los, Sexy?«

»Nichts«, murmelte sie. »Alles spitze.«

Er nahm den Zahnstocher aus dem Mund. »Mach mir nichts vor.«

Lucy blickte zu Boden. Sie sah seine weißen Lacklederschuhe, den weiten Schlag seiner maßgeschneiderten grünen Hose, der über die Schuhspitzen fiel. Wie viele Kerle hatte sie gevögelt, um diesen Schuhen zu einem derartigen Glanz zu verhelfen? Auf wie viele Rückbänke hatte sie sich gelegt, damit er zu seinem Schneider in Five Points gehen konnte, um sich Maß nehmen zu lassen?

»Sorry.« Sie riskierte einen Blick in sein Gesicht, versuchte, seine Laune einzuschätzen.

Juice zog ein Taschentuch hervor und wischte sich den Schweiß von der Stirn. Er hatte lange Koteletten, die in einen Schnauz- und Kinnbart übergingen. Auf der Wange hatte er ein Muttermal, das Lucy manchmal anstarrte, während sie sich auf andere Dinge konzentrieren musste.

»Na, komm, Mädchen. Wenn du mir nicht sagst, was dir im Kopf herumgeht, kann ich nichts dagegen tun.« Er gab ihr einen Klaps gegen die Schulter. Als sie nicht antwortete, schubste er sie stärker, um seinen Worten Nachdruck zu verleihen. Er würde nicht weggehen. Juice hasste es, wenn man Geheimnisse vor ihm hatte.

»Ich hab an meine Mutter denken müssen«, sagte Lucy, und es war seit langer Zeit das erste Mal, dass sie einem Mann gegenüber die Wahrheit sagte.

Juice lachte und deutete dann mit dem Zahnstocher auf die anderen Mädchen. »Ist das nicht süß? Sie hat an ihre Mami gedacht.« Er hob die Stimme. »Ihr anderen – is' eure Mami jetzt für euch da?«

Die anderen kicherten nervös. Kitty, wie immer die Schleimerin, entgegnete: »Wir brauchen nur dich, Juice. Nur dich.«

»Lucy«, flüsterte Mary. Der Name blieb ihr fast in der Kehle stecken. Wenn Juice sich ärgerte, würde keine von ihnen bekommen, was sie wollten, und alles, was sie jetzt wollten, alles, was sie brauchten, waren der Löffel und das H in Juice' Tasche.

»Nee, is' schon gut.« Juice winkte ab. »Lass sie nur. Komm, Mädchen. Sprich.«

Vielleicht, weil er es genauso gesagt hatte wie zu einem Hund – »Sprich«, als würde sie eine Belohnung bekommen, wenn sie auf Befehl bellte –, oder vielleicht, weil sie es gewohnt war, alles zu tun, was Juice ihr auftrug, fingen Lucys Lippen an, sich wie aus eigenem Antrieb zu bewegen.

»Ich musste an einen Tag denken, als Mama mich mal in die Stadt mitgenommen hat.« Lucy schloss die Augen. Sie sah sich selbst in diesem Auto sitzen. Sah das metallene Armaturenbrett im Chrysler ihrer Mutter im Sonnenlicht blitzen. Es war heiß und schwül, an einem Tag im August, an dem man sich wünschte, Autos würden Klimaanlagen haben. »Sie wollte mich vor der Bibliothek absetzen und dann selbst ein paar Besorgungen machen.«

Juice kicherte über diese Erinnerung. »Ach, ist das nicht nett, Mädchen? Mami bringt dich in die Bücherei, damit du lesen kannst.«

»Sie kam nicht durch.« Lucy öffnete die Augen und sah Juice auf eine Art an, wie sie es zuvor noch nie gewagt hatte.

»Der Klan hielt gerade eine Kundgebung ab.«

Juice räusperte sich. Er warf den anderen Mädchen einen schnellen Blick zu, sah dann wieder Lucy an. »Erzähl weiter.«

Seine tiefe Stimme jagte ihr einen kalten Schauer durchs Rückenmark.

»Die Straßen waren abgesperrt. Der Verkehr wurde angehalten, Autos durchsucht.«

»Hör auf«, flüsterte Mary. Aber Lucy konnte nicht aufhören. Ihr Gebieter hatte ihr befohlen zu sprechen.

»Es war ein Samstag. Mama hat mich jeden Samstag in die Bibliothek gebracht.«

»Tatsächlich?«

»Ja.« Selbst mit offenen Augen sah Lucy die Szene vor sich, die sich in ihrem Kopf abspielte. Sie saß im Auto ihrer Mutter. Sicher. Unbekümmert. Vor den Pillen. Vor der Nadel. Vor dem Heroin. Vor Juice. Bevor die kleine Lucy verloren ging, die geduldig im Auto ihrer Mutter saß und sich gerade nur Sorgen darüber machte, es nicht rechtzeitig zum Lesekreis in die Bibliothek zu schaffen.

Die kleine Lucy war eine unersättliche Leserin. Sie hielt den Bücherstapel auf ihrem Schoß fest umklammert, während sie zu den Männern hinausstarrte, die die Straße blockierten. Sie trugen ihre weißen Kutten. Die meisten hatten wegen der Hitze die Kapuzen abgenommen. Ein paar der Männer kannte sie aus der Kirche, einige aus der Schule. Sie winkte Mr. Sheffield zu, dem der Eisenwarenladen gehörte. Er zwinkerte ihr zu und winkte zurück.

»Wir standen auf dem kleinen Hügel vor dem Gerichtsgebäude«, fuhr sie fort, »und direkt vor uns stand ein Schwarzer, der vor dem Stoppschild angehalten hatte. Er saß in einem dieser kleinen ausländischen Autos. Mr. Peterson ging direkt auf ihn zu, und Mr. Laramie kam von der anderen Seite.«

»Tatsächlich?«, wiederholte Juice.

»Ja, so war es. Der Mann hatte furchtbare Angst. Sein Auto rollte immer wieder zurück. Anscheinend hatte er ein Schaltgetriebe, und sein Fuß rutschte immer wieder von der Kupplung, weil er so in Panik war. Ich weiß noch, dass meine Mutter ihm zusah, als würden wir uns ›Im Reich der wilden Tiere‹ oder so was anschauen, und sie lachte nur und lachte und lachte und sagte: ›Sieh mal, wie verängstigt der Schwarze Arsch ist.‹«

»Mein Gott«, zischte Mary.

Lucy lächelte Juice an und wiederholte: »Sieh mal, wie verängstigt der Schwarze Arsch ist.«

Juice nahm den Zahnstocher aus dem Mund. »Pass auf, was du sagst, Mädchen.«

»Sieh mal, wie verängstigt der Arsch ist«, murmelte Lucy.

»Sieh mal, wie verängstigt ...« Sie ließ ihre Stimme verklingen, aber inzwischen war sie wie ein Motor im Leerlauf, bevor man wieder Gas gab. Aus irgendeinem Grund fand sie die Geschichte ganz furchtbar lustig. Sie hob die Stimme, und ihr Klang hallte von den Wänden wider. »Sieh mal, wie verängstigt dieser Arsch ist. Sieh mal, wie verängstigt dieser Arsch ist.«

Juice schlug ihr ins Gesicht, zwar mit der offenen Hand, aber doch so fest, dass sie herumwirbelte. Lucy spürte, wie Blut an ihrer Kehle hinabrann.

Es war nicht das erste Mal, dass sie geschlagen worden war. Es würde nicht das letzte Mal sein. Es hielt sie nicht davon ab. Nichts konnte sie jetzt noch davon abhalten. »Sieh mal, wie verängstigt dieser Arsch ist. Sieh mal, wie verängstigt dieser Arsch ist!«

»Schnauze!« Juice jagte ihr die Faust ins Gesicht.

Lucy spürte, wie ein Zahn brach. Ihr Kiefer schnellte herum, aber sie leierte nur weiter: »Sieh mal, wie verängstigt ...« Er trat sie in den Bauch. Die enge Hose schränkte ihn in seiner Bewegungsfreiheit ein, doch sie spürte, wie seine Sohle über ihren Beckenknochen schleifte. Lucy keuchte vor Schmerz, der fast unerträglich, aber auch irgendwie befreiend war. Wie viele Jahre war es her, dass sie etwas anderes als Taubheit gespürt hatte? Wie viele Jahre war es her, dass sie ihre Stimme erhoben, zu einem Mann Nein gesagt hatte? Ihre Kehle war wie zugeschnürt. Sie konnte kaum noch aufrecht stehen. »Sieh mal, wie verängstigt dieser ...«

Juice schlug sie noch einmal ins Gesicht. Sie spürte ihren Nasenrücken zersplittern. Mit weit ausgebreiteten Armen stolperte Lucy nach hinten. Sie sah Sternchen. Ihre Handtasche fiel zu Boden. Der Absatz ihres Schuhs brach ab.

»Geh mir aus den Augen!« Juice hob drohend die Faust.

»Verschwinde, bevor ich dich umbringe, du Schlampe!«

Lucy taumelte gegen Jane, die sie von sich wegstieß wie einen räudigen Hund.

»Geh einfach«, flüsterte Mary. »Bitte!«

Lucy schluckte Blut und würgte es wieder hervor. Weiße Brocken fielen auf den Asphalt. Zähne.

»Verschwinde, du Schlampe«, zischte Juice erneut. »Geh mir aus den Augen!«

Lucy schaffte es, sich umzudrehen. Sie sah die dunkle Straße hinauf. Es gab dort keine Lichter, die ihr den Weg wiesen. Entweder hatten die Zuhälter sie ausgeschossen, oder die Stadt machte sich nicht mehr die Mühe, sie einzuschalten. Lucy stolperte noch einmal, hielt sich aber aufrecht. Der abgebrochene Absatz war ein Problem. Sie zog beide Schuhe aus. Ihre Fußsohlen spürten die Hitze des Asphalts, ein Brennen, das ihr bis in den Schädel hochwanderte. Es war, als würde sie über heiße Kohlen laufen. Sie hatte das einmal im Fernsehen gesehen – der Trick dabei war, so schnell zu gehen, dass die Glut nicht genug Sauerstoff bekam, um die Haut zu verbrennen.

Lucy ging schneller. Mit jedem Schritt richtete sie sich ein Stück weiter auf. Trotz des atemberaubenden Schmerzes in ihren Rippen hielt sie den Kopf hoch erhoben. Der Schmerz war jetzt unwichtig. Die Dunkelheit war unwichtig. Die Hitze unter ihren Sohlen war unwichtig. Nichts war mehr wichtig. Dann drehte sie sich um und kreischte: »Sieh mal, wie verängstigt dieser Arsch ist!«

Juice machte einen Satz auf sie zu, aber Lucy rannte bereits die Straße entlang. Ihre nackten Füße klatschten über den Asphalt, ihre Arme arbeiteten wie Kolben. Als sie um die Ecke bog, bebte ihre Lunge. Adrenalin raste durch ihren Körper. Lucy dachte an all die Sportstunden in der Schule, an die fünf, zehn, ja zwanzig Strafrunden, die ihre schlechte Einstellung ihr immer wieder eingebracht hatte. Damals war sie so schnell gewesen, so jung und frei. Doch das war jetzt Geschichte. Ihre Beine verkrampften sich. Die Knie gaben nach. Lucy riskierte einen Blick über die Schulter, aber Juice war nicht zu sehen. Kein Mensch war zu sehen. Sie blieb stehen.

Sie war ihm so egal, dass er sie nicht einmal verfolgte.

Lucy stützte sich an einer Telefonzelle ab, beugte sich vor und ließ das Blut aus ihrem Mund tropfen. Mit der Zunge tastete sie nach der Quelle. Zwei Zähne waren herausgebrochen, zum Glück weiter hinten.

Sie trat in die Telefonzelle und schloss die Tür, doch das darin aufblitzende Licht war zu grell. Sie schob die Tür wieder einen Spaltbreit auf und lehnte sich gegen das Glas. Ihr Atem ging noch immer schwer. Ihr Körper fühlte sich an, als wäre sie zehn Meilen gerannt, nicht nur ein paar Blocks.

Sie starrte den Apparat an, den schwarzen Hörer am Haken, den Münzschlitz. Lucy strich mit dem Finger über das eingravierte Glockensymbol auf der Metallplatte, ließ dann die Hand nach unten wandern, um die Vier, die Sieben, die Acht zu finden. Die Telefonnummer ihrer Eltern. Sie wusste sie auswendig wie ihre Hausnummer, den Geburtstag ihrer Großmutter, das Datum der bevorstehenden Abschlussfeier ihres Bruders. Die Lucy von früher war doch noch nicht vollends verloren. Zumindest ihr Leben in Zahlen existierte noch.

Sie könnte sie anrufen. Doch selbst wenn sie sich meldeten, hätten sie einander womöglich nichts zu sagen.

Lucy stieß sich von der Glaswand ab und trat wieder aus der Zelle. Langsam ging sie die Straße entlang, ohne bestimmtes Ziel, einfach nur weg. Ihr Magen zog sich zusammen, die ersten Entzugserscheinungen kündigten sich an. Sie sollte ins Krankenhaus gehen, sich verarzten lassen und die Schwester um Methadon bitten, bevor es richtig schlimm wurde. Das Grady lag zwölf Blocks weiter unten und drei nach links. Noch machten ihre Beine mit. Sie würde die Strecke schaffen. Diese Runden über die Aschenbahn in der Highschool hatten sich nicht immer wie eine Strafe angefühlt. Lucy hatte das Laufen geliebt. An den Wochenenden war sie gern mit ihrem Bruder Henry joggen gegangen. Er hatte immer vor ihr aufgegeben. In ihrer Handtasche steckte ein Brief von ihm. Sie hatte ihn letzte Woche von einem Mann aus der Union Mission bekommen, wo die Mädchen sich aufhielten, wenn Juice sauer auf sie war.

Lucy hatte den Brief ganze drei Tage mit sich herumgetragen, bevor sie ihn hatte öffnen können, weil sie so große Angst gehabt hatte, dass er schlechte Nachrichten enthalten könnte. Ihr

Vater gestorben. Ihre Mutter durchgebrannt mit dem Charles-Chips-Vertreter. Heutzutage ließ sich doch jeder scheiden, oder nicht? Kaputte Familien. Kaputte Kinder. Doch Lucy war schon so lange kaputt, da sollte es doch ein Klacks sein, einen Brief zu öffnen und zu lesen, oder etwa nicht?

Henrys eng geführte Schrift war ihr so vertraut, dass das Lesen sich angefühlt hatte wie eine weiche Hand auf ihrer Wange. Tränen waren ihr in die Augen geschossen. Sie hatte den Brief einmal gelesen, dann noch einmal und noch einmal. Eine Seite. Kein Klatsch, kein Familientratsch, denn das war nicht Henrys Art. Er war präzise, sachlich, nie dramatisch. Henrys Jurastudium neigte sich dem Ende zu. Er war auf der Suche nach einer Arbeitsstelle. Der Markt sei derzeit schwierig, schrieb er. Das Studentenleben werde er vermissen. Auch das Zusammensein mit seinen Freunden werde er vermissen. Und Lucy vermisse er auch.

Er vermisste Lucy.

Das war der Teil, den sie vier Mal gelesen hatte, und dann noch so oft, dass sie es gar nicht mehr zählen konnte. Henry vermisste sie. Ihr Bruder vermisste seine Schwester.

Lucy vermisste sich selbst auch.

Sie hatte ihre Handtasche weiter hinten an der Straßenecke fallen gelassen. Wahrscheinlich hatte Juice sie sich geschnappt. Wahrscheinlich hatte er sie auf dem Bürgersteig ausgeschüttet und alles durchwühlt, als würde es ihm gehören. Was hieß, dass er auch Henrys Brief gefunden hatte und das Küchenmesser, das scharf genug war, um die Haut an ihrem Bein zu zerschneiden, was Lucy wusste, weil sie es in der vergangenen Woche ausprobiert hatte, um festzustellen, ob sie überhaupt noch blutete.

An der nächsten Ecke bog Lucy links ab. Sie drehte sich um und blickte zum Mond hinauf. Mit seinem geschwungenen Fingernagelrand durchstach er den schwarzen Himmel. Das Skelett des unfertigen Peachtree Plaza ragte in der Ferne auf – das höchste Hotel der Welt. Die ganze Stadt wurde umgebaut. In ein oder zwei Jahren würde es im Zentrum Tausende neuer Hotelzimmer geben. Die Geschäfte würden aufblühen, vor allem auf der Straße.

Sie bezweifelte, dass sie das noch miterleben würde.

Lucy stolperte wieder. Schmerz schoss ihr das Rückgrat hinauf. Jetzt machten sich die Wunden an ihrem Körper bemerkbar. Wahrscheinlich war eine Rippe gebrochen. Dass die Nase gebrochen war, wusste sie. Und die Krämpfe in ihrem Bauch wurden immer schlimmer. Sie brauchte jetzt gleich einen Schuss, sonst würde der Entzug einsetzen.

Sie zwang sich, einen Fuß vor den anderen zu setzen. »Bitte«, betete sie zum Gott des Grady Hospital. »Mach, dass sie mir Methadon geben. Mach, dass sie mir ein Bett geben. Mach, dass sie freundlich zu mir sind. Mach, dass sie …«

Lucy blieb stehen. Was zum Teufel war los mit ihr? Warum legte sie ihr Schicksal in die Hände irgendeiner blöden Krankenschwester, die sie nur einmal ansehen und sofort wissen würde, was sie war? Lucy sollte in ihr Revier zurückkehren. Sie sollte sich mit Juice versöhnen. Sie sollte auf allen vieren vor ihm kauern und ihn um Verzeihung bitten. Um Gnade. Um einen Schuss. Um Erlösung.

»Guten Abend, Schwester.«

Lucy wirbelte herum und erwartete beinahe, Henry zu sehen, obwohl er sie nie so begrüßt hatte. Einige Schritte hinter ihr stand ein Mann. Weiß. Groß. Von Schatten verdeckt. Lucys Hand schnellte zu ihrer Brust. Unter ihrer Handfläche pochte das Herz. Eigentlich war sie nicht so dumm, irgendeinen Stecher von hinten heranschleichen zu lassen. Sie wollte schon nach ihrer Handtasche greifen – nach dem Messer darin –, doch dann fiel ihr wieder ein, dass sie all das verloren hatte.

»Alles in Ordnung?«, fragte der Mann. Er war ordentlich gekleidet, was Lucy schon lange nicht mehr gesehen hatte – außer an Bullen. Seine hellblonden Haare waren zu einem Bürstenschnitt gestutzt. Kurze Koteletten. Auch so spät in der Nacht noch kein Bartschatten. Militär, schätzte sie. Viele der Jungs kamen zurzeit aus Vietnam wieder nach Hause. In sechs Monaten würde dieses Arschloch genauso sein wie all die anderen Veteranen, die Lucy kennengelernt hatte: Er würde die strähnigen Haare zu einem Zopf flechten, Frauen verprügeln und Scheiße über das System auskippen.

Lucy versuchte, selbstsicher zu klingen. »Tut mir leid, Süßer. Für heute Nacht bin ich fertig.« Ihre Worte hallten von den hohen Häusern wider. Sie merkte, dass sie lallte, und straffte ihre Schulter, damit er nicht auf die Idee kam, sie wäre ein leichtes Opfer. »Ende der Geschäftszeit.«

»Ich bin nicht auf ein Geschäft aus.« Er trat einen Schritt auf sie zu. Er hatte ein Buch in der Hand. Die Bibel.

»Scheiße«, murmelte sie. Diese Kerle waren überall. Mormonen, Zeugen Jehovas, sogar ein paar Spinner von der örtlichen katholischen Kirche. »Hör zu, ich muss nicht gerettet werden.«

»Ich widerspreche dir nur ungern, Schwester, aber du siehst ganz danach aus.«

»Ich bin nicht deine Schwester. Ich habe einen Bruder, und das bist nicht du.« Lucy drehte sich um und setzte sich wieder in Bewegung. Sie konnte noch nicht wieder zu Juice zurückkehren. Lucy war sich sicher, dass sie noch mehr Prügel gerade nicht ertragen konnte. Sie würde ins Krankenhaus gehen und sich so aufführen, dass sie ihr etwas geben mussten. Das würde sie wenigstens durch die Nacht bringen.

»Ich bin mir sicher, er macht sich Sorgen um dich.« Lucy blieb stehen.

»Dein Bruder«, erklärte der Mann. »Bestimmt macht er sich Sorgen um dich. Ich weiß, dass ich es tun würde.«

Lucy legte die Hände übereinander, drehte sich aber nicht um. Sie ging weiter. Seine Schritte folgten ihr. Trotzdem ging sie nicht schneller. Sie konnte nicht schneller gehen. Ihr Bauch tat weh, so heftig wie ein Messer, das ihr in die Eingeweide gerammt worden war. Das Krankenhaus wäre in Ordnung für eine Nacht, aber es gab auch ein Morgen und den nächsten Tag und den übernächsten. Lucy musste einen Weg finden, um sich bei Juice wieder einzuschmeicheln. Die heutige Nacht war schlecht gelaufen. Nicht einmal Kitty hatte viel eingebracht. Bei Juice ging es nur um kalte, harte Kohle, und Lucy war sich sicher, dass dieser Jesus-Freak mindestens zehn Dollar bei sich hatte. Natürlich würde Juice sie trotzdem schlagen, aber das Geld würde seine Schläge sanfter machen.

»Ich ruf ihn an.« Lucy behielt ihr Tempo bei. Sie hörte, dass der Mann ihr in einem gewissen Abstand folgte. »Meinen Bruder. Er kommt mich abholen. Er hat gesagt, dass er es tut.« Sie log, aber ihre Stimme klang fest. »Aber ich hab kein Geld. Um ihn anzurufen, meine ich.«

»Wenn du Geld willst, ich kann dir was geben.«

Lucy blieb stehen. Sie drehte sich langsam um. Der Mann stand in einem Lichtkegel, der aus der Lobby eines nahen Bürogebäudes drang. Lucy war groß, eins achtundsiebzig ohne Schuhe. Sie war es gewohnt, auf die meisten Menschen hinabzuschauen. Doch dieser Kerl war deutlich über eins achtzig. Die Hände, die die Bibel hielten, waren riesig. Die Schultern waren breit. Lange Beine, aber nicht dünn. Lucy war schnell, vor allem wenn sie Angst hatte. Sobald er seine Brieftasche herauszöge, würde sie sie schnappen und davonrennen.

»Bist du ein Marine oder so?«, fragte sie.

»Ausgemustert.« Er machte einen Schritt auf sie zu.

»Dienstuntauglich.«

Für Lucy sah er ziemlich tauglich aus. Wahrscheinlich hatte sein Daddy ihn aus der Musterung herausgekauft, so wie Lucys Dad es bei Henry getan hatte. »Gib mir ein paar Münzen, damit ich meinen Bruder anrufen kann.« Gerade noch rechtzeitig fiel es ihr ein. »Bitte.«

»Wo ist er?«

»Athens.«

»Griechenland?«

Sie lachte prustend. »Georgia. Er ist auf dem College. Studiert Jura. Er heiratet demnächst. Ich will ihn anrufen. Gratulieren.« Dann erinnerte sie sich wieder. »Und ihm sagen, dass er mich abholen und nach Hause bringen soll. Zu meiner Familie. Wo ich hingehöre.«

Der Mann kam noch einen Schritt auf sie zu. Im Lichtschein war sein Gesicht nun deutlich zu erkennen: normale, durchschnittliche Züge. Blaue Augen. Netter Mund. Scharfe Nase. Markantes Kinn. »Warum bist du nicht auf dem College?«

Lucy spürte ein Kribbeln im Nacken. Sie wusste nicht recht, wie sie es beschreiben sollte. Ein Teil von ihr hatte Angst vor diesem Mann. Ein anderer Teil von ihr stellte soeben fest, dass sie schon seit vielen Jahren nicht mehr so mit einem Mann geredet hatte. Er sah sie nicht an wie eine Hure. Er schlug ihr keinen Deal vor. In seinen Augen lag nichts, was sie als bedrohlich empfand. Und doch: Es war zwei Uhr morgens, und er stand auf der leeren Straße in einer Stadt, die abends um sechs, wenn die Weißen zurück in ihre Vorstädte fuhren, die Bürgersteige hochklappte.

In Wahrheit gehörten sie beide nicht hierher.

»Schwester.« Er kam noch einen Schritt näher. Lucy erschrak, als sie die Besorgnis in seinen Augen sah. »Ich will nicht, dass du Angst vor mir hast. Ich lasse den Herrn meine Hand führen.«

Lucy konnte kaum antworten. Seit Jahren hatte sie niemand mehr mit auch nur einem Anflug von Mitleid angesehen. »Wie kommst du darauf, dass ich Angst vor dir habe?«

»Ich glaube, du lebst schon sehr lange in Angst, Lucy.«

»Du weißt ja nicht, was ich …« Sie brach ab. »Woher kennst du meinen Namen?«

Er wirkte verwirrt. »Du hast ihn mir gesagt.«

»Nein, hab ich nicht.«

»Du hast mir gesagt, dass du Lucy heißt. Erst vor ein paar Minuten.« Er hob die Bibel in die Höhe. »Ich schwöre es.«

Mit einem Mal war ihr Mund völlig ausgetrocknet. Ihr Name war ihr Geheimnis. Sie nannte ihn nie Fremden gegenüber. »Nein, hab ich nicht.«

»Lucy ...« Er war jetzt nur noch einen guten Meter von ihr entfernt. Noch immer hatte er diesen besorgten Blick in den Augen, obwohl er problemlos noch einen Schritt machen und ihr die Hände um den Hals legen könnte, bevor sie merkte, was überhaupt passierte.

Aber er tat es nicht. Er stand einfach nur da und drückte sich die Bibel an die Brust. »Bitte, hab keine Angst vor mir. Es gibt keinen Grund dafür.«

»Warum bist du hier?«

»Ich will dir helfen. Dich retten.«

»Ich muss nicht gerettet werden. Ich brauche nur ein bisschen Geld.«

»Ich hab doch gesagt, ich gebe dir so viel Geld, wie du brauchst.« Er klemmte sich die Bibel unter den Arm und zog seine Brieftasche heraus. Sie erkannte nur zu deutlich die Scheine in den Fächern. Hunderte Dollar. Er blätterte sie in der Hand auf. »Ich will mich um dich kümmern. Etwas anderes habe ich nie gewollt.«

Ihre Stimme zitterte. Sie starrte das Geld an. Es waren mindestens fünfhundert, wahrscheinlich mehr. »Ich kenne dich nicht.«

»Nein, noch nicht.«

Lucys Fuß bewegte sich zurück, doch eigentlich müsste sie vorwärtsgehen, sich das Geld schnappen und davonrennen.

Ob der Mann ihre Absicht erahnte, ließ er sich nicht anmerken. Er stand nur da mit den Hundertern wie Briefmarken in seinen großen Händen, reglos und ohne ein Wort zu sagen. So viel Geld. Fünfhundert Dollar. Sie könnte sich ein Hotelzimmer mieten, für Monate, vielleicht sogar ein Jahr lang von der Straße wegbleiben.

Lucy spürte, wie ihr Herz gegen die zertrümmerte Rippe hämmerte. Sie war hin- und hergerissen: Sie könnte die Kohle schnappen und um ihr Leben rennen. Aus ihrem Leben davonrennen.

Ihre Nackenhaare stellten sich auf. Ihre Hände zitterten. Irgendwo hinter sich spürte sie wärmende Strahlen. Einen Augenblick meinte Lucy, dass die Sonne über dem Peachtree Plaza aufginge, die Straße entlangschiene und ihr Kopf und Schultern wärmte. War das ein Zeichen von oben? War das endlich der Augenblick ihrer Erlösung?

Nein. Keine Erlösung. Nur Geld.

Sie zwang sich, einen Schritt nach vorne zu machen. Dann noch einen. »Ich will dich kennenlernen«, sagte sie zu dem Mann, doch die Angst ließ ihre Stimme verwaschen klingen.

Er lächelte. »Das ist gut, Schwester.«

Lucy zwang sich, das Lächeln zu erwidern. Ließ die Schultern ein wenig hängen, damit sie jünger, süßer, unschuldig aussah. Und dann packte sie die Scheine. Sie fuhr herum und wollte losrennen, doch ihr Körper schnellte nach hinten wie ein Gummiband.

»Wehr dich nicht.« Seine Finger umklammerten ihr Handgelenk. Ihr halber Arm verschwand in seiner Faust. »Du entkommst mir nicht.«

Lucy wehrte sich nicht. Sie hatte keine andere Wahl.

Schmerz schoss ihr in den Nacken. Ihr Kopf pochte. Ihre Schulter knirschte im Gelenk. Das Geld hielt sie noch immer fest umklammert. Sie spürte, wie die steifen Scheine an ihrer Handfläche kratzten.

»Schwester«, sagte er. »Warum begehrst du ein Leben in Sünde?«

»Ich weiß es nicht.« Lucy schüttelte den Kopf. Sie sah zu Boden. Sie zog das Blut hoch, das ihr aus der Nase tropfte. Und dann spürte sie, wie sein Griff sich lockerte.

»Schwester …«

Lucy riss ihren Arm los. Die Haut fühlte sich an, als würde sie sich lösen wie ein Handschuh, den man abstreift. Sie rannte, so schnell sie konnte, ihre Füße klatschten über den Asphalt, die Arme pumpten. Einen Block. Zwei. Sie öffnete den Mund und atmete in tiefen Zügen, die stechende Schmerzen durch ihren Brustkorb jagten. Gebrochene Rippen. Eine zerschmetterte Nase. Ausgeschlagene Zähne. Geld in der Hand. Fünfhundert Dollar. Ein Hotelzimmer. Eine Busfahrkarte. So viel H, wie sie nur brauchte. Sie war frei. Verdammt, sie war endlich frei.

Bis ihr Kopf nach hinten gerissen wurde. Die Schädelschwarte öffnete sich wie ein Reißverschluss, während ihr ein Büschel Haare an den Wurzeln herausgerissen wurde. Ihre Vorwärtsbewegung kam zu einem abrupten Halt. Sie sah ihre Beine vor sich bis auf Kinnhöhe hochwirbeln, und dann knallte sie mit dem Rücken auf den Boden.

»Wehr dich nicht«, wiederholte der Mann, kniete sich über sie und legte ihr die Hände um den Hals.

Lucy krallte sich in seine Finger. Sein Griff war unnachgiebig. Blut quoll aus ihrer aufgeplatzten Schädelschwarte. Es lief ihr in die Augen, in die Nase, in den Mund.

Sie konnte nicht schreien. Sie schlug blindlings um sich, versuchte, ihm die Fingernägel in die Augen zu rammen. Sie spürte seine Wange, seine raue Haut, dann sackten ihre Hände nach unten, weil sie die Arme nicht mehr hochhalten konnte. Sein Atem beschleunigte sich, während ihr Körper zuckte. Warmer Urin rann an ihrem Bein hinunter. Sie spürte seine Erregung, während sie ein Gefühl der Hilflosigkeit überkam. Für wen kämpfte sie? Wen kümmerte es, ob Lucy Bennett lebte oder starb? Vielleicht würde Henry traurig sein, wenn er die schlechte Nachricht erhielt, aber ihre Eltern, ihre alten Freunde, sogar Mrs. Henderson würden nichts als Erleichterung empfinden.

Schließlich das Unausweichliche.

Lucys Zunge schwoll an. Ihre Sicht verschwamm. Es war sinnlos. In ihrer Lunge war keine Luft mehr. Kein Sauerstoff strömte mehr in ihr Gehirn. Sie spürte, wie sie nachgab, wie die Muskeln sich entspannten. Ihr Hinterkopf sank auf den Asphalt. Sie starrte in die Höhe. Der Himmel war tiefschwarz, die Nadelstiche der Sterne kaum mehr zu erkennen. Der Mann starrte auf sie hinab, noch immer diesen besorgten Blick in den Augen.

Dann lächelte er.

2. KAPITEL

Gegenwart
MONTAG

Will Trent war noch nie allein in der Wohnung einer anderen Person gewesen – außer der Betreffende war tot.

Wie bei vielen Dingen in seinem Leben war er sich bewusst, dass dies ein Merkmal war, das er mit vielen Serienmördern gemeinsam hatte. Zum Glück war Will Agent des Georgia Bureau of Investigation, und daher drang er in Wohnungen ein und durchsuchte leere Bäder und verwaiste Schlafzimmer für ein übergeordnetes Wohl.

Trotzdem hatte er ein mulmiges Gefühl, als er durch Sara Lintons Wohnung ging. Immer wieder musste er sich einreden, dass er einen guten Grund hatte, hier zu sein. Sara hatte ihn gebeten, die Hunde zu füttern und auszuführen, weil sie im Krankenhaus eine Zusatzschicht übernommen hatte. Und auch abgesehen davon waren sie kaum als Fremde zu bezeichnen. Sie hatten einander schon fast ein ganzes Jahr gekannt, als sie vor zwei Wochen schließlich ein Paar geworden waren. Seitdem hatte Will jede Nacht hier verbracht. Und schon zuvor hatte er Saras Eltern kennengelernt. Er hatte am Esstisch der Familie gesessen. Zu dieser Vertrautheit passte das Gefühl des unbefugten Eindringens eigentlich nicht.

Irgendwie fühlte er sich trotzdem wie ein Stalker. Vermutlich lag es einfach nur daran, dass er allein hier war.

Und dass er wie besessen war von Sara Linton. Er wollte alles über sie wissen. Auch wenn ihn nicht gerade der Drang überfiel, sich auszuziehen und sich nackt auf ihrem Bett zu wälzen – zumindest nicht, solange Sara nicht da war –, spürte er doch den Zwang, sich all ihre Sachen auf den Regalen und in den Schubladen anzusehen. Er wollte die Fotoalben durchblättern, die sie in einem Karton in ihrem Schlafzimmerschrank aufbewahrte. Er wollte ihre Bücher aufschlagen und sich durch ihre iTunes-Sammlung klicken.

Doch er gab diesen Impulsen nicht nach. Im Gegensatz zu den meisten Serienmördern war Will sich bewusst, wo die Grenze zum Unheimlichen lag. Seine Sehnsucht beunruhigte ihn nichtsdestotrotz.

Er hängte die Hundeleinen an den Haken im Dielenschrank. Saras zwei Greyhounds lagen zusammengerollt auf der Wohnzimmercouch. Ein Sonnenstrahl erhellte ihr graubraunes Fell. Das Loft war ein Eck-Penthouse – einer der Vorteile, wenn man Kinderärztin war und nicht bloß ein kleiner Beamter. Die L-förmige Fensterwand bot einen gigantischen Blick auf das Zentrum Atlantas. Das Bank of America Plaza, das aussah, als hätten die Bauarbeiter vergessen, das Gerüst an der Spitze abzunehmen. Der gestufte Georgia-Pacific-Turm, der über dem Kino errichtet worden war, in dem »Vom Winde verweht« Premiere gefeiert hatte. Das kleine Equity-Gebäude, das wie ein Briefbeschwerer aus schwarzem Granit neben dem Stiftbecher des Westin Peachtree Plaza kauerte.

Alles in allem war Atlanta eine kleine Stadt – innerhalb der Stadtgrenzen lebten kaum mehr als fünfhunderttausend Menschen. Wenn man jedoch den Großraum mit einrechnete, waren es fast sechs Millionen. Die City war ein Mekka auf einem Plateau, das Geschäftszentrum des amerikanischen Südostens. Mehr als sechzig Sprachen wurden hier gesprochen. Es gab mehr Hotelzimmer als Einwohner, mehr Büroarbeitsplätze als Menschen. Dreihundert Morde pro Jahr. Elfhundert angezeigte Vergewaltigungen. Beinahe dreizehntausend Fälle von schwerer Körperverletzung.

Eher eine Kleinstadt mit sehr schlechter Laune.

Will ging in die Küche und nahm die beiden Wasserschüsseln in die Hand. Der Gedanke, jetzt in sein kleines Haus zurückzukehren, machte ihn einsam, was merkwürdig war, denn sein ganzes Leben lang hatte Will nichts anderes als allein sein wollen. Zu seinem Leben gehörte mehr als Sara Linton. Er war ein erwachsener Mann. Er hatte einen Job. Er hatte einen eigenen Hund, den er ausführen musste. Er war sogar schon einmal verheiratet gewesen. Formal war er sogar immer noch verheiratet, doch das war bis vor Kurzem irrelevant gewesen. Will war acht Jahre alt gewesen, als die Polizei Angie Polaski in das Atlanta Children's Home gebracht hatte. Sie war elf, was hieß, dass sie noch Chancen hatte, adoptiert zu werden, aber Angie war vorlaut und wild, und niemand wollte sie haben. Und auch Will wollte niemand. In den frühen Jahren war er immer wieder in Familien vermittelt und dann wieder ins Heim zurückgebracht worden wie ein eselsohriges Büchereibuch. Irgendwie machte Angie das alles erträglicher. Außer wenn sie es unerträglich machte.

Sie hatten vor zwei Jahren geheiratet. Die Ehe war geschlossen worden aufgrund einer Wette – *Du traust dich ja doch nicht* –, und das war auch der Grund, warum beide sie nicht sonderlich ernst genommen hatten. Zwei Tage nach der standesamtlichen Trauung war Will aufgewacht und hatte feststellen müssen, dass ihre Kleidung verschwunden und das Haus leer geräumt war. Er war nicht überrascht gewesen. Er war nicht einmal verletzt gewesen. Im Grunde war er sogar erleichtert gewesen, dass es eher früher als später passiert war. Angie hatte ihn immer schon sitzen gelassen. Will wusste, dass sie irgendwann zurückkommen würde. Sie war bislang immer zurückgekommen.

Doch dieses Mal – zum ersten Mal während Angies Abwesenheit – war etwas passiert. Sara. Die Art, wie sie ihm ins Ohr hauchte. Die Art, wie sie mit den Fingern über sein Rückgrat strich. Ihr Geschmack. All die Dinge, die er bei Angie überhaupt nie bemerkt hatte.

Er stellte die Wasserschüsseln auf den Boden und schnalzte mit der Zunge. Völlig unbeeindruckt blieben die Hunde auf der Couch liegen.

Wills Glock lag auf der Anrichte neben seiner Anzugjacke. Er schnallte das Holster an den Gürtel und sah auf die Uhr am Backofen, während er in die Jacke schlüpfte. Saras Schicht war in zehn Minuten zu Ende, was bedeutete, dass Will vor mindestens zehn Minuten hätte gehen müssen. Sie würde ihn wahrscheinlich anrufen, sobald sie nach Hause kam. Er würde ihr sagen, dass er noch Papierkram erledigen oder gleich aufs Laufband steigen wolle, oder irgendeine andere Lüge erfinden, um ihr vorzugaukeln, dass er nicht bloß herumgesessen und auf ihren Anruf gewartet hatte, und dann würde er hierher zurückrennen wie Julie Andrews, die in »The Sound of Music« den Hügel hinauftänzelte.

Er stand an der Wohnungstür, als das Handy in seiner Tasche vibrierte. Die Nummer seiner Chefin. Einen Sekundenbruchteil dachte er darüber nach, den Anruf auf die Mailbox weiterzuleiten, doch er wusste aus Erfahrung, dass Amanda nicht so leicht abzuschütteln war.

»Trent«, meldete er sich.

»Wo sind Sie?«

Aus irgendeinem Grund fand er die Frage indiskret. »Warum?«

Amanda seufzte erschöpft. Im Hintergrund hörte er Geräusche – leises Murmeln, ein beständiges Klicken. »Sagen Sie es mir einfach, Will.«

»Ich bin bei Sara.« Da sie nichts darauf erwiderte, fragte er: »Brauchen Sie mich?«

»Nein, auf gar keinen Fall. Sie tun bis auf Weiteres Ihren Dienst am Flughafen. Haben Sie mich verstanden? Sonst nichts.«

Einen Augenblick starrte er das Handy an und hielt es sich dann wieder ans Ohr. »Okay.«

Abrupt beendete sie das Telefonat. Will hatte das unbestimmte Gefühl, dass sie den Hörer auf die Gabel geknallt hätte, wenn es bei einem Handy so etwas gegeben hätte.

Anstatt zu gehen, blieb er in der Diele stehen und dachte darüber nach, was gerade passiert war. Er ging die kurze Unterhaltung in Gedanken noch einmal durch. Doch es sprang ihn keine offensichtliche Erklärung an. Will war die Barschheit seiner Chefin gewöhnt. Verärgerung war in dieser Hinsicht kaum eine neue Empfindung für ihn. Amanda hatte zwar nicht zum ersten Mal so unvermittelt aufgelegt, aber Will konnte sich einfach nicht erklären, warum sie hatte wissen wollen, wo er sich im Augenblick befand. Genau genommen überraschte es ihn, dass sie ihn überhaupt angerufen hatte. Er hatte ihre Stimme seit zwei Wochen nicht mehr gehört.

Deputy Director Amanda Wagner gehörte zur alten Schule, zu jener Gruppe von Polizisten, die ohne Skrupel Vorschriften umgingen, wenn es ihrem Fall diente, die sich jedoch strikt ans Handbuch hielten, sofern es um die Kleiderordnung ging. Das GBI verlangte von seinen nicht verdeckt arbeitenden Agenten, dass ihre Haare einen Zentimeter über dem Kragen endeten. Vor zwei Wochen hatte Amanda allen Ernstes ein Lineal an Wills Nacken gehalten und ihn, als er den Wink immer noch nicht verstanden hatte, in den Flughafendienst versetzt, was bedeutete, dass Will in diversen Herrentoiletten herumlungern und darauf warten musste, dass irgendjemand dort eine sexuelle Handlung anzubahnen gedachte.

Will hatte den Fehler begangen, Sara von der Sache mit dem Lineal zu erzählen. Er hatte ihr die Geschichte als eine Art Witz und als Erklärung dafür präsentiert, warum er zum Friseur gehen müsse, ehe sie zum Abendessen aufbrechen konnten. Sara hatte Will zwar nicht direkt gesagt, er solle sich die Haare nicht schneiden lassen. Dafür war sie zu schlau. Sie hatte ihm lediglich gesagt, sie möge seine Haare, wie sie zu der Zeit waren. Sie hatte ihm gesagt, es sehe gut an ihm aus, und sie hatte dabei seinen

Nacken gestreichelt. Und dann hatte sie vorgeschlagen, anstelle des Friseurbesuchs ins Bett zu gehen und etwas so Schmutziges zu tun, dass Will einen Augenblick hysterischer Blindheit durchlebt hatte.

Und nun musste Will sich also darauf einstellen, für den Rest seiner Karriere in den Herrentoiletten des größten Passagierflughafens der Welt unter Kabinentüren hindurchzuspähen.

Aber das erklärte nicht, warum Amanda ihn gerade heute und in diesem Moment hatte aufspüren wollen.

Oder die Geräusche der Menschenmenge im Hintergrund. Oder das vertraute Klicken.

Will kehrte ins Wohnzimmer zurück. Die Hunde auf der Couch rückten zur Seite, aber Will setzte sich nicht zu ihnen. Er griff zur Fernbedienung und schaltete den Fernseher an. Ein Basketballspiel lief. Er suchte den Lokalsender. Monica Pearson, die Nachrichtensprecherin von Channel Two, saß an ihrem Pult und verlas einen Bericht über die Beltline, das neue Nahverkehrssystem, das abgesehen von den Politikern jeder in Atlanta hasste. Wills Finger schwebte schon über der Austaste, als das Thema gewechselt wurde. Eine Eilmeldung. Über Pearsons Schulter wurde das Foto einer jungen Frau eingeblendet. Will stellte den Apparat lauter, als zu einer Live-Pressekonferenz geschaltet wurde.

Und dann musste er sich doch hinsetzen.

Amanda Wagner stand auf einem hölzernen Podium, vor ihr eine Handvoll Mikrofone. Sie wartete, bis es still im Saal wurde. Will hörte die vertrauten Geräusche: das Klicken der Kameras über dem Gemurmel der Menge.

Er hatte seine Chefin schon bei Hunderten Pressekonferenzen gesehen. Normalerweise stand Will ganz hinten im Saal, während Amanda sich im Schein der ungeteilten Aufmerksamkeit suhlte. Sie liebte es, das Sagen zu haben. Es war beinahe ihr Lebensinhalt: das langsame Tröpfeln von Informationen, die an die Medien herausgegeben wurden, zu kontrollieren. Außer jetzt. Will betrachtete ihr Gesicht, als die Kamera näher heranzoomte. Sie sah müde aus. Mehr noch – sie sah besorgt aus.

»Das Georgia Bureau of Investigation hat eine Fahndung nach Ashleigh Renee Jordan ausgegeben«, begann sie. »Die Neunzehnjährige wurde heute Nachmittag gegen Viertel nach drei als vermisst gemeldet.« Amanda hielt inne, damit sich die Zeitungsjournalisten die Information notieren konnten. »Ashleigh lebt in der Gegend von Techwood und ist Studentin am Georgia Institute of Technology.«

Amanda sagte noch mehr, doch Will blendete die Sätze aus. Er sah nur noch, wie sich ihr Mund bewegte. Wie sie verschiedene Reporter aufrief. Deren Fragen waren lang. Ihre Antworten waren kurz. Sie ließ sich nicht viel gefallen. Es gab keinen der üblichen Scherze. Schließlich verließ sie das Podium, und Monica Pearson erschien wieder auf dem Fernsehbildschirm. Über der Schulter war noch immer das Foto des vermissten Mädchens zu sehen. Blond, hübsch, dünn.

Vertraut.

Will zog sein Handy aus der Tasche. Er hatte den Daumen schon über der Kurzwahltaste für Amandas Nummer, drückte dann aber nicht darauf.

Nach den Gesetzen des Staates musste das GBI von der örtlichen Polizei dazu aufgefordert werden, bevor es einen Fall übernehmen konnte. Zu den seltenen Ausnahmen gehörten Entführungen, bei denen die Täter jederzeit County- und Staatsgrenzen überqueren konnten und daher schnelles Handeln wesentlich war. Eine GBI-Fahndung würde alle lokalen Ermittler mobilisieren. Sie alle würden in die Zentrale gerufen werden. Die gesammelten Indizien würden in den Labors oberste Priorität erhalten. Sämtliche Ressourcen des Bureau würden auf diesen einen Fall konzentriert werden.

Sämtliche Ressourcen – bis auf Will.

Wahrscheinlich sollte er es nicht überinterpretieren. Es war nur eine von Amandas vielfältigen Maßnahmen, ihn zu bestrafen. Sie war noch immer wütend wegen seiner Haare. Und sie war kleinlich genug, ihn ausdrücklich von diesem Fall fernzuhalten. Mehr steckte nicht dahinter. Will hatte schon öfter Entführungen bearbeitet. Es waren immer schreckliche Fälle gewesen. Selten waren sie gut ausgegangen. Dennoch war jeder Polizist scharf darauf. Die tickende Uhr. Die Spannung. Die Jagd. Das Adrenalin war einer der Gründe, warum man überhaupt zur Polizei ging.

Und Amanda bestrafte Will, indem sie ihn von diesem Fall fernhielt.

Techwood.

Eine Studentin.

Will schaltete den Fernseher aus. Er spürte, wie ihm ein Schweißtropfen den Rücken hinunterlief. Sein Verstand brachte keinen einzigen klaren Gedanken zustande. Schließlich schüttelte er den Kopf, um ihn wieder klarzubekommen. Dabei fiel sein Blick auf die Zeitanzeige auf dem Kabel-Decoder. Saras Schicht war seit zwölf Minuten zu Ende.

»Scheiße.« Will musste die Hunde zur Seite schieben, bevor er aufstehen konnte. Er ging zur Wohnungstür. Abel Conford, Saras Nachbar, wartete im Flur vor dem Aufzug.

»Guten T...«

Will flüchtete ins Treppenhaus. Auf dem Weg nach unten nahm er zwei Stufen auf einmal. Er wollte nur noch weg, damit Sara nicht dachte, er hätte sehnsüchtig auf sie gewartet. Sie wohnte nur ein paar Blocks vom Krankenhaus entfernt. Sie würde jeden Augenblick hier sein.

Und tatsächlich war sie bereits da.

Will erkannte ihren BMW, als er die Haustür aufschob. Einen törichten Augenblick lang dachte er darüber nach, in den Wald hinüberzulaufen. Dann wurde ihm bewusst, dass Sara auch seinen Wagen gesehen haben musste. Sein 79er Porsche stand mit der Nase nach vorn neben ihrem brandneuen SUV. Will hätte seine Tür nicht öffnen können, ohne Saras Wagen zu berühren. Er fluchte leise und zwang sich zu einem Lächeln. Doch Sara erwiderte es nicht. Sie saß einfach nur da, hielt das Lenkrad fest umklammert und starrte ins Leere. Die Sonne schien so hell, dass die Windschutzscheibe spiegelte. Er sah deshalb erst, als er direkt vor ihr stand, dass sie Tränen in den Augen hatte.

Die Sache mit Amanda war mit einem Schlag vergessen. Will zog am Türgriff. Sara entriegelte ihn von innen.

»Alles in Ordnung?«, fragte er.

»Ja.« Sie drehte sich zu ihm um und stellte die Füße aufs Trittbrett. »Schlimmer Tag in der Arbeit.«

»Willst du darüber reden?«

»Nicht wirklich, aber vielen Dank.« Sie strich ihm mit den Fingern über die Wange, schob ihm die Haare hinters Ohr.

Will sah sie unverwandt an. Saras kastanienbraune Haare waren zu einem Pferdeschwanz zusammengebunden. Das Sonnenlicht verstärkte das intensive Grün ihrer Augen. Auf einem Ärmel waren ein paar Tropfen Blut angetrocknet. Auf den Handrücken hatte sie sich ein paar Nummern notiert, blaue Tinte auf milchig weißer Haut. Im Grady wurden sämtliche Krankenakten auf Tablets gespeichert. Sara benutzte ihren Handrücken, um die Dosierung von Medikamenten für ihre Patienten zu berechnen. Hätte Will das bereits letzte Woche gewusst, wären ihm zwei schlaflose Nächte wahnsinniger Eifersucht erspart geblieben, aber er hatte nicht kleinlich sein wollen.

»Waren die Hunde brav?«, fragte sie.

»Sie haben alles getan, was Hunde gemeinhin tun sollen.«

»Danke, dass du dich um sie gekümmert hast.« Sara legte ihm die Hände auf die Schultern. Will spürte eine vertraute Regung. Es war, als gäbe es ein unsichtbares Band zwischen ihnen. Sie brauchte nur leicht daran zu ziehen, und er war willenlos.

Sie streichelte ihm den Handrücken. »Erzähl mir von deinem Tag.«

»Langweilig und traurig«, sagte er, und das stimmte größtenteils. »Irgendein alter Knacker hat mir bescheinigt, ich hätte ein nettes Gehänge.«

Sie lächelte neckisch. »Du wirst ihn kaum dafür verhaften können, wenn er die Wahrheit sagt.«

»Er onanierte, während er es sagte.«

»Klingt wie etwas, das man mal ausprobieren sollte.«

Will spürte, wie sich das Band straffte. Er küsste sie. Saras Lippen waren weich. Sie schmeckten nach der Pfefferminze ihres Lippenbalsams. Ihre Fingernägel kämmten durch sein Haar. Er beugte sich noch weiter zu ihr hinunter. Und dann war der Moment vorbei, als die Haustür aufging. Abel Conford sah sie erzürnt an und marschierte zu seinem Mercedes. Will räusperte sich, bevor er Sara fragen konnte: »Bist du dir sicher, dass du nicht ein bisschen Zeit für dich brauchst?« Sie rückte ihm die Krawatte zurecht. »Ich will mit dir spazieren gehen, und dann will ich Pizza mit dir essen, und dann will ich die Nacht mit dir verbringen.«

Will sah auf die Uhr. »Ich glaube, das kann ich gerade noch einrichten.«

Sara verriegelte die Wagentür, und Will steckte sich ihren Schlüssel in die Tasche. Das Plastikteil klickte auf das vertraut kalte Metall seines Eherings. Will hatte den Ring vor zwei Wochen nur kurz abgenommen, aus Gründen, über die er sich alles andere als klar war. So weit war er bis jetzt gekommen.

Sara nahm seine Hand, und sie gingen den Bürgersteig entlang. Ende März war Atlanta am spektakulärsten, und der heutige Tag war keine Ausnahme. Eine leichte Brise kühlte die Luft. Auf jeder Grünfläche wimmelte es nur so von Blumen. Es fühlte sich an, als wäre die drückende Hitze der Sommermonate so fern und fremd wie ein Altweibermärchen. Die Sonne blitzte durch die sich sanft wiegenden Bäume und ließ Saras Gesicht aufleuchten. Ihre Tränen waren getrocknet, aber Will merkte, dass ihr noch immer durch den Kopf ging, was im Krankenhaus passiert war.

»Bist du dir sicher«, fragte er, »dass du okay bist?«

Anstatt zu antworten, schob Sara seinen Arm um ihre Schultern. Sie war ein paar Zentimeter kleiner als Will, was bedeutete, dass sie wie ein Puzzleteil perfekt unter seinen Arm passte. Er spürte ihre Hand unter seinem Sakko nach oben wandern. Sie hakte den Daumen knapp neben der Glock in seinen Gürtel ein. Sie schlenderten durch den üblichen Fußgängerverkehr in der Nachbarschaft – Jogger, hin und wieder ein Pärchen, Männer mit Kinderwagen. Frauen mit Hunden. Die meisten hielten sich ein Handy ans Ohr, sogar die Jogger.

»Ich hab dich angelogen«, sagte Sara schließlich. Er blickte zu ihr hinunter. »Weswegen?«

»Ich habe gar keine Zusatzschicht gearbeitet. Ich bin im Krankenhaus geblieben, weil ...« Sie brach ab und starrte auf die Straße. »Weil sonst niemand da war.«

Will wusste nicht, was er sagen sollte, außer: »Okay.«

Sie hob die Schultern und atmete einmal tief durch. »Gegen Mittag ist ein achtjähriger Junge reingebracht worden.« Sara war Kinderärztin in der Notaufnahme des Grady. Sie sah viele Kinder in schlechtem Zustand. »Er hatte eine Überdosis des Blutdruckmedikaments seiner Großmutter geschluckt. Die Hälfte ihres Neunzig-Tage-Vorrats. Es war aussichtslos.«

Will schwieg, um ihr Zeit zu geben.

»Sein Puls war bereits unter vierzig, als er gebracht wurde. Wir haben ihm den Magen ausgepumpt. Wir haben ihm Glukogen gegeben und Maximaldosen Dopamin und Epinephrin.« Mit jedem Wort wurde ihre Stimme weicher.

»Mehr konnte ich nicht für ihn tun. Ich habe sogar den Kardiologen gerufen, damit er ihm einen Schrittmacher setzt, aber ...« Sara schüttelte wieder den Kopf. »Letztendlich haben wir ihn auf die Intensivstation verlegt.«

Will sah einen schwarzen Monte Carlo die Straße entlangschleichen. Die Fenster waren heruntergelassen. Rapmusik dröhnte daraus herüber.

»Ich konnte ihn einfach nicht alleine lassen.«

Er wandte sich wieder ihr zu. »Waren denn keine Schwestern da?«

»Die Station war heillos überfüllt.« Wieder schüttelte sie den Kopf. »Seine Großmutter wollte nicht ins Krankenhaus kommen. Seine Mom sitzt im Gefängnis. Der Vater ist unbekannt. Keine weiteren Verwandten. Er war nicht mehr bei Bewusstsein. Er wusste nicht, dass ich noch bei ihm war.« Sie hielt einen Augenblick inne. »Sein Sterben dauerte vier Stunden. Seine Hände waren bereits kalt, als wir ihn verlegten.« Sie starrte auf den Bürgersteig hinab. »Jacob. Er hieß Jacob.« Will biss sich in die Wange. Als Kind war er immer wieder im Grady gewesen. Das Krankenhaus war die einzige öffentlich finanzierte Einrichtung, die es in Amerika noch gab.

»Jacob hatte Glück, dass du da warst.«

Sie drückte seine Hand. Ihr Blick war noch immer auf den Boden gerichtet, als erforderten die Risse im Asphalt eine eingehende Betrachtung.

Schweigend gingen sie weiter. Will spürte, dass sie etwas von ihm erwartete. Er wusste, dass Sara über seine Kindheit nachdachte, darüber, dass sein Leben genauso hätte enden können wie das von Jacob. Will sollte das zumindest anerkennen, sie daran erinnern, dass das System sich bei ihm besser bewährt hatte als bei den meisten anderen. Aber er fand nicht die richtigen Worte dafür.

»Hey.« Sara zupfte an Wills Hemdrücken. »Vielleicht sollten wir umkehren.«

Sie hatte recht. Der Fußgängerverkehr war schwächer geworden. Sie näherten sich dem Boulevard, und dafür war es nicht die beste Tageszeit. Will hob den Kopf und blinzelte in die Sonne. Hier gab es keine hohen Gebäude oder Wolkenkratzer mehr, die das Licht abschirmten. Nur noch unzählige Reihen von der Regierung subventionierter Wohnblocks. Bis in die Neunziger war auch Techwood so gewesen, doch dann hatten die Olympischen

Spiele alles verändert. Die Stadt hatte die Slums niedergerissen. Die Bewohner waren in den Süden umgesiedelt worden. In den hochwertigen Wohnungen wohnten jetzt Studenten.

Studenten wie Ashleigh Jordan.

Fast gegen seinen Willen sagte Will: »Warum gehen wir nicht dort hinüber?«

Sara sah ihn fragend an.

Er deutete auf die Sozialblocks. »Ich will dir was zeigen.«

»Dort drüben?«

»Es sind nur ein paar Blocks.« Will schob sie an den Schultern in die entsprechende Richtung. Sie stiegen über einen Haufen Abfall und überquerten eine Straße. Die Mauern waren mit Graffiti übersät. Will spürte beinahe, wie sich Saras Nackenhaare aufstellten.

»Bist du dir ganz sicher?«, fragte sie.

»Vertrau mir«, sagte er, obwohl sich ihnen wie auf ein Stichwort eine zwielichtig aussehende Gruppe Teenager näherte, die freie Oberkörper, finstere Mienen und tief hängende Jeans zur Schau trugen – die reinste Regenbogenkoalition aus Speedjunkies und Vertretern fast jeder Ethnie, die Atlanta zu bieten hatte. Einer trug ein tätowiertes Hakenkreuz auf seinem fischweißen Bauch. Ein anderer hatte die puertoricanische Flagge auf der Brust. Baseballkappen wurden mit dem Schild nach hinten getragen. Zähne fehlten oder waren mit Gold überkront. Alle hielten braune Papiertüten in den Händen, deren Umrisse stark an Schnapsflaschen erinnerten.

Sara drückte sich fester an Will. Er starrte die Jungs böse an. Will war über eins neunzig groß, doch erst, als er sein Sakko beiseiteschob, kam die Botschaft unmissverständlich an. Nichts beendete ein Wortgefecht besser als vierzehn Schuss aus einer Glock 23.

Wortlos zog sich die Gruppe zurück und schlenderte in die entgegengesetzte Richtung davon. Will sah ihnen nach, um ihnen zu verstehen zu geben, dass sie sich verziehen sollten.

»Wohin gehen wir?«, fragte Sara. Sie hatte sich ihren Nachmittagsspaziergang offensichtlich anders vorgestellt als einen Ausflug in eine der am häufigsten von Verbrechen heimgesuchten Gegenden Atlantas. Sie standen jetzt im vollen Sonnenschein. In diesem Teil der Stadt gab es keinen Schatten. Niemand pflanzte Blumen in den Vorgärten. Im Gegensatz zu den von Hartriegel gesäumten Straßen der wohlhabenderen Viertel gab es hier nichts als grelle Xenon-Straßenlaternen und weit offene Plätze, damit die Polizeihubschrauber gestohlene Autos und fliehende Täter ungehindert verfolgen konnten.

»Nur noch ein kleines Stück«, sagte Will und strich ihr über die Schulter, um sie zu beruhigen.

Schweigend gingen sie noch ein paar Blocks weiter. Er spürte, wie Sara sich zusehends verspannte, je weiter sie sich von ihrem Zuhause entfernten.

»Weißt du, wie man diese Gegend nennt?«, fragte Will. Sara sah sich die Straßenschilder an. »SoNo? Old Fourth Ward?«

»Früher nannte man sie Buttermilk Bottom. Buttermilchsenke.«

Sie musste lächeln. »Wie kommt das?«

»Das hier war ein Slum. Keine geteerten Straßen. Kein Strom. Siehst du, wie steil die Steigung hier ist?«

Sie nickte.

»Hier sammelte sich das Abwasser. Damals hieß es immer, es röche nach Buttermilch.«

Inzwischen lächelte Sara nicht mehr. Als sie in die Carver Street einbogen, ließ er den Arm auf ihre Taille sinken. Er deutete zu dem vernagelten Café an der Ecke.

»Das war früher ein Lebensmittelladen.« Sie sah zu ihm hoch.

»Mrs. Flannigan schickte mich jeden Tag nach der Schule hierher, um ihr ein Päckchen Cool 100 und eine Flasche Tab zu holen.«

»Mrs. Flannigan?«

»Sie leitete das Kinderheim.«

Saras Gesichtsausdruck blieb unverändert, aber sie nickte. Will hatte ein mulmiges Gefühl im Bauch, als hätte er Hornissen verschluckt. Er wusste nicht mehr, warum er Sara hatte hierherbringen wollen. Im Allgemeinen war er nicht so impulsiv. Er war niemand, der freiwillig Details aus seinem Leben preisgab. Sara wusste, dass Will in einem Heim aufgewachsen war. Sie wusste, dass seine Mutter kurz nach seiner Geburt gestorben war. Will nahm an, dass sie sich den Rest selbst zusammengereimt hatte. Sara war nicht nur Kinderärztin. In ihrer Heimatstadt war sie zudem Medical Examiner gewesen. Sie wusste, wie Misshandlungen aussahen. Sie wusste, wie Will aussah. Bei ihrem medizinischen Hintergrund war es ihr sicherlich nicht schwergefallen, eins und eins zusammenzuzählen.

»Der Plattenladen«, sagte Will und deutete zu einem anderen verlassenen Gebäude. Er hatte immer noch den Arm um ihre Taille gelegt und führte sie zu ihrem eigentlichen Ziel. Das Hornissengefühl wurde stärker. Und immer wieder kam ihm Ashleigh Jordan in den Sinn. Das Foto, das sie in den Nachrichten gezeigt hatten, musste das aus ihrem Studentenausweis gewesen sein. Die blonden Haare des Mädchens waren am Hinterkopf zusammengebunden gewesen. Ihre Lippen hatte ein amüsiertes Lächeln umspielt, als hätte der Fotograf etwas Lustiges gesagt.

»Und wo hast du gewohnt?«

Will blieb stehen. Beinahe wären sie an dem Kinderheim vorbeispaziert. Das Gebäude sah so anders aus, dass es kaum wiederzuerkennen war. Die Backsteinfront im spanischen Stil war völlig verändert worden. Große Vordächer aus Metall überwölbten die Fenster. Der rote Backstein war in fahlem Gelb bemalt worden. Teile der Fassade fehlten. Die riesige hölzerne Haustür, die glänzend schwarz gewesen war, solange Will sich erinnern konnte, war jetzt grellrot. Das Glas war schmutzblind. Im Garten blühten in Mrs. Flannigans weiß lackierten Autoreifen weder Tulpen noch Stiefmütterchen. Sie waren auch nicht mehr weiß. Will wollte lieber gar nicht darüber nachdenken, was jetzt darin steckte, und er wollte auch nicht hinübergehen, um nachzusehen.

»In Kürze: Luxus-Eigentumswohnungen«, las Sara. »Ich nehme mal an, die Kürze dürfte ein wenig länger dauern.«

Will blickte an dem Gebäude hoch. »Früher sah es anders aus.«

Saras Widerwillen war spürbar, aber sie fragte trotzdem: »Willst du dich drinnen umsehen?«

Am liebsten wäre Will davongerannt, so schnell er nur konnte, aber er zwang sich, das Vordertreppchen hinaufzugehen. Als Kind hatte er meistens Beklemmung verspürt, wenn er das Haus betreten hatte. Ständig waren neue Jungs angekommen und wieder gegangen. Jeder von ihnen hatte irgendetwas beweisen müssen – mitunter mit den Fäusten. Doch dieses Mal war es nicht die körperliche Gewalt, die Will kalte Angst einjagte. Es war Ashleigh Jordan. Es war die vernunftwidrige Verbindung, die Will hergestellt hatte, weil das vermisste Mädchen seiner Mutter so ähnlich gesehen hatte.

Er drückte das Gesicht ans Fenster, konnte aber nichts erkennen außer dem Spiegelbild seiner Augen. Die Haustür war mit einem teuer aussehenden Vorhängeschloss gesichert, doch das Holz war so verfault, dass schon ein Ruck am Schließband die Schrauben herausziehen würde.

Will zögerte. Er hatte die Handfläche noch immer an die Tür gelegt. Hinter sich spürte er Sara stehen und abwarten. Er fragte sich, was sie tun würde, wenn er seine Meinung änderte und die Stufen wieder herunterkäme.

Als hätte sie seine Gedanken lesen können, sagte sie: »Wir können auch weitergehen.« Und dann, mit mehr Nachdruck: »Komm, wir gehen.«

Will stieß die Tür auf. Das erwartete Quietschen der Angeln blieb aus, weil die Tür sich über dem verzogenen Boden verhakte. Er musste sie aufdrücken. Beim Eintreten prüfte Will die Dielen. Obwohl es draußen noch hell war, war es im Haus finster, hauptsächlich aufgrund der großen Vordächer und der schmutzigen Fenster. Ein modriger Geruch schlug ihm entgegen, nicht der Hauch des einladenden Geruchs von Pine Sol und Kool 100, an den Will sich aus der Kindheit erinnerte. Den Lichtschalter drückte er vergeblich.

»Vielleicht sollten wir ...«

»Wie's aussieht, wurde es in ein Hotel umgewandelt.« Will deutete zu dem vergitterten Empfangstresen. An den Postfächern an der hinteren Wand hingen noch immer Schlüssel.

»Oder in ein Rehazentrum.«

Will sah sich in der Lobby um. Kaputte Glasröhrchen und Alufolie lagen auf dem Boden verstreut. Die Cracksüchtigen hatten Sofa und Sessel zerfleddert. Im Teppich klebten benutzte Kondome.

»Mein Gott«, flüsterte Sara.

Will hatte das merkwürdige Gefühl, das Haus verteidigen zu müssen. »Stell dir die Wände weiß gestrichen vor. Das Sofa war eine riesige gelbe Cord-Ecklösung.« Er starrte auf den Boden hinab. »Derselbe Teppich. Nur sehr viel sauberer ...«

Sara nickte, und er marschierte in den hinteren Teil des Gebäudes, noch ehe sie zur Vordertür hinausrennen konnte. Die großen, offenen Säle aus Wills Kindheit waren in Einzimmerapartments unterteilt worden, aber er konnte sich noch gut daran erinnern, wie es dort in besseren Zeiten ausgesehen hatte.

»Das hier war der Speisesaal. Hier standen zwölf Tische. Eigentlich nur so eine Art Picknickbänke, aber mit Tischdecken und hübschen Servietten drauf. Die Jungs auf einer Seite, die Mädchen auf der anderen. Mrs. Flannigan hat immer penibel darauf geachtet, dass Mädchen und Jungen nicht allzu eng miteinander in Kontakt kamen. Sie brauche nicht noch mehr Kinder, als ohnehin schon hier seien, sagte sie immer.«

Sara lachte nicht über seinen Scherz.

»Hier.« Will blieb an einer offenen Tür stehen. Das Zimmer war ein dunkles Loch, doch er wusste nur zu gut, wie es früher einmal ausgesehen hatte. Tapeten mit Blumenmuster. Ein Metalltisch und ein Holzstuhl. »Das war Mrs. Flannigans Büro.«

»Was ist mit ihr passiert?«

»Herzanfall. Sie war tot, noch ehe der Krankenwagen vorgefahren war.« Er ging weiter den Gang entlang und schob eine vertraut aussehende Pendeltür auf. »Die Küche, wie man sieht.« Wenigstens dieser Raum hatte sich nicht verändert. »Derselbe Herd wie in meiner Kindheit.« Will öffnete die Tür zur Speisekammer. Auf den Regalen standen immer noch Lebensmittel. Schimmel hatte einen Laib Brot in einen schwarzen Ziegel verwandelt. Die Rückseite der Tür war mit Graffiti verschandelt. »Fuck you! Fuck you! Fuck you!« war in das weiche Holz geschnitzt worden.

»Sieht so aus, als hätten die Junkies das hier ein bisschen umgestaltet«, sagte Sara.

»Das war schon immer da«, entgegnete Will. »Hier hinein kam man, wenn man ungezogen gewesen war.«

Mit zusammengepressten Lippen betrachtete Sara den Riegel an der Tür.

»Glaub mir, in der Speisekammer eingesperrt zu sein war nicht das Schlimmste, was vielen von diesen Kindern passiert ist.« Er sah die Frage in ihren Augen. »Ich war nie dort eingesperrt.«

Sie lächelte gequält. »Das will ich doch hoffen.«

»Es war wirklich nicht so schlimm, wie du denkst. Wir bekamen zu essen. Wir hatten ein Dach über dem Kopf. Wir hatten sogar einen Farbfernseher. Du weißt doch, wie gerne ich fernsehe.«

Sie nickte, und er führte sie über den Gang zurück zur Vordertreppe. Unterwegs klopfte er an eine geschlossene Tür.

»Keller.«

»Hat Mrs. Flannigan Kinder dort unten eingesperrt?«

»Nein, der Zutritt war verboten«, antwortete Will, obwohl er genau wusste, dass Angie dort unten viel Zeit mit den älteren Jungs verbracht hatte.

Vorsichtig ging Will die Treppe hinauf, prüfte jede Stufe, bevor er Sara folgen ließ. Die schmuddeligen Trittflächen sahen immer noch so aus wie in seiner Erinnerung. Erst oben auf dem Absatz musste er sich bücken, um sich nicht den Kopf an einem Stützbalken anzuschlagen.

»Dort hinten …« Zielsicher ging er den Gang entlang, als befände sich genau das dort, was er für diesen Abend geplant hatte. Wie schon das Erdgeschoss war auch der erste Stock in Einzelzimmer aufgeteilt worden, die den Bedürfnissen von Prostituierten, Drogensüchtigen und Alkoholikern entsprachen und ganz sicher stundenweise vermietet worden waren. Die meisten Türen standen offen oder hingen schief in den Angeln. Der Verputz entlang der Sockelleiste war von Ratten abgenagt worden. Im Mauerwerk wimmelte es wahrscheinlich nur so von ihren Nachkommen. Oder von Kakerlaken. Oder von beidem.

Will blieb an der vorletzten Tür stehen und stieß sie mit dem Fuß auf. Eine eiserne Pritsche und ein kaputter Holztisch stellten das einzige Mobiliar dar. Der Teppich war kotbraun. Das Fenster war halbiert, die andere Hälfte gehörte bereits zum Nachbarraum.

»Mein Bett stand hier an der Wand. Ein Stockbett. Ich habe oben geschlafen.«

Sara reagierte nicht. Will drehte sich zu ihr um. Sie biss sich so heftig auf die Lippe, dass er schon dachte, der Schmerz wäre das Einzige, was sie vom Weinen abhielt.

»Ich weiß, es sieht furchtbar aus«, sagte er. »Aber damals war es anders. Ganz ehrlich. Es war hübsch. Es war sauber.«

»Es war ein Waisenhaus.«

Das Wort hallte in seinem Kopf nach, als hätte sie es in einen Brunnenschacht hineingerufen. Dieser Unterschied zwischen ihnen war unüberwindbar. Sara war mit liebevollen Eltern und einer Schwester aufgewachsen, die vollkommen in sie vernarrt war. In einem stabilen, soliden Mittelklasseleben.

Und Will war hier aufgewachsen.

»Will?«, fragte sie. »Was geht hier gerade vor sich?«

Er rieb sich das Kinn. Warum war er nur ein solcher Idiot? Warum machte er mit Sara andauernd Fehler, die er mit sonst niemandem in seinem Leben gemacht hatte? Es gab einen Grund, warum er nicht über seine Kindheit sprach. Die Menschen empfanden Mitleid, obwohl sie eigentlich Erleichterung empfinden sollten.

»Will?«

»Ich bringe dich jetzt nach Hause. Tut mir leid.«

»Es muss dir nicht leidtun. Dies hier ist dein Zuhause. *War* dein Zuhause. Hier bist du aufgewachsen.«

»Es ist eine Kaschemme inmitten eines Slums. Wahrscheinlich kriegen wir ein Messer in den Rücken, wenn wir gehen.«

Sie lachte.

»Das ist nicht lustig, Sara. Hier ist es gefährlich. Die Hälfte der Verbrechen in dieser Stadt passiert …«

»Ich weiß, wo wir sind.« Sie nahm sein Gesicht in beide Hände. »Danke.«

»Wofür? Dass du jetzt eine Tetanusspritze brauchst?«

»Dafür, dass du einen Teil deines Lebens mit mir geteilt hast.« Sie küsste ihn sanft auf die Lippen. »Danke.«

Will sah ihr in die Augen, hätte gern ihre Gedanken gelesen. Er verstand Sara Linton nicht. Sie war liebenswert. Sie war aufrichtig. Sie hortete keine Informationen, um sie später gegen ihn verwenden zu können. Sie legte ihren Finger nicht in offene Wunden. Sie war anders als jede Frau, die er in seinem Leben je kennengelernt hatte.

Sara küsste ihn noch einmal und strich ihm die Haare hinters Ohr. »Liebling, ich kenne diesen Blick, aber hier wird es nicht passieren.«

Will öffnete den Mund, um etwas zu sagen, hielt aber inne, als er hörte, wie draußen eine Autotür zugeschlagen wurde.

Sara fuhr bei dem Geräusch zusammen und grub ihm die Finger in den Arm.

»Es ist eine viel befahrene Straße«, sagte Will, ging aber dennoch auf den Flur hinaus, um nachzuschauen. Durch das kaputte Fenster am Ende des Gangs sah er einen schwarzen Suburban am Bordstein stehen. Die Scheiben waren getönt. Der frisch polierte Lack glänzte in der Sonne. Die hintere Achse hing tiefer als die vordere – wegen des schweren metallenen Waffenkoffers, der in den Laderaum des SUV hineinmontiert worden war.

»Das ist ein Regierungsfahrzeug«, sagte Will zu Sara. Genauso eins fuhr Amanda. Deshalb hätte es ihn nicht überraschen dürfen, als er sie aussteigen sah.

Sie sprach in ihr Blackberry. In der anderen Hand hielt sie einen Hammer. Die Klauen waren lang und sahen bedrohlich aus. Sie ließ ihn neben sich hin- und herpendeln, als sie auf die Haustür zuging.

»Was will sie hier?«, fragte Sara und versuchte, zum Fenster hinauszusehen, doch Will zog sie zurück. »Und warum hat sie einen Hammer dabei?«

Will antwortete nicht – er konnte nicht. Amanda hatte keinen Grund, hier zu sein. Keinen Grund, Will anzurufen und zu fragen, wo er sich befand. Keinen Grund, ihn auf den Flughafen zu beordern, als würde sie ein Kind zur Strafe in die Ecke verdonnern.

Amandas Stimme drang durch das geschlossene Fenster, während sie ins Telefon sprach. »Das ist völlig inakzeptabel. Ich will, dass sich das gesamte Team bei mir meldet. Ohne Ausnahme.«

Die Haustür ging auf. Diesmal quietschte sie. Sie hörten Schritte auf dem Boden. Dann schnaubte Amanda angewidert. »Das ist mein Fall, Mike. Ich bearbeite ihn, wie ich es für richtig halte.«

»Was will sie …«, flüsterte Sara, doch Wills Gesichtsausdruck brachte sie zum Schweigen. Er hatte die Lippen fest zusammengepresst. Eine plötzliche, unerklärliche Wut hatte ihn gepackt. Er hob die Hand, um Sara zu bedeuten, hierzubleiben. Bevor sie etwas dagegenhalten konnte, ging Will die Treppe hinunter, vorsichtig, damit die Stufen nicht knarzten. Er schwitzte. Die Hornissen hatten sich bis in seine Brust hinaufgearbeitet und nahmen ihm die Luft zum Atmen.

Amanda steckte sich das Blackberry in die Tasche. Sie öffnete die Kellertür, packte den Hammer fester und wollte gerade die Treppe hinuntergehen.

»Amanda?«

Sie wirbelte herum und stützte sich am Handlauf ab. Was sich in ihrem Gesicht abspielte, ließ sich nur als Schock interpretieren.

»Was machen Sie denn hier?«

»Wird das Mädchen immer noch vermisst?«

Sie rührte sich nicht von der obersten Treppenstufe. Ihre Augen waren noch immer schreckgeweitet.

Er wiederholte seine Frage: »Wird das Mädchen immer noch …«

»Ja.«

»Warum sind Sie hier?«

»Gehen Sie nach Hause, Will.« In ihrer Stimme hatte er noch nie auch nur einen Anflug von Angst gehört, aber jetzt spürte er, dass sie Todesangst hatte – nicht vor Will, sondern vor etwas anderem. »Lassen Sie mich das machen.«

»*Was* machen?«

Sie legte die Hand auf den Türknauf, als würde sie nichts lieber tun, als ihn ausschließen. »Gehen Sie nach Hause!«

»Erst, wenn Sie mir sagen, warum Sie sich in dieser Baracke aufhalten, während wir einen offenen Fall haben.«

Sie hob eine Augenbraue. »Genau genommen bin ich ja nicht allein, oder?«

»Sagen Sie mir, was los ist!«

»Ich werde nicht …« Ihr Satz wurde von einem lauten Krachen unterbrochen. Panik blitzte in ihren Augen auf. Der zweite Krach klang wie ein Gewehrschuss. Amanda taumelte.

Sie umklammerte den Türknauf. Will sprang vor, um ihr zu helfen, aber es war zu spät. Die Tür knallte zu, während die Treppe dahinter zerbrach. Das Geräusch grollte durch das Gebäude wie ein heranrasender Güterzug.

Und dann – nichts mehr.

Will riss die Tür auf. Er starrte in tiefe Schwärze. Er kippte den Schalter auf und ab, doch es ging kein Licht an.

»Amanda?«, rief er. Seine Stimme hallte zu ihm zurück.

»Amanda?«

»Will?« Sara stand auf dem Treppenabsatz. Sie begriff sofort, was passiert war. »Gib mir dein Handy!«

Will warf ihr sein Handy zu. Er zog sein Sakko aus, nahm das Holster ab und kniete sich auf den Boden.

»Du gehst auf keinen Fall da runter!«, warnte Sara ihn. Will erstarrte, erschrocken über den Befehl, den unvertrauten, scharfen Ton in ihrer Stimme.

»Wir sind in einem Crackhaus, Will. Da unten könnten Nadeln herumliegen. Glasscherben. Es ist zu gefährlich.« Sie hob den Finger, offensichtlich meldete sich jemand am anderen Ende der Leitung. »Hier Dr. Linton von der Notaufnahme. Ich brauche einen Rettungswagen in die Carver Street. Beamter am Boden.«

»Hausnummer drei-sechzehn«, ergänzte Will. Er kniete sich hin und beugte sich in den Keller vor, während Sara die Details herunterratterte.

»Amanda?« Er wartete. Keine Antwort. »Können Sie mich hören?«

Sara beendete den Anruf. »Sie sind unterwegs. Bleib einfach da, bis …«

»Amanda?« Will sah über die Schulter, versuchte, sich auf eine Lösung zu konzentrieren. Schließlich drehte er sich wieder um und legte sich auf den Bauch.

»Will, tu's nicht«, flehte Sara ihn an.

Er schob sich mit den Ellbogen vor, bis seine Füße in den Keller hinabhingen.

»Du wirst abstürzen.«

Er schob sich noch weiter, erwartete jeden Augenblick, dass seine Füße auf festen Boden trafen.

»Dort unten liegen kaputte Balken. Du könntest dir den Knöchel brechen. Du könntest auf Amanda landen.«

Will krallte sich mit den Fingern am Türstock fest und hoffte, dass seine Arme ihn nicht im Stich ließen. Was sie schließlich jedoch taten. Er fiel hinab wie die Schneide einer Guillotine.

»Will!« Sara stand in der offenen Tür. Sie kniete sich hin. »Alles in Ordnung mit dir?«

Holzsplitter stachen ihm in den Rücken wie spitze Nägel. Die Luft war voller Sägemehl. Will war mit der Nase so heftig auf sein Knie geknallt, dass er immer noch Sternchen sah. Er berührte die Außenseite seines Fußknöchels. Ein Nagel war über den Knochen geschrammt. Sein verkrampfter Kiefer schmerzte allein bei dem Gedanken daran.

»Will!«, rief Sara besorgt. »Will?«

»Ich bin okay.« Bei jeder Bewegung spürte er seinen wunden Knöchel. Blut tropfte in die Ferse seines Schuhs. Er versuchte, die Situation herunterzuspielen. »Wie's aussieht, hatte ich recht mit der Tetanusspritze.«

Sie unterdrückte einen Fluch.

Will versuchte aufzustehen, doch seine Füße fanden noch immer keinen festen Stand. Er tastete blind umher. Irgendwo musste Amanda schließlich sein. Er kniete sich hin, streckte sich – und wurde schließlich mit einem Fuß belohnt. Ihr Schuh fehlte. Die Strumpfhose war zerrissen.

»Amanda?« Vorsichtig kroch Will über die Holzsplitter und verbogenen Nägel. Er legte ihr die Hand aufs Schienbein, auf den Schenkel. Behutsam arbeitete er sich hinauf, bis er ihren Arm quer über ihrem Bauch ertastete.

Amanda stöhnte.

Will drehte sich der Magen um, als seine Finger den unnatürlichen Winkel ihres Handgelenks befühlten. »Amanda?«, wiederholte er.

Sie stöhnte noch einmal. Will wusste, dass sie eine Maglite in ihrem Suburban hatte. Er schob die Finger in die vorderen Taschen ihrer Jeans, versuchte, den Schlüssel zu finden. Er würde Sara zum Auto hinausschicken. Sie würde nach der Taschenlampe suchen müssen. Er würde ihr sagen, dass sie im Handschuhfach oder in einer der verschlossenen Schubladen lag. Sie würde mehrere Minuten dafür benötigen, und genau diese Zeit brauchte Will jetzt.

»Amanda?« Er tastete ihre hinteren Taschen ab. Seine Fingerspitzen wischten über das kaputte Plastikgehäuse ihres Blackberry.

Plötzlich umklammerte Amandas intakte Hand sein Handgelenk. »Wo … Mai-kel?«

Will unterbrach seine Suche. »Amanda. Hier ist Will. Will Trent.«

Ihr Ton war angespannt. »Ich weiß, wer Sie sind. Wilbur.« Will spürte, wie sein Körper sich versteifte. Nur Angie nannte ihn Wilbur. Das war der Name, der auf seiner Geburtsurkunde stand.

»Ist sie in Ordnung?«, fragte Sara von oben.

Will schluckte schwer, bevor er sprechen konnte. »Ich glaube, ihr Handgelenk ist gebrochen.«

»Wie ist ihre Atmung?«

Er lauschte auf den Rhythmus ihres Atems, hörte aber nur sein eigenes Blut in den Ohren rauschen. Warum war Amanda hier? Sie sollte doch eigentlich auf der Suche nach dem vermissten Mädchen sein. Sie sollte das Team leiten. Sie sollte nicht hier sein. In diesem Keller. Mit einem Hammer.

»Will?« Saras Stimme klang jetzt wieder sanfter. Sie machte sich Sorgen um ihn.

»Wie lange noch«, rief er hinauf, »bis der Krankenwagen hier ist?«

59

»Nicht mehr lange. Bist du dir sicher, dass du in Ordnung bist?«

»Mir geht's gut.«

Will legte die Hand wieder auf Amandas Fuß. An ihrem Knöchel spürte er einen stetigen Puls. Er hatte den Großteil seiner Karriere für diese Frau gearbeitet und wusste trotzdem kaum etwas über sie. Sie lebte in einer Eigentumswohnung im Herzen von Buckhead. Sie machte den Job schon länger, als er am Leben war, was hieß, dass sie inzwischen Mitte sechzig war. Ihr grau meliertes Haar war stets zu einer Art Footballhelm frisiert. Sie hatte eine scharfe Zunge, mehr Abschlüsse als ein College-Professor, und sie wusste, dass er Wilbur hieß, obwohl er den Namen offiziell aus seinen Unterlagen hatte tilgen lassen, als er aufs College gegangen war, und obwohl er auf jedem einzelnen Papier im GBI William Trent genannt wurde.

Er räusperte sich noch einmal. »Gibt es irgendwas Spezielles, das ich tun sollte?«

»Nein, bleib einfach, wo du bist.« Sara benutzte einen leicht erhöhten, klaren Tonfall, von dem Will annahm, dass dies ihre Ärztinnenstimme war. »Amanda? Hier ist Dr. Linton. Können Sie mir sagen, welcher Tag heute ist?«

Amanda keuchte gequält auf. »Ich habe Edna tausendmal gesagt, sie soll diese Treppe abstützen.«

Will ging in die Hocke. Irgendetwas Scharfes drückte gegen sein Knie. Er fühlte Blut über seinen Knöchel laufen, durch den Strumpf sickern. Sein Herz hämmerte so heftig, dass er sich sicher war, dass Sara es hören konnte.

»Will«, murmelte Amanda. »Wie spät ist es?«

Er konnte ihr nicht antworten. Sein Mund fühlte sich an wie verdrahtet.

Sara übernahm die Antwort: »Es ist halb sechs.«

»Am Abend«, sagte Amanda, und es war keine Frage. »Wir sind im früheren Kinderheim. Ich bin die Kellertreppe hinuntergefallen.« Sie lag da und atmete tief aus und ein. »Dr. Linton, werde ich es überleben?«

»Es würde mich sehr überraschen, wenn nicht.«

»Na ja, schätze, mehr kann ich im Augenblick nicht verlangen. Hab ich das Bewusstsein verloren?«

»Ja«, antwortete Sara. »Ungefähr zwei Minuten lang.« Amanda sprach nun mehr zu sich selbst. »Ich weiß nicht, was das zu bedeuten hat. Berühren Sie gerade meinen Fuß?« Will zog seine Hand weg.

»Ich kann meine Zehen bewegen.« Amanda klang erleichtert. »Mein Kopf fühlt sich an, als wäre er aufgeplatzt.« Er hörte eine Bewegung, das Rascheln von Kleidung. »Nein, nichts. Kein Blut. Keine weiche Stelle. O Gott, meine Schulter tut vielleicht weh!«

Will schmeckte Blut. Seine Nase blutete. Er wischte sich mit dem Handrücken über den Mund.

Amanda seufzte noch einmal schwer. »Ich sag Ihnen mal was, Will. Wenn man ein gewisses Alter überschritten hat, ist ein gebrochener Knochen oder ein angeschlagener Kopf nicht mehr zum Lachen. Das begleitet einen für den Rest des Lebens. Was vom Leben halt noch übrig ist.«

Sie schwieg ein paar Sekunden. Es klang, als würde sie versuchen, ihre Atmung unter Kontrolle zu bringen. Obwohl sie wusste, dass er nicht darauf reagieren würde, sagte sie zu Will: »Als ich zum Atlanta Police Department kam, gab es eine ganze Abteilung, die nur unsere äußere Erscheinung kontrollierte. Die Inspektionsabteilung. Sechs Vollzeitbeamte. Ich denke mir das nicht aus.«

Will sah zu Sara hinauf. Sie zuckte mit den Schultern.

»Sie kamen zum Appell, und wenn man nicht sofort in Ordnung brachte, was sie einem sagten, wurde man im Handumdrehen suspendiert.«

Er legte den Finger auf die Uhr und wünschte sich, er könnte die Bewegung des Sekundenzeigers spüren. Das Grady Hospital lag nur ein paar Blocks entfernt. Es gab keinen Grund, warum der Krankenwagen so lange brauchte. Sie wussten doch, dass Amanda Polizistin war. Sie wussten, dass sie Hilfe brauchte.

»Ich weiß noch genau, wie ich das erste Mal wegen eines Diebstahls ausgerückt bin«, sagte Amanda. »Irgendein Trottel hatte sich das CB-Funkgerät aus dem Auto klauen lassen. Diebstahlsmeldungen wegen Funkgeräten bekamen wir damals andauernd rein. Die hatten diese Riesenantennen, die wie Speere von der hinteren Stoßstange aufragten.«

Wieder blickte Will zu Sara hoch. Sie machte eine Kreisbewegung mit dem Finger, um ihm zu bedeuten, er solle sie am Reden halten.

Wills Kehle war wie zugeschnürt. Er brachte einfach nichts heraus. Er konnte nicht so tun, als wären sie einfach nur Freunde, die einen schlechten Tag erwischt hatten.

Doch Amanda schien keine Ermutigung zu brauchen. Sie kicherte leise. »Alle haben mich ausgelacht. Sie lachten, als ich ankam. Sie lachten, als ich den Bericht aufnahm. Sie lachten, als ich wieder fuhr. Damals fand keiner, dass Frauen eine Uniform tragen sollten. Das Revier bekam wöchentlich Anrufe von Leuten, die meldeten, dass eine Frau einen Streifenwagen gestohlen hätte. Sie konnten einfach nicht glauben, dass auch Frauen bei der Truppe waren.«

»Ich glaube, sie sind jetzt da«, sagte Sara in dem Augenblick, als auch Will endlich das entfernte Jaulen einer Sirene hörte.

»Ich gehe raus und halte sie an.«

Will wartete, bis er Saras Schritte auf dem Vordertreppchen hörte. Er musste sich beherrschen, um Amanda nicht an den Schultern zu packen und sie zu schütteln. »Warum sind Sie hier?«

»Ist Sara weg?«

»Warum sind Sie hier?«

Amandas Stimme wurde untypisch weich. »Ich muss Ihnen was sagen ...«

»Mir egal«, blaffte er. »Woher wissen Sie ...«

»Mund halten und zuhören«, zischte sie. »Hören Sie mir zu?«

Will spürte, wie die Angst zurückkehrte. Die Sirene wurde lauter. Der Krankenwagen bremste scharf vor dem Gebäude.

»Hören Sie mir zu?«

Will war wieder einmal sprachlos.

»Es geht um Ihren Vater.«

Sie sagte noch mehr, aber Wills Ohren waren wie zugepfropft, ganz so, als hörte er ihre Stimme unter Wasser. Als Kind hatte Will den Kopfhörer seines Transistorradios auf diese Weise ruiniert. Er hatte sich das Ding ins Ohr gesteckt und dann den Kopf in die Badewanne getaucht, weil er dachte, das wäre eine coole Art, Musik zu hören. Genau hier, in diesem Haus, war es passiert. Zwei Stockwerke über ihnen im Jungenwaschraum. Er hatte Glück gehabt, dass er durch den Stromschlag nicht ums Leben gekommen war.

Von oben ertönte ein lautes Krachen, als die Sanitäter die Haustür aufschoben. Schwere Schritte polterten über den Boden. Plötzlich erfüllte der grelle Strahl einer Maglite den Keller. Will kniff die Augen gegen den Schein zusammen. Ihm war schwindlig. Seine Lunge sehnte sich nach Luft.

Amandas Worte stürzten genauso auf ihn ein, wie damals die Geräusche wieder an sein Ohr gedrungen waren, nachdem er sich am Wannenrand abgestützt und den Kopf aus dem Wasser gezogen hatte.

»Hören Sie mir zu!«, zischte sie.

Aber er wollte nicht. Er wollte nicht wissen, was sie zu sagen hatte.

Der Bewährungsausschuss hatte getagt. Sie hatten seinen Vater aus dem Gefängnis entlassen.

3. KAPITEL

15. Oktober 1974
LUCY BENNETT

Lucy hatte jedes Zeitgefühl verloren, nachdem die Symptome nachgelassen hatten. Sie wusste, es dauerte drei Tage, bis das Heroin komplett aus dem Blutkreislauf verschwunden war. Sie wusste, dass die Schweißausbrüche und die Übelkeit mehr als eine Woche anhalten konnten, je nachdem, wie tief man in der Sucht steckte. Die Magenkrämpfe. Der pochende Schmerz in den Beinen. Abwechselnd Durchfall und Verstopfung. Das hellrote Blut aus der Lunge, die den Abflussreiniger oder das Milchpulver hochhustete oder was sonst noch benutzt worden war, um das Heroin zu strecken.

Einige waren gestorben, weil sie den Heroinentzug auf eigene Faust versucht hatten. Die Droge war rachsüchtig. Sie nahm einen in Besitz. Sie krallte sich einem in die Haut und ließ nicht mehr los. Lucy hatte ihre ausgespuckten Opfer in Hinterzimmern und auf leeren Parkplätzen liegen gesehen. Das Fleisch vertrocknet. Finger und Zehen gekrümmt. Ihre Nägel und Haare waren weitergewachsen. Sie hatten ausgesehen wie mumifizierte Hexen.

Wochen? Monate? Jahre?

Die erstickende Augusthitze war offensichtlich abgelöst worden von herbstlichen Temperaturen. Kühle Morgen. Kalte Nächte. Stand der Winter schon bevor? War es immer noch 1974, oder hatte sie Thanksgiving, Weihnachten, ihren Geburtstag bereits verpasst?

Sand, der durch ein Stundenglas rieselte. War es überhaupt noch wichtig?

Jeden Tag wünschte Lucy sich, sie wäre tot. Das Heroin war verschwunden, aber da war keine einzige Sekunde, in der sie nicht über den Kick nachdachte. Das High. Das Vergessen. Die Betäubung des Geistes. Die Ekstase der Nadel, die in die Ader stach. Den Feuersturm, der durch die Sinne raste. In den ersten Tagen konnte Lucy immer noch das Heroin in ihrem Erbrochenen riechen. Sie hatte es essen wollen, aber der Mann hatte sie davon abgehalten.

Der Mann. Das Monster.

Wer würde so etwas tun? Es widersprach jeder Logik. Es gab kein Muster mehr in Lucys Leben, das erklärte, was hier vor sich ging. So übel einige ihrer Kunden auch gewesen waren, sie hatten sie immer gehen lassen. Wenn sie erst einmal bekommen hatten, was sie hatten haben wollen, hatten sie sie wieder auf die Straße geworfen. Sie hatten sie nicht mehr sehen wollen. Sie hatten ihren Anblick gehasst. Sie hatten sie getreten, wenn sie sich nicht schnell genug bewegte. Sie hatten sie aus ihren Autos geworfen und waren davongerast.

Aber nicht er. Nicht dieser Mann. Nicht dieser Teufel. Lucy wollte, dass er sie fickte. Sie wollte, dass er sie schlug.

Sie wollte, dass er alles mit ihr anstellte, außer dieser verhassten Routine, die sie jeden Tag durchleiden musste. Die Art, wie er ihr die Zähne putzte und die Haare bürstete. Die Art, wie er sie badete. Die Züchtigkeit, mit der er die Wand anstarrte, während er sie mit dem Lappen zwischen den Beinen wusch. Die sanften Handtuchbewegungen, während er sie abtrocknete. Der bedauernde Blick, sooft sie die Augen öffnete oder schloss. Und das Beten. Das ständige Beten.

»Wasch die Sünden ab. Wasch die Sünden ab.« Das war sein Mantra.

Er sprach nie direkt zu ihr. Er sprach nur zu Gott, als würde Er einer Bestie wie ihm zuhören. Lucy fragte, warum – warum sie? Warum all das? Sie schrie ihn an. Sie flehte ihn an. Sie eröffnete ihm alles, doch er sagte immer nur: »Wasch die Sünden ab.«

Lucy war mit Gebeten aufgewachsen. Im Lauf der Jahre hatte sie nicht selten in der Religion Trost gefunden. Der Geruch einer brennenden Kerze oder der Geschmack von Wein konnten sie zurückversetzen in die Kirchenbank, wo sie glücklich zwischen Mutter und Vater gesessen hatte. Ihr Bruder Henry hatte – zu Tode gelangweilt – grobe Zeichnungen ins Kirchenblatt gekritzelt, aber Lucy hatte es geliebt, wenn der Pfarrer die unglaublichen Segnungen eines göttlichen Lebens gepriesen hatte. Auf den Straßen hatte es ihr Trost gegeben, an die Predigten aus vergangener Zeit zu denken. Selbst als Sünderin war sie nicht ohne Hoffnung auf Errettung gewesen. Die Kreuzigung bedeutete nichts, wenn nicht die Erlösung von Lucy Bennetts Seele.

Aber nicht so. So nicht. Nicht mit Seife und Wasser. Nicht mit Blut und Wein. Nicht mit Nadel und Faden.

Es gab Sühne, und es gab Folter.

4. KAPITEL

7. Juli 1975
MONTAG

Amanda Wagner seufzte erleichtert auf, als sie die Straße ihres Vaters in Ansley Park hinter sich ließ. An diesem Vormittag war Duke in Hochform gewesen. Er hatte mit einer Klagelitanei begonnen, kaum dass Amanda durch die Küchentür gekommen war, und nicht mehr damit aufgehört, bis sie ihm vom Steuer ihres Autos aus zugewinkt hatte. Nichtsnutzige Veteranen, die um Almosen bettelten. Der Benzinpreis durch die Decke. New York City, das erwartete, dass der Rest des Landes es aus seiner Misere befreite. In der Morgenzeitung hatte kein einziger Artikel gestanden, zu dem Duke ihr gegenüber nicht seine Meinung kundgetan hätte. Als er dann auch noch angefangen hatte, die scheinbar endlosen Fehler des neu organisierten Atlanta Police Department aufzulisten, hatte Amanda nur noch halb zugehört und hin und wieder genickt, damit sein Zorn nicht die falsche Richtung einschlug.

Sie hatte ihm Frühstück gemacht. Sie hatte ihm seine Kaffeetasse nachgefüllt. Sie hatte seine Aschenbecher geleert. Sie hatte ihm Hemd und Krawatte aufs Bett gelegt. Sie hatte ihm aufgeschrieben, wie er den Braten auftauen musste, damit sie ihm nach der Arbeit das Abendessen zubereiten konnte. Doch unterdessen war das Einzige, was dies alles erträglich gemacht hatte, der Gedanke an ihre winzige Einzimmerwohnung an der Peachtree Street gewesen.

Sie lag keine fünf Minuten vom Haus ihres Vaters entfernt, aber sie hätte sich genauso gut auf dem Mond befinden können. Zwischen der Bibliothek und dem Hippiedorf an der Fourteenth Street gelegen, war die Wohnung eine von sechs Einheiten in einem alten viktorianischen Herrenhaus. Duke hatte sie sich nur ein einziges Mal angesehen und geschnaubt. Da hätte er ja während des Kriegs auf den Midway-Inseln eine bessere Unterkunft gehabt. Keins der Fenster schloss richtig. Das Gefrierfach war nicht kalt genug, um Eis zu produzieren. Man musste den Küchentisch verschieben, wenn man die Tür öffnen wollte. Der Toilettendeckel schabte über die Badewannenverkleidung.

Für sie war es Liebe auf den ersten Blick gewesen. Amanda war fünfundzwanzig Jahre alt. Sie ging aufs College. Sie hatte einen anständigen Job. Nach Jahren des Bettelns hatte sie ihren Vater wie durch ein Wunder dazu gebracht, sie ausziehen zu lassen. Sie war zwar noch keine Mary Richards, aber eben auch keine Edith Bunker mehr.

Sie bremste, um rechts auf die Highland Avenue einzubiegen und dann noch einmal rechts in die Einkaufsstraße hinter der Apotheke. Die Sommerhitze war erdrückend, obwohl es erst Viertel vor acht am Morgen war. Dampf stieg vom Asphalt hoch, als sie in eine Parklücke am hinteren Ende des Platzes fuhr. Ihre Hände schwitzten so sehr, dass sie das Lenkrad kaum halten konnte. Ihre Strumpfhose schnitt ihr in die Taille. Der Rücken ihrer Bluse klebte am Sitz. Sie spürte einen pochenden Schmerz im Nacken, der langsam in die Schläfen vorwanderte.

Dennoch krempelte Amanda sich die Blusenärmel hinunter und knöpfte die engen Manschetten zu. Sie nahm ihre Handtasche vom Beifahrersitz und dachte dabei, dass dieses Ding mit jedem Tag schwerer würde. Dann erinnerte sie sich wieder daran, dass dies trotz allem besser war als das, was sie zur gleichen Zeit im vergangenen Jahr zur Arbeit hatte tragen müssen. Unterbekleidung. Strumpfhose. Schwarze Socken. Marineblaue Polyesterhose. Ein Männerhemd, das so groß gewesen war, dass die Brusttaschen über ihrer Taille gesessen hatten. Untergürtel. Metallhaken. Außengürtel. Holster. Waffe. Funkgerät. Schultermikrofon. Stablampe. Gummiknüppel. Schlüsselring.

Kein Wunder, dass die Streifenpolizistinnen der Atlanta Police Force Blasen wie Wassermelonen hatten. Es dauerte ganze zehn Minuten, sich dieser Ausrüstung zu entledigen, bevor man sich auf die Schüssel setzen konnte – und das auch nur unter der Voraussetzung, dass man sich hinsetzen konnte, ohne dass einem der Schmerz in den Rücken schoss. Allein das Kel-Lite, die Stablampe mit ihren vier Monozell-Batterien und dem fünfundvierzig Zentimeter langen Schaft, wog fast dreieinhalb Kilo.

Amanda spürte jedes Gramm des Gewichts, als sie sich die Tasche über die Schulter hängte und aus dem Auto stieg. Dieselbe Ausrüstung, nur eben jetzt in einer Ledertasche anstatt um die Hüften. So etwas konnte man nur als Fortschritt bezeichnen.

Ihr Vater war Leiter von Zone eins gewesen, als Amanda zur Truppe gegangen war. Fast zwanzig Jahre lang hatte Captain Duke Wagner die Einheit mit eiserner Faust geführt, bis Reginald Eaves, der neue schwarze Police Commissioner, die meisten weißen Führungsbeamten entlassen und sie durch schwarze ersetzt hatte. Die kollektive Entrüstung hatte die Truppe ins Wanken gebracht. Dass Chief John Inman, Eaves' Vorgänger, annähernd das Gleiche mit umgekehrten Vorzeichen getan hatte, schienen sie mittlerweile vergessen zu haben. Das Netzwerk der alten Kameraden funktionierte immer noch ausgezeichnet – solange man zu den wenigen Glücklichen gehörte, die darin aufgenommen wurden.

In der Folge hatten Duke und seine Kumpanen gegen die Stadt geklagt, weil sie ihre alten Jobs zurückhaben wollten. Doch Maynard Jackson, der erste schwarze Bürgermeister der Stadt, stärkte seinem Mann den Rücken. Keiner wusste, wie der Prozess ausgehen würde, doch wenn man Duke reden hörte, war es nur noch eine Frage der Zeit, bis die Stadt kapitulierte. Politiker brauchten Wählerstimmen, unabhängig von ihrer

Hautfarbe, und die Wähler wollten sich sicher fühlen. Was erklärte, warum die Polizei die Stadt umklammert hielt wie ein gefräßiger Krake, der seine Tentakel in sämtliche Richtungen ausbreitete.

Sechs Patrouillenzonen erstreckten sich von der verarmten Südseite bis zu den wohlhabenderen Vierteln im Norden. Innerhalb dieser Zonen verstreut lagen die sogenannten »Model Citys« – Reviere, die die gewalttätigeren Teile des Zentrumskorridors kontrollierten. Es gab zwar kleinere Wohlstandsviertel in Ansley Park, Piedmont Heights und Buckhead, aber ein Großteil der Bewohner lebte in Slums, von den Grady Homes über Techwood bis hin zur berüchtigtsten Sozialsiedlung der Stadt, Perry Homes. Dieses Getto im Westen war so gefährlich, dass es eine eigene Polizeieinheit erforderte. Es war die Art von Job, um den sich zurückkehrende Veteranen rangelten; eher ein Kriegsgebiet als ein Wohnviertel.

Die Einheiten der Zivilbeamten und Detectives waren über diese Zonen verteilt. Es gab insgesamt zwölf Abteilungen, vom Sittendezernat bis hin zu den Sonderermittlungen. Die Sitte war eine der wenigen Abteilungen, in denen es in nennenswerter Zahl Frauen gab. Amanda bezweifelte ernsthaft, dass ihr Vater sie sich für diese Abteilung hätte bewerben lassen, wenn er zu der Zeit ihrer Bewerbung noch bei der Truppe gewesen wäre. Sie wollte lieber gar nicht darüber nachdenken, was passieren würde, wenn Duke seinen Prozess gewänne und wieder eingestellt würde. Wahrscheinlich würde er sie wieder in eine Uniform stecken und vor der Morningside Elementary School Schülerlotsin spielen lassen.

Aber das war ein langfristiges Problem, und Amandas Tag – falls er denn so würde wie jeder andere – wäre angefüllt mit kurzfristigeren Problemen. Das Wichtigste an jedem Morgen war die Frage, wen sie als Partnerin zugeteilt bekäme.

Die bundesstaatliche Law Enforcement Assistance Association, mit deren Geld Atlantas Sittendezernat finanziert wurde,

verlangte, dass sämtliche Teams aus drei Beamtenpaarungen bestanden, die in Bezug auf Abstammung und Geschlecht durch-
mischt waren. Dieser Vorschrift wurde nur selten entsprochen,
denn eine weiße Frau konnte schlichtweg nicht mit einem
schwarzen Mann fahren, nicht einmal eine schwarze Frau – zumindest diejenige, die um ihren Ruf bedacht war – konnte mit
einem schwarzen Mann fahren, und keiner der Schwarzen
wollte mit irgendeinem Weißen fahren. So war es jeden Tag ein
Kampf, herauszufinden, wer mit wem arbeiten sollte, was lächerlich war angesichts der Tatsache, dass die meisten ihre Partner wechselten, sobald sie draußen auf der Straße waren.

Dennoch gab es oft hitzige Diskussionen über die Zuweisungen. Eine Menge Getue und Geprotze. Man beschimpfte einander. Gelegentlich kam es sogar zu Handgreiflichkeiten. Im Hin-
blick auf die Zuweisungen war das Einzige, in dem die Männer
des Sittendezernats sich einig waren, dass keiner von ihnen mit
einer Frau zusammenarbeiten wollte.

Außer sie war hübsch.

Das Problem färbte auch auf andere Abteilungen ab. Jeden
Morgen wurde zu Beginn des Appells Commissioner Reginald
Eaves' Tagesbefehl verlesen. Reggie schob seine Leute in einem
fort herum, um die jeweilige Quote zu erfüllen, die ihm die
Bundesregierung an diesem Tag aufs Auge gedrückt hatte. Kein
Beamter wusste je, wo er oder sie landen würde, wenn er zur
Arbeit erschien. Es konnte mitten in Perry Homes sein oder in
der Hölle des Flughafens von Atlanta. Erst im vergangenen Jahr
war eine Frau eine ganze Woche lang einem SWAT-Sonderein-
satzkommando zugewiesen worden, was in einer Katastrophe
geendet hätte, wenn sie tatsächlich irgendetwas hätte tun müssen.

Amanda hatte bislang immer nur in der Tagschicht gearbeitet,
vermutlich weil ihr Vater es so angeordnet hatte. Keiner schien
zu bemerken oder sich darum zu scheren, dass sie es immer
noch so handhabe, obwohl ihr Vater mittlerweile die Stadt

verklagt hatte. Die Tagschicht, die einfachste Schicht, ging von acht bis vier. Die Spätschicht dauerte von vier Uhr nachmittags bis Mitternacht, und die Morgenschicht, die gefährlichste, von Mitternacht bis acht Uhr morgens.

Die Streifenkollegen folgten in etwa den gleichen Tagesabläufen wie die Zivilbeamten und Detectives – mit einer Stunde Unterschied, entsprechend der alten Eisenbahner-Taktung von 7-3-11. Der Gedanke dahinter war, dass die einen ihre Fälle an die anderen übergeben sollten. Doch das passierte nur selten. Wenn Amanda morgens zur Arbeit kam, bekam sie meist nur ein paar Verdächtige mit blauen Augen und blutigen Verbänden um den Kopf zu Gesicht. Im Allgemeinen waren sie an die Bänke neben der Vordertür gekettet, und keiner vermochte zu erklären, wie genau sie hierhergelangt waren oder was ihnen vorgeworfen wurde. Abhängig davon, wie die Verhaftungsquote eines Uniformierten im jeweiligen Monat aussah, wurden einige der Gefangenen auf freien Fuß gesetzt und dann wegen Herumlungerns postwendend wieder verhaftet.

Wie die meisten Zonenzentralen war auch die von Zone eins in einem heruntergekommenen Ladengeschäft untergebracht, das aussah, als sollte die Polizei dort eher eine Razzia unternehmen und nicht darin herumsitzen, Kaffee trinken und Kriegsberichte über die Verhaftungen des Vortags austauschen. Die Zentrale war verhältnismäßig unzeremoniell in das Ladengebäude hinter der Plaza-Apotheke und einem Pornokino verlegt worden, nachdem man entdeckt hatte, dass der Baugrund unter dem alten Hauptquartier in einen Hohlraum abzurutschen drohte. Für die *Atlanta Constitution* war die Geschichte ein gefundenes Fressen gewesen.

Es gab nur drei Räume in dem Gebäude. Der größte war der Bereitschaftssaal mit dem durch eine Glasscheibe abgetrennten Büro des Sergeant. Das Büro des Captain war bedeutend attraktiver – die Fenster darin ließen sich nämlich tatsächlich öffnen und schließen. Vor dem Unabhängigkeitstag hatte jemand das vordere Fenster des Bereitschaftssaals einschlagen müssen, um frische Luft einzulassen. Anschließend hatte sich niemand mehr die Mühe gemacht, es zu reparieren, wahrscheinlich weil alle wussten, dass es früher oder später erneut eingeschlagen würde.

Der dritte Raum war die Toilette. Sowohl die männlichen als auch die weiblichen Kollegen benutzten sie, und es wurde dafür gesorgt, dass keine Frau sich je auf die Toilettenbrille setzen würde. Amanda hatte die Toilette nur ein einziges Mal betreten, und danach hatte sie hinter dem Plaza Theater trocken würgen müssen, während das Ächzen und Stöhnen des Pornofilms »Winnie Bango« durch die Schlackesteinmauer gedrungen war.

»Morgen, Ma'am.« Einer der Streifenpolizisten tippte sich an die Mütze, als Amanda ihm entgegenkam.

Sie nickte zur Erwiderung und ging an einer Ansammlung der vertrauten weißen Streifenwagen der Atlanta Police vorbei weiter zum Reviereingang. Suffausdünstungen hingen in der Luft, obwohl auf den Bänken nicht ein einziger Penner in Handschellen saß. Der Rauch von Zigaretten waberte unter der fleckigen Decke. Über jeder Oberfläche lag eine Staubschicht, sogar über den langen Cafeteriatischen, die in ungleichmäßigen Reihen im Raum verteilt herumstanden. Das Podium vorne war leer. Amanda sah auf die Uhr. Bis zum Morgenappell hatte sie noch zehn Minuten Zeit.

Hinten im Bereitschaftssaal saß Vanessa Livingston und arbeitete einen Stapel Papiere ab. Sie trug eine graue Bundfaltenhose und die gleichen hässlichen schwarzen Männerschuhe, die sie alle gezwungen waren zu tragen, wenn sie in Uniform waren. Ihre hellblaue Bluse hatte kurze Ärmel, die dunklen Haare trug sie in einem Pagenschnitt.

Amanda war ein paarmal mit ihr auf Patrouille gewesen, als sie beide noch in Uniform gewesen waren. Vanessa war eine verlässliche Partnerin, aber sie konnte eben auch ein wenig exaltiert sein, außerdem ging das Gerücht, dass sie »spitz« war – der Code für eine Frau, die sich ihren Polizeikollegen sexuell bereitwillig zur Verfügung stellte. Amanda hatte keine andere Wahl, sie musste sich zu ihr setzen. Wie üblich war der Bereitschaftssaal in vier·Quadranten unterteilt. Weiß und schwarz links und rechts, die Frauen hinten, die Männer vorne. Den Blick stur geradeaus gerichtet zwängte Amanda sich durch eine Gruppe Uniformierter. Sie alle warteten bis zur letzten Sekunde, um sie vorbeizulassen. Ein Grüppchen in der Ecke bearbeitete Vorhängeschlösser. Es gab tägliche Wettbewerbe darum, wer ein Schloss am schnellsten knacken konnte. Ein paar Beamte tauschten Spezialmunition aus. In den vergangenen beiden Jahren waren in Atlanta vierzehn Polizisten erschossen worden. Eine schnellere Kugel in der Waffe war daher keine allzu schlechte Idee.

Amanda stellte ihre Tasche auf den Tisch und setzte sich.

»Wie geht's?«

»Sehr gut.« Vanessa klang wie immer fröhlich. »Ich hatte heute Morgen Glück mit der Inspektionsabteilung.«

»Sind sie schon weg?« Vanessa nickte.

Sofort knöpfte Amanda ihre Manschetten auf und krempelte die Ärmel wieder hoch. Sie seufzte erleichtert, als sie die frische Luft auf ihren Unterarmen spürte. »Es war also nicht Geary?«

Sergeant Geary hätte Vanessa auf keinen Fall so durchkommen lassen. Seiner Meinung nach gehörten Frauen nicht in die Truppe, und er hatte die Macht, etwas dagegen zu unternehmen. Aus irgendeinem Grund hatte er es auf Amanda ganz besonders abgesehen. Sie war nur eine Abmahnung von einer eintägigen Suspendierung entfernt. Sie wollte lieber nicht daran denken, wie sie dann ihre Miete bezahlen sollte.

»Geary ist heute nicht da.« Vanessa stapelte ihre Berichte aufeinander. »Es war Sandra Phillips, die schwarze Tussi, die sich den Kopf rasiert wie ein Mann.«

»Ich habe ein Seminar mit ihr«, sagte Amanda. Fast alle, die sie kannte, belegten Kurse an der Georgia State. Die Bundesregierung beglich die Studiengebühren, und die Stadt zahlte ein höheres Gehalt, wenn man einen Abschluss schaffte. In einem Jahr würde Amanda fast zwölftausend Dollar einstreichen.

»Hattest du einen schönen Unabhängigkeitstag?«, fragte Vanessa.

»Ich habe mir eine Zusatzschicht geben lassen«, gab Amanda zurück. Sie hatte sich nur deshalb freiwillig gemeldet, weil sie es einfach nicht ertragen hätte, einen ganzen Tag lang ihrem Vater zuzuhören, der jeden Artikel durchkaute, den er in der Zeitung gelesen hatte. Zum Glück kamen nur zwei Mal am Tag Zeitungen, sonst würde er noch nicht einmal mehr schlafen. »Und bei dir?«

»Ich hab so viel getrunken, dass ich mit dem Auto gegen einen Telefonmast gerauscht bin.«

»Ist das Auto okay?«

»Die Stoßstange ist hinüber, aber es fährt noch.« Vanessa senkte die Stimme. »Hast du das von Oglethorpe gehört?«

Lars Oglethorpe war einer von Dukes Freunden. Sie waren beide am selben Tag entlassen worden.

»Was ist mit ihm?«

»Das Oberste Gericht hat zu seinen Gunsten entschieden. Rückwirkend volles Gehalt und alle Vergünstigungen. Wiedereinsetzung im alten Dienstgrad. Er wurde seiner alten uniformierten Einheit zugewiesen. Ich wette, Reggie hat einen Anfall bekommen, als er davon gehört hat.«

Amanda hatte nicht die Zeit zu antworten. Männliche Jubelrufe wurden laut, als Rick Landry und Butch Bonnie den Saal betraten. Wie üblich erschienen die Mordermittler erst auf den letzten Drücker. Der Appell würde in zwei Minuten beginnen. Amanda griff in ihre Tasche und zog einen Stapel getippter Berichte heraus.

»Danke, Schätzchen.« Butch nahm die Berichte entgegen und warf sein Notizbuch vor Amanda auf den Tisch. »Ich hoffe, du kannst es lesen.«

Sie sah sich das Gekritzel auf der ersten Seite an und machte ein finsteres Gesicht. »Manchmal glaube ich, du schreibst absichtlich unleserlich.«

»Ruf mich an, Süße. Tag oder Nacht.« Er zwinkerte ihr zu, während er Landry nach vorne folgte. »Nacht ist mir sogar lieber.«

Es gab Gekicher im Saal, das Amanda geflissentlich überhörte, während sie Butchs Notizen überflog. Mit jeder Seite waren die Wörter leichter zu entziffern.

Butch und Rick arbeiteten im Morddezernat – ein Job, den Amanda nie würde haben wollen. Doch weil sie Butchs Berichte abtippte, bekam sie wider Willen dennoch zahlreiche Details mit. Sie mussten Verwandten erklären, dass Familienmitglieder ermordet worden waren. Sie mussten Tote untersuchen und Autopsien beiwohnen. Schon beim Lesen all dieser Details drehte sich Amanda der Magen um. Es gab wirklich ein paar Jobs, die nur Männer tun konnten.

»Hast du gehört, dass wir einen neuen Sergeant haben?«, fragte Vanessa.

Amanda sah neugierig auf.

»Einen von Reggies Jungs.«

Amanda unterdrückte ein Stöhnen. Eine von Reginald Eaves' scheinbar besseren Ideen war es gewesen, für Beförderungen schriftliche Prüfungen vorzuschreiben. Amanda war naiv genug gewesen zu glauben, dass sie eine Chance haben würde. Doch als keiner der schwarzen Beamten die schriftliche Prüfung bestanden hatte, hatte Eaves die Entscheidung verworfen und stattdessen mündliche Prüfungen anberaumt. Wie vorauszusehen gewesen war, hatten bislang nur einige wenige Weiße die mündliche Prüfung bestanden. Eine Frau war gar nicht dabei gewesen.

»Ich habe gehört, er kommt aus dem Norden«, fuhr Vanessa fort. »Klingt wie Bill Cosby.«

Sie drehten sich beide um und versuchten, in das Büro des Sergeant zu sehen. Vor der Glastrennwand standen Aktenschränke. Die Tür war offen, aber Amanda konnte nur einen weiteren Aktenschrank und die Kante eines hölzernen Schreibtisches sehen. Auf der Schreibunterlage aus Leder stand ein Glasaschenbecher. Eine schwarze Hand schob sich in ihr Blickfeld und klopfte eine Zigarette am Glasrand ab. Die Hand war schlank, zartgliedrig. Die Fingernägel waren zu einer geraden Linie geschnitten.

Amanda drehte sich wieder um und tat so, als würde sie sich in Butchs Notizen vertiefen, aber sie konnte sich nicht mehr konzentrieren. Vielleicht war es die Hitze, vielleicht aber auch die Tatsache, dass sie neben einem Paradiesvogel saß.

»Ich frage mich, wo Evelyn bleibt«, sagte Vanessa.

Amanda zuckte mit den Schultern und starrte weiter auf die Notizen.

»Ich kann nicht glauben, dass sie wieder zurückgekommen ist«, fuhr Vanessa fort. »Die spinnt doch.«

Amanda merkte, dass sie gegen ihren Willen wieder abgelenkt wurde. »Das waren jetzt fast zwei Jahre«, murmelte sie. Ihr Vater war jetzt seit elf Monaten arbeitslos. Kurz zuvor hatte Evelyn die Truppe verlassen, um ein Baby zu bekommen. Sie hatte es gerade erst in die Abteilung der Zivilbeamten geschafft. Jeder hatte angenommen, dass dies das Ende ihrer Karriere sein würde.

»Wenn ich einen Ehemann und ein Kind hätte«, erklärte Vanessa, »würde ich auf gar keinen Fall wieder täglich in diese Hölle hinabsteigen. Für mich wäre es das Ende der Vorstellung.«

»Vielleicht muss sie …« Amanda sprach leise, damit niemand ihr Tratschen mitbekam. »Wegen des Geldes.«

»Ihr Mann verdient verdammt gut. Hat der Hälfte der Truppe Versicherungen verkauft.« Vanessa lachte prustend.

»Das ist wahrscheinlich der einzige Grund, warum sie wieder zurückwill – um ihm bei der Kundenwerbung zu helfen.« Sie wurde ernst. »Du solltest allerdings wirklich mal mit ihm sprechen. Er ist billiger als Benowitz. Und außerdem würdest du dein ganzes Geld nicht einem Juden anvertrauen.«

»Ich spreche mal mit ihr«, sagte Amanda, obwohl sie Nathan Benowitz mochte. Ihr Plymouth gehörte zwar der Stadt, aber die Kraftfahrzeugversicherung mussten sie alle selber zahlen. Und Benowitz war immer nett zu Amanda gewesen.

»Pscht«, flüsterte Vanessa, obwohl Amanda überhaupt nichts gesagt hatte. »Er kommt.«

Die versammelten Beamten verstummten, als der neue Sergeant den Saal betrat. Er trug ihre Winterfarben, eine dunkelblaue Hose und ein passendes langärmeliges Hemd. Er war überraschend hellhäutig. Die Haare waren militärisch kurz geschnitten. Im Gegensatz zu allen anderen war auf der Stirn des Mannes kein Schweiß zu sehen.

Amanda sah zu, wie er die unsichtbare Linie durch die Mitte des Saals entlangschritt, wo die Tische einen Gang freigaben. Der neue Sergeant sah aus wie dreißig. Er war fit und schlank, sein Körper eher der eines Teenagers als der eines erwachsenen Mannes, und doch musste er sich seitlich drehen, um zwischen den Tischen hindurchzupassen. Amanda fiel auf, dass die Lücke schmaler war als sonst. Ihre Sturheit war im Allgemeinen das Einzige, was sie gemeinsam hatten. Die Schwarzen würden den Neuen hassen, weil er aus dem Norden stammte. Die Weißen würden ihn hassen, weil er einer von Reggies Jungs war.

Er legte seine Papiere auf dem Podium zurecht, räusperte sich und sagte in erstaunlich tiefem Bariton: »Ich bin Sergeant Luther Hodge.« Er sah sich im Saal um, als erwartete er, dass irgendjemand etwas erwidern würde. Als jedoch niemand etwas sagte, fuhr er fort: »Vor dem Appell werde ich die Einsatzbefehle verlesen. Es gibt eine ganze Reihe von Umbesetzungen.«

Ein Stöhnen ging durch den Saal, doch Amanda konnte nur insgeheim feststellen, wie erfrischend sie es fand, dass jemand auf die Idee gekommen war, es wäre besser, die Umbesetzungen vor dem Appell zu verkünden.

Hodge verlas die Namen. Vanessa hatte recht, er klang tatsächlich wie Bill Cosby. Er sprach klar und deutlich, wenn auch nicht langsam. Jedes Wort war voll artikuliert. Die Uniformierten in den vorderen Reihen starrten ihn unverwandt an, als würden sie einem Hund zusehen, der auf den Hinterbeinen lief. Ob schwarz oder weiß, sie alle waren vom Land oder frisch aus dem Militärdienst gekommen. Die Mehrheit von ihnen sprach den gleichen schweren Dialekt wie Amandas Verwandte aus der Provinz. Und auch sie selbst konnte nicht anders, als Hodge anzustarren.

Als er mit der Umbesetzungsliste zu Ende war, räusperte er sich noch einmal. »Ich werde die Anwesenheit nach Teams feststellen. Einige von Ihnen werden warten müssen, bis Ihre Partner aus anderen Abteilungen eintreffen. Bitte erkundigen Sie sich bei mir nach dem Standort Ihres Kollegen, bevor Sie auf die Straße gehen.«

Wie aufs Stichwort kam Evelyn Mitchell in den Bereitschaftssaal gerannt und sah sich mit beinahe panischem Blick um. Amanda war noch in Uniform gewesen, als Evelyn ins Sittendezernat befördert worden war. Bei ihren wenigen Begegnungen war die Frau immer sehr modisch gekleidet gewesen. Heute trug sie eine große Wildledertasche mit einem indianischen Muster auf der Lasche und Quasten an den Seiten. Sie hatte einen marineblauen Rock zu einer gelben Bluse an. Ihre Haare waren auf Schulterlänge geschnitten. Die Frisur schmeichelte ihr, sie erinnerte ein wenig an Angie Dickinson.

Offensichtlich war Amanda nicht die Einzige, die so dachte. Butch Bonnie rief: »Hey, Pepper Anderson, du kannst mich jederzeit verhaften.«

Die Männer lachten.

»Tut mir leid, dass ich mich verspätet habe«, sagte Evelyn zu dem neuen Sergeant. »Wird nicht wieder vorkommen.« Sie entdeckte Amanda und Vanessa und ging zu ihnen hinüber. Das Klicken ihrer Absätze hallte durch den Saal.

Hodge stoppte sie. »Ich habe Ihren Namen nicht verstanden, Detective.«

Seine Worte schienen alle Luft aus dem Saal zu saugen. Köpfe drehten sich zu Evelyn um, die wie erstarrt neben Amanda stehen blieb. Sie verströmte eine Furcht, die so spürbar war wie die Hitze.

Hodge räusperte sich noch einmal. »Ist mir etwas entgangen, Officer? Ich nehme an, Sie sind Detective, da Sie keine Uniform tragen?«

Evelyn öffnete den Mund, aber Rick Landry kam ihr zuvor.

»Sie ist Zivilbeamtin, kein Detective.«

Hodge ließ sich nicht aus dem Konzept bringen. »Den Unterschied verstehe ich nicht recht.«

Rick deutete mit dem Daumen nach hinten. Die Zigarette in seinem Mund hüpfte beim Sprechen. »Na ja, sehen Sie die Titten in ihrer Bluse?«

Der ganze Saal brach in Lachen aus. Evelyn drückte sich die Tasche vor die Brust, lachte jedoch mit. Auch Amanda gluckste. Das Geräusch rasselte in ihrer Kehle.

Hodge wartete, bis das Gelächter verstummt war. Dann fragte er Evelyn: »Ihr Name, Officer?«

»Mitchell«, erwiderte sie und ließ sich neben Amanda auf einen Stuhl sinken. »Mrs. Evelyn Mitchell.«

»Ich schlage vor, dass Sie in Zukunft pünktlich sind.« Er sah auf seine Liste und suchte nach ihrem Namen. »Sie sind heute mit Miss Livingston zusammen.« Er wandte sich dem nächsten Namen zu. »Miss Wagner, Ihr Partner wird heute Detective Peterson sein, der aus ...« Jemand johlte laut. Hodge sprach darüber hinweg. »... aus Zone zwei kommt.«

Evelyn wandte sich Amanda zu und verdrehte die Augen. Kyle Peterson war ein Arschloch. Wenn er nicht versuchte, einem die Hand unter den Rock zu schieben, schlief er auf der Rückbank seinen Rausch aus.

Vanessa beugte sich zu Evelyn und flüsterte ihr zu: »Deine neue Frisur gefällt mir. Sehr schick!«

»Danke.« Sie zupfte an den Haarspitzen, als wollte sie sie länger machen. Dann fragte sie Amanda: »Hast du gehört, dass Oglethorpe wieder in den Dienst aufgenommen wurde?«

»Sie haben ihm seine alte Einheit zurückgegeben«, bemerkte Vanessa. »Ich frage mich, was das für uns bedeutet.«

»Wahrscheinlich gar nichts«, murmelte Evelyn.

Sie richteten ihre Aufmerksamkeit wieder nach vorne. Am Rand des Saales stand direkt neben der offenen Tür ein Weißer. Er war etwa in Amandas Alter und trug einen akkurat geschnittenen, dreiteiligen taubenblauen Anzug. Seine sandfarbenen Haare waren hinten lang, die Koteletten nicht gestutzt. Er hielt die Arme ungeduldig vor der Brust verschränkt. Darunter wölbte sich sein Bauch hervor.

»Einer von den Chefs?«, fragte Vanessa.

Evelyn schüttelte den Kopf. »Zu gut gekleidet.«

»Anwalt«, murmelte Amanda. Sie war oft genug in der Kanzlei des Anwalts ihres Vaters gewesen, um zu wissen, wie Anwälte aussahen. Der gute Anzug war ein Hinweis, aber ihr reichte bereits das arrogant gehobene Kinn.

»Detectives Landry und …« Luther Hodge schien zu merken, dass niemand mehr zuhörte. Er sah von seiner Liste auf und starrte den Besucher einen Augenblick an. »Mr. Treadwell, wir unterhalten uns besser in meinem Büro.« Zu seiner Truppe sagte er: »Es wird ein paar Minuten dauern. Kann jemand übernehmen?«

Butch sprang auf. »Ich kann das machen.«

»Danke, Detective.« Hodge schien die argwöhnischen Mienen im Saal nicht zu bemerken. Butch die Verantwortung zu überlassen, war so, als würde man den Bock zum Gärtner machen. Er würde die Teamzuweisungen nach eigenem Gutdünken verändern.

Hodge schob seine schlaksige Gestalt durch die Lücke zurück in den hinteren Teil des Saals. Treadwell, der Anwalt, folgte ihm am äußeren Rand entlang. Bevor er das Büro betrat und die Tür schloss, zündete er sich eine Zigarette an.

»Ich würde zu gern wissen, worum es da geht«, flüsterte Evelyn.

»Kümmere dich nicht um die«, gab Vanessa zurück. »Warum um Himmels willen bist du überhaupt zurückgekommen?«

»Mir gefällt's hier.«

Vanessa verzog das Gesicht. »Na, komm, Mädchen. Die Wahrheit.«

»Die Wahrheit ist total langweilig. Warten wir ab, was die Gerüchteküche zu sagen hat.« Evelyn grinste, zog dann den Reißverschluss ihrer Handtasche auf und begann, darin zu wühlen.

Vanessa sah Amanda fragend an, aber die schüttelte nur den Kopf.

»*Jessir, Jessir*«, sagte jemand.

Amanda sah, dass eine Gruppe schwarzer Uniformierter es übernommen hatte, die Vorgänge in Hodges Büro zu kommentieren. Amanda blickte zu Evelyn, dann zu Vanessa. Sie drehten sich zur Seite, um besser sehen zu können.

Hinter der Glaswand bewegte sich Treadwells Mund, und einer der Schwarzen imitierte ihn mit hochtrabender Stimme: »Hör zu, Junge, dein Gehalt wird von meinen Steuergeldern bezahlt.«

Amanda musste sich das Lachen verkneifen. Sie hörte diesen Satz fast täglich – als trügen ihre eigenen Steuern nicht genauso viel zu ihrem Gehalt bei wie die eines anderen.

Hodge blickte auf seinen Schreibtisch hinab. So wie er seine Schultern beim Sprechen hielt, signalisierte er eine gewisse Unterwürfigkeit. »*Jessir*«, sagte der erste Schwarze. »Seh ich mir sofort an, Sir. Ja, klar, mach ich jetzt gleich.«

Treadwell zeigte mit dem Finger auf Hodge. Der zweite Schwarze grummelte: »Ich muss sagen, diese Stadt ist ein einziger Saustall geworden. Was ist das nur für eine Welt! Die Affen leiten den Zoo!«

Hodge nickte. Er hatte noch immer den Blick gesenkt. Der erste Schwarze sagte: »*Jessir*, wirklich ein Saustall. Kein Tag vergeht, an dem ich nicht von armen weißen Frauen höre, die von Schwarzen belästigt werden.«

Amanda biss sich auf die Unterlippe. Einige kicherten nervös.

Treadwell ließ die Hand sinken. Der zweite Schwarze sagte: »Ich muss schon sagen, ihr verdammten Schwarzen Ärsche führt euch auf, als würde euch der Laden gehören.«

Inzwischen lachte keiner mehr, nicht einmal die schwarzen Beamten. Dieser Scherz war zu weit gegangen.

Als Treadwell die Tür aufstieß und hinausstürmte, herrschte eine bedrückende Stille im Raum.

Luther Hodge konnte seinen Zorn kaum beherrschen, als er durch die offene Tür trat. Er zeigte auf Evelyn. »Sie.« Sein Finger deutete in Amandas und Vanessas Richtung. »Und Sie.«

Vanessa erstarrte. Amanda legte die Hand an die Brust. »Ich, oder …?«

»Versteht ihr Frauen Befehle? In mein Büro!« Und an Butch gewandt sagte er: »Machen Sie mit dem Appell weiter, Detective Bonnie. Ich sollte es Ihnen nicht zwei Mal sagen müssen.«

Evelyn drückte beim Aufstehen die Handtasche an die Brust. Amandas Beine fühlten sich kühl an, als sie ihr folgte. Sie drehte sich zu Vanessa um, die schuldbewusst und erleichtert gleichermaßen wirkte.

Evelyn stand bereits vor Hodges Schreibtisch, als Amanda das Büro betrat. Er hatte sich auf seinem Stuhl niedergelassen und war gerade dabei, etwas aufzuschreiben.

Amanda wollte schon die Tür schließen, als Hodge sagte: »Lassen Sie sie offen.« Auch wenn Amanda geglaubt hatte, sie hätte zuvor schon geschwitzt, war das nichts im Vergleich zu jetzt. Evelyn spürte es offenbar ebenso. Sie zupfte nervös an ihren Haaren. Das dünne Band ihres Eherings glänzte im Schein der Neonröhre an der Decke. Im Saal rief Butch Bonnie mit dumpfer, monotoner Stimme die Teams auf. Amanda wusste, dass Luther Hodge trotz der geschlossenen Tür gehört hatte, wie die schwarzen Beamten sich über ihn lustig gemacht hatten.

Hodge legte seinen Füller weg. Dann lehnte er sich zurück und sah zuerst Evelyn, dann Amanda an. »Sie beide gehören zum Sittendezernat.«

Sie nickten beide, obwohl es keine Frage gewesen war.

»Unter dieser Adresse hier wurde eine Vergewaltigung gemeldet.« Hodge hielt ihnen das Blatt hin. Nach kurzem Zögern nahm Evelyn es entgegen und blickte darauf hinab. »Das ist in Techwood.« Im Getto.

»Korrekt«, erwiderte Hodge. »Nehmen Sie die Aussage auf. Stellen Sie fest, ob ein Verbrechen vorliegt oder nicht. Wenn nötig, nehmen Sie eine Verhaftung vor.«

Evelyn sah Amanda an. Offensichtlich fragten sich beide das Gleiche: Was hatte das mit dem Anwalt zu tun, der eben hier gewesen war?

»Brauchen Sie eine Wegbeschreibung?«, fragte Hodge, obwohl auch dies nicht als Frage gemeint war. »Ich nehme an, die Damen kennen sich in der Stadt aus. Muss ich Ihnen einen Streifenwagen als Begleitung mitgeben? Wird das hier so gemacht?«

»Nein«, entgegnete Evelyn. Hodge starrte sie an, bis sie hinzufügte: »Sir.«

»Gehen Sie.« Dann schlug er eine Akte auf und begann, sie zu studieren.

Amanda sah Evelyn an, die zur Tür nickte. Beim Hinausgehen wussten beide nicht recht, was soeben passiert war. Der Appell war zu Ende, der Bereitschaftssaal leer bis auf ein paar Nachzügler, die auf ihre frisch zugewiesenen Partner warteten. Auch Vanessa war verschwunden. Wahrscheinlich mit Peterson. Sie würde ihn als Partner sicherlich höher schätzen als Amanda.

»Können wir dein Auto nehmen?«, fragte Evelyn. »Ich bin heute mit dem Kombi da, und der ist voll bis unters Dach.«

»Klar.« Amanda folgte ihr auf den Parkplatz. Evelyn hatte nicht gelogen. Ihr roter Ford Falcon war vollgestopft mit Schachteln.

»Bills Mutter ist am Wochenende in unsere Nachbarschaft gezogen. Sie wird auf das Baby aufpassen, während ich bei der Arbeit bin.«

Amanda stieg in ihren Plymouth. Sie wollte Evelyn nicht nach deren Privatleben aushorchen, aber dieses Arrangement kam ihr doch merkwürdig vor.

»Versteh mich nicht falsch«, erklärte Evelyn, während sie sich auf den Beifahrersitz schob. »Ich liebe Zeke, und die letzten eineinhalb Jahre mit ihm waren großartig, aber ich schwöre bei Gott, wenn ich noch einen Tag länger zu Hause mit dem Kind festsitze, fange ich an, eimerweise Valium zu schlucken.«

Amanda wollte eben den Schlüssel ins Zündschloss stecken, hielt aber inne und drehte sich zu Evelyn um. Fast alles, was sie über die Frau wusste, hatte ihr Vater ihr erzählt. Sie sah gut aus, was Duke Wagner nicht unbedingt als Vorteil für jemanden in Uniform betrachtete. Starrsinnig war der Begriff gewesen, der am häufigsten genannt worden war, dicht gefolgt von penetrant.

»Ist dein Mann denn damit einverstanden, dass du wieder arbeiten gehst?«

»Er wird sich daran gewöhnen.« Evelyn öffnete ihre Handtasche und holte einen Stadtplan von Atlanta heraus. »Kennst du Techwood?«

»Nein. Ich war nur ein paarmal in Grady Homes.« Amanda erwähnte nicht, dass sie meistens Einsätze im Norden Atlantas gehabt hatte, wo die Opfer weiß waren und Mütter hatten, die ihnen gesüßten Tee anboten und davon sprachen, das Martyrium schnell hinter sich bringen zu wollen. »Was ist mit dir?«

»Ein bisschen. Dein Dad hat mich ein paarmal dorthin geschickt.«

Amanda trat aufs Gas, noch während sie den Schlüssel drehte. Der Motor sprang beim zweiten Versuch an. Sie schwieg, als sie vom Parkplatz fuhr. Fast die ganze Zeit als Streifenbeamtin hatte Evelyn unter Duke Wagner gedient. Mit ihrer Beförderung zur Zivilbeamtin war er damals nicht einverstanden gewesen, aber zu jener Zeit hatte bereits ein anderer Wind geweht, und er hatte den Kampf verloren. Amanda konnte sich gut vorstellen, dass ihr Vater sie zu den sozialen Brennpunkten geschickt hatte, um ihr eine Lektion zu erteilen.

»Mal sehen, ob wir uns zurechtfinden.« Evelyn faltete den Stadtplan auf ihrem Schoß auseinander. Sie fuhr mit dem Finger längs und quer über die Gegend in der Nähe der Georgia Tech. Der soziale Wohnungsbau in Techwood passte zwar nicht in die Umgebung einer der besten technischen Universitäten des Staates, aber die Stadt wusste allmählich nicht mehr, wo sonst sie die Armen unterbringen sollte. Clark Howell Homes, University Homes, Bowen Homes, Grady Homes, Perry Homes, Bankhead Courts, Thomasville Heights – überall dort gab es endlos lange Wartelisten für Unterkünfte, obwohl all diese Viertel im Grunde nichts weiter waren als Slums.

Wobei keins der Viertel so angefangen hatte. In den Dreißigern hatte die Stadt die Wohnblocks von Techwood auf dem Gelände einer ehemaligen Hüttensiedlung namens Tanyard Bottoms gebaut. Es war der erste öffentlich geförderte Wohnungsbau seiner Art in den Vereinigten Staaten gewesen. Die Gebäude waren an die Strom- und Wasserversorgung angebunden worden. Es hatte auf dem Gelände eine Schule gegeben, eine Bücherei und Waschsalons. Präsident Roosevelt hatte der Eröffnungszeremonie beigewohnt. In weniger als zehn Jahren war Techwood jedoch derart verkommen, dass die Zustände kaum besser waren als in der vormaligen Hüttensiedlung. Duke Wagner hatte oft behauptet, dass die Aufhebung der Rassentrennung der letzte Nagel in Techwoods Sarg gewesen sei. Aber was auch immer der wahre Grund dafür war – die Georgia Tech gab jährlich Tausende Dollar für einen privaten Sicherheitsdienst aus, um ihre Studenten vor den Nachbarn zu schützen. Die Gegend glich einem Kriegsgebiet.

»Okay.« Evelyn faltete den Stadtplan wieder zusammen.

»Fahr zum Techwood Drive, ab da kann ich dir sagen, wie es weitergeht.«

»Die Gebäude haben keine Hausnummern.« Dieses Problem beschränkte sich nicht allein auf die Sozialbauten. Als Amanda noch in Uniform gewesen war, war die erste halbe Stunde fast all ihrer Einsätze für die Suche nach der richtigen Adresse draufgegangen.

»Keine Sorge«, sagte Evelyn. »Ich kenne das System.« Amanda fuhr die Ponce de Leon hoch, vorbei am alten Spiller Field, in dem früher die Crackers gespielt hatten. Das Stadion war abgerissen worden, um stattdessen ein Einkaufszentrum zu errichten. Nur den Magnolienbaum, der im Mittelfeld gestanden hatte, gab es immer noch. Am Sears-Gebäude bogen sie in eine Seitenstraße ein, um zur North Avenue zu kommen. Sowohl Amanda als auch Evelyn kurbelten ihre Fenster hoch, als sie sich Buttermilk Bottom näherten. Die Hütten waren schon vor einem Jahrzehnt abgerissen worden, aber niemand hatte sich um das Abwasserproblem gekümmert. Amanda stieg ein säuerlicher Geruch in die Nase. Die nächsten fünf Blocks musste sie durch den Mund atmen. Dann erst konnte sie ihr Fenster wieder hinunterkurbeln.

»Und?«, fragte Evelyn. »Wie läuft's bei deinem Vater?«

Es war schon das zweite Mal, dass sie danach fragte, und das machte Amanda argwöhnisch. »Er redet mit mir nicht wirklich darüber.«

»Das mit Oglethorpe ist doch eine gute Nachricht, oder nicht? Für deinen Vater, meine ich?«

»Ich denke ja.« Amanda blieb vor einer roten Ampel stehen.

»Was glaubst du, was diese Vergewaltigungsanzeige in Techwood mit Treadwells Auftauchen zu tun hat?«

Amanda war zuvor zu nervös gewesen, um über diese Frage nachzudenken, doch jetzt sagte sie: »Vielleicht hat er die Vergewaltigung im Namen eines Mandanten gemeldet.«

»Anwälte in Hundert-Dollar-Anzügen haben keine Mandanten in Techwood.« Evelyn stützte das Kinn auf. »Treadwell taucht auf und kommandiert Hodge herum. Hodge ruft uns zu sich und kommandiert uns herum. Da muss es doch eine Verbindung geben, meinst du nicht auch?«

Amanda schüttelte den Kopf. »Keine Ahnung.«

»Er sah jung aus, nicht wahr? Bestimmt frisch von der Uni. Die Kanzlei seines Vaters hat den Bürgermeister im Wahlkampf kräftig unterstützt.«

»Maynard Jackson?«, fragte Amanda. Sie hatte sich nie groß Gedanken gemacht über Weiße, die den ersten schwarzen Bürgermeister der Stadt unterstützten, aber Atlantas Geschäftsleute hatten sich noch nie von Rassenfragen vom Geldverdienen abhalten lassen.

Evelyn erzählte weiter: »Treadwell-Price steckte knietief mit drin in der Kampagne. Daddy Treadwell ließ sich mit Jackson am Tag des Wahlsiegs für die Zeitung ablichten. Sie hatten die Arme umeinandergeschlungen wie zwei Schulmädchen. Adam? Allen?« Sie atmete langsam und hörbar aus.

»Andrew! So heißt er. Andrew Treadwell. Der Sohnemann ist sicher ein Junior. Ich wette, sie nennen ihn Andy.«

Amanda schüttelte den Kopf. Die Politik war das Metier ihres Vaters. »Hab von keinem von beiden je etwas gehört.«

»Auf jeden Fall trat der Junior sehr selbstbewusst auf. Hodge hatte eine Heidenangst vor ihm. Das war doch zum Brüllen – auch ohne das Kabarett, oder nicht?«

»Ja.« Amanda sah zu der roten Ampel hoch und fragte sich, warum sie nicht endlich umschaltete.

»Fahr einfach«, schlug Evelyn vor. Als sie Amandas besorgte Miene sah, sagte sie: »Entspann dich! Ich werd dich schon nicht verhaften.«

Amanda sah zwei Mal in beide Richtungen, bevor sie den Plymouth langsam vorwärtsrollen ließ.

»Vorsicht!«, rief Evelyn. Eine Corvette kam auf der Spring Street über den Hügel geschossen. Funken flogen, als der Unterboden über den Asphalt schleifte und der Bolide über die Kreuzung jagte. »Wo ist nur die Polizei, wenn man sie braucht?«

Amandas Wade schmerzte, so fest war sie auf die Bremse getreten. »Ich habe meine Autoversicherung bei Benowitz abgeschlossen, falls du deinem Mann einen Auftrag vermitteln willst.«

Evelyn lachte. »Benowitz ist gar nicht so übel.«

Amanda wusste nicht, ob Evelyn sich über sie lustig machte oder einfach nur sagte, was sie dachte. Sie blickte wieder zur Ampel hinauf. Immer noch rot. Wieder rollte sie an und verzog das Gesicht, als sie aufs Gaspedal trat. Erst als sie das Varsity-Restaurant hinter sich gelassen hatten, spürte Amanda, dass ihre Schultern sich entspannten. Und dann verspannten sie sich sofort wieder.

Der Geruch füllte den Innenraum, kaum dass sie die vierspurige Schnellstraße überquert hatten. Doch jetzt war es kein Abwasser, sondern die Armut und dass die Leute hier so dicht beieinanderwohnten wie Tiere in übereinandergestapelten Käfigen. Die Hitze tat ihr Übriges. Die Sozialbauten vor ihnen bestanden aus Gussbeton mit Backsteinfassaden, und diese Mischung war in etwa so atmungsaktiv wie Amandas Nylonstrumpfhose.

Neben ihr schloss Evelyn die Augen und atmete flach durch den Mund. »Okay.« Sie schüttelte den Kopf und schlug dann den Stadtplan wieder auf. »Links auf die Techwood. Dann rechts auf die Pine.«

Amanda fuhr langsamer, um durch die schmalen Straßen zu kommen. In einiger Entfernung konnte sie schon die Backsteinreihen und Gärtchen von Techwood Homes erkennen. Fast sämtliche Oberflächen waren mit Graffiti beschmiert, und wo ausnahmsweise keine Sprühfarbe war, türmte sich hüfthoch der Abfall. Eine Handvoll Kinder spielte auf einem staubigen Hof. Sie trugen nur Fetzen am Leib. Schon von Weitem konnte Amanda die Schrunden auf ihren Beinen sehen.

»Bieg dort rechts ab«, sagte Evelyn.

Amanda fuhr, so weit es ging, bis die Straße unpassierbar wurde. Ein ausgebranntes Auto blockierte die Durchfahrt. Die Türen standen offen. Die Motorhaube klaffte auf und gab den Blick auf den Motor frei, der aussah wie eine verkohlte Zunge. Amanda fuhr aufs Bankett und schaltete auf Parken. Evelyn rührte sich nicht. Sie starrte die Kinder an. »Ich hatte ganz vergessen, wie schlimm es hier ist.«

Amanda musterte die Jungen. Sie hatten eine dunkle Hautfarbe und knubbelige Knie. Mit nackten Füßen kickten sie einen offensichtlich luftleeren Basketball herum. Nirgends Gras, nur trockene rote Erde.

Die Kinder hörten auf zu spielen. Einer der Jungen deutete auf den Plymouth, den die Stadt standardmäßig kaufte und den die Bevölkerung leicht als zivilen Polizeiwagen erkennen konnte. Ein anderer Junge rannte durch den Staub zum nächsten Gebäude hinüber.

Evelyn lachte trocken. »Da läuft der kleine Engel, um das Begrüßungskomitee zu benachrichtigen.«

Amanda zog am Türgriff. In der Ferne sah sie den Coca-Cola-Turm, der zusammen mit der Georgia Tech die vierzehn Blocks des Slums einrahmte. »Mein Vater sagt, Coke versucht, die Stadt zu überreden, das Viertel abzureißen und die Leute umzusiedeln.«

»Kann mir nicht vorstellen, dass der Bürgermeister die Leute rauswirft, die ihn gewählt haben.«

Amanda widersprach ihr nicht, aber ihrer Erfahrung zufolge hatte ihr Vater in diesen Dingen zumeist recht.

»Dann bringen wir die Sache mal hinter uns.« Evelyn stieß die Tür auf und stieg aus. Sie zog den Reißverschluss ihrer Handtasche auf und holte das Funkgerät heraus, das halb so lang war wie ein Kel-Lite und genauso schwer. Amanda sah nach, ob der Reißverschluss ihrer Tasche geschlossen war, während Evelyn der Zentrale ihren Standort durchgab. Amandas

Funkgerät funktionierte kaum, egal wie oft sie die Batterien wechselte. Wenn Sergeant Geary nicht wäre, könnte sie es ebenso gut zu Hause lassen. Jeden Morgen ließ er die Frauen ihre Handtaschen ausleeren, um zu kontrollieren, ob sie korrekt ausgerüstet waren.

»Dort entlang.« Evelyn ging den Hügel hoch auf den Wohnblock zu.

Amanda spürte, dass Hunderte Augenpaare sie mit Blicken verfolgten. In dieser Gegend arbeiteten tagsüber nicht viele. Sie hatten genug Zeit, um zum Fenster hinauszustarren und darauf zu warten, dass irgendetwas Schlimmes passierte. Je weiter sie sich von ihrem Plymouth entfernten, desto unwohler fühlte sie sich, und als Evelyn vor dem zweiten Gebäude stehen blieb, hatte sie das Gefühl, sich übergeben zu müssen.

»Okay.« Evelyn deutete zu den Türen und zählte sie ab.

»Drei, vier, fünf …« Sie zählte schweigend weiter, während sie daran vorüberging. Amanda folgte ihr und fragte sich, ob Evelyn wusste, was sie tat, oder einfach nur vorgab, Bescheid zu wissen.

Schließlich blieb Evelyn wieder stehen und deutete zur mittleren Wohnung im Obergeschoss hinauf. »Wir sind da.« Sie starrten durch die offene Tür, die zu einer Treppe führte. Ein einzelner Sonnenstrahl erhellte die unteren Stufen. Die vorderen Fenster der Eingangshalle waren vernagelt, aber das metallverstärkte Oberlicht lieferte genug Licht, um etwas erkennen zu können. Zumindest solange es Tag war.

»Fünfter Stock, Dachgeschoss«, sagte Evelyn. »Wie hast du bei deiner Fitnessprüfung abgeschnitten?«

Noch eine von Reggies Vorschriften. »Ich hab die Meile gerade so in der Zeit geschafft.« Die Vorgabe war achteinhalb Minuten gewesen. Amanda hatte die Zeit bis zur letzten Sekunde ausgereizt.

»Mich haben sie bei den Klimmzügen gerade noch so durchkommen lassen, sonst würde ich jetzt zu Hause sitzen und mir

Captain Kangaroo ansehen.« Evelyn lächelte. »Ich hoffe, dein Leben wird nie von der Kraft in meinem Oberkörper abhängen.«

»Aber du kannst sicher schneller laufen als ich, wenn's so weit kommt.«

Evelyn lachte. »Darauf kannst du Gift nehmen.« Sie zog den Reißverschluss ihrer Handtasche zu und knöpfte die Lasche darüber. Amanda sah noch einmal nach, ob ihre Handtasche wirklich zu war. Das Erste, was man über einen Einsatz in diesen Gegenden lernte, war, dass man seine Handtasche nie offen lassen und nie irgendwo abstellen durfte. Niemand wollte Läuse oder Schaben mit nach Hause bringen.

Evelyn atmete einmal tief ein, als wollte sie gleich abtauchen, und betrat dann das Gebäude. Der Gestank traf sie beide wie eine Faust in die Magengrube. Evelyn hielt sich die Hand vors Gesicht, als sie die Stufen emporstieg. »Man sollte meinen, wenn man den ganzen Tag an Babywindeln schnuppert, gewöhnt man sich an den Gestank von Urin. Aber ich schätze mal, erwachsene Männer nehmen andere Nahrung zu sich. Ich weiß, dass mein Urin stinkt, wenn ich Spargel esse. Ich hab auch mal Kokain probiert. Kann mich nicht daran erinnern, wie meine Pisse danach gerochen hat, aber Mann, das war mir damals ehrlich gestanden auch echt egal.«

Schockiert blieb Amanda am Fuß der Treppe stehen und sah zu Evelyn hoch, der offensichtlich gar nicht bewusst war, dass sie soeben den Konsum einer illegalen Droge zugegeben hatte.

»Verpfeif mich bloß nicht bei Reggie. Ich hab für dich an der roten Ampel ein Auge zugedrückt.« Evelyn grinste. Auf dem Treppenabsatz bog sie ab und war verschwunden.

Kopfschüttelnd folgte Amanda ihr die Treppe hinauf. Keine von beiden benutzte das Geländer. Unter ihren Füßen wimmelte es von Schaben. Müll schien fest mit den Trittflächen verklebt zu sein. Die Wände vermittelten den Eindruck, als würden sie gleich auf sie einstürzen.

Amanda zwang sich, durch den Mund zu atmen, so wie sie sich zwang, einen Fuß vor den anderen zu setzen. Sie waren verrückt. Warum hatten sie keine Verstärkung angefordert? Die Hälfte der Vergewaltigungsfälle in Atlanta wurde von Frauen gemeldet, die man in Treppenhäusern missbraucht hatte. Vergewaltigungen waren hier so allgegenwärtig wie die Ratten und der Dreck.

Als Evelyn um den nächsten Absatz bog, zupfte sie erneut an ihren Haarspitzen. Amanda vermutete, dass sie nervös war. Sie teilte ihre Angst. Je höher sie hinaufstiegen, umso heftiger rumorten ihre Eingeweide. Vierzehn getötete Polizisten in den vergangenen zwei Jahren. Schüsse in den Kopf. Manchmal in den Bauch. Ein Mann hatte noch zwei Tage gelebt, bevor er den Kampf schließlich verloren hatte. Er hatte so heftige Schmerzen gehabt, dass man ihn in der Notaufnahme des Grady Hospital bis unten hatte schreien hören können.

Amandas Herz raste, als sie um den nächsten Absatz bog. Ihre Hände fingen an zu zittern. Die Knie wurden weich. Am liebsten wäre sie in Tränen ausgebrochen.

Sicherlich hatte einer der Streifenwagen Evelyns Standortmeldung an die Zentrale mitbekommen. Die Männer warteten selten ab, bis eine Beamtin Verstärkung anforderte. Sie tauchten einfach auf, übernahmen den Fall und verscheuchten die Kolleginnen, als wären sie spielende Kinder. Normalerweise ärgerte Amanda sich über dieses Machogehabe, aber heute hätte sie die Männer mit offenen Armen empfangen.

»Das ist verrückt«, murmelte sie auf dem nächsten Absatz.

»Absolut verrückt.«

»Nur noch ein kleines Stück«, rief Evelyn ihr über die Schulter zu.

Es war ja nicht so, als würden sie verdeckt arbeiten. Inzwischen wusste jeder, dass sich zwei Polizistinnen im Gebäude aufhielten. Weiße Polizistinnen. Von überallher drangen die Geräusche von Fernsehern und geflüsterten Unterhaltungen zu ihnen. Die Hitze war genauso erdrückend wie die Schatten. Und jede einzelne geschlossene Tür bot jemandem die Gelegenheit, dahinter hervorzuspringen und einer von ihnen etwas anzutun.

»In Ordnung. Was haben wir?«, fragte Evelyn niemanden im Speziellen. »Vierhundertdreiundvierzig gemeldete Vergewaltigungen im letzten Jahr.« Ihre Stimme schepperte wie eine Glocke durch das Treppenhaus. »Einhundertdreizehn waren weiße Frauen. Was ist das, eine Eins-zu-drei-Chance, dass wir vergewaltigt werden?« Sie sah sich nach Amanda um.

»Fünfundzwanzig Prozent?«

Amanda schüttelte den Kopf. Die Frau mochte genauso gut in Zungen reden.

Evelyn stieg weiter die Stufen hoch. »Vier Mal einhundertdreizehn …« Sie unterbrach sich. »Ich hatte fast recht. Wir haben eine sechsundzwanzigprozentige Chance, heute vergewaltigt zu werden. Das ist nicht sonderlich hoch. Die Wahrscheinlichkeit, dass uns nichts passiert, liegt bei vierundsiebzig Prozent.«

Wenigstens die Zahlen ergaben einen Sinn. Amanda spürte, wie der Druck auf ihrer Brust ein wenig leichter wurde. »Das klingt gar nicht so schlecht.«

»Nein, klingt es nicht. Wenn ich eine vierundsiebzigprozentige Chance hätte, den Bug zu gewinnen, wäre ich jetzt auf der Auburn und würde meinen kompletten Gehaltsscheck setzen.«

Amanda nickte. Der Bug war eine von Schwarzen betriebene Zahlenlotterie. »Woher hast du …«

Vom Ende des Korridors drangen Geräusche zu ihnen. Eine Tür wurde zugeschlagen. Ein Kind schrie. Eine Männerstimme brüllte, dass sie alle verdammt noch mal endlich still sein sollten.

Der Druck kam zurück wie ein Stein, der vom Himmel fiel. Evelyn blieb auf der Treppe stehen. Sie sah direkt auf Amanda hinunter. »Statistisch gesehen sind wir auf der sicheren Seite. Mehr als das.« Sie wartete, bis Amanda nickte, bevor sie weiterging. Evelyns Haltung hatte ihre Selbstsicherheit verloren. Sie atmete schwer. Plötzlich wurde Amanda bewusst, dass die andere Frau die Führung übernommen hatte. Falls sie am Ende der Treppe irgendetwas Schlimmes erwartete, würde Evelyn Mitchell sich zuerst damit herumschlagen müssen.

»Woher hast du diese Zahlen?«, fragte sie. Sie hatte noch nie davon gehört, und eigentlich waren sie ihr auch egal. Sie wusste nur, dass Reden jetzt das Einzige war, das sie vom Kotzen abhielt. »Die gemeldeten Vergewaltigungen?«

»Seminarprojekt. Ich mache an der Tech einen Kurs in Statistik.«

»Tech«, wiederholte Amanda. »Ist das nicht wahnsinnig schwer?«

»Es ist eine gute Gelegenheit, Männer kennenzulernen.« Wieder wusste Amanda nicht, ob das ein Scherz sein sollte. Aber auch das war ihr egal. »Wie viele der Täter waren Weiße?«

»Bitte?«

»Techwood ist zu neunzig Prozent schwarz. Wie viele der Vergewaltiger waren …«

»Ach so.« Evelyn war am Ende der Treppe stehen geblieben. »Weißt du, ich kann mich nicht mehr daran erinnern. Ich schlag's später für dich nach.« Sie deutete den Gang entlang. Die Lampen waren allesamt durchgebrannt. Das Oberlicht tauchte alles in Schatten. »Fünfte Tür auf der linken Seite.«

»Willst du mein Kel?«

»Ich glaube nicht, dass eine Taschenlampe allzu viel bringt. Bereit?«

Amanda spürte ihren Kehlkopf auf und ab hüpfen, als sie zu schlucken versuchte. Auf dem Boden lag ein angebissener Apfel, der sich zu bewegen schien. Er war von Ameisen bedeckt.

»Der Gestank hier oben ist gar nicht mehr so schlimm.«

»Nein«, pflichtete Amanda ihr bei.

»Ich schätze, wenn man nur seine Blase auf einen Fußboden entleeren will, steigt man dafür nicht extra fünf Stockwerke hoch.«

»Nein«, echote Amanda.

»Sollen wir?« Mit neuer Entschlossenheit ging Evelyn den Gang entlang. Vor der geschlossenen Tür holte Amanda sie ein. Ein aus Plastik ausgeschnittenes C war an die Wand genagelt. Direkt unter dem Türspion klebte ein aus einem Notizblock gerissener Zettel mit blauen Großbuchstaben in kindlicher Schrift. »Kitty Treadwell«, las Amanda vor.

»Langsam wird die Sache interessant.« Evelyn atmete tief durch die Nase. »Riechst du das?«

Amanda musste sich konzentrieren, um den Geruch zu identifizieren. »Essig?«

»So riecht Heroin.«

»Das hast du aber nicht auch schon probiert, oder?«

»Sicher weiß das nur mein Friseur.« Sie bedeutete Amanda, sich seitlich neben die Tür zu stellen. Evelyn stellte sich auf die andere Seite. Das erhöhte leicht ihre Sicherheit für den Fall, dass jemand mit einer geladenen Schrotflinte hinter der geschlossenen Tür stand.

Evelyn hob die Hand und klopfte dann mit solcher Kraft an, dass die Tür in den Angeln bebte. Ihre Stimme klang anders – tiefer, männlicher –, als sie rief: »Atlanta Police Department.« Sie sah Amandas Miene und zwinkerte ihr zu, bevor sie erneut anklopfte. »Aufmachen!«, befahl sie.

Amanda lauschte ihrem eigenen Herzschlag, den schnellen Atemzügen. Sekunden vergingen. Evelyn hob noch einmal die Hand, ließ sie aber wieder sinken, als eine gedämpfte Frauenstimme hinter der Tür flüsterte: »O Gott.«

Aus der Wohnung war ein Schlurfen zu hören. Eine Kette wurde vorgezogen. Dann klickte ein Schloss. Und noch eins. Der Knauf bewegte sich, als er von innen gedreht wurde.

Das Mädchen in der Wohnung war augenscheinlich eine Prostituierte, obwohl sie ein dünnes Baumwollhemdchen trug, wie man es eher an einer Zehnjährigen erwartete. Blondierte Haare hingen ihr bis über die Taille. Ihre Haut war weiß, fast bläulich.

Sie war zwischen zwanzig und sechzig Jahre alt. Ihr Körper war mit Einstichen übersät – Arme, Hals, Beine, selbst ihre nackten Füße, die Adern offen wie feuchte rote Münder. Angesichts mehrerer Zahnlücken wirkte ihr Gesicht eingefallen. Amanda sah, wie Kugel und Pfanne ihres Schultergelenks sich bewegten, als sie die Arme vor dem Bauch verschränkte.

»Kitty Treadwell?«, fragte Evelyn.

»Was wollt ihr Schlampen?« Ihre Stimme klang zigaretten-heiser.

»Auch Ihnen einen guten Morgen.« Evelyn schlüpfte in die Wohnung, die aussah, wie Amanda es erwartet hatte. Im Spül-becken stapelte sich schimmliges Geschirr. Überall lagen leere Einkaufstüten. Der Boden war übersät mit Kleidungsstücken. Mitten im Zimmer stand ein fleckiges blaues Sofa hinter einem Couchtischchen. Spritzen und ein Löffel lagen auf einem schmutzigen Geschirrtuch bereit. Streichhölzer. Abgerissene Zigarettenfilter. Eine kleine Tüte mit schmutzig weißem Pulver lag neben zwei Schaben, die entweder tot oder so high waren, dass sie sich nicht mehr bewegen konnten. Jemand hatte den Küchenherd mitten ins Zimmer gezogen. Die Ofentür stand of-fen, die Kante lag auf dem Couchtisch, um den großen Farb-fernseher abzustützen, der daraufstand.

»Ist das Dinah?«, fragte Evelyn. Sie drehte den Apparat lauter. Jack Cassidy und Dinah Shore. »Ich liebe ihre Stimme! Haben Sie letzte Woche David Bowie in der Sendung gesehen?«

Das Mädchen blinzelte ein paarmal.

Amanda musterte kurz die Schaben, bevor sie die Stehlampe einschaltete. Grelles Licht erfüllte das Zimmer. Die Fenster wa-ren mit gelbem Bastelpapier verklebt, aber das hielt die helle Morgensonne nur unzureichend ab. Vielleicht war das der Grund, warum Amanda sich in der Wohnung sicherer fühlte als im Treppenhaus. Ihr Herzschlag normalisierte sich.

Sie schwitzte nicht mehr, als bei diesen Temperaturen zu er-warten gewesen wäre.

»David Bowie«, wiederholte Evelyn und schaltete den Fernseher aus. »Er war letzte Woche bei Dinah.«

Amanda stellte das Offensichtliche fest. »Sie ist völlig zugedröhnt.« Ein schweres Seufzen drang tief aus ihrer Brust. Hatten sie deswegen ihr Leben riskiert?

Evelyn tätschelte dem Mädchen die Wange. Ihre Finger erzeugten ein sattes Klatschen auf der Haut. »Bist du da drinnen, Süße?«

»Ich würde mir die Hand nachher mit Chlor abwaschen«, bemerkte Amanda. »Lass uns von hier verschwinden. Wenn dieses Mädchen vergewaltigt wurde, hat sie es wahrscheinlich verdient.«

»Hodge hat uns aus einem bestimmten Grund hierhergeschickt.«

»Er hat dich und Vanessa hierhergeschickt«, korrigierte Amanda. »Ich kann nicht glauben, dass wir den Vormittag verschwendet haben ...«

»Fonzie«, murmelte das Mädchen. »Er ha' mit Fonzie gered'.«

»Richtig«, sagte Evelyn und lächelte Amanda an, als hätte sie einen Preis gewonnen. »Bowie war letzte Woche mit Fonzie von ›Happy Days‹ bei Dinah.«

»Hab sie geseh'n.« Kitty watschelte zur Couch und ließ sich in die Polster fallen. Amanda wusste nicht, ob es die Droge oder ihr Gesamtzustand war, der ihre Sprache fast unverständlich machte. Sie klang, als hätte jemand Flannery O'Connors gesamten Kanon umgedreht und sie dabei herausgeschüttelt.

»Weiß nich' mehr, was er gesungen hat.«

»Ich auch nicht.« Evelyn bedeutete Amanda, den Rest der Wohnung in Augenschein zu nehmen.

»Wonach soll ich denn suchen? Nach alten Ausgaben von *Good Housekeeping*?«

Evelyn lächelte. »Wäre das nicht lustig, wenn du tatsächlich welche finden würdest?«

»Einfach umwerfend.«

Widerwillig tat Amanda wie geheißen und achtete darauf, dass ihre Arme nicht die Wände des schmalen Flurs berührten, während sie nach hinten ging. Die Wohnung war größer als ihre eigene. Es gab ein richtiges vom Wohnbereich abgetrenntes Schlafzimmer. Die Schranktür hing schief in den Angeln. Mehrere zerrissene schwarze Müllsäcke schienen die Kleidung des Mädchens zu enthalten. Das Bett war ein Haufen auf dem Teppich aufgehäufter fleckiger Laken.

So unmöglich es schien, aber das Bad war noch ekelerregender als der Rest der Wohnung. Schwarzer Schimmel bedeckte die Fliesenfugen. Waschbecken und Toilettenschüssel dienten zusätzlich als Aschenbecher. Aus dem Mülleimer quollen Damenbinden und Toilettenpapier. Der Boden war mit irgendetwas beschmiert, das Amanda lieber nicht genauer untersuchen mochte.

Auf jeder verfügbaren Oberfläche standen Pflegeprodukte, in Amandas Augen die perfekte Definition für Ironie: zwei Dosen Sunsilk-Haarspray. Vier Flaschen Breck-Shampoo mit unterschiedlichen Füllhöhen. Eine aufgerissene Tampax-Packung. Eine leere Flasche Cachet von Prince Matchabelli. Zwei offene Dosen mit Pond's-Hautcreme, beide mit gelblicher Kruste. Genug Make-up, um die Revlon-Verkaufstheke des Rich's zu bestücken. Bürsten. Stifte. Flüssiger Eyeliner. Mascara. Zwei Kämme, beide voller Haare. Drei abgenutzte Zahnbürsten in einem Trinkbecher von Mayor McCheese.

Der Duschvorhang war teils von den Haken gerissen, sodass die Schaben in der Wanne Amanda im Auge behalten konnten. Sie starrten sie so intensiv an, dass ihr ein Schauer über den Rücken lief. Sie packte ihre Handtasche fester und wusste, sie würde sie ausschütteln müssen, bevor sie überhaupt nur daran dachte, wieder ins Auto zu steigen.

Zurück im Wohnzimmer hatte Evelyn das Thema von Arthur Fonzarelli auf den Grund ihres Besuchs gebracht. »Ist Andy Treadwell Ihr Cousin oder Ihr Bruder?«

»Onk'l«, antwortete das Mädchen, und Amanda nahm an, dass sie den älteren Andrew Treadwell meinte. »Wie spät isses?«

Amanda sah auf die Uhr. »Neun.« Dann meinte sie, hinzufügen zu müssen: »Vormittags.«

»Scheiße.« Das Mädchen griff zwischen die Couchpolster und zog ein Päckchen Zigaretten hervor. Amanda sah wie gebannt zu, wie das Mädchen die Packung Virginia Slims betrachtete, als wären sie wie Manna vom Himmel gefallen. Langsam zog sie eine Zigarette heraus. Sie war verbogen. Trotzdem nahm sie die Streichhölzer vom Tisch und zündete sich die Zigarette mit zitternden Händen an. Dann blies sie den Rauch aus.

»Hab gehört, die bringen einen um«, sagte Evelyn.

»Ich wart nur drauf«, erwiderte das Mädchen.

»Es gibt schnellere Arten«, konterte Evelyn.

»Wenn ihr bleibt, seht ihr, wie schnell.«

Amanda hörte eine gewisse Schärfe im Tonfall des Mädchens. »Warum das?«

»Die Jungs hab'n euch kommen sehen. Mein Daddy wird wissen woll'n, warum zwei Schlampen mich zuquasseln.«

»Ich glaube, Ihr Onkel macht sich Sorgen um Sie«, entgegnete Evelyn.

»Will er sich wieder den Schwanz lutschen lassen?«

Evelyn wechselte einen Blick mit Amanda. Die meisten dieser Mädchen behaupteten, der eigene Onkel oder Vater hätte sie missbraucht. Im Sittendezernat nannte man das den Ödipuskomplex. Das war nicht ganz korrekt, aber es ging in die richtige Richtung, und außerdem war das Ganze reine Zeitverschwendung.

»Ihr könnt mich nich' verhaften«, sagte Kitty. »Hab nix getan.«

»Wir wollen Sie auch gar nicht verhaften«, erwiderte Evelyn. »Unser Sergeant schickt uns, weil Sie angeblich vergewaltigt wurden.«

»Dafür werd ich doch bezahlt, oder?« Sie blies ihnen eine Rauchschwade direkt in die Gesichter.

Evelyns Unbeschwertheit bröckelte. »Kitty, wir müssen uns mit Ihnen unterhalten und Ihre Aussage aufnehmen.«

»Nich' mein Problem.«

»Okay. Dann gehen wir jetzt.« Evelyn schnappte sich das Päckchen Heroin vom Kaffeetisch und drehte sich um.

Wenn Amanda nicht so überrascht gewesen wäre zu sehen, wie Evelyn sich die Drogen schnappte, wäre sie ebenfalls zur Tür gegangen. So aber sah sie alles – den Schock im Gesicht des Mädchens, wie es vom Sofa aufsprang, die Finger ausgestreckt wie die Krallen einer Katze.

Wie aus eigenem Antrieb schnellte Amandas Fuß in die Höhe. Sie brachte das Mädchen nicht etwa zum Stolpern. Sie trat ihr in die Rippen, sodass sie gegen den Herd schleuderte. Der Tritt war kräftig gewesen. Kitty knallte gegen den Fernseher, dabei brach die Herdklappe ab. Der Fernseher krachte auf den Boden, die Röhre platzte, Glas splitterte.

Sichtlich überrascht starrte Evelyn Amanda an.

»Sie wollte dich anspringen!«

»Das hast du auf jeden Fall verhindert.« Evelyn kniete sich auf den Boden. Sie zog ein Taschentuch aus ihrer Handtasche und reichte es dem Mädchen.

»Schlamp'n«, lallte Kitty. Ihre Finger wanderten zu ihrem Mund. Sie zog einen ihrer letzten verbliebenen Zähne heraus. »Gottverdammte Schlampen!«

Evelyn stand wieder auf. Wahrscheinlich ahnte sie, dass es nicht klug war, vor einer wütenden Prostituierten zu knien. Trotzdem sagte sie: »Sie müssen uns sagen, was passiert ist. Wir sind hier, um Ihnen zu helfen.«

»Leck mich«, murmelte das Mädchen und tastete sich weiter die Mundhöhle ab. Amanda sah alte Narben an den Handgelenken. Offensichtlich hatte Kitty einmal versucht, sich die Pulsadern aufzuschneiden. »Verschwindet!«

Evelyns Stimme wurde hart. »Zwingen Sie uns nicht, Sie aufs Revier zu schleifen, Kitty! Mir ist ziemlich egal, wer Ihr Onkel ist.«

Amanda dachte an ihr Auto und daran, wie lange es dauern würde, den Dreck vom Rücksitz zu wischen. Zu Evelyn sagte sie: »Du überlegst doch nicht ernsthaft ...«

»Und warum nicht?«

»Auf keinen Fall lasse ich diese ...«

»Schnauze!«, schrie das Mädchen. »Ich bin nicht Kitty! Ich heiße Jane. Jane Delray.«

»O Mann.« Amanda warf die Hände in die Luft. Die Angst, die sie im Treppenhaus empfunden hatte, verwandelte sich jetzt in Wut. »Wir haben nicht mal das richtige Mädchen.«

»Hodge hat mir keinen Namen gegeben. Nur eine Adresse.«

Amanda schüttelte den Kopf. »Ich weiß nicht, warum wir überhaupt auf ihn gehört haben. Er war noch nicht einmal einen Tag da. Genau wie du, wenn ich das so sagen darf.«

»Ich war drei Jahre in Uniform, bevor ...«

»Warum bist du zurückgekommen?«, fragte Amanda. »Bist du hier, um deinen Job zu machen, oder wegen was anderem?«

»Du bist doch diejenige, die schleunigst von hier verschwinden will.«

»Weil diese Hure uns rein gar nichts sagen wird.«

»Hey!«, kreischte Jane. »Wen nennst du hier 'ne Hure?« Evelyn blickte auf das Mädchen hinab. Ihre Stimme triefte vor Sarkasmus. »Wirklich, Herzchen? Willst du das jetzt ausdiskutieren?«

Jane wischte sich Blut vom Mund. »Ihr seid ja nich' mal von der Regierung.«

»Brillante Schlussfolgerung«, sagte Evelyn. »Wer genau von der Regierung sucht denn nach Ihnen?«

Sie hob leicht die Schultern. »Ich war unten bei der Five, weil ich Geld brauchte ...«

Evelyn schlug sich an die Stirn. Die Five war die Five Points

Station, wo das Sozialamt untergebracht war. »Sie wollten sich Kittys Stütze unter den Nagel reißen?«

»Wird die nicht mit der Post zugestellt?«, fragte Amanda.

Beide starrten sie an, und Evelyn erklärte: »Die Briefkästen sind hier nicht gerade sicher.«

»Kitty braucht's nich'«, sagte Jane. »Hat's noch nie gebraucht. Die is' reich. Hat Familienverbindungen. Wegen der seid ihr Schlampen doch da, oder?«

»Wo ist sie jetzt?«

»Weg, seit sechs Monaten.«

»Wohin ist sie gegangen?«

»Verschwunden. Wie Lucy. Wie Mary. Sind alle einfach verschwunden.«

»Sind das auch Mädchen von der Straße?«, fragte Evelyn.

»Lucy und Mary?« Das Mädchen nickte.

»Geht Kitty auch auf den Strich?« Wieder nickte das Mädchen.

Jetzt hatte Amanda die Nase voll. »Soll ich mir das für die Zeitung aufschreiben? Drei Prostituierte werden vermisst. Haltet die Druckerpressen an.«

»Nicht vermisst«, korrigierte das Mädchen sie. »Weg. Richtig weg. Verschwunden.« Erneut wischte sie sich Blut von den Lippen. »Hab'n alle hier gewohnt. Ihre Sachen sin' noch da. Haben hier Wurzeln geschlagen. Ihre Stütze bei der Five abgeholt.«

»Bis Sie versucht haben, ihre Sozialhilfescheine einzulösen«, warf Amanda ein.

»Ihr hört mir nich' zu«, sagte Jane. »Sind alle weg. Lucy schon ein Jahr. Gerade war sie noch da, und dann …« Sie schnippte mit dem Finger. »Puff!«

Mit todernster Stimme wandte Evelyn sich an Amanda: »Wir müssen sofort eine Fahndung rausgeben nach einem Mann in einem Umhang und einem Zauberhut.« Sie hielt inne. »Moment mal. Wir sollten erst überprüfen, ob Doug Henning in der Stadt ist.«

Amanda konnte nicht anders, sie musste einfach lachen. Alle drei zuckten zusammen, als auf einmal die Tür aufgetreten wurde. Der Knauf grub sich in die Wand. Putz bröckelte. Die Luft schien zu erzittern.

Ein gut gebauter Schwarzer stand in der Tür. Er war außer Atem, wahrscheinlich weil er die Treppen hochgerannt war. Seine dichten Koteletten gingen in einen Schnauz- und Kinnbart über. Hemd und Hose waren lindgrün. Offensichtlich ein Zuhälter – und eindeutig rasend vor Wut. »Was wollt ihr weißen Schlampen hier?«

Amanda rührte sich nicht. Ihr Körper fühlte sich an wie versteinert.

»Wir suchen nach Kitty«, antwortete Evelyn. »Kennen Sie Kitty Treadwell? Ihr Onkel ist ein guter Freund von Bürgermeister Jackson.« Ihr Kehlkopf hüpfte beim Schlucken.

»Ihretwegen sind wir hier. Die Familie hat uns gebeten zu kommen. Die Familie vom Freund des Bürgermeisters. Sie machen sich große Sorgen, weil Kitty vermisst wird.«

Der Mann ignorierte sie und riss Jane an den Haaren hoch. Sie schrie vor Schmerz und umklammerte seinen Arm mit beiden Händen, damit ihre Schädelschwarte nicht aufplatzte.

»Hast'e mit der Polizei geredet, Schlampe?«

»Hab nix gesagt! Ehrlich!« Jane konnte vor Angst kaum sprechen. »Die sind einfach hier aufgetaucht.«

Er stieß sie in den Flur hinaus. Jane stolperte und krachte gegen die Wand, bevor sie das Gleichgewicht wiederfand.

»Wir gehen jetzt«, sagte Evelyn mit zitternder Stimme. Sie schob sich auf die Tür zu und bedeutete Amanda, ihr zu folgen. »Wir wollen keine Probleme ...«

Doch der Mann schlug die Tür von innen zu. Es klang wie ein Schuss. Sekundenlang starrte er Amanda an, dann Evelyn. Seine Augen sahen aus wie glühende Kohlen.

»Unser Sergeant weiß, dass wir hier sind«, erklärte Evelyn.

Er drehte sich langsam um und legte die Kette vor. Dann verriegelte er das erste Schloss. Und das zweite.

»Wir haben mit der Zentrale gesprochen, bevor …«

»Schon verstanden, Bullenbraut. Mal sehen, ob der Bürgermeister es hierher schafft, bevor ich mit euch fertig bin.« Er zog den Schlüssel aus dem Schloss und steckte ihn sich in die Hosentasche. Dann sagte er mit seinem tiefen Bariton: »Bist 'ne gut aussehende Frau, weißte das?«

Er sprach nicht mit Evelyn. Sein Blick ruhte auf Amanda. Er leckte sich die Lippen, stierte auf ihren Busen. Sie wich zurück, aber er folgte ihr. Ihre Beine stießen gegen die Armlehne der Couch. Seine Finger berührten ihren Hals. »Mann, Mädchen. So hübsch.«

Amanda kämpfte gegen die Benommenheit. Sie griff nach ihrer Handtasche, versuchte, den Reißverschluss aufzuziehen.

»Ruf Verstärkung.«

Evelyn hatte ihr Funkgerät bereits in der Hand. Sie drückte auf den Knopf.

Der Mann strich an Amandas Hals entlang und drückte ihr das Kinn mit dem Daumen hoch. »Funk geht hier oben nicht. Zu hoch für die Antennen.«

Evelyn drückte hektisch auf dem Knopf herum. Doch es kam nur statisches Rauschen. »Scheiße!«

»Wir haben jetzt ein bisschen Spaß, was, Wuschel?« Er packte Amanda an der Kehle. Sie roch sein Rasierwasser und seinen Schweiß. Auf der Wange hatte er ein Muttermal. Aus dem aufgeknöpften Ausschnitt seines Hemds quollen Haare. Sie sah Goldketten. Ein Tattoo von Jesus mit Dornenkrone.

»Ev…«, hauchte Amanda. Sie spürte den Umriss ihres Revolvers in ihrer Handtasche. Sie versuchte, den Finger durch den Abzugsbügel zu schieben.

»Mhmm«, stöhnte der Mann. Er zog den Reißverschluss seiner Hose auf. »Hübsches Frauchen.«

»Eh-eh-ev…«, stammelte Amanda. Seine Hand glitt unter ihren Rock. Sie spürte seine Fingernägel an ihrem nackten Fleisch, den Druck an ihrem Schenkel.

Evelyn warf ihr Funkgerät wieder in die Handtasche und zog den Reißverschluss zu, als wollte sie sich zum Gehen wenden. Amanda geriet in Panik. Und keuchte auf, als Evelyn den Riemen ihrer Handtasche mit beiden Händen packte, ausholte und dem Mann die Tasche mit all ihrer Kraft seitlich gegen den Kopf schlug.

Waffe. Dienstmarke. Kel-Lite. Funkgerät. Schlagstock. Sieben Kilo Ausrüstung. Der Zuhälter sackte zu Boden wie eine Flickenpuppe. Blut spritzte seitlich aus seinem Kopf. Auf seiner Wange zeigten sich tiefe Schnitte, wo die indianischen Quasten seine Gesichtshaut aufgerissen hatten.

Amanda zerrte den Revolver aus ihrer Handtasche. Die Tasche fiel zu Boden. Ihre Hände zitterten, als sie versuchte, die Waffe zu umfassen. Sie musste sich gegen die Armlehne der Couch stützen, um nicht umzufallen.

»O Mann!« Evelyn stand jetzt mit offenem Mund über dem Mann. Sein Blut floss in Strömen. Sein Hosenschlitz stand immer noch offen.

»Mein Gott«, flüsterte Amanda. Sie schob ihren Rock zurecht. Seine Fingernägel hatten ihre Strumpfhose zerrissen. Noch immer spürte sie die Hand an ihrer Kehle. »O Gott!«

»Alles in Ordnung?«, fragte Evelyn. Sie legte ihre Hände auf Amandas Arm. »Es kann dir nichts mehr passieren, okay?« Langsam griff sie nach Amandas Revolver. »Ich hab ihn, okay. Alles in Ordnung.«

»Deine Waffe …« Amanda keuchte so heftig, dass sie gleich hyperventilierte. »Warum hast du nicht … Warum hast du nicht auf ihn geschossen?«

Evelyn kaute auf ihrer Unterlippe. Eine gefühlte ganze Minute lang starrte sie Amanda an, bevor sie schließlich zugab: »Bill und ich haben ausgemacht, dass ich wegen des Babys keine geladene Waffe im Haus haben darf.«

Amanda blieben die Worte im Hals stecken. Dann schrie sie: »Deine Waffe ist nicht geladen!«

»Na ja ...« Sie zupfte an ihren Haarspitzen. »Ist doch gut gegangen, oder?« Evelyn kicherte gequält. »Ist ja noch mal gut gegangen. Wir sind beide okay. Es geht uns beiden gut.« Sie sah wieder auf den Zuhälter hinab. »Schätze, es stimmt nicht, was man sagt über ...«

»Er wollte mich vergewaltigen! Uns beide vergewaltigen!«

»Statistisch ...« Sie hielt inne und gab dann zu: »Na ja. Es musste ja passieren. Ich wollte es dir zuvor nicht sagen, aber ...« Sie hob Amandas Tasche vom Boden auf. »Ja.«

Zum ersten Mal seit zwei Monaten war es Amanda nicht mehr heiß. Ihr Blut war kalt geworden.

Und Evelyn plapperte einfach weiter. Sie steckte Amandas Waffe in ihre Handtasche, zog den Reißverschluss zu und hängte sich den Riemen über die Schulter. »Aber es geht uns beiden gut. Oder? Ich bin okay. Du bist okay. Wir sind alle okay.« Sie entdeckte ein Telefon auf dem Boden neben dem Sofa. Ihre Hand zitterte so heftig, dass sie den Hörer nicht halten konnte. Er klapperte zurück auf die Gabel. Schließlich schaffte sie es, ihn festzuhalten und ihn sich ans Ohr zu drücken. »Ich melde es in der Zentrale. Die Jungs kommen sofort. Wir kommen hier raus. Okay?«

Amanda blinzelte sich den Schweiß aus den Augen.

Evelyn steckte den Finger in die Wählscheibe. »Tut mir leid. Ich quassle einfach drauflos, wenn ich nervös bin. Macht meinen Mann wahnsinnig.« Die Scheibe drehte sich hin und her.

»Was ist mit den vermissten Mädchen, die die Nutte erwähnt hat? Kamen dir die Namen bekannt vor?«

Amanda blinzelte wieder Schweiß weg. Merkwürdige Bilder blitzten vor ihr auf. Das eklige Bad. Die Shampoo-Flaschen. Die Mengen von Make-up.

»Lucy. Mary. Kitty Treadwell«, murmelte Evelyn. »Vielleicht sollten wir uns die Namen aufschreiben. Ich bin mir sicher, ich vergesse sie, sobald ich einen Drink intus habe. Zwei Drinks. Eine ganze Flasche.« Sie stieß scharf Luft aus. »Es ist doch komisch, dass Jane sich Sorgen um sie gemacht hat. Diesen Mädchen ist doch normalerweise alles egal, außer wie sie ihren Luden bei Laune halten können.«

Drei benutzte Zahnbürsten in dem Becher. Die langen, dunklen Haare in einem der Kämme.

»Janes Haare sind blond«, sagte Amanda.

»Würd ich nicht drauf wetten.« Evelyn blickte auf den reglosen Mann hinab. »Seine Brieftasche steckt in der Gesäßtasche. Könntest du ...«

»Nein!« Panik schoss wieder in ihr auf.

»Du hast recht. Was soll's. Die identifizieren ihn im Gefängnis. Ich bin mir sicher, er hat bereits eine Akte ... Hey, Linda!« Evelyns Stimme zitterte, als sie in den Hörer sprach.

»Wir sind hier in zehn-sechzehn. Hodge hat uns wegen einem vierzig-neun hierhergeschickt. Daraus wurde ein fünfzig-fünf.« Sie sah Amanda an. »Sonst noch was?«

»Sag ihnen, du bist zwanzig-vier«, brachte Amanda gerade noch heraus.

Duke Wagner hatte sich getäuscht, als er sagte, Evelyn Mitchell sei penetrant und starrsinnig.

Die Frau war einfach völlig verrückt.

5. KAPITEL

Gegenwart
SUZANNA FORD

Zanna ließ sich rückwärts aufs Bett fallen, die Füße noch immer auf dem Boden. Sie hielt sich das iPhone vors Gesicht und kontrollierte ihre Nachrichten. Keine SMS. Keine Voicemail. Keine E-Mail. Und das Arschloch war bereits zehn Minuten zu spät. Wenn sie unten ohne Geld auftauchte, würde Terry ihr den Arsch versohlen. Wieder einmal. Er schien zu vergessen, dass es sein Job war, diese Loser zu durchleuchten. Wobei Terry nie für irgendetwas die Verantwortung übernahm.

Sie sah zum Fenster auf die Skyline der Innenstadt hinaus. Zanna war in Roswell geboren und aufgewachsen, eine halbe Stunde und ein ganzes Leben von Atlanta entfernt. Bis auf die Gebäude mit Namen drauf hatte sie keine Ahnung, was sie da vor sich hatte. Equitable. AT&T. Georgia Power. Sie wusste nur, dass sie wirklich geliefert war, wenn dieser Stecher nicht auftauchte.

Der Plasmafernseher an der Wand sprang an. Zanna hatte sich auf die Fernbedienung gelegt. Sie sah Monica Pearson hinter ihrem Schreibtisch. Irgendein Mädchen wurde vermisst. Weiß, blond, hübsch. Wenn Zanna verschwände, würde sich kein Mensch darum scheren.

Sie zappte durch die Kanäle, versuchte, etwas Interessanteres zu finden, und gab auf, als sie im dreistelligen Bereich landete. Sie warf die Fernbedienung auf das Nachttischchen. Ihre Arme juckten. Sie brauchte eine Zigarette. Sie brauchte mehr.

Wenn sie nur lange genug an das Meth dachte, konnte sie es in ihrer Kehle schmecken. Ihre verdammte Nase verfaulte von innen, aber sie konnte nicht aufhören, das Zeug zu schnupfen. Konnte nicht aufhören, an die Explosion in ihrem Hirn zu denken. Die Art, wie es ihren Körper durchschüttelte. Wie es die Welt so viel erträglicher machte.

Es würde noch mindestens eine Stunde lang nicht passieren. Um die Zeit zu überbrücken, trat sie an die Minibar und nahm vier kleine Fläschchen Wodka heraus. Schnell kippte Zanna eins nach dem anderen hinunter und füllte die leeren Fläschchen im Waschbecken wieder auf. Sie hatte sie gerade wieder in den Kühlschrank gestellt, als es an der Tür klopfte.

»Gott sei Dank.« Sie warf einen Blick in den Spiegel. Nicht schlecht. Wenn das Licht gedämpft wäre, könnte sie immer noch als sechzehn durchgehen. Sie stellte die Jalousien schräg und löschte eine der Nachttischlampen, bevor sie zur Tür ging.

Der Mann war riesig. Sein Kopf berührte beinahe den Türsturz. Seine Schultern waren fast so breit wie der Rahmen. Zanna fühlte Panik in sich aufsteigen, doch dann dachte sie daran, dass Terry unten war und dass er den Kerl durchgelassen hatte, und was immer passieren würde, wäre unwichtig, sobald die erste Prise Meth durch ihr Hirn schoss.

»Hey, Daddy«, sagte sie, weil er älter war. Zanna dachte lieber nicht darüber nach, dass dieser Knacker ihre Dienste womöglich von seiner Stütze bezahlte. Sie sah ihm ins Gesicht, das für sein Alter ziemlich glatt war. Der Hals war ein wenig faltig. Am deutlichsten sah man es an seinen Händen. Leberflecken. Die Haare auf seinen Armen waren weiß, doch was er noch auf dem Kopf hatte, war sandfarben.

Zanna riss die Tür ganz auf. »Komm rein, großer Junge!« Sie wollte im Gehen die Hüften schwingen, aber die hohen Absätze auf dem Teppich waren keine gute Kombination. Schließlich musste sie sich sogar an der Wand abstützen. Sie drehte sich um und wartete, dass er hinter ihr herkam.

Er ließ sich Zeit. Er wirkte alles andere als nervös, und in seinem Alter war sie sicherlich nicht die erste Nutte, die er vögelte. Trotzdem blickte er den Gang entlang, bevor er die Tür hinter sich zuschob. Trotz seines Alters war er in guter Verfassung. Die Haare waren militärisch kurz geschnitten, die Schultern kantig. Zweiter Weltkrieg, dachte sie, doch dann erinnerte sie sich wieder an ihren Geschichtsunterricht in der Mittelstufe und rechnete sich aus, dass er so alt gar nicht sein konnte. Wahrscheinlich eher Vietnam. In letzter Zeit waren viele ihrer Kunden, junge Kerle, aus Afghanistan zurückgekommen. Sie wusste nicht, wer von ihnen schlimmer war – die Traurigen, die versuchten, sie zu lieben, oder die Wütenden, die ihr wehtun wollten.

Sie kam direkt zur Sache. »Bist du ein Bulle?«

Er sagte, was sie immer sagten: »Sehe ich aus wie ein Bulle?« Dann zog er unaufgefordert den Reißverschluss seiner Hose auf. Der letzte Rest Demokratie. Selbst wenn ein Bulle verdeckt arbeitete – sein Gemächt durfte er dabei nicht offenbaren. »Okay?«

Zanna nickte und unterdrückte ein Schaudern. Er war riesig. »Verdammt«, sagte sie schließlich. »Das sieht nach Spaß aus.«

Der Mann zog den Reißverschluss wieder hoch. »Setz dich.« Er deutete auf einen Stuhl. Zanna setzte sich mit gespreizten Beinen hin, damit er vom Bett aus einen guten Blick hatte. Doch er blieb stehen. Sein Schatten fiel quer durchs Zimmer fast bis zum Türblatt zurück.

»Wie magst du es?«, fragte Zanna, obwohl sie längst der Verdacht beschlichen hatte, dass er es grob mochte. Sie ließ die Schultern sinken, versuchte, kleiner auszusehen, als sie war. »Du musst zärtlich zu mir sein. Ich bin doch nur ein kleines Mädchen.«

Seine Unterlippe zitterte, aber das war die einzige Reaktion, die sie bekam. Dann fragte er: »Wie bist du hierhergekommen?«

Für einen Augenblick dachte sie, er meinte den tatsächlichen Weg, den sie genommen hatte – die Peachtree hoch, dann links in die Edgewood. Dann begriff sie, dass er ihre gegenwärtige Beschäftigung meinte.

Zanna zuckte mit den Schultern. »Was soll ich sagen? Ich liebe Sex.« Das wollten sie alle hören. Das versuchten sie sich einzureden, wenn sie einen aufrissen und einem die Scheine ins Gesicht warfen – dass man Sex liebte, nicht ohne Sex leben konnte.

»Vergiss es«, widersprach er. »Ich will die wahre Geschichte.«

»Ach, du weißt schon.« Sie blies sich eine Strähne aus dem Gesicht. Ihre Geschichte war langweilig. Man konnte kaum den Fernseher anschalten, ohne eine Wiederholung jener immer gleichen Geschichte zu hören. Zanna war nicht an die Luft gesetzt worden. Sie war nicht missbraucht worden. Ihre Eltern waren geschieden, aber es waren anständige Menschen. Das Problem war Zanna selbst. Sie hatte angefangen, Gras zu rauchen, damit ein Junge sie für cool hielt. Sie hatte angefangen, Pillen zu nehmen, weil sie sich langweilte. Sie hatte angefangen, Meth zu rauchen, weil sie abnehmen wollte. Und dann war es zu spät, um irgendetwas anderes zu tun, als sich bis zur nächsten Dröhnung die Fingernägel abzukauen.

Ihre Mom hatte sie bei sich zu Hause wohnen lassen, bis sie herausgefunden hatte, dass Zanna mehr rauchte als nur Marlboro. Ihr Dad hatte sie in seinem Keller wohnen lassen, bis seine neue Frau die geschwärzten Fetzen Alufolie fand, die wie Marshmallows rochen. Dann finanzierten sie ihr eine Wohnung. Sie versuchten es mit liebevoller Strenge, und nach zwei missglückten Entziehungskuren war Zanna schließlich doch auf der Straße gelandet und verdiente ihr Geld zwischen ihren Beinen.

»Sag mir die Wahrheit«, sagte der Mann. »Wie bist du hierhergekommen?«

Zanna versuchte zu schlucken. Ihr Mund war trocken. Sie wusste nicht, ob es vom Entzug kam oder von dem unheimlichen Gefühl, das sie bei diesem Kerl hatte. Sie sagte ihm, was er hören wollte. »Mein Daddy hat mir wehgetan …«

»Das tut mir leid.«

»Ich hatte keine andere Wahl.« Sie schniefte und blickte zu Boden. Mit dem Handrücken wischte sie ein paar falsche Tränen weg. Es langweilte sie zu Tode, dieses Märchen erzählen zu müssen. »Ich wusste nicht, wo ich sonst hinsollte. Ich schlief auf der Straße. Sex ist etwas, das ich mag. Ich kann es gut, und deshalb …«

Er kniete sich vor sie hin und sah sie an. Selbst auf Knien war er noch größer als sie. Zanna sah ihm kurz ins Gesicht, dann drehte sie sich wieder weg. Es war die Scham, nach der dieser Kerl lechzte. Die ältere Generation. Sie leckten sie förmlich auf. Zanna konnte ihm jede Menge Scham zeigen. Valerie Bertinelli. Meredith Baxter. Tori Spelling. Zanna kannte den Blick aus jedem Lifetime-Film, den sie je gesehen hatte.

»Ich vermisse ihn«, sagte sie. »Das ist ja das Traurige.« Sie sah den Mann wieder an und blinzelte ein paarmal. »Ich vermisse meinen Daddy.«

Er nahm ihre Hand und legte sie behutsam zwischen seine. Zanna sah nichts außer ihrem Handgelenk. Seine Berührung war nur leicht, aber es fühlte sich an, als hielte er sie gefangen. Ihr stockte der Atem. Panik war ein Instinkt, von dem sie geglaubt hatte, sie hätte ihn inzwischen zu kontrollieren gelernt. Doch dieser Mann hatte etwas an sich, das bei ihr den letzten noch verbliebenen Funken eines Warnsystems auslöste.

»Suzanna, lüg mich nicht an.«

Galle stieg ihr in den Mund. »So heiße ich nicht.« Sie versuchte, sich loszureißen. Seine Finger umklammerten ihr Handgelenk. »Ich habe dir meinen Namen nicht gesagt.«

»Nicht?«

Sie würde diesen verdammten Zuhälter umbringen. Für einen Zwanziger extra würde der seine eigene Mutter verkaufen. »Was hat Terry dir gesagt? Mein Name ist Trixie.«

»Nein«, beharrte der Mann. »Du hast mir selbst gesagt, dass du Suzanna heißt.«

Schmerz schoss ihre Arme hinauf. Sie sah nach unten. Er hielt ihre beiden Handgelenke in einer Hand. Er presste sich gegen sie, nagelte sie auf dem Stuhl fest. »Wehr dich nicht«, sagte er und legte ihr die freie Hand um den Hals. Sie spürte seine Fingerspitzen im Nacken. »Ich will dir helfen, Suzanna. Dich retten.«

»I-i-ich will nicht ...« Sie konnte nicht mehr sprechen. Ihre Kehle war wie zugeschnürt. Sie konnte nicht mehr atmen. Panik zuckte wie Strom durch ihren Körper. Sie verdrehte die Augen. Sie spürte, wie Urin an ihren Beinen hinunterrann.

»Entspann dich, Schwester.« Er hing über ihr. Seine Augen wanderten hin und her, als wollte er keine Sekunde ihrer Angst verpassen. Ein Lächeln kräuselte seine Lippen. »Der Herr wird meine Hand führen.«

6. KAPITEL

Gegenwart
MONTAG

Sara durchquerte die Notaufnahme des Grady Hospital und versuchte, sich nicht in irgendeinen Fall hineinziehen zu lassen. Doch selbst wenn sie sich »AUSSER DIENST« auf die Stirn tätowiert hätte, würden die Schwestern sie nicht in Ruhe lassen. Sie konnte es ihnen nicht verdenken. Das Krankenhaus war notorisch unterbesetzt und überlastet. In der hundertzwanzigjährigen Geschichte des Grady hatte es nicht eine einzige Phase gegeben, in der das Angebot der Nachfrage entsprochen hätte. Hier zu arbeiten hieß, auf ein Privatleben so gut wie gänzlich zu verzichten. Genau das hatte Sara gebraucht, als sie diesen Job angetreten hatte. Damals hatte sie kein Privatleben mehr gehabt. Sie war frisch verwitwet gewesen, war gerade wieder umgezogen und hatte noch einmal ganz von vorne anfangen wollen. Sich in eine anstrengende Arbeit zu stürzen war der einzige Weg für sie gewesen, um mit alldem zurechtzukommen.

Es war erstaunlich, wie schnell sich ihre Bedürfnisse innerhalb der letzten zwei Wochen geändert hatten.

Oder sogar in der letzten Stunde.

Sara hatte keine Ahnung, was zwischen Will und Amanda ablief. Ihr Verhältnis hatte sie immer verwirrt, aber der Wortwechsel in der Eingangshalle, bevor Amanda in den Keller gestürzt war, war bizarrer denn je gewesen. Auch als nach dem Sturz klar gewesen war, dass Amanda sich verletzt hatte, schien

Will vielmehr versessen darauf gewesen zu sein, die Frau zu befragen, als ihr zu helfen. Sara war immer noch schockiert über den Ton in seiner Stimme. Sie hatte darin noch nie eine derartige Kälte vernommen. Er hatte gewirkt wie ein anderer Mensch, ein Fremder, den sie nicht kennen wollte.

Immerhin hatte Sara schließlich den Auslöser dieser Unterhaltung herausgefunden, wenn auch nicht durch eigene brillante Schlussfolgerungen. Im Schwesternzimmer lief rund um die Uhr ein Nachrichtensender. Tagaus, tagein rollte das Schlagzeilenlaufband über den Bildschirm. Das vermisste Mädchen von der Georgia Tech hatte es in die nationalen Nachrichten geschafft – dank CNN, dessen Zentrale nur ein paar Blocks von der Tech entfernt lag. Die Aufzeichnung von Amandas Pressekonferenz lief in Endlosschleife, Reporter präsentierten Statistiken – die Art von Nichtinformation, die nötig war, wenn man ein Vierundzwanzig-Stunden-Programm füllen musste.

Die jüngsten Spekulationen gingen dahin, dass Ashleigh Renee Jordan ihre Entführung selbst inszeniert haben könnte. Studenten, die sich als enge Freunde des vermissten Mädchens ausgaben, plauderten Details aus ihrem Leben aus, sprachen von Ashleighs Befürchtung, dass ihre Noten schlechter würden. Vielleicht versteckte sie sich wirklich irgendwo. Georgia hatte tatsächlich eine kurze Geschichte von Frauen, die ihre eigene Entführung inszeniert hatten, wobei die berühmteste die sogenannte Ausreißerbraut war, eine törichte Frau, die die Polizei stundenlang in Atem gehalten hatte, weil sie sich vor ihrem Verlobten versteckt hatte.

»Sara!« Eine Schwester kam mit einem Laborbericht zu ihr gelaufen. »Ich brauche unbedingt …«

»Tut mir leid. Ich bin nicht im Dienst.«

»Was tun Sie dann noch hier?« Die Frau wartete nicht auf eine Antwort.

Sara warf einen Blick auf die Anschlagtafel, um zu sehen, ob man Will einen Behandlungsraum zugewiesen hatte. Im Allgemeinen dauerte es bei etwas so Banalem wie einer Schnittwunde, die vernäht werden musste, Stunden, bis irgendwas vorwärtsging, aber bevor Sara Amanda an ihre Kollegen übergeben hatte, hatte sie dafür gesorgt, dass die Aufnahmeschwester Will nicht im Wartezimmer sitzen lassen würde. Man hatte ihm eine der Vorhangkabinen weiter hinten zugewiesen. Sara spürte, wie ihr Rücken sich versteifte, als sie Bert Krakauers Namen neben dem von Will las und nicht ihren eigenen.

Sie ging nach hinten. Ein merkwürdiger Besitzanspruch beschleunigte ihre Schritte. Der Vorhang war offen. Will saß auf der Pritsche. Ein Abdecktuch lag über seinem Fuß, und schlimmer noch: Krakauer hatte einen Nadelhalter in der Hand.

»Nein, nein, nein!«, rief sie, während sie auf die beiden zueilte. »Was tun Sie denn da?«

Krakauer deutete auf den Nadelhalter. »Hat man Sie im Studium nicht mit diesen Dingern spielen lassen?«

Sara warf ihm ein verkniffenes Lächeln zu. »Danke. Ich übernehme.« Krakauer verstand den Wink, legte das Instrument in die Schale zurück und verabschiedete sich. Sara sah Will scharf an, als sie den Vorhang zuzog. »Wolltest du dich wirklich von Krakauer nähen lassen?«

»Warum denn nicht?«

»Aus dem gleichen Grund, warum man dich nicht im Wartezimmer hat verfaulen lassen.« Sara wusch sich am Becken die Hände. »Wenn in dein Haus eingebrochen würde, würdest du dann einen anderen Polizisten ermitteln lassen?«

»Ich bearbeite normalerweise keine Einbrüche.«

Sara trocknete sich die Hände mit einem Papiertuch. Üblicherweise war Will nicht so begriffsstutzig. »Was ist passiert?«

»Er sagte, ich müsse genäht werden.«

»Doch nicht das.« Sie setzte sich auf die Pritschenkante.

»Seit wir hier sind, verhältst du dich eigenartig. Ist es Amanda?«

»Warum? Hat sie irgendwas zu dir gesagt?«

Sara beschlich das unheimliche Gefühl eines Déjà-vu. Sie hatte kurz mit Amanda gesprochen und die gleiche Frage nach Will erhalten. »Was hätte Amanda mir denn erzählen sollen?«

»Nichts Wichtiges. Sie war nicht bei Sinnen.«

»Auf mich wirkte sie ziemlich aufgeweckt.« Am liebsten hätte Sara die Hände in die Hüften gestemmt wie eine tadelnde Schullehrerin. »Ich habe Ashleigh Jordan in den Nachrichten gesehen.«

Will richtete sich auf. »Hat man sie gefunden?«

»Nein. Es wird spekuliert, dass sie ihre Entführung selbst inszeniert haben könnte. Eine ihrer Freundinnen hat sich gemeldet und gemeint, sie drohte wegen schlechter Noten von der Uni zu fliegen.«

Will nickte, sagte aber nichts weiter.

»Arbeitest du an dem Fall?«

»Nein.« Er war kurz angebunden. »Halte noch immer Atlantas Flughafentoiletten frei von notgeilen Geschäftsreisenden.«

»Warum bist du nicht bei der Entführung?«

»Da musst du Amanda fragen.«

Und wieder einmal hatten sie sich im Kreis gedreht.

»Wie geht's ihr?«, fragte Will, doch es wirkte eher wie eine Pflichtübung. »Amanda, meine ich.«

Im Niederstarren war Sara noch nie besonders gut gewesen, vor allem nicht bei jemandem, der so offensichtlich stur war wie der Mann, mit dem sie seit zwei Wochen schlief. »Sie hat eine sogenannte Colles-Fraktur. Wird in der Orthopädie gerade gerichtet. Sie bekommt einen Gips. Sie ist ziemlich angeschlagen, aber das wird schon wieder. Normalerweise würde man sie nach Hause schicken, aber da sie das Bewusstsein verloren hat, muss sie über Nacht zur Beobachtung hierbleiben.«

»Gut.« Er starrte sie noch immer an. Sara hatte allmählich das Gefühl, dass sie genauso gut auf eine Wand einreden könnte. Die Spannung zwischen ihnen war beinahe greifbar.

Sie nahm seine Hand. »Will …«

»Danke, dass du mir Bescheid gesagt hast.«

Sara wartete darauf, dass er noch mehr sagte. Dann wurde ihr bewusst, dass nach einer solchen Verletzung nur zwölf Stunden Zeit blieben, um die Wunde zu nähen. Sie zog sich Gummihandschuhe über. Sie sah, dass Krakauer die Wunde bereits gesäubert hatte. »Ist dein Knöchel taub?«

Will nickte.

»Mal sehen, was wir da haben …« Sie drückte die Finger auf die Haut um die Wunde. Der Riss war mindestens zweieinhalb Zentimeter lang und etwa halb so tief. Frisches Blut quoll hervor, als sie die Ränder zusammendrückte. »Du hast es nicht für nötig befunden, mir zu sagen, dass dir ein Nagel den Knöchel aufgerissen hat?«

»Der andere Arzt meinte, da reicht ein Stich.«

»Der andere Arzt wird deinen Knöchel nie wiedersehen müssen.« Sara zog mit dem Fuß einen Hocker heran, damit sie sich setzen konnte. Sie nahm ein Skalpell und schnitt den fransigen Riss zu einem glatten Oval zurecht. »Ich sorge dafür, dass keine Narbe bleibt.«

»Du weißt, dass das unwichtig ist.«

Sara sah ihn an. Sein Körper war von schlimmeren Narben gezeichnet. Doch darüber sprachen sie nicht. Das war eins der vielen Dinge, über die sie nicht redeten.

Sie wagte noch einen Versuch. »Was ist los mit dir?«

Will schüttelte den Kopf und wandte sich ab. Sein Unterkiefer bewegte sich. Er war offensichtlich noch immer wütend. Sara hatte keine Ahnung, warum. Ihn zu fragen brachte offenbar nichts. So süß und freundlich und zärtlich Will Trent auch sein konnte – Sara hatte inzwischen doch gelernt, dass er so mitteilsam war wie ein Amnesiepatient mit Kiefersperre. Es blieb ihr nichts anderes übrig, als mit dem Nähen zu beginnen. Ihre Brille steckte in ihrer Handtasche, und die lag wahrscheinlich noch in ihrem Auto. Sara beugte sich tief über die Wunde und stach die Nadel dicht unter Wills Haut ins Fleisch. Der Chromkatgutfaden glitt hinein und heraus, während sie eine einzelne Reihe unterbrochener Nähte setzte. Ziehen, verknoten, schneiden. Ziehen, verknoten, schneiden. Im Lauf der Jahre hatte Sara diese Handgriffe so oft ausgeführt, dass sie auf Autopilot schaltete, was ihr leider viel Zeit zum Spekulieren gab.

Und eine Frage, die sie sich seit zwei Wochen immer wieder gestellt hatte, kam ihr auch jetzt wieder in den Sinn: Was tat sie hier eigentlich?

Sie mochte Will. Er war der erste Mann, mit dem Sara seit dem Tod ihres Ehemanns gerne zusammen war. Sie genoss seine Gesellschaft. Er war lustig und intelligent. Gut aussehend. Unglaublich gut im Bett. Er hatte ihre Familie bereits kennengelernt. Ihre Hunde liebten ihn. Sara liebte seinen Hund. In den letzten Wochen war Will praktisch bei ihr eingezogen, aber in gewisser Weise war er für sie noch immer ein Fremder.

Das Wenige, was er ihr über seine Vergangenheit verraten hatte, hatte er ihr in gesüßten kleinen Häppchen aufgetischt. Nichts war je allzu schlimm. Niemand war je gemein. Wie Will es erzählte, hatte er eine wohlbehütete Kindheit gehabt. Die Brandnarben von Zigaretten und stromführenden Drähten spielten keine Rolle. Der Riss in seiner Oberlippe. Die Furche an seinem Unterkiefer. Sara hatte diese Stellen geküsst und gestreichelt, als wären die Narben überhaupt nicht da.

»Die Hälfte haben wir.« Sara sah zu Will auf. Er hatte den Kopf noch immer abgewandt.

Sie machte einen letzten Knoten und nahm eine neue Nadel mit einem Polypropylenfaden zur Hand, setzte eine fortlaufende Intrakutannaht, und während sie den Faden durch die oberste Hautschicht zog, schalt sie sich, weil sie Wills Schweigen durchgehen ließ.

Als ihre Beziehung angefangen hatte, war dies alles unwichtig gewesen. Es hatte Wichtigeres gegeben, was Will mit seinem Mund tun konnte, als über sich selbst zu reden. Doch seit ein paar Tagen störte sie seine Schweigsamkeit. Sara fragte sich allmählich, ob er überhaupt fähig war, mehr zu geben, und falls nicht, ob sie sich damit zufriedengeben konnte.

Auch wenn er sich wie durch ein Wunder entscheiden würde, Sara sein Herz auszuschütten, war da noch immer das – größere – Problem mit seiner Frau. Wenn Sara ehrlich war, musste sie sich eingestehen, dass sie Angst hatte vor Angie Polaski. Nicht nur, weil diese Frau wieder und wieder unflätige Botschaften unter Saras Scheibenwischer klemmte. Angie wirkte in Wills Leben nach wie giftige Dämpfe. Die Freude, die Sara empfunden hatte, weil er ihr sein altes Viertel hatte zeigen wollen, war im Nu verflogen, als sie begriffen hatte, dass fast jede seiner Erinnerungen mit Angie zu tun hatte. Er musste ihren Namen gar nicht erst aussprechen. Sara wusste, dass er an sie dachte.

Und sie musste sich deshalb die Frage stellen, ob in Wills Leben überhaupt Platz war für jemand anderen außer für Angie Polaski.

»Fertig.«

Sara zog die Haut zusammen und verknotete den Faden.

»Der Faden muss jetzt zwei Wochen drinbleiben. Ich gebe dir ein wasserdichtes Pflaster mit, damit du duschen kannst. Und ich besorge dir Tylenol gegen die Schmerzen.«

»Ich hab noch welches zu Hause.« Er starrte auf seine Hände, während er das Hosenbein hinunterkrempelte. »Ich sollte heute besser dort übernachten.« Als er die Socke überzog, hatte er sie noch immer nicht angesehen. »Ich muss noch ein paar Hemden waschen. Überhaupt Wäsche machen. Nach dem Hund sehen.«

Sara starrte ihn unverwandt an. Seine Kiefermuskeln waren angespannt. Von Kopf bis Fuß kontrollierte Wut. Inzwischen war sie sich noch nicht einmal mehr sicher, ob sie ausschließlich gegen Amanda gerichtet war. »Bist du sauer auf mich?«

»Nein.« Die Antwort war kurz, schnell und offensichtlich eine Lüge.

»Okay.« Sara wandte ihm den Rücken zu und zog die Handschuhe aus. Sie warf sie in den Abfalleimer und fing dann an, das

Nähbesteck zu säubern. Sie hörte, wie sich Will hinter ihrem Rücken bewegte, wahrscheinlich suchte er nach seinem Schuh. Normalerweise war Sara langmütig, aber nach diesem schlimmen Tag war ihr Geduldsfaden merklich dünner geworden. Sie griff unter die Pritsche und angelte seinen Schuh aus dem Korb.

»Tust du mir einen Gefallen, Liebling?«

Er ließ sich Zeit mit einer Reaktion. »Was für einen?«

»Sprich nicht mehr über heute Abend, okay?« Sie warf den Schuh ungefähr in seine Richtung. Er fing ihn mit einer Hand, und das ärgerte sie noch mehr. »Sag mir nicht, was du über Amanda denkst oder den Hammer, oder was sie in dem Haus zu suchen hatte, in dem du aufgewachsen bist, obwohl sie doch eigentlich eine Ermittlung hätte leiten sollen, und auf gar keinen Fall sollten wir darüber reden, was sie dir in diesem Keller gesagt hat und was dich so sehr aus der Fassung gebracht hat, dass du seither emotional schier katatonisch bist. Noch mehr als sonst.« Sara hielt inne, um Atem zu holen. »Ignorieren wir das alles einfach, in Ordnung?«

Er starrte sie ein paar Sekunden lang an und sagte dann: »Das klingt nach einer ausgezeichneten Idee.« Er schob den Fuß in den Schuh. »Wir sehen uns.«

»Sicher.« Sara starrte auf das Tablet hinab, als könnte sie die Wörter auf dem Display lesen. Ihre Finger drückten ein paar Tasten. Sie spürte, dass Will einen Augenblick zögerte, dann zog er den Vorhang zurück. Seine Schuhe klackerten über den Boden. Sara hielt den Kopf gesenkt und zählte stumm bis sechzig, dann hob sie den Kopf.

Er war verschwunden.

»Arschloch«, zischte sie. Sie legte das Tablet auf die Arbeitsfläche. Bis gerade eben hatte sie sich müde gefühlt, jetzt aber war sie zu aufgedreht, um irgendetwas anderes zu sein als wütend. Sie wusch sich die Hände. Das Wasser war so heiß, dass es ihr fast die Haut verbrühte, aber sie schrubbte sie nur noch fester. Über dem Waschbecken hing ein Spiegel. Ihre Frisur war das reinste Durcheinander. Getrocknete Blutstropfen sprenkelten ihren Ärmel. Es war der erste Abend, an dem sie in Arbeitskleidung nach Hause gekommen war. In den letzten beiden Wochen hatte sie im Krankenhaus geduscht und ein Kleid oder irgendetwas anderes, Schmeichelhafteres angezogen, bevor sie sich mit Will getroffen hatte.

War das Teil des Problems? Vielleicht war die Sache mit Amanda ein ganz anderes Thema. Zuvor auf der Straße hatte Will zu ihr hinuntergeblickt. Sara hatte gespürt, wie er ihre Medizinerkluft und ihr Haar mit wenig beeindrucktem Ausdruck gemustert hatte. Will war immer makellos gekleidet. Vielleicht hatte er darüber nachgedacht, dass Sara sich nicht sonderlich Mühe gegeben hatte. Vielleicht ging es aber auch noch weiter. Er hatte sie im Auto weinen sehen. Hatte ihn das abgeschreckt? Wenn ja, warum hatte er sie dann zum Kinderheim gebracht? Dass er ihr etwas so Persönliches hatte zeigen wollen, hatte Sara das Gefühl vermittelt, dass sich in ihrer Beziehung endlich etwas bewegte.

Und jetzt das. Sie traten sich gegenseitig auf die Füße, während sie Riesenrückschritte machten.

»Hallo.« Faith stand am offenen Vorhang. Wills Partnerin hatte ihre fünf Monate alte Tochter auf der Hüfte und eine große Windeltüte über der Schulter. »Was ist denn passiert?«

Sara kam direkt zur Sache. »Sehe ich schlimm aus?«

»Sie sind fünfzehn Zentimeter größer als ich und fünf Kilo leichter. Wollen Sie wirklich, dass ich Ihnen auf diese Frage eine Antwort gebe?«

»Na schön.« Sara streckte die Arme nach Emma aus. »Darf ich?«

Faith hielt ihr Baby an sich gepresst. »Glauben Sie mir, Sie wollen dieses Ding nicht in Ihrer Nähe haben. Ich bin mir sicher, ihre Windel braucht einen Gefahrengut-Aufkleber.«

Der Geruch war stechend, doch Sara nahm das Baby trotzdem in die Arme. Es war gut, zur Abwechslung mal ein gesundes Baby halten zu können. »Ich nehme an, Sie sind hier, um Amanda zu besuchen?« Saras Ehemann war Polizist gewesen. Sie kannte sich aus mit den Gepflogenheiten. Wenn einer von ihnen im Krankenhaus war, kamen sie alle. »Sie haben Will gerade verpasst.«

»Überrascht mich, dass er überhaupt da war. Er hasst diesen Laden.« Faith zog eine Windel und ein paar Wischtücher aus der Tüte. »Wissen Sie, was mit Amanda passiert ist?«

»Sie ist auf ihr Handgelenk gefallen. Sie wird eine Weile einen Gips tragen müssen, aber das wird schon wieder.« Sara legte Emma auf die Pritsche. Faith nahm bestimmt an, dass Sara Dienst hatte. Das war eins der Probleme mit Wills Geheimnissen – Sara musste sich eingestehen, dass sie sie ihm zuliebe bewahrte. Sie konnte Faith unmöglich sagen, was passiert war, ohne preiszugeben, warum sie selbst dabei gewesen war.

»Pünktlich auf die Minute!« Faith deutete zu einer Gruppe älterer Frauen, die sich vor dem Schwesternzimmer drängten. Bis auf eine beeindruckende Afroamerikanerin mit einem pinkfarbenen Tuch um den Hals trugen sie alle einfarbige Hosenanzüge und Kurzhaarfrisuren und hielten den Rücken kerzengerade. »Die guten alten Mädchen«, erklärte Faith. »Mom und Roz sind schon bei Amanda. Ich bin mir sicher, die erzählen sich Kriegsgeschichten bis zum Morgengrauen.«

Sara wischte Emma sauber. Sie wand sich. Sara kitzelte ihr den Bauch. »Wie läuft's mit Ihrer Mom im Haus?«

»Sie wollen wissen, ob ich schon einen Mord plane?« Faith setzte sich auf den Hocker. »Ich habe in der Früh maximal zehn Minuten, bis Emma aufwacht, und dann muss ich sie füttern und fertig machen und dann mich selbst füttern und fertig machen, und dann fängt mein Tag erst richtig an, und ich bin bei der Arbeit, und das Telefon klingelt, und ich spreche mit Idioten, die mich anlügen, und erst am nächsten Morgen habe ich wieder zehn Minuten für mich selbst.« Faith hielt inne und sah Sara ernst an. »Mom steht jeden Morgen um fünf Uhr auf. Ich höre sie unten herumwerkeln und rieche Kaffee und Eier, und dann gehe ich runter in die Küche, und sie ist fröhlich und redselig und will mir erzählen, was sie tagsüber vorhat und was sie am Vorabend im Fernsehen gesehen hat, und fragt, ob sie mir was zum Frühstück machen soll und was ich zum Abendessen will, und ich schwöre bei Gott, Sara, irgendwann werde ich sie erwürgen. Das werde ich wirklich.«

»Ich habe auch eine Mutter. Ich verstehe das völlig.« Sara schob eine neue Windel unter das Baby. Emma strampelte und versuchte, sich umzudrehen. »Was machen Sie eigentlich, solange Will am Flughafen ist?«

»Ich dachte, Sie wissen darüber Bescheid?«

»Bescheid worüber?«

»Amanda hat ihn zum Toilettendienst verdonnert, damit ich die Tage frei habe, um Mom zur Physiotherapie zu chauffieren.« Faith zuckte mit den Schultern. »Sie wissen doch, es ist nicht das erste Mal, dass Mom oder Amanda füreinander die Vorschriften umgehen.«

»Amanda bestraft Will also nicht wegen seiner Haare?«

»Was soll falsch sein an seinen Haaren? Die sehen doch super aus.«

Und wieder einmal hatte Will, der Frauenversteher, voll ins Schwarze getroffen.

»Ich verstehe ihre Beziehung einfach nicht.«

»Zwischen Amanda und Will? Oder Will und der Welt?«

»Das eine oder das andere. Beides.« Sara knöpfte den Strampelanzug zu und strich Emma mit den Fingern übers Gesicht. Das Baby lächelte und offenbarte zwei winzige weiße Pünktchen auf dem unteren Zahnbogen, wo die ersten Zähne durchbrachen. Emmas Augen folgten Saras Finger, als sie ihn hin und her bewegte. »Sie fängt an, eine richtige Persönlichkeit zu werden.«

»In letzter Zeit hat sie oft über mich gelacht. Ich versuche, es nicht persönlich zu nehmen.«

Sara legte sich Emma auf die Schulter. Sie spürte den Arm des Babys im Nacken. »Wie lange arbeitet Will schon für Amanda?«

»Soweit ich weiß, hat er seine ganze Karriere in ihrem Dunstkreis verbracht. Geiselverhandlungen. Drogendezernat. Sondereinheiten.«

»Ist es normal, die gesamte Karriere unter einem Chef zu verbringen?«

»Eigentlich nicht. Polizisten sind wie Katzen. Die wechseln lieber die Besitzer als die Häuser.«

Sara konnte sich nicht vorstellen, dass Will beantragt hatte, zusammen mit Amanda versetzt zu werden. Er sprach nur selten lobend von ihr, und was Amanda anging, so schien sie es zu genießen, ihn zu quälen. Andererseits … Falls Will ein herausstechendes Merkmal hatte, dann war es sein Widerwille gegen Veränderungen. Was Sara wahrscheinlich als Warnung begreifen sollte.

»Okay, jetzt bin ich dran mit Fragen.« Sie verschränkte die Arme. »Hier ist die große: Wann packen Sie ihn endlich an den Eiern und sagen ihm, dass er sich verdammt noch mal scheiden lassen soll?«

Sara mühte sich ein Lächeln ab. »Das klingt überaus verlockend.«

»Warum tun Sie es nicht?«

»Weil Ultimaten noch nie funktioniert haben. Und ich will nicht der Grund sein, warum er seine Frau verlässt.«

»Er will sie doch ohnehin verlassen.«

Sara wollte das Offensichtliche nicht laut aussprechen. Wenn Will die Scheidung wirklich wollte, dann würde er sich von alleine scheiden lassen.

Faith presste Luft durch die Lippen. »Wahrscheinlich sollten Sie keinen Rat annehmen von einer Frau, die nie verheiratet war und ein Kind im College und eins noch in den Windeln hat.«

Sara lachte. »Stellen Sie Ihr Licht nicht unter den Scheffel.«

»Na ja, es ist ja nicht gerade so, dass die guten Jungs Schlange stünden, um mit einer Polizistin auszugehen. Zumindest fühle ich mich in keiner Weise hingezogen zu diesem Typ nutzloses Arschloch, das eine Polizistin heiraten würde.«

Sara konnte ihr nicht widersprechen. Nicht viele Männer besaßen die Charakterstärke, mit einer Frau auszugehen, die sie verhaften könnte.

»Spricht Will mit Ihnen?« Faith verbesserte sich sofort: »Ich meine, über sich selbst. Hat er Ihnen irgendwas erzählt?«

»Ein bisschen.« Sara fühlte sich grundlos schuldig, als wäre es ihre Schuld, dass Will so verschlossen war. »Unsere Beziehung steht ja noch ganz am Anfang.«

»Ich habe diese lange Liste mit Fragen im Kopf«, gab Faith zu. »Zum Beispiel: Was ist aus seinen Eltern geworden? Wohin ging er, als er aus dem Heim entlassen wurde? Wie schaffte er das College? Wie schaffte er es ins GBI?« Sie sah Sara an, die jedoch lediglich mit den Schultern zuckte. »Statistisch haben Kinder in staatlicher Obhut ein Risiko von achtzig Prozent, vor ihrem einundzwanzigsten Geburtstag im Knast zu landen. Und sechzig Prozent davon bleiben dort.«

»Klingt realistisch.« In der Notaufnahme wurde Sara genau dieses Szenario viel zu häufig vor Augen geführt. Beim ersten Mal behandelte sie einen Jungen noch wegen Ohrenschmerzen; beim nächsten Mal war er dann schon mit Handschellen an eine Trage gefesselt, um danach ins Gefängnis transportiert zu werden. Wills Bruch mit diesem seelentötenden Muster war definitiv eine der Eigenschaften, die sie am meisten an ihm bewunderte. Er hatte sich gegen jede Wahrscheinlichkeit durchgesetzt.

Eins wusste Sara jedoch überdies: Will würde nie wollen, dass sie mit Faith darüber sprach. Sie wechselte das Thema.

»Arbeiten Sie an dem Fall Ashleigh Jordan?«

»Würde ich gerne«, sagte Faith. »Ich sehe da allerdings keine große Hoffnung mehr. Es ist zwar noch nicht zu den Medien durchgesickert, aber sie wird schon eine ganze Weile vermisst, und diese sogenannten Freunde von ihr, die so kamerageil sind, haben keine Ahnung.«

»Wie lange wird sie schon vermisst?«

»Seit der Woche vor dem Spring Break.«

»Das war letzte Woche.« In der Notaufnahme hatte man als Folge der rituellen Spring-Break-Partys eine starke Zunahme von Alkoholvergiftungen und drogeninduzierten Psychosen verzeichnet. »Und niemand hat bemerkt, dass sie verschwunden war?«

»Ihre Eltern dachten, sie wäre nach Florida an die Redneck-Riviera gefahren. Ihre Freunde dachten, sie wäre bei ihren Eltern. Ihre Zimmergenossin hat zwei Tage gewartet, bis sie sie als vermisst gemeldet hat. Sie dachte, Ashleigh hätte womöglich einen Jungen kennengelernt. Sie wollte ihr keine Scherereien machen.«

»Es ist also unwahrscheinlich, dass sie die Entführung selbst inszeniert hat?«

»Da war Blut in ihrem Schlafzimmer – auf dem Kissen, auf dem Teppich.«

»Und der Zimmergenossin kam das nicht komisch vor?«

»Mein Sohn ist im gleichen Alter. Die sind professionell begriffsstutzig. Ich denke, er würde es nicht mal komisch finden, wenn ein Raumschiff auf seiner Stirn landete.« Faith wandte sich wieder dem früheren Thema zu. »Könnten Sie sich Wills Krankengeschichte einmal ansehen?« Sara fühlte sich bei dieser Frage ertappt. Faith fügte hinzu: »Seine Daten aus der Jugend sind unter Verschluss – glauben Sie mir, ich habe es versucht –, aber im Grady muss es doch noch etwas aus seiner Kindheit geben …«

Eine tiefe Röte stieg Sara von der Brust ins Gesicht. Sie hatte tatsächlich schon einmal darüber nachgedacht, schließlich aber hatte der gesunde Menschenverstand gesiegt. »Ich darf die Daten irgendeiner Person nicht ohne ihre Zustimmung einsehen. Außerdem …« Sara unterbrach sich. Sie war nicht hundertprozentig aufrichtig. Sie hatte es bis ins Archiv geschafft. Eine der Sekretärinnen hatte Wills Patientenakte für sie herausgesucht. Sara hatte die Akte nicht geöffnet, aber gesehen, dass sie mit Wilbur Trent beschriftet war. Auf seinem Führerschein stand William Trent als offizieller Name. Sara hatte ihn unlängst gesehen, als er seine Brieftasche aufgeklappt hatte, um die Rechnung für ein gemeinsames Abendessen zu begleichen.

Warum also hatte Amanda ihn Wilbur genannt?

»Hallo?« Faith schnippte mit den Fingern. »Jemand zu Hause?«

»Sorry, ich war gerade ganz woanders …« Sara hob Emma an die andere Schulter. »Ich will nur …« Sie versuchte, sich daran zu erinnern, wovon sie gerade gesprochen hatten.

»Nein, ich werde ihn nicht ausspionieren.« Wenigstens das war die Wahrheit. Sara wollte über Will Bescheid wissen, weil sie ihn liebte, nicht weil sie Anzüglichkeiten verbreiten wollte. »Er wird's mir sagen, wenn er so weit ist.«

»Viel Glück dabei«, sagte Faith. »Falls Sie unterdessen irgendetwas Gutes herausfinden, lassen Sie es mich wissen!«

Sara biss sich auf die Unterlippe und sah Faith an. Sie spürte den übermächtigen Wunsch, einen Handel einzugehen. Amandas Auftauchen im Kinderheim. Der Hammer. Wills unerklärliche Wut. Sein plötzlicher Wunsch, allein zu sein.

Faith war klug. Sie hatte als Detective im Morddezernat der Atlanta Police gearbeitet, bevor sie Special Agent des GBI geworden war. Sie war seit zwei Jahren Wills Partnerin. Faiths Mutter war eine von Amandas ältesten Freundinnen. Wenn Sara ihr erzählte, was heute Abend im Kinderheim passiert war, könnte Faith ihr vielleicht helfen, das Puzzle zusammenzusetzen.

Aber dann wäre Will für sie verloren.

»Faith«, hob Sara an. »Ich bin froh, dass wir uns kennengelernt haben. Ich mag Sie sehr. Aber ich kann über Will nicht hinter seinem Rücken reden. Er muss wissen, dass ich immer an seiner Seite bin.«

Sie nahm es besser auf, als Sara erwartet hatte. »Sie sind viel zu normal, um eine Beziehung mit einem Polizisten zu haben. Vor allem mit Will.«

Kurz schoss Sara durch den Kopf, dass sie vielleicht gar keine Beziehung mehr hatten. Trotzdem sagte sie: »Danke für Ihr Verständnis.«

Faith winkte einer älteren Frau, die vor dem Schwesternzimmer stand. Kein Hosenanzug – sie trug eine Jeans und eine Bluse mit Blumenmuster –, die Aura einer Polizistin war trotzdem unübersehbar. Es war die Art, wie sie sich umsah, wie sie die Guten von den potenziell Bösen unterschied. Die Frau winkte zu Faith herüber, blickte auf den Belegplan und suchte dann eigenständig nach Amandas Zimmer.

»Sie hat nach dem elften September beim Mossad trainiert«, sagte Faith. »Zwei Kinder. Drei Enkel. Fünf Mal geschieden. Zwei Mal vom selben Mann. Und alles, ohne je einen Hosenanzug zu tragen.« Faith klang ehrfürchtig. »Sie ist mein großes Vorbild.«

Sara nahm Emma in die Arme, damit sie ihr ins Gesicht sehen konnte. Sie verströmte einen leicht pudrigen Geruch, eine Mischung aus Wischtüchern und Schweiß. »Ihre Mutter ist aber auch ein ziemlich gutes Vorbild.«

»Wir sind zu unterschiedlich.« Faith zuckte mit den Schultern. »Mom ist still, methodisch, übernimmt immer die Verantwortung. Ich dagegen denke immer gleich: O Gott, wir werden alle sterben.«

Diese Einschätzung klang merkwürdig aus dem Mund einer Frau, in deren Kofferraum eine geladene Schrotflinte lag.

»Ich habe ein gutes Gefühl, wenn ich weiß, dass Sie und Will zusammen sind«, sagte Sara. Faith würde wohl nie so recht wissen, was für ein Kompliment Sara ihr eben gemacht hatte. »Unter Feuer sind Sie ziemlich gut.«

»Sobald ich aufhöre, Stress zu verbreiten …« Sie deutete zu Amandas Zimmer hinüber. »Wenn jetzt eine Bombe hochgehen würde, dann würden sie alle, kaum dass der Staub sich gelegt hat, mit gezogenen Waffen dastehen und sich auf die Suche nach den Übeltätern machen.«

Sara hatte Amanda schon in brenzligen Situationen erlebt. Sie zweifelte keine Sekunde an dieser Aussage.

»Mom hat mir erzählt, als sie sich zur Truppe meldete, war die erste Frage beim Lügendetektortest die nach ihrem Sexualleben. Ob sie noch Jungfrau sei und wenn nicht, mit wie vielen Männern sie schon zusammen gewesen sei – mit mehr als einem? Mit weniger als drei?«

»Ist das legal?«

»Alles ist legal, wenn man damit durchkommt.« Sie grinste.

»Mom wurde auch gefragt, ob sie zur Truppe wolle, um Sex mit Polizisten haben zu können. Sie sagte ihnen, das hänge hauptsächlich davon ab, wie der jeweilige Polizist aussehe.«

»Und Amanda?« Nach dem Sturz in den Keller hatte sie von ihrer ersten Zeit bei der Polizei erzählt. Vielleicht gab es ja einen Grund dafür. »War sie schon immer Polizistin?«

»Soweit ich weiß.«

»Sie hat nie in einem Waisenhaus gearbeitet?«

Faith kniff die Augen zusammen. Sara konnte das Hirn der Ermittlerin förmlich rattern hören. »Worauf wollen Sie hinaus?«

Sara wandte den Blick nicht von Emma. »Ich war einfach nur neugierig. Will hat mir nicht viel über sie erzählt.«

»Würde er auch nicht«, sagte Faith, als müsste sie Sara daran erinnern. »Ich bin quasi mit Amanda großgeworden. Sie war jahrelang mit meinem Onkel liiert, aber das Arschloch hat ihr nie einen Antrag gemacht.«

»Sie war nie verheiratet? Hat sie Kinder?«

»Sie kann keine Kinder bekommen. Ich weiß, sie hat es versucht, aber es hat eben nicht sein sollen.«

Sara blickte noch immer auf Emma hinab. Das war etwas, das sie mit Amanda Wagner gemeinsam hatte. Und das war etwas, mit dem man nicht gerade prahlte.

»Könnten Sie sich Amanda als Mutter vorstellen? Da wäre man doch mit einem Dingo besser beraten!«

Emma hatte Schluckauf. Sara rieb ihr den Bauch. Sie lächelte Faith an und wünschte sich – sehnte sich danach –, mit ihr reden zu können, wusste aber, dass sie es nicht durfte. Sara war sich schon lange nicht mehr so einsam vorgekommen.

Natürlich konnte sie immer ihre Mutter anrufen, aber sie hatte keine Lust auf eine Lektion über richtig und falsch, vor allem weil sie den Unterschied nur zu gut kannte, was sie weniger zum Objekt einer heißen Liebesaffäre machte, sondern vielmehr zu einer Frau, die sich mit der Rolle als Fußabstreifer zufriedengab. Denn genau das würde Cathy Linton ihr entgegenhalten: Warum gibst du einem Mann alles, wenn er dir nichts zurückgeben kann?

»Waren Sie das oder Emma?«

Ohne es zu wollen, hatte Sara geschnaubt. »Ich. Mir ist nur eben klar geworden, dass meine Mutter in einer Sache recht hat.«

»O Gott, schlimm, wenn das passiert!« Faith richtete sich auf. »Wenn man vom …«

Evelyn Mitchell stand vor dem Schwesternzimmer. Die Frau war aus dem gleichen Holz geschnitzt wie ihre Freundinnen: Hosenanzug, schlanke Figur, perfekte Haltung, auch wenn sie ohne Krücken derzeit nicht aufrecht stehen konnte. Offensichtlich suchte sie nach ihrer Tochter.

Faith stand widerwillig auf. »Die Pflicht ruft.« Sie trottete über den Gang.

Sara hob Emma in die Höhe und rieb ihre Nasen aneinander. Emma quietschte vor Vergnügen und zeigte beide Zahnfleischreihen. Falls sich je jemand fragte, ob Faith Mitchell eine gute Mutter war, brauchte man sich nur ihr glückliches Baby anzusehen. Sara küsste Emma auf beide Wangen. Das kleine Mädchen quiekte. Noch ein paar Küsse, und sie fing an zu prusten. Die Füßchen strampelten in der Luft. Sara küsste sie noch einmal.

»Sein *was*?«, schrie Faith.

Ihre Stimme hallte durch die Notaufnahme. Mutter und Tochter starrten zu Sara herüber. Aus der Entfernung hätten die beiden Zwillinge sein können. Beide ungefähr das gleiche Gewicht und die gleiche Größe. Beide blond, die gleiche Haltung der Schultern. Faith machte ein besorgtes Gesicht, während das von Evelyn so unergründlich war wie immer. Die ältere Frau sagte etwas, und Faith nickte, bevor sie auf Sara zuging.

»Tut mir leid.« Faith streckte die Arme nach Emma aus. »Ich muss los.«

Sara überreichte ihr das Baby. »Ist alles in Ordnung?«

»Ich weiß es nicht.«

»Geht's um Ashleigh Jordan?«

»Nein. Ja.« Faith öffnete den Mund, schloss ihn wieder. Offensichtlich stimmte irgendetwas ganz und gar nicht. Faith war nicht leicht zu schockieren, und Evelyn Mitchell war niemand, die ganz nebenbei Informationen ausspuckte.

»Faith«, sagte Sara, »Sie machen mir Angst. Ist mit Will alles in Ordnung?«

»Ich …« Sie unterbrach sich. »Ich kann nicht …« Wieder brach sie ab. Sie presste die Lippen aufeinander, bis sie nur noch als dünner weißer Strich zu erkennen waren. Schließlich sagte sie: »Sie haben recht, Sara. Einige Dinge müssen wir getrennt halten.«

Zum zweiten Mal an diesem Abend drehte jemand, der ein Geheimnis hatte, Sara den Rücken zu und ging davon.

7. KAPITEL

7. Juli 1975
FREITAG

Amanda blätterte durch ihr Lehrbuch zur Frauenforschung und markierte die Absätze, die sie für ihren Abendkurs beherrschen musste. Sie saß auf dem Beifahrersitz von Doug Petersons Plymouth Fury. Der Polizeifunk war leise gestellt, aber ihre Ohren waren seit Langem darauf trainiert, alles auszublenden außer den relevanten Meldungen. Sie blätterte um und las den nächsten Abschnitt.

Um die weitreichenden Auswirkungen des Geschlechter-/Gendersystems zu verstehen, muss man zuerst die phallischen Hypothesen im Verhältnis zum Unbewussten dekonstruieren.

»Bruder«, seufzte Amanda. Was immer das zu bedeuten hatte. Das Auto wackelte leicht, als Peterson sich auf der Rückbank umdrehte. Amanda betrachtete ihn im Rückspiegel und hoffte, dass er nicht aufwachte. Heute Morgen hatte sie bereits eine knappe Stunde damit verschwendet, seine Hand wegzuschlagen, und eine weitere halbe damit, sich dafür zu entschuldigen, damit er endlich aufhörte zu schmollen. Zum Glück war sein Flachmann so voll gewesen, dass er sich irgendwann ausgeknockt hatte, sonst hätte Amanda niemals die Zeit gefunden, ihr Lesepensum abzuarbeiten.

Allerdings verstand sie von alldem kein Wort. Einige Passagen waren richtiggehend obszön. Wenn diese Frauen so versessen darauf waren zu verstehen, wie ihre Vaginas funktionierten, sollten sie anfangen, sich die Beine zu rasieren und sich einen Ehemann suchen.

Das Funkgerät klickte. Amanda hörte eine abgehackte Männerstimme. Überall in der Stadt gab es Funklöcher, in denen die Geräte keinen Empfang hatten, aber das war nicht das Problem. Ein schwarzer Beamter bat um Verstärkung, was bedeutete, dass die weißen Beamten die Verbindung blockierten, indem sie immer wieder auf die Sprechtasten ihrer Mikros drückten. In der nächsten Stunde würde ein weißer Beamter um Hilfe bitten, und die schwarzen würden das Gleiche tun. Und dann würde jemand vom *Atlanta Journal* oder von der *Constitution* einen Artikel schreiben, in dem er die Frage stellte, warum es in jüngster Zeit einen derartigen Zuwachs an Verbrechen gab.

Amanda sah sich noch einmal nach Peterson um. Er hatte angefangen zu schnarchen. Sein Mund unter dem zotteligen, ungepflegten Schnurrbart stand weit offen.

Sie las den nächsten Absatz und vergaß sofort wieder, was darin gestanden hatte. Ihre Sicht verschwamm vor Erschöpfung. Oder vielleicht war es auch Verärgerung. Die Wörter »gynäkokratisch« und »Patriarchat« wollte sie nie wieder lesen müssen. Man sollte Gloria Steinem nach Techwood Homes schicken. Mal sehen, ob sie dann immer noch glaubte, dass Frauen die Welt beherrschen konnten.

Techwood.

Amanda spürte Panik in sich aufsteigen wie Galle. Die Hand des Zuhälters an ihrer Kehle. Das Gefühl, wie er seine Erektion gegen sie gedrückt hatte. Das Kratzen seiner Fingernägel, als er versucht hatte, ihr die Strumpfhose herunterzuziehen. Sie biss die Zähne fest zusammen, wollte, dass ihr Herzschlag sich wieder beruhigte. Tiefe Atemzüge. Ein und aus.

Langsam. »Eins … zwei … drei.« Sie zählte leise die Sekunden. Minuten vergingen, bevor sie die Kiefermuskeln wieder entspannen und normal atmen konnte.

In den vier Tagen seit dem schrecklichen Erlebnis hatte Amanda Evelyn Mitchell nicht wiedergesehen. Sie war nicht zu den Morgenappellen erschienen. Ihr Name hatte nicht auf dem Dienstplan gestanden. Auch Vanessa hatte sie nicht aufspüren können. Amanda hoffte insgeheim, die Frau wäre zur Besinnung gekommen und wieder nach Hause gegangen, um sich um ihre Familie zu kümmern. Schon für Amanda war es schwer genug, sich jeden Morgen aus dem Bett zu quälen. Sie konnte sich die Angst nicht einmal vorstellen, die sie empfinden würde, wenn sie ihre Familie verlassen müsste und dabei wüsste, in was für eine Welt sie sich stürzte.

Aber Evelyn war nicht die Einzige, die verschwunden war. Auch Luther Hodge, der neue Sergeant, war über Nacht versetzt worden. Sein Nachfolger war ein Weißer namens Hoyt Woody. Er stammte aus North Georgia, und sein starker Akzent wurde durch den Zahnstocher, den er die ganze Zeit im Mund hatte, noch unverständlicher. Die Spannungen auf dem Revier waren noch immer da, aber sie hielten sich im normalen Rahmen. Mit einer bekannten Größe konnte jeder besser umgehen.

Wenigstens war Hodge nicht einfach spurlos von der Bildfläche verschwunden. Vanessa hatte ein wenig herumtelefoniert und herausgefunden, dass der Sergeant in eins der Reviere der Model City versetzt worden war. Das war nicht nur für ihn ein Rückschritt, es machte ihn überdies für Amanda unerreichbar. Und sie hatte nicht die Nerven, zu Hodges neuem Revier hinüberzufahren und ihn zu fragen, warum er sie zu diesem völlig sinnlosen Einsatz nach Techwood Homes geschickt hatte.

Wobei Amanda durchaus zu anderen Sinnlosigkeiten in der Lage war. Die letzten Tage waren ein Wettstreit gegensätzlicher Bestrebungen gewesen. Eigentlich sehnte sie sich danach, die Tortur in Techwood hinter sich zu lassen, aber ihre Neugier ließ die Sache einfach nicht auf sich beruhen. Ihre schlaflosen Nächte waren nicht nur voller Angst. Sie waren auch voller Fragen.

Amanda wollte glauben, dass einfach nur ihre Polizistenneugier angestachelt worden war. Tatsächlich aber trieb sie mehr an als nur weibliche Intuition. Die Hure in Kitty Treadwells Wohnung hatte ihr einen Floh ins Ohr gesetzt. Irgendetwas stimmte da nicht. Sie spürte es in den Knochen.

Das war der Grund, warum Amanda ein wenig herumgestochert und ihre bereits angespannten Nerven noch zusätzlich gereizt hatte. Und dieses dumme Herumstochern würde wahrscheinlich alsbald ihrem Vater zu Ohren kommen und sie nicht nur bei Duke, sondern auch in den höheren Rängen ihres Reviers in Schwierigkeiten bringen.

Sie klappte das Lehrbuch zu. Sie hatte keine Lust mehr auf Phyllis Schlaflys Zurückweisung des *Equal Rights Amendment,* des Gleichheitsgrundsatzes. Amanda hatte die Nase voll von Frauen, die ihr sagen wollten, wie sie leben sollte, aber selbst noch nie auch nur einen Cent Miete gezahlt hatten.

»Was gibt's Neues?«

Amanda erschrak so sehr, dass sie sich beinahe das Buch ins Gesicht geschlagen hätte. Evelyn Mitchell stand an der Wagentür. Amanda legte den Finger an die Lippen und drehte sich flüchtig zu Peterson um.

»Sorry«, flüsterte Evelyn. Sie legte die Hand auf den Türgriff, aber Amanda drückte die Sicherung nach unten. Evelyn blieb ungerührt neben dem Auto stehen. »Du weißt aber schon, dass das Fenster unten ist?«

In ihrem Rücken kicherte Vanessa Livingston.

Widerwillig löste Amanda die Sperre und stieg aus. »Was wollt ihr?«, flüsterte sie.

Evelyn flüsterte zurück: »Wir wollen tauschen. Dich für Nessa.«

»Auf gar keinen Fall.« Den Vorgesetzten wäre es egal, aber Amanda hatte nicht die Absicht, je wieder mit Evelyn Mitchell zu fahren. Sie wollte schon wieder einsteigen, doch Evelyn hielt sie am Arm fest, und Vanessa schob sich an ihnen vorbei, setzte sich hinters Steuer und verriegelte die Tür.

Amanda stand auf dem leeren Parkplatz und hätte am liebsten beide geohrfeigt.

»Wir sind in ein paar Stunden zurück«, sagte Evelyn zu Vanessa.

»Lasst euch Zeit.« Vanessa drehte sich zu Peterson um. »Ich denke mal, der geht so schnell nirgends hin.«

Evelyn strich sich mit dem Zeigefinger am Nasenflügel entlang, so wie Robert Redford es in »Der Clou« getan hatte. Vanessa machte es ihr nach.

»Das ist doch lächerlich«, murmelte Amanda und griff ins Auto, um sich Handtasche und Lehrbuch zu greifen.

»Kopf hoch«, sagte Evelyn. »Vielleicht finden wir ja zusammen eine neue Klemme, in die du geraten kannst.«

Evelyn steuerte ihren Ford Falcon die North Avenue entlang. Im Kombi stapelten sich jetzt keine Kartons mehr, dafür war er angefüllt mit Babysachen. Bis auf das Funkgerät auf der Konsole zwischen ihnen wies nichts darauf hin, dass eine Polizeibeamtin damit unterwegs war. Der Vinylsitz fühlte sich unter Amandas Beinen klebrig an. Als Einzelkind und ohne Cousins und Cousinen hatte sie nur selten mit Kindern zu tun gehabt. Amanda wurde den Gedanken nicht los, dass Zeke Mitchell irgendetwas Widerliches auf dem Vinyl abgesondert hatte.

»Schöner Tag heute«, sagte Evelyn.

Das sollte wohl ein Witz sein. Die Mittagssonne war so grell, dass Amanda die Augen tränten. Sie schirmte die Augen gegen das Licht ab. Evelyn setzte sich eine Foster-Grants-Sonnenbrille auf. »Warte, ich habe noch eine …« Sie wühlte in ihrer Tasche.

»Nein, danke.« Amanda hatte die Brille bei Richway gesehen. Sie kostete mindestens fünf Dollar.

»Wie du willst.« Evelyn fuhr wie eine alte Frau, sie bremste schon bei Gelb und ließ jeden vorbei, der auch nur das geringste Verlangen danach zeigte. Sie fuhr mit einem Fuß auf dem Gas und dem anderen auf der Bremse. Als sie zum Varsity-Drive-in abbogen, hätte Amanda am liebsten das Lenkrad gepackt und Evelyn aus dem Auto geschubst.

»Immer mit der Ruhe«, hörte sie die Fahrerin murmeln. Höchst konzentriert manövrierte sie den Falcon in eine Parklücke hinter der Einfahrt an der North Avenue. Die Bremsen quietschten, als sie auf das Pedal trat, und sie schob sich zentimeterweise vorwärts, bis sie spürte, wie die Reifen gegen die Barriere stießen. Schließlich schaltete Evelyn auf Parken. Der Motor pochte, als sie die Zündung abdrehte, und das Auto schwankte leicht.

Evelyn drehte sich in ihrem Sitz zu Amanda. »Und?«

»Warum hast du mich hierhergebracht? Ich kann jetzt unmöglich was essen.«

»Vielleicht ist es mir doch lieber, wenn du nicht mit mir sprichst.«

»Dein Wunsch ist mir Befehl«, blaffte Amanda. Doch dann konnte sie sich nicht mehr beherrschen. »Du hättest zugelassen, dass ich vergewaltigt werde!«

Evelyn lehnte sich an die Tür. »Zu meiner Verteidigung muss ich sagen, dass uns beiden die Vergewaltigung drohte.« Amanda schüttelte den Kopf. Die Frau war unfähig, irgendetwas ernst zu nehmen.

»Wir haben's doch gut überstanden. Ende gut, alles gut.«

»Erspar mir deine positiven Sinnsprüche.«

Evelyn schwieg. Sie drehte sich wieder nach vorne. Die Hände lagen in ihrem Schoß. Amanda starrte geradeaus auf die Speisetafel. Die Worte verschwammen, ergaben keinen Sinn. Im Kopf zählte Amanda all die Dinge auf, die sie heute Abend tun musste, bevor sie ins Bett gehen konnte. Je mehr sie darüber nachdachte, desto schwieriger wurden die Aufgaben. Sie war zu müde, um auch nur irgendetwas davon anzugehen. Sie war zu müde, um überhaupt hier zu sein.

»Verdammt, Mädchen.« Evelyns Stimme war tief, sie imitierte den Bariton des Zuhälters. »Bist eine gut aussehende Frau.«

Amanda umklammerte das Lehrbuch auf ihrem Schoß.

»Lass das!«

Evelyn ließ sich wie immer nicht beirren. »So hübsch ...«

Amanda drehte den Kopf zur Seite und stützte das Kinn auf die Hand. »Bitte, sei still!«

»Ich schnapp mir jetzt diesen Schlampenarsch.«

»Himmel auch«, blaffte Amanda. »Das hat er nicht gesagt.« Ihre Lippen zitterten, doch zum ersten Mal seit vier Tagen nicht, weil sie Tränen unterdrücken musste.

»Mhmm«, machte Evelyn und bewegte obszön die Hüften auf ihrem Sitz. »Gut aussehende Frau.«

Amanda konnte nicht verhindern, dass ihre Mundwinkel sich nach oben bewegten. Und dann lachte sie. Sie konnte es nicht kontrollieren, auch wenn sie es gewollt hätte. Ihr Mund stand weit offen. Sie spürte ein Nachlassen des Drucks, nicht nur durch das Lachen selber, sondern auch durch das Ausströmen der Luft, die in ihrer Lunge gefangen gewesen war wie ein Gift. Auch Evelyn lachte, und das schien überhaupt das Lustigste zu sein. Bald krümmten sie sich beide, und Tränen liefen ihnen die Wangen hinab.

»Tag, Ladys.« Die Drive-in-Bedienung stand an Evelyns Fenster. Seine Kappe saß ihm verwegen schief auf dem Kopf. Er klatschte eine Nummernkarte auf ihre Windschutzscheibe und grinste sie beide an, als hätte er den Witz mitbekommen.

»Was nehmen wir denn heute?«

Amanda wischte sich die Tränen aus den Augen. Und zum ersten Mal seit Tagen hatte sie wieder Hunger. »Einen Hamburger mit Mayonnaise, Salat und Tomate und Pommes dazu. Und einen Schokomilchshake.«

»Ich nehme das Gleiche«, sagte Evelyn. »Und auch noch eine Apfeltasche.«

»Warten Sie!« Amanda rief ihn zurück. »Ich nehme auch noch eine Apfeltasche.«

Evelyn kicherte, als er von ihrem Fenster wegtrat. »O Gott«, seufzte sie. Sie drehte den Rückspiegel zu sich und wischte sich mit dem kleinen Finger am Lidstrich entlang.

»Gott, o Gott«, wiederholte sie. »Ich konnte überhaupt nicht mehr ans Essen denken seit ...« Sie musste den Satz nicht beenden. Keine von beiden würde diesen Satz je wieder beenden müssen.

»Was hat dein Mann gesagt?«

»Gewisse Dinge erzähle ich Bill nicht«, antwortete Evelyn.

»Er redet sich ein, ich bin so eine Art Agent 99, die sich hinter Maxwell Smart versteckt, während der die harte Arbeit erledigt.« Sie lachte kurz auf. »Ganz so daneben ist das ja nicht. Weißt du, in dieser blöden Serie wird ja nicht mal ihr Name genannt. Sie ist nur eine Nummer.«

Amanda sagte nichts. Evelyn hatte gerade geklungen wie ein Kapitel aus ihrem Frauenforschungsbuch.

Evelyn wartete einen Augenblick. »Was hat dein Vater gesagt?«

»Ich wäre nicht hier, wenn ich es ihm gesagt hätte.« Amanda spielte mit der Buchdecke. »Hodge wurde versetzt.«

»Was glaubst du denn, wo ich gewesen bin?«

Amanda klappte der Mund auf. »Die haben dich auch versetzt?«

»Hodge spricht nicht mal mit mir. Jeden Morgen gehe ich gleich als Allererstes in sein Büro und frage ihn, was da passiert ist, wen wir verärgert haben könnten, warum er uns überhaupt nach Techwood geschickt hat, und jeden Tag wieder jagt er mich aus seinem Büro.«

Amanda konnte nicht umhin, von der Forschheit der anderen Frau beeindruckt zu sein. »Glaubst du, du wirst für irgendetwas abgestraft?«, fragte sie. »Das kann doch nicht sein. Immerhin wurde ich nicht versetzt. Und ich war genauso dort wie du.«

Evelyn schien zu diesem Thema durchaus eine Meinung zu haben, aber sie behielt sie für sich. »Die Jungs haben sich für uns um diesen Luden gekümmert.«

Amanda spürte ihr Herz bis zur Kehle schlagen. »Hast du es irgendjemandem erzählt?«

»Nein, natürlich nicht, aber man muss nicht Columbo sein, um darauf zu kommen – ein Lude, der auf dem Boden liegt und blutet, sein Pimmel hängt aus der Hose, und wir zwei sehen aus, als wären wir einem Herzinfarkt nahe.«

Sie hatte recht. Immerhin hatte Evelyn ihnen ein wenig das Gesicht gerettet, indem sie ihn k. o. geschlagen hatte, bevor die Kavallerie eingetroffen war.

»Sie haben ihn gerade lange genug aus dem Gefängnis entlassen, um ihn wieder aufgreifen zu können. Anscheinend hat er sich der Verhaftung widersetzt. Die Ashby Street rauf und wieder runter. Er liegt im Krankenhaus.«

»Gut. Vielleicht hat er seine Lektion gelernt.«

»Vielleicht.« Evelyn klang nicht sonderlich überzeugt. »Er dachte wohl, ich würde einfach nur dabeistehen, während er dich vergewaltigt, und warten, bis ich an der Reihe bin.«

»Er hat das wahrscheinlich schon hundert Mal getan. Du hast doch gesehen, wie Jane sich verhalten hat. Sie hatte eine Heidenangst vor ihm.«

Evelyn nickte bedächtig. »Dwayne Mathison. So heißt er. Er wurde schon ein paarmal eingebuchtet, weil er seine Mädchen misshandelt hat. Er lässt vorwiegend weiße Frauen für sich arbeiten – große, blonde, die früher mal hübsch waren. Nennt sich Juice.«

»Wie der Footballspieler.«

»Nur dass der Footballspieler ein Heisman-Preisträger ist und der andere gern Frauen verprügelt.« Evelyn klopfte mit dem Finger auf das Lehrbuch auf Amandas Schoß. »Das da überrascht mich.«

Wie ertappt legte sie die Hände darüber. »Ist ein Pflichtfach.«

»Trotzdem bestimmt nicht schlecht zu wissen, wie's woanders aussieht.«

Amanda zuckte mit den Schultern. »Es wird sich ja doch nichts ändern.«

»Denkst du, es ist irgendwie unausweichlich? Schau dir nur an, was mit den Schwarzen passiert ist.« Sie deutete zum Restaurant hinüber. »Nipsey Russell hat hier mal bedient, und heutzutage kann man kaum den Fernseher einschalten, ohne sein Gesicht zu sehen.«

Das stimmte allerdings. Amanda wusste nicht, was ihren Vater wütender machte: Russell in jeder Gameshow oder Monica Kaufman, die neue schwarze Nachrichtensprecherin.

»Bürgermeister Jackson macht keinen so schlechten Job«, fuhr Evelyn fort. »Man kann über Reggie sagen, was man will, aber niedergebrannt ist die Stadt nicht. Noch nicht.«

Die Bedienung kam mit ihrem Essen. Er hängte das Tablett in Evelyns Fenster. Amanda griff nach ihrer Handtasche.

»Das geht auf mich«, ging Evelyn dazwischen.

»Ich muss mich von dir doch nicht …«

»Lass mich deine Vergebung erkaufen.«

»Dafür wird dein Geld nicht reichen.«

Evelyn zählte ein paar Dollarscheine ab und gab ein in Amandas Augen großzügiges Trinkgeld. »Was machst du morgen?«

Wenn ihr Samstag so würde wie jeder andere, brächte Amanda den Tag damit zu, das Haus ihres Vaters zu putzen, dann ihre eigene Wohnung zu putzen und sich anschließend den Abend mit Mary Tyler Moore, Bob Newhart und Carol Burnett zu vertreiben. »Ich hab noch nicht darüber nachgedacht.«

Evelyn reichte Amanda ihr Essen. »Warum kommst du nicht zu uns? Wir grillen.«

»Da muss ich erst in meinem Kalender nachsehen«, entgegnete sie, war sich aber ziemlich sicher, dass ihr Vater etwas dagegen haben würde. Sie befürchtete sogar, dass er mittlerweile irgendetwas aufgeschnappt haben könnte. Ohne ersichtlichen Anlass hatte er es an jedem Morgen dieser Woche für angebracht gehalten, sie vor Evelyn Mitchell zu warnen. »Aber danke für die Einladung.«

»Sag einfach Bescheid. Ich würde mich freuen, wenn du Bill kennenlerntest. Er ist einfach …« Ihre Stimme bekam etwas Verträumtes. »Er ist einfach der Beste. Ich weiß, dass du ihn mögen wirst.«

Amanda nickte, wusste aber nicht recht, was sie sagen sollte.

»Gehst du mit Männern aus?«

»Die ganze Zeit«, witzelte sie. »Sie finden es toll, wenn sie hören, dass ich Polizistin bin.« Sie fanden es toll – und rannten schreiend zur Tür hinaus. »Im Augenblick habe ich für Dates ohnehin zu viel zu tun. Ich versuche, meinen Abschluss zu machen. Ich hab einfach sehr viel um die Ohren.«

Es war offensichtlich, dass Evelyn sie durchschaute. »Wenn man den ganzen Tag mit Trotteln wie Peterson arbeitet, vergisst man, was ein netter, normaler Kerl ist.« Sie hielt inne.

»Es gibt noch ein paar andere Gute. Lass dich von den Neandertalern nicht runterziehen.«

»Mhmm.« Amanda steckte sich eine Pommes in den Mund, dann noch eine, bis Evelyn es ihr gleichtat.

Sie aßen beide schweigend, stellten die Pappbecher aufs Armaturenbrett und balancierten die Kartons auf dem Schoß. Für Amanda waren die fettigen Pommes und der Hamburger genau das, was sie benötigt hatte. Der geeiste Schokomilchshake war süß wie ein Dessert, die Apfeltasche aß sie trotzdem obendrein. Als sie fertig war, war ihr wieder leicht schlecht, doch jetzt drehte ihr eher die Völlerei als die Angst den Magen um.

Evelyn stellte die Behälter wieder auf das Tablett im Fenster, legte sich die Hand auf den Bauch und stöhnte. »Meine Güte, das war vielleicht ein Fleischklops.«

»Ich hab heute Morgen erst Alka Seltzer in meine Handtasche gesteckt.«

Evelyn winkte der Bedienung und bestellte zwei Wasser.

»Allmählich denke ich, dass wir beide einen schlechten Einfluss aufeinander haben.«

Amanda schloss kurz die Augen. »Es ist das erste Mal, dass ich jetzt gerne mit Peterson im Auto säße. Dann könnte ich mich jetzt hinlegen und schlafen.«

»Und wieder aufwachen, weil er auf dir liegt.« Evelyn zupfte an ihren Haarspitzen. Sie schwieg ein paar Sekunden und fragte dann: »Sag mal, was glaubst du, warum Hodge uns nach Techwood geschickt hat?«

Nicht zum ersten Mal spürte Amanda hinter dieser Frage eine gewisse Gefahr. Es war klar, dass irgendjemand aus höheren Sphären die Fäden zog. Sowohl Evelyn als auch Hodge waren versetzt worden. Unmöglich zu sagen, was mit Amanda passieren würde, vor allem wenn irgendjemand herausfand, was sie danach getan hatte.

Evelyn hakte nach. »Na, komm, Mädchen. Ich weiß, dass du darüber nachgedacht hast.«

»Na ja.« Amanda wollte sich noch bremsen, redete aber nichtsdestotrotz weiter. »Der Kerl in dem blauen Anzug stört. Und nicht nur, weil er Anwalt ist.«

»Ich weiß, was du meinst«, pflichtete Evelyn ihr bei. »Er spaziert einfach ins Revier, als würde es ihm gehören. Er schreit Hodge an. So etwas tut man einfach nicht mit einem Polizisten, auch wenn man weiß ist und einen schicken blauen Anzug trägt.«

»Hodge hat ihn beim Namen genannt. Er hat beim Appell gesagt: ›Mr. Treadwell, wir unterhalten uns besser in meinem Büro.‹«

»Und dann gingen sie in das Büro, und Treadwell fing sofort an, ihn herumzukommandieren.«

»Evelyn, du verstehst nicht, worum's hier geht. Andrew Treadwell senior hat Freunde an oberster Stelle. Er hat sich mit Bürgermeister Jackson fotografieren lassen. Er hat im Wahlkampf mitgemischt. Warum sollte gerade er sich an einen kleinen, unbedeutenden Sergeant wenden, der gerade mal eine Stunde im Amt ist?«

Sie nickte. »Okay. Du hast recht. Sprich weiter.«

»Treadwell-Price ist auf Baurecht spezialisiert. Andrew senior handelt die Verträge für die neue U-Bahn aus.«

»Woher weißt du das?«

»Ich war im Zeitungsarchiv und habe mir alte Ausgaben angesehen.«

»Das haben sie zugelassen?«

Amanda zuckte mit den Schultern. »Mein Dad hat letztes Jahr diesen Entführungsfall bearbeitet.« Ein Redakteur der Zeitung war verschleppt worden, und es war eine Million Dollar Lösegeld verlangt worden. Eine von Dukes letzten offiziellen Pflichten war der Transport des Geldes aus dem Tresor von C&S zum Übergabeort gewesen. »Ich habe ihnen gesagt, wer ich bin, und sie ließen mich in ihr Archiv.«

»Aber dein Vater weiß nicht, dass du dort warst …«

»Natürlich nicht.« Duke wäre stinksauer gewesen, weil Amanda es zuvor nicht mit ihm besprochen hatte. »Er hätte mich doch nur gefragt, was ich vorhatte. Ich wollte keine schlafenden Hunde wecken.«

»Pfff!« Evelyn legte den Kopf auf die Nackenstütze. »Interessant, was du herausgefunden hast. Sonst noch was?«

Amanda zögerte wieder.

»Na, komm, Kleine. Man ist nicht nur ein bisschen schwanger.«

Amanda seufzte, um ihren Widerwillen zu demonstrieren. Der Verdacht beschlich sie, dass sie gerade nichts als Unruhe stiftete. »Der Mann, der mit Hodge gesprochen hat, war nicht Treadwell junior. Der Zeitung zufolge hat Treadwell senior nur ein Kind – eine Tochter.«

Evelyn setzte sich wieder auf. »Mit dem Namen Kitty? Oder Katherine? Kate?«

»Eugenia Louise. Sie besucht ein Mädcheninternat in der Schweiz.«

»Sie spritzt sich also kein Boy in Techwood.«

»Boy?«

»So nennen die Schwarzen Heroin ... Vielen Dank!« Die Bedienung hatte ihr Wasser gebracht. Amanda schraube den Deckel von der Alka-Seltzer-Flasche und warf zwei Tabletten in jeden Becher. Das Sprudeln war ein willkommenes Geräusch.

»Es gibt also keinen Treadwell junior«, wiederholte Evelyn dann. »Wer war dann der Mann im blauen Anzug? Und warum hielt Hodge ihn für Treadwell?« Dann überzog ein breites Grinsen ihr Gesicht. »Vielleicht sehen wir für Hodge alle gleich aus.«

Auch Amanda lächelte. »Der blaue Anzug ist auf jeden Fall Anwalt. Vielleicht kam er von der Kanzlei, und Hodge nahm einfach an, dass er Treadwell hieße. Aber auch das ergibt keinen rechten Sinn. Wir haben bereits festgestellt, dass Andrew Treadwell seinen Handlanger nicht losschicken würde, um mit einem brandneuen Revierleiter zu sprechen. Er würde schnurstracks zum Bürgermeister gehen. Je heikler die Angelegenheit, desto weniger Leute würde er einweihen wollen.« Evelyn traf die offensichtliche Schlussfolgerung. »Was heißt, Blauer Anzug hat entweder Eigeninitiative ergriffen, um seinem Chef unter die Arme zu greifen, oder aber er will Staub aufwirbeln.«

Amanda war sich da nicht so sicher. »Wie dem auch sei, Hodge sagte ihm offensichtlich nicht, was er hören wollte. Blauer Anzug war stinksauer, als er wieder ging. Er hat Hodge angeschrien und ist dann aus dem Büro gestürmt.«

Evelyn kehrte zu ihrer früheren Theorie zurück. »Aber Blauer Anzug hat Hodge dazu gedrängt, uns nach Techwood zu schicken, um Kitty Treadwell zu überprüfen. Treadwell ist kein häufiger Name. Sie muss irgendwie mit Andrew Treadwell verwandt sein.«

»In den Zeitungen konnte ich keine Verbindung finden, aber sie bewahren nicht sämtliche alten Ausgaben auf, und es ist eine verdammte Schufterei, sie alle durchzusehen.«

»Treadwell-Price ist in diesem neuen Bürogebäude an der Forsyth Street untergebracht. Wir könnten uns in der Mittagspause mal davorstellen. Diese Jungs bringen ihr Essen nicht von zu Hause mit, sondern gehen aus. Früher oder später wird Blauer Anzug herauskommen.«

»Und dann?«

»Zeigen wir ihm unsere Marken und stellen ihm ein paar Fragen.«

Amanda glaubte nicht, dass das funktionieren würde. Der Mann würde ihnen wahrscheinlich ins Gesicht lachen. »Was, wenn Hodge zu Ohren kommt, dass du herumschnüffelst?«

»Ich glaube, es ist ihm egal, solange ich nicht in sein Büro stürme und Fragen stelle. Was ist mit deinem neuen Sergeant?«

»Er ist einer von der alten Schule, aber er kennt kaum meinen Namen.«

»Wahrscheinlich schon vor dem Mittagessen besoffen«, sagte Evelyn. Damit dürfte sie recht haben. Sobald die alten Sergeants ihre morgendlichen Pflichten absolviert hatten, fand man sie kaum noch hinter ihren Schreibtischen. Es gab einen Grund, warum die halbe Truppe während der Schicht ein Nickerchen machen konnte. »Wir könnten uns am Montag nach dem Appell treffen. Den Oberen ist es egal, was wir tun, solange wir draußen sind. Und Nessa kommt mit Peterson ganz gut zurecht.«

Amanda machte sich so ihre Gedanken, wie gut Vanessa mit Peterson zurechtkam, aber sie sagte nichts. »Jane war nicht das einzige Mädchen, das in dieser Wohnung lebte. Da waren noch mindestens zwei andere.«

»Wie kommst du darauf?«

»Im Bad waren drei Zahnbürsten. Alle benutzt.«

»Jane hatte nicht mehr viele Zähne.«

Amanda starrte in das sprudelnde Wasser. Ihr Bauch war zu voll, um über Evelyns Scherz lachen zu können. »Ein Teil von mir hält mich für verrückt, weil ich so viel Zeit damit verschwende, aus einer drogensüchtigen Prostituierten eine Geschichte herauszuholen.«

Evelyns Antwort klang nach einer Rechtfertigung. »Du bist nicht die Einzige, die Zeit darauf verschwendet.«

Amanda kniff die Augen zusammen und sah die andere Frau an. »Hab ich's doch gewusst. Was hast du getrieben?«

»Ich habe mit einer Freundin aus der Five gesprochen, Cindy Murray. Sie ist ein gutes Mädchen. Ich habe ihr Jane beschrieben. Cindy meint, sich daran zu erinnern, dass sie letzte Woche dort war. Viele Mädchen versuchen, Gutscheine einzulösen, die ihnen nicht gehören. Sie müssen zwei Arten von Identifikation vorlegen – einen Führerschein oder einen Blutspenderausweis, dann eine Stromrechnung –, irgendwas mit ihrem Foto und ihrer Adresse darauf. Wenn Jane das Mädchen war, an das Cindy dachte, hat sie versucht, sich mit dem Führerschein einer anderen auszuweisen. Als Jane bemerkte, dass es nicht funktionieren würde, rastete sie aus. Fing an zu schreien und zu zetern. Die Wachleute mussten sie vor die Tür setzen.«

»Was ist mit dem Führerschein passiert?«

»Sie werfen sie in einen Karton und warten darauf, ob sie irgendjemand einfordert. Cindy sagt, sie haben mittlerweile rund hundert Führerscheine dort gesammelt. Am Ende des Jahres zerreißen sie sie und werfen sie weg.«

»Und die Sozialhilfelisten sind nach Namen oder nach Adressen organisiert?«

»Leider nach Nummern. Zu viele von denen haben den gleichen Nachnamen oder leben unter derselben Adresse, deshalb bekommen sie alle eine individuelle Nummer zugewiesen.«

»Die Sozialversicherungsnummer?«

»Leider nicht.«

»Die müssen doch in Datenbanken registriert sein, oder?«

»Sie stellen gerade von Lochkarten auf Magnetbänder um«, erwiderte Evelyn. »Cindy sagt, es ist das reinste Durcheinander. Sie arbeitet praktisch mit Hammer und Meißel, während die

Jungs versuchen, ein bisschen Ordnung in die Sache zu bringen. Und das heißt, auch wenn wir Zugang zu den Informationen hätten – den wir aber wahrscheinlich nicht bekommen –, müssten wir alles per Hand machen: zuerst die Nummer auf der Sozialhilfeliste heraussuchen, dann die Nummer einem Namen zuordnen, dann Name und Adresse abgleichen und dann beides mit den Auszahlungsprotokollen vergleichen, um herauszufinden, ob die Mädchen in den letzten sechs Monaten ihre Gutscheine eingelöst haben. Und diese Information könnten wir dann irgendwann mit den Namen auf den Führerscheinen vergleichen.« Evelyn hielt inne, um Luft zu holen. »Cindy meint, dafür wären fünfzig Leute und ungefähr zwanzig Jahre nötig.«

»Wie lang dauert es, bis die Computer laufen?«

»Ich glaube nicht, dass das für uns eine Rolle spielt.« Evelyn zuckte mit den Schultern. »Das sind Computer, keine Zauberkästen. Wir müssten immer noch das meiste per Hand machen. *Falls* wir Zugang bekommen. Kennt dein Vater irgendjemanden in der Five?«

Duke würde die Five mit dem Flammenwerfer abfackeln, wenn man es ihm gestatten würde. »Würde nichts bringen. Wir können mit dem ganzen Prozedere erst anfangen, wenn wir Kitty Treadwells Listennummer haben.« Amanda dachte einen Augenblick nach. »Jane meinte, es würden drei Frauen vermisst. Kitty Treadwell, Lucy und Mary.«

»Ich habe die Vermisstenmeldungen in den Zonen drei und vier bereits überprüft. Keine Kitty Treadwell. Keine Jane Delray – ich dachte mir, ich überprüfe sie selbst auch gleich, wenn ich schon mal dort bin. Gefunden habe ich ein Dutzend Lucys und ungefähr hundert Marys. Die Jungs aktualisieren ihre Unterlagen nicht. Einige dieser Mädchen dürften inzwischen an Altersschwäche gestorben sein. Sie werden seit der Depression vermisst.« Dann bot sie an: »Ich kann nächste Woche in die anderen Zonen fahren. Kennst du Dr. Hanson?«

Amanda schüttelte den Kopf.

»Pete. Leitet die Leichenhalle.« Sie sah Amandas Gesichtsausdruck. »Nein, nein, er ist echt ein Guter. Schon ein bisschen so, wie man sich einen Coroner vorstellt, aber sehr nett. Ich kenne ein Mädchen, das für ihn arbeitet, Deena Coolidge. Sie sagt, er lässt sie manchmal Sachen machen ...«

»Was für Sachen?«

Sie verdrehte die Augen. »Nicht, was du denkst! Labortätigkeiten. Deena steht auf das Zeug. Mag Chemie. Pete bringt ihr bei, Tests und Laborarbeiten selbstständig auszuführen. Sie ist auch an der Tech.«

Amanda konnte sich nur zu gut vorstellen, warum Dr. Hanson sie all diese Dinge tun ließ, und der Grund war vermutlich nicht reine Herzensgüte. »Hast du die TSA überprüft?«

»Die was?«

»Die Tote-Schwarze-Akte.« Duke hatte Amanda von der fortlaufenden Liste ungeklärter Morde an Schwarzen erzählt.

»Ich lasse sie mir mal kommen«, fuhr sie fort.

»Und was erhoffst du dir davon?«

Amanda wechselte das Thema. »Wissen wir überhaupt, ob die Wohnung auf Kittys Namen läuft?«

»Oh.« Evelyn schien beeindruckt. »Das ist eine sehr gute Frage.« Sie schnappte sich eine der Servietten vom Armaturenbrett und machte sich eine Notiz. »Ich frage mich, ob die Nummer, die man für den Mietzuschuss zugewiesen bekommt, dieselbe ist wie die Listennummer der Sozialhilfe. Kennst du irgendjemanden im Wohnungsamt?«

»Pam Canale.« Amanda sah auf die Uhr. »Ich muss mich auf meinen Kurs heute Abend vorbereiten, aber ich kann sie gleich morgen früh anrufen.«

»Du kannst mir ja sagen, was du herausgefunden hast, wenn wir Blauer Anzug abpassen.« Sie griff nach einer zweiten Serviette und schrieb erneut etwas auf. »Das hier ist meine Privatnummer, damit du mir Bescheid sagen kannst. Wegen der Grillparty.«

»Danke.« Amanda faltete die Serviette zusammen und steckte sie in ihre Handtasche. Ihr fiel keine Lüge ein, die sie Duke würde auftischen können, um eine derart lange Abwesenheit zu erklären. Er rief ständig bei ihr an, um zu kontrollieren, ob sie zu Hause war. Wenn Amanda nicht nach dem zweiten Klingeln abhob, legte er auf und fuhr zu ihr.

»Weißt du was«, setzte Evelyn an. »Ich habe in der Zeitung einen Artikel über diesen Kerl im Westen gelesen, der Collegestudentinnen umbringt.«

»Diese Mädchen sind keine Collegestudentinnen.«

»Trotzdem werden drei von ihnen vermisst.«

»Wir sind nicht in Hollywood, Evelyn. In Atlanta schleichen keine Serienkiller herum.« Dann sagte sie: »Ich habe noch mal über Kittys Wohnung nachgedacht. Im Schlafzimmer standen drei Müllsäcke voller Klamotten. Keine Frau kann sich so viele Sachen leisten, vor allem nicht, wenn sie in einer Sozialsiedlung wohnt.« Amanda spürte ihren Magen rumoren. Den Pappbecher in ihrer Hand hatte sie ganz vergessen. Sie kippte das Alka Seltzer in einem Schluck hinunter und unterdrückte den aufsteigenden Rülpser. »Und im Bad war eine ganze Menge Make-up. Viel zu viel für ein einziges Mädchen. Sogar für eine Prostituierte.«

»Jane trug kein Make-up. Kein bisschen verschmierte Wimperntusche unter den Augen. Und ich kann mir ehrlich gesagt nicht vorstellen, dass sie sich jeden Abend abschminkt.«

»Im Bad stand eine Hautcreme von Pond's, aber die war von niemandem benutzt worden.« Dann erinnerte sich Amanda an ein weiteres Detail. »Im Mülleimer steckten benutzte Damenbinden, aber auf dem Regal stand eine Schachtel Tampax. Also übernachtete dort offensichtlich ein Mädchen, das nicht auf den Strich ging. Vielleicht eine kleine Schwester. Vielleicht sogar Kitty Treadwell.«

Evelyn hielt sich den Becher an den Mund. »Wie kommst du darauf?«

»Wenn man noch Jungfrau ist, kann man keine Tampons benutzen. Das heißt …«

Evelyn verschluckte sich an ihrem Alka Seltzer. Wasser lief ihr aus Mund und Nase. Sie griff nach den letzten Servietten auf dem Armaturenbrett und hustete dabei so heftig, dass es klang, als wollte ihr die Lunge aus dem Leib springen.

Amanda klopfte ihr auf den Rücken. »Alles okay?«

Sie schlug sich die Hand vor den Mund und hustete noch einmal. »Entschuldigung. Hab's in den falschen Hals bekommen.« Sie hustete ein drittes und ein viertes Mal. »Was ist denn da los?«

Amanda blickte zur Straße. Ein Streifenwagen der Atlanta Police raste mit Blinklicht, aber ohne Sirene vorbei. Beim nächsten Wagen war es genau andersherum: heulende Sirene, kein Blinklicht.

»Was um alles in der Welt …«

Evelyn drehte das Funkgerät lauter. Zu hören war nur das übliche Geplapper, unterbrochen von Mikrofonklicken, damit man den Sprecher nicht verstand. »Diese Idioten«, murmelte Evelyn und drehte den Ton wieder leiser. Ein weiterer Streifenwagen kreischte vorbei. »Was könnte das sein?«

Amanda hatte sich aufgesetzt und streckte den Kopf vor, um sehen zu können, was dort vor sich ging. Dann erkannte sie, dass es auch einen einfacheren Weg gab. Sie warf den Pappbecher zum Fenster hinaus und stieß die Tür auf. Als sie den Bürgersteig erreichte, rauschte ein weiteres Auto vorbei, diesmal ein Plymouth Fury wie ihr eigener.

Evelyn trat neben sie. »Das waren Rick und Butch.« Morddezernat. »Sie fahren nach Techwood. Sie fahren alle nach Techwood.«

Keine der Frauen sprach ihre Gedanken aus. Doch gleichzeitig liefen sie zu dem Kombi zurück. Amanda schob Evelyn zur Beifahrerseite hinüber. »Ich fahre.«

Evelyn widersprach nicht. Sie setzte sich brav auf den Beifahrersitz, bevor Amanda zurückstieß und auf die North Avenue fuhr. Sie bogen auf den Techwood Drive ab. Ein weiterer Streifenwagen raste an ihnen vorbei, als sie links in die Pine einbogen.

Evelyn hielt sich am Armaturenbrett fest. »Mein Gott, warum haben die es so eilig?«

»Das werden wir gleich herausfinden.« Amanda parkte auf dem inzwischen vertrauten Bankett. Fünf Streifenwagen und zwei zivile Plymouths waren bereits vor Ort. Heute spielten keine Kinder im Hof der Techwood Homes, doch die dazugehörigen Eltern waren aufgetaucht. Männer mit freien Oberkörpern standen in engen Jeans und mit Bierdosen in der Hand herum. Die meisten der Frauen waren ähnlich leicht bekleidet, aber ein paar sahen aus, als kämen sie eben erst von der Arbeit. Amanda sah auf die Uhr. Es war schon nach eins. Vielleicht waren sie zum Mittagessen nach Hause gekommen.

»Amanda!« Evelyns Stimme vibrierte leicht. Sie folgte dem Blick der anderen Frau zu dem zweiten Wohnblock auf der linken Seite. Vor der Tür stand eine Gruppe Streifenbeamter. Butch Bonnie zwängte sich zwischen ihnen hindurch und rannte auf den Hof. Dann fiel er auf die Knie und übergab sich.

»O nein!« Amanda suchte in ihrer Handtasche nach einem Papiertuch. »Vielleicht können wir ein bisschen Wasser von …«

Evelyn hielt sie mit fester Hand zurück. »Bleib, wo du bist!«

»Aber er …«

»Ich meine es ernst«, sagte sie, und ihre Stimme nahm einen Klang an, den Amanda noch nie an ihr gehört hatte.

Rick Landry kam als Nächstes aus dem Gebäude. Er wischte sich mit einem Taschentuch über den Mund und steckte es sich dann in die Gesäßtasche. Hätte sein Partner sich nicht noch immer übergeben müssen, hätte er Amanda und Evelyn wahrscheinlich nicht bemerkt. So aber kam er direkt auf sie zu.

»Was zum Teufel habt ihr Schlampen hier zu suchen?« Amanda öffnete den Mund, aber Evelyn reagierte schneller. »Wir hatten Anfang der Woche hier einen Einsatz. Oberstes Stockwerk. Wohnung C. Eine Prostituierte namens Jane Delray.«

Rick drückte die Zunge in die Wange und sah von Evelyn zu Amanda. »Und?«

»Na, offensichtlich ist hier irgendwas passiert.«

»Wir sind in Techwood, Darling. Hier passiert immer irgendwas.«

»Oberstes Stockwerk? Wohnung C?«

»Falsch und noch mal falsch«, sagte Rick. »Hinter dem Gebäude. Selbstmord. Sprang vom Dach und klatschte auf den Beton.«

»Scheiße!« Butch Bonnie würgte so laut, dass es klang wie das Grunzen eines Wildschweins. Ricks Blick wurde unsicher. Er sah sich nicht direkt nach seinem Partner um, aber er blickte auch Evelyn oder Amanda nicht mehr an.

»Sie da!« Er winkte einen der Uniformierten zu sich.

»Schaffen Sie diese Leute hier weg. Sieht ja aus, als würden wir hier einen verdammten Tarzan-Film drehen.« Der Beamte eilte zu den Schaulustigen hinüber, um sie zu verscheuchen. Es gab Geschrei und Protest.

»Vielleicht hat irgendjemand gesehen …«, hob Evelyn an.

»*Was* gesehen?«, unterbrach Rick sie. »Sie kannten sie wahrscheinlich gar nicht. Aber gib ihnen noch eine Minute, und dann jaulen und heulen und sabbern sie, was für eine Tragödie das doch ist.« Er warf Evelyn einen Blick zu. »Du solltest es eigentlich besser wissen, Mitchell. Lass sie sich niemals zusammenrotten. Sie werden zu gefühlig, und dann muss man in Windeseile ein SWAT-Team zu Hilfe rufen, um sie wieder auseinanderzubringen.«

Evelyn sprach so leise, dass Amanda sie kaum hören konnte. »Wir würden die Leiche gern sehen.«

»Wir wollen *was*?« Amandas Stimme klang schrill.

Rick lachte. »Sieht ganz so aus, als wäre deine Freundin dem nicht gewachsen, Süße.«

Evelyn ließ sich nicht beirren. »Wir arbeiten an einem Fall, Landry. Genau wie du.«

»Genau wie ich?«, wiederholte er ungläubig. Er sah sich nach Butch um, der mit immer noch bebender Brust auf seinen Fersen kauerte. Amanda sah den Revolver an seinem Knöchel glänzen. »Ihr Mädchen trollt euch mal schön und …«

»Sie hat recht.« Amanda hörte ihre eigenen Worte klar wie eine Glocke. Sie waren aus ihrem Mund gekommen, ohne dass sie darüber nachgedacht hätte.

Evelyn schien ebenso überrascht zu sein wie Amanda.

»Wir arbeiten an einem Fall«, wiederholte sie. Und genau das taten sie auch. In der vergangenen halben Stunde im Auto hatten sie ihn gemeinsam besprochen. Irgendetwas war diesen Frauen widerfahren – Kitty, Lucy, Mary und möglicherweise Jane Delray. Im Augenblick waren Amanda und Evelyn die einzigen Beamten in der gesamten Truppe, die überhaupt wussten – oder sich darum scherten –, dass die Mädchen verschwunden waren.

Rick zündete sich eine Zigarette an und blies eine Rauchschwade aus. »So wie ich, hm?«, wiederholte er, aber dann lachte er. »Arbeitet ihr Röcke jetzt im Morddezernat?«

»Du hast eben gesagt, es war Selbstmord«, entgegnete Evelyn scharf. »Was also tut ihr hier?«

Das gefiel ihm nicht. »Du willst Eier, Mitchell? Kannst ja an meinen lecken.«

Amanda sah zu Boden, damit ihre Miene sie nicht verriet.

»Mir reichen die meines Mannes, danke.« Evelyn griff in ihre Handtasche und holte ihr Kel-Lite heraus. »Wir sind so weit, wenn du es bist.«

Rick ignorierte sie und wandte sich an Amanda: »Na, komm, Mädchen. Das ist kein Ort für euch. Die Leiche sieht übel aus. Überall Eingeweide. Hässlicher Anblick. Zu hässlich für eine Dame.« Er zeigte mit dem Kinn in Butchs Richtung, ohne das Offensichtliche auszusprechen. »Steigt wieder in euer Auto und fahrt heim. Wird euch keiner übel nehmen.«

Amanda spürte, wie ihr Magen sich entspannte. Er hatte ihnen ein Hintertürchen gewiesen. Einen ehrenvollen Abgang ermöglicht. Niemand würde je erfahren, dass sie verlangt hatten, die Leiche zu sehen. Sie konnten erhobenen Hauptes wieder gehen. Amanda wollte das Angebot bereits annehmen, doch dann fügte Rick hinzu: »Außerdem will ich nicht, dass dein Daddy mit einer Flinte auf mich losgeht, weil ich sein Töchterchen erschreckt habe.«

Jetzt kribbelte es in Amandas Rückgrat. Es fühlte sich an, als würde jede einzelne Rippe sich unwillkürlich fester verankern.

»Du hast gesagt, das Opfer liegt hinter dem Gebäude?« Evelyn schien ebenso überrascht zu sein wie Rick, als Amanda sich in Bewegung setzte. Sie holte sie ein und flüsterte: »Was hast du denn vor?«

»Geh weiter«, bat Amanda sie. »Bitte, geh weiter.«

»Hast du schon mal eine Leiche gesehen?«

»Noch nie aus der Nähe«, gab Amanda zu. »Außer man zählt meinen Großvater dazu.«

Evelyn fluchte leise. Dann flüsterte sie heiser: »Was immer du auch tust, kotze nicht! Schrei nicht! Und um Himmels willen fang nicht an zu weinen.«

Amanda hätte am liebsten all das getan, dabei hatte sie die Leiche noch nicht einmal zu Gesicht bekommen. Was um alles in der Welt hatte sie sich nur dabei gedacht? Rick hatte recht gehabt. Wenn Butch Bonnie nicht fähig war, den Anblick zu ertragen, wäre es ihnen beiden ganz und gar unmöglich.

»Hör mir zu«, befahl Evelyn. »Wenn du zusammenbrichst, hast du ihr Vertrauen ein für alle Mal verspielt. Da kannst du dich gleich zu den Tippsen versetzen lassen. Oder dir die Pulsadern aufschneiden.«

»Es ist alles in Ordnung«, sagte sie, und weil sie wusste, dass Evelyn es hören musste, fügte sie hinzu: »Und du bist auch in Ordnung. Du bist absolut okay.«

Evelyns Absätze wirbelten Staub auf, während sie neben Amanda herging. »Du hast recht. Ich bin okay.«

»Wir sind beide okay.« Amanda lief so viel Schweiß den Rücken hinunter, dass er sich in ihrer Unterwäsche sammelte. Sie war froh, dass sie einen schwarzen Rock trug. Sie war froh, dass sie das Alka Seltzer zu sich genommen hatte. Sie war froh, dass sie nicht allein war, als sie das dunkle Gebäude betrat.

Die Eingangshalle war noch finsterer als in Amandas Erinnerung. Sie blickte das Treppenhaus empor. Eine der Scheiben im Oberlicht war kaputt. Ein Brett war darübergenagelt worden. Vor der metallenen Hintertür blieben sie beide stehen und warteten auf Rick.

Er legte die Hand an die Klinke, öffnete sie jedoch nicht.

»Jetzt hört mal zu, Mädchen. Jetzt ist Schluss mit den Spielchen. Schreibt weiter brav eure Berichte über arme kleine Schlampen, die sich mit den falschen Kerlen eingelassen haben und dann Zeter und Mordio schreien.«

»Wir arbeiten an einem Fall«, erwiderte Evelyn. »Das da könnte was zu tun haben mit …«

»Eine Hure hat sich aufs Glatteis begeben. Ihr kennt doch diesen Sauladen. Überrascht mich, dass da nicht jeder vom Dach springt.«

»Wir wollen trotzdem …«

»Jetzt kehrt endlich um und geht zurück! Treibt es nicht zu weit!«

»Ich …«

»Schluss jetzt!« Rick schlug mit der Faust gegen die Tür.

»Halt endlich die Schnauze!«, schrie er. »Ich hab euch gesagt, ihr sollt gehen, und das werdet ihr verdammt noch mal auch tun.«

Evelyn war sichtlich erschrocken, aber sie ließ sich nicht beirren. »Wir wollen …«

»Soll ich dich zwingen?« Er riss Evelyn das Kel-Lite aus der Hand und stieß ihr die Lampe gegen die Brust. »Gefällt dir das?« Er stieß ein zweites und ein drittes Mal zu, bis sie mit dem Rücken an der Wand stand. »Jetzt bist du nicht mehr so vorlaut, was?«

Amanda versuchte, ihn zu beschwichtigen. »Rick …«

»Schnauze!« Weiße Haut blitzte auf, als er Evelyn die Ta-schenlampe unter den Rock schob und zwischen die Beine rammte. »Wenn du das hier nicht willst«, warnte er sie, »tust du besser, was ich dir sage. Hast du mich verstanden?«

Evelyn presste die Lippen zusammen. Dann nickte sie. Ihre Hände zitterten, als sie sie zu einer Geste der Kapitulation hob.

»Legt euch nicht mit mir an. Kapiert?«

»Es tut ihr leid«, sagte Amanda. »Es tut uns beiden leid. Rick, bitte. Es tut uns leid.«

Langsam zog er die Taschenlampe unter Evelyns Rock her-vor. Mit einer Hand drehte er sie um und hielt Amanda den Griff hin. »Schaff sie weg von hier!«

Und genau das tat Amanda auch.

8. KAPITEL

Gegenwart
MONTAG

Der Taxifahrer sah Will skeptisch an, als er in der Carver Street vor der Hausnummer 316 anhielt. »Sind Sie sich sicher, dass dies hier die richtige Adresse ist?«

»Ich bin mir sicher.« Will warf einen Blick auf den Taxameter und gab dem Fahrer einen Zehner. »Behalten Sie den Rest.«

Der Kerl schien das Geld nur ungern annehmen zu wollen. »Ich weiß, dass Sie Polizist sind und alles, aber nach Einbruch der Dunkelheit heißt das hier nicht mehr viel. Wissen Sie, was ich meine?«

Will öffnete die Tür. »Vielen Dank für die Warnung.«

»Sicher, dass ich nicht warten soll?«

»Nein, aber vielen Dank.« Will stieg aus. Trotzdem zögerte der Mann noch. Erst als Will auf die Längsseite des Gebäudes zuging, fuhr das Taxi langsam an.

Will sah ihm nach, bis die Heckleuchten am Ende der Straße verschwanden. Erst dann drehte er sich um und bahnte sich durch Gestrüpp und Unkraut einen Weg in den Hinterhof des Kinderheims. Dank Mond und Straßenbeleuchtung fand er ihn sofort. Er schritt über kaputte Spritzen und Kondome, Glasscherben und Müllhaufen hinweg.

Er dachte an Saras vorherige Warnung vor den Gefahren in dem Haus. Sie hatte an diesem Abend eine Menge Beobachtungen gemacht. Und war sauer gewesen. Will konnte es ihr nicht

verdenken. Er war selbst ziemlich sauer. Nein, er war stinkwü-
tend.

Mann, er war immer noch wütend.

Will ballte die Faust, als er um das Haus herumging. Er
wusste, er verdrängte fast bis zum Delirium, was ihn tatsächlich
belastete. Dass sein Vater aus dem Gefängnis entlassen worden
war. Dass dieses Monster freie Luft atmete. Will schob den Gedanken erneut beiseite, so wie er ihn beiseitegedrängt hatte, seit
er davon hatte erfahren müssen.

Während Sara seinen Knöchel vernäht hatte, hatte Will einzig
und allein daran denken können, dass er in Amandas Zimmer
gehen und die Wahrheit aus ihr herausprügeln wollte. Wie in
aller Welt hatte der Bewährungsausschuss seinen Vater aus dem
Gefängnis entlassen können? Und warum hatte Amanda dies
noch vor Will erfahren? Was verbarg sie sonst noch vor ihm?

Irgendetwas musste sie verbergen. Sie verbarg immer irgendwas.

Und sie würde lieber sterben, als Will einzuweihen. Sie war
taffer als jeder Mann, den Will kannte. Sie war keine Lügnerin,
aber sie stellte die Wahrheit manchmal so dar, dass es einem
schier den Verstand raubte. Will hatte schon vor langer Zeit aufgegeben, mit Amanda offen zu reden. Fünfzehn Jahre der Erfor-
schung ihrer Persönlichkeit hatten nichts anderes ergeben, als
dass sie für Spitzfindigkeiten und Rätsel lebte. Es machte ihr
offenbar einen Heidenspaß, ihn auszutricksen. Jede Frage, die
Will ihr stellte, konterte sie mit einer Gegenfrage, und immerzu
redeten sie dann über Dinge, die ihn nicht selten wünschen ließen, er wäre an diesem Morgen gar nicht erst aufgestanden.
Oder in diesem Jahr. Oder sogar in seinem ganzen Leben. Aber
aus welchem Grund war sie heute Abend in dem Kinderheim
gewesen? Wonach hatte sie gesucht? Wie viel wusste sie über
seinen Vater?

Will konnte sich Amandas Antworten auf diese Fragen nur
zu gut vorstellen. Sie habe nur einen abendlichen Ausflug

machen wollen. Wer würde nicht eine entspannte Fahrt durchs Getto genießen, wenn man eigentlich an einem Entführungsfall arbeiten sollte? Sie habe Sara und Will in dem Haus gesehen und sich gefragt, warum sie sich darin aufhielten. Ob es falsch sei, neugierig zu sein? Natürlich wisse sie über seinen Vater Bescheid. Sie sei schließlich seine Vorgesetzte. Es sei ihr Job, alles über Will zu wissen.

Bis auf eins. Die alte Kuh hatte sich ihren Kopf so fest angeschlagen, dass sie ihre legendäre Kontrolle verloren hatte.

»Ich habe Edna tausendmal gesagt, sie soll diese Treppe abstützen.«

Edna – wie in Mrs. Edna Flannigan.

Amanda steckte mitten in einem Fall von großem öffentlichem Interesse. Die Presse belagerte sie. Wahrscheinlich saß ihr der Direktor des GBI höchstpersönlich im Nacken. Und doch hatte sie alles stehen und liegen lassen, sich einen Hammer geschnappt und war hierhergefahren. Es gab nur einen Weg, um eine ehrliche Antwort auf die Frage zu bekommen, was sie hier gewollt hatte, und Will würde das Kinderheim mit bloßen Händen einreißen, wenn es nötig wäre, um an diese Antwort zu kommen. Und dann würde er sie Amanda vor den Latz knallen.

Er starrte die Rückwand des Hauses an. Hier war einmal eine Veranda gewesen, doch jetzt klaffte dort nur noch ein Loch, wo bis vor wenigen Stunden noch ein Kellerfenster gewesen war. Die Sanitäter hatten Amanda nicht über den Kellerabgang herausholen können. Stattdessen hatten sie die Sperrholzabdeckung vor dem Kellerfenster eingetreten und ein paar Ziegel aus der Mauer geschlagen, um die Öffnung zu erweitern.

Will sah zur Straßenlaterne hoch. Motten umflatterten sie und erzeugten einen Stroboskopeffekt. Er wandte sich wieder der Fensteröffnung zu.

Rückblickend hätte es sicher bessere Herangehensweisen gegeben. Er hätte den Taxifahrer bitten können, ihn zu seinem Haus zu fahren, das weniger als eine Meile entfernt lag. In seiner

Garage lag eine Menge Werkzeug. Zwei Vorschlaghämmer, mehrere Stemmeisen, sogar ein Presslufthammer, den er mal gebraucht in einem Habitat-Laden gekauft hatte. Das alles war abgewetzt und oft benutzt worden. Will hatte nach einer Steuerrückzahlung sein Haus bei einer Versteigerung ohne vorherige Besichtigung gekauft. Er hatte drei Jahre gebraucht, um es wieder in einen bewohnbaren Zustand zu versetzen.

Am schwierigsten war dabei gewesen, die Drogensüchtigen davon zu überzeugen, dass das Haus einen neuen Besitzer hatte. Die ersten sechs Monate hatte Will sich mit der Schrotflinte neben dem Schlafsack schlafen gelegt. Wenn er nicht gerade Wände eingerissen oder Kupferrohre verlötet hatte, hatte er in der Tür gestanden und seinem jeweiligen Besucher verkündet, dass er jetzt woandershin gehen müsse, um Crack zu rauchen.

Doch das alles war eine gute Vorbereitung für sein jetziges Vorhaben gewesen.

Er schob sich durch die Öffnung. Das flackernde Licht der Straßenlaterne erhellte einen Großteil des Kellers. Mit dem Handy als zusätzliche Lichtquelle bahnte er sich einen Weg an der kaputten Treppe vorbei. Amanda Wagner war die personifizierte gute Vorbereitung. Er konnte sich beim besten Willen nicht vorstellen, dass sie ohne ihr Maglite in den dunklen Keller hätte hinabsteigen wollen. Und tatsächlich entdeckte er das vertraute metallicblaue Gehäuse vor einem leeren Regal. Er drückte auf den Knopf. Die Taschenlampe war so klein, dass sie in seine Tasche passte, aber die LCDs leuchteten wie die Scheinwerfer eines alten Chevy.

Will war zu Sara nicht hundertprozentig ehrlich gewesen. Er hatte sehr wohl einige Zeit hier in diesem Keller verbracht – zusammen mit Angie. Natürlich hatte er nicht auf Händen und Knien Maß genommen, aber in seiner Erinnerung war der Raum zu einem Schuhkarton geschrumpft, obwohl er tatsächlich so groß war wie die Zimmer in den oberen Stockwerken. Eine Trennwand verlief quer durch die Mitte. Die Konstruktion war neueren Datums. Die Gipskartonplatten waren an den Rändern von schwarzem Schimmel bedeckt. Unten waren Stücke herausgerissen. Paare merkwürdig angeordneter fichtengelber Kanthölzer ragten am Sockel hervor wie Beine unter einem Petticoat. Vom hinteren Teil des Raums ging eine kleine Kammer mit Waschbecken und Toilette ab, wahrscheinlich einst für die Hausangestellten eingerichtet. Will leuchtete hinter die Installationen. Dann trat er den Siphon unter dem Waschbecken weg. Das Abflussrohr war leer.

Er nahm den Deckel des Spülkastens ab und fand auch ihn leer vor. Die Schüssel war mit schwarzem Wasser gefüllt. Er suchte sich etwas, womit er darin würde herumstochern können, weil er die bloßen Hände nicht in die Brühe stecken wollte. Die alte Aufputzverkabelung hing lose von den Balken. Er riss ein langes Stück heraus, verflocht es, bis es steif genug war, und stocherte damit in der Schüssel herum. Bis auf einen üblen Geruch ergab die Suche nichts.

Der Schein der Taschenlampe traf auf Spinnweben und Termitenschäden in den Bodenbalken, als er in dem Kellerraum herumging. Die hölzernen Regale waren leer. Die Kohlenschütte war angefüllt mit schwarzem Staub, ein paar Spritzen und einem benutzten Kondom. Mit dem Maglite untersuchte er den Abzugsschacht. Vogeldreck. Kratzer. Irgendein kleines Tier musste sich darin verfangen haben. Will drückte die Metalltür wieder zu und drehte den Griff, um sie zu verriegeln. Er zog seine Anzugjacke aus und hängte sie an einen Nagel in einem der Balken. Die Glock behielt er griffbereit am Gürtel. Amandas Hammer fand er am Fuß der Treppe. Er war unbenutzt. Das Preisschild klebte noch daran. Midtown Hardware. Vierzig Dollar.

Will steckte sich das Maglite in die Gesäßtasche. Jetzt reichte ihm die Straßenbeleuchtung. Er betrachtete den Hammer. Geschmiedeter blauer Stahl mit einer Nylonkappe auf der glatten Bahn. Stoßdämpfender Griff. Ein Maurerwerkzeug – nichts, was ein Farmer benutzen würde. Will nahm an, dass Amanda ihn wegen der Form, nicht aufgrund seiner Funktion gekauft hatte. Vielleicht hatte sie ihn auch vom Regal genommen, weil das Blau zu ihrer Taschenlampe gepasst hatte. Wie auch immer, das Werkzeug lag gut in der Hand. Die Enden der Klauen waren scharfkantig und gruben sich hart in den Putz, als Will gegen die Außenwand schlug.

Er zog den Hammer zurück und schlug erneut zu, um das Loch zu vergrößern. Er riss einen Verputzbrocken heraus. Er zerbröselte zwischen seinen Fingern. In dem Gemisch sah er Rosshaar, dünne, seidige Fäden, die Lehm und Kalkstein fast ein Jahrhundert lang zusammengehalten hatten.

Will schlug ein so großes Stück heraus, dass er die Hand durch das Gebälk schieben konnte. Das Holz war faulig und feucht vom Regen, der durch das Fundament gesickert war. Eigentlich sollte er Handschuhe und Schutzbrille tragen oder wenigstens einen Mundschutz. Hinter dem Putz war zweifellos Schimmel, und die Holzfäule hatte Pilze gebildet. Der Geruch in der Wand war modrig, so wie Häuser rochen, wenn sie starben. Mit dem Hammer brach Will noch ein weiteres Stück Putz weg. Dann noch eins.

Langsam arbeitete er sich an der gesamten Außenmauer des Kellers entlang, schlug den Verputz Stück für Stück, Reihe um Reihe herunter. Dann entfernte er das Lattenwerk, zog die Papierfetzen heraus, die man als Isolierung verwendet hatte, und wandte sich dem nächsten Abschnitt zu.

Er nahm Amandas Maglite zwischen die Zähne, um die dunklen Ecken auszuleuchten, die das Laternenlicht nicht erreichte. Weißer Puder stieg in die Luft. Seine Augen tränten vom Grus. Staub und Schimmel ließen seine Nase laufen. Die Arbeit war nicht schwer, aber mühsam und eintönig, und während Will sich durch den Raum arbeitete, schien die Temperatur im Keller mit jedem Schritt zu steigen. Als er endlich den letzten Verputzbrocken herausgeschlagen hatte, war er schweißgebadet. Wieder zerfiel das Lattenwerk zwischen seinen Fingern wie nasses Papier. Mit der Klauenseite des Hammers riss er das verfaulte

Holz heraus. Wie schon bei jedem Abschnitt zuvor leuchtete Will mit der Taschenlampe in die freigelegte Öffnung.

Nichts.

Er drückte die Hand an die kalte Mauer. Nur eine schmale Ziegelwand hielt das Erdreich zurück, das gegen das Fundament drückte. Will hatte stichprobenartig einige Löcher hineingebrochen, aber bald damit aufgehört, weil er befürchtet hatte, sie könnte einstürzen. Er zog sein Handy aus der Hosentasche und sah auf die Zeitanzeige. Zwanzig Minuten nach Mitternacht. Er hatte seit drei Stunden gearbeitet.

Vergeblich.

Will stieß sich von der Mauer ab. Er hustete und spuckte verschleimten Putzstaub aus.

Drei Stunden.

Keine bekritzelten Zettel, keine Geheimgänge. Keine abgetrennten Hände oder Tüten mit Zauberbohnen. Soweit er sehen konnte, war seit dem Bau des Hauses an seinem Mauerwerk nichts verändert worden, und das Holz war so alt, dass sich schon die Verzapfungen gelockert hatten.

Will hustete noch einmal. In diesem luftleeren Keller verzog der Staub sich nicht. Mit dem Handrücken wischte er sich den Schweiß von der Stirn. Seine Muskeln schmerzten von den Rückstößen des Hammers. Trotzdem machte er sich an die Trennwand in der Mitte des Kellers. In vielerlei Hinsicht war Gipskarton schwerer einzureißen als Verputz. Das Papier war feucht, der Gips jedoch war vollkommen durchnässt. In der rosafarbenen Isolierung wimmelte es von Ungeziefer. Will versuchte, es nicht in Mund und Nase zu bekommen. Die Stützstreben waren von unten herauf verfault.

Noch einmal vierzig Minuten gingen vorüber. Und wieder fand er nichts.

Was bedeutete, dass die Frage, die bereits seit zwei Stunden an Will nagte, nun doch gestellt werden musste: Warum hatte er nicht mit dem Boden angefangen?

Amanda hatte einen Maurerhammer dabeigehabt. Der Kellerboden bestand ausschließlich aus Ziegeln. Will erkannte das Logo der Chattahoochee Brick Company auf einigen Exemplaren. Sie ähnelten den Ziegeln in seinem eigenen Haus – gebrannt aus dem roten Lehm, der für Georgia so charakteristisch war, in einem Betrieb, dessen Werksgebäude während des Finanzbooms in Lofts umgewandelt worden war.

Will packte den Hammer aufs Neue. Er hatte gedacht, Amanda hätte ihn gekauft, weil er blau war. Jetzt konnte er die nagende Stimme in seinem Kopf hören: *»Ich dachte, Sie wären Detective.«*

Will war bei der Untersuchung der Kellerwände nicht gerade ordentlich vorgegangen. Es gab keinen einzigen sauberen Fleck auf dem Boden. Er stellte sich in eine Ecke und sah sich in dem Raum um. Jetzt da die Trennwand nicht mehr stand, war es leicht, die Arbeit planvoll anzugehen. Jeder Ziegel maß gut zwanzig mal zehn Zentimeter. Er konnte Reihen von fünf mal neun herausschlagen, was Abschnitte von gut einem Quadratmeter ergab. Bei hundertfünfunddreißig Quadratmetern würde er einige Milliarden Jahre brauchen.

Er schob mit dem Fuß den Unrat beiseite, kniete sich hin und fing mit dem ersten Abschnitt an. Dass er einen logischen Plan für das Aufreißen des Kellerbodens entwickelt hatte, bereitete ihm keinerlei Befriedigung. Will schwang den Hammer in engem Bogen, brach mit dem Klauenende Stücke aus den Ziegeln und kniff dabei gegen die hochspritzenden Splitter die Augen zusammen. Natürlich lösten sich die Ziegel nicht leicht. Dafür waren sie zu alt. Die Brenntechnik in den Dreißigerjahren war nicht gerade wissenschaftlich fundiert gewesen. Wahrscheinlich hatten Einwanderer von Sonnenaufgang bis Sonnenuntergang daran gearbeitet, auf Knien und mit gebeugten Rücken Holzformen mit Lehm gefüllt, der erst luftgetrocknet und dann in einem Ofen gebrannt worden war.

Die erste Reihe zerbröckelte unter den Hammerklauen. Die Ziegelkanten waren morsch, sodass sie vor der Mitte abbrachen.

Mit bloßen Händen musste Will die Bruchstücke herausklauben. Nach der dritten Reihe hatte er schließlich ein vielversprechenderes System entwickelt. Er musste jeden Hammerschlag so präzise setzen, dass sich die Klaue genau in die Lücke zwischen zwei Ziegel grub. Die Lücken waren mit Sand verfüllt. Will bekam ihn in die Augen, in den Mund. Er biss die Zähne zusammen. Er betrachtete sich selber als Maschine, während er sich durch den Raum vorarbeitete, Ziegel für Ziegel aufbrach und ein paar Zentimeter ins Erdreich grub, um zu sehen, was sich darunter befand.

Ein Drittel hatte er bereits hinter sich gebracht, als die Vergeblichkeit seines Tuns ihn übermannte. Er schob den Unrat im nächsten Abschnitt mit dem Fuß weg, dann im übernächsten. Mit Amandas Maglite untersuchte er jeden Spalt und jede Ritze. Die Ziegel lagen dicht an dicht. Ihre Ordnung war nie gestört worden – nicht in Wills Leben, nicht in dem des Gebäudes, niemals.

Nichts. Wie in den Wänden. Da war einfach nichts.

»Verdammt!« Will schleuderte den Hammer durch den Keller. Er spürte ein Reißen in seinem Bizeps. Der Muskel verkrampfte sich. Will umklammerte seinen Arm. Er starrte hinunter auf das freigelegte Erdreich, die ganze Fruchtlosigkeit seiner Arbeit.

Will dachte an die Rachefantasien, die er im Grady gehabt hatte. Vor sich sah er ein Bild von Amanda – völlig verängstigt, bereit, jede Frage zu beantworten, die er ihr stellte. Er hatte in seinem Leben schon eine Menge Schlägereien erlebt, aber er hatte seine Fäuste nie gegen eine Frau erhoben. Wahrscheinlich schlief Amanda gerade wie ein Baby in ihrem Krankenhausbett, während Will Gespenstern nachjagte, von denen er nicht einmal wusste, ob er sie wirklich finden wollte.

Er ballte die Fäuste. Er hatte winzige Risse auf den Fingerrücken – wie Papierschnitte, nur tiefer. Sein genähter Knöchel brannte wie Feuer. Er versuchte aufzustehen, aber seine Knie trugen ihn nicht mehr. Er zwang sich in die Höhe, stolperte dabei jedoch und suchte Halt an einem Stützbalken. Ein Splitter drang ihm in die Handfläche. Er schrie, um den Schmerz ein wenig abzuschwächen. Da war kein Muskel mehr in seinem Körper, der nicht wehtat.

Alles umsonst.

Will zog ein Taschentuch heraus und wischte sich das Gesicht ab. Dann nahm er sein Sakko vom Nagel. Das Licht der Straßenlaterne hatte aufgehört zu flackern, als er sich aus dem Keller hievte. Die Luft war so frisch, dass er sofort anfing zu husten. Er spuckte ein paar Putzbrösel aus und stolperte zu der Wasserpumpe mitten auf dem Hinterhof. Es war immer noch dieselbe, die er als Kind in den Sommermonaten benutzt hatte, wenn Mrs. Flannigan sie alle aus dem Haus gescheucht und ihnen aufgetragen hatte, erst zum Abendessen wieder hereinzukommen. Der Pumpenschwengel war beinahe durchgerostet.

Vorsichtig bewegte Will den Hebel auf und ab, bis ein dünner Wasserstrahl aus dem Hahn rann. Er hielt den Mund darunter und trank, bis er ein Stechen im Bauch spürte. Dann hielt er den Kopf unter den Strahl und wusch sich den Schmutz ab. Seine Augen brannten. Wahrscheinlich enthielt das Wasser Chemikalien, von denen er lieber gar nichts wissen wollte. Als er hier aufgewachsen war, hatte ein paar Häuser weiter eine Gerberei gestanden. Wahrscheinlich hatte er damals schon so viel Benzol zu sich genommen, dass davon eine ganze Krebsstation hätte gefüllt werden können.

Noch ein Souvenir aus seiner Kindheit.

Er stützte sich auf der Pumpe ab und richtete sich auf. Der Schwengel brach ab. Erschöpft schüttelte Will den Kopf. Er warf den Schwengel zu Boden und machte sich auf den Nachhauseweg.

Will saß mit einem blauen Hängeordner in den Händen am Küchentisch. Er konnte kaum noch die Augen offen halten.

Er war völlig benommen vor Erschöpfung. Als er nach Hause gekommen war, war es bereits drei Uhr morgens gewesen. Um vier hatte er das Haus wieder verlassen müssen, um mit den ersten Geschäftsreisenden am Flughafen anzukommen. Er hatte geduscht. Er hatte sich ein Frühstück gemacht, das er nicht hatte essen können. Er war mit dem Hund um den Block gegangen. Er hatte seine abgewetzten Schuhe geputzt und gewienert. Er hatte Anzug und Krawatte angezogen. Er hatte sich die unzähligen Schnitte und Blasen auf seinen Händen mit einem antiseptischen Mittel besprüht. Er hatte die eigenartig rosafarbene Flüssigkeit weggewischt, die durch den Verband an seinem Knöchel gesickert war.

Doch jetzt konnte er sich nicht mehr dazu zwingen, vom Tisch aufzustehen.

Will zupfte an der Ecke des Hängeordners. Auf dem Etikett, das auf dem Reiter klebte, stand in präziser Maschinenschrift der Name seiner Mutter. Will hatte die Buchstaben so oft gesehen, dass sie in seine Netzhaut eingebrannt zu sein schienen. Er war zweiundzwanzig Jahre alt gewesen, als er endlich Zugang zu den Informationen erhalten hatte. Dazu hatte eine Unmenge an Formularen ausgefüllt werden müssen. Er war vor Gericht erschienen. Auch andere Hürden waren zu nehmen gewesen, nicht zuletzt die des Jugendrechts. Doch das größte Hindernis war Will selbst gewesen. Er hatte sich erst in langen Jahren darauf vorbereiten müssen, dass er bei dem Gedanken, vor einen Richter zu treten, nicht mehr in kalten Schweiß ausbrach.

Betty kam durch die Hundeklappe herein. Sie blickte Will neugierig an. Er hatte die Hündin wider Willen adoptiert – einen peinlich winzigen Chihuahua-Mischling, der ohne Wills Zutun in seinen Besitz gekommen war. Sie legte ihm eine Pfote auf den Schenkel und schaute perplex drein, als Will sich nicht aufsetzte, um sie sich auf den Schoß zu heben. Nach einer Weile gab sie auf und rannte drei Mal im Kreis, bevor sie sich vor ihrem Futternapf niederließ.

Will sah wieder auf den Ordner hinab. Auf den Namen seiner Mutter. Die getippten schwarzen Buchstaben hoben sich scharf von dem weißen Etikett ab. Wobei es nicht mehr weiß war. Will hatte so oft mit dem Finger über ihren Namen gestrichen, dass das Papier inzwischen schon ganz vergilbt aussah.

Er schlug den Ordner auf. Die erste Seite sah genauso aus, wie man es von einem Polizeibericht erwarten würde. Am herausstechendsten war das Datum: 16. Juli 1975. Dann folgte die Fallnummer. Und schließlich der Abschnitt mit den wichtigeren Details. Name, Adresse, Gewicht, Größe, Todesursache.

Mord.

Will starrte das Foto seiner Mutter an. Ein Polaroid. Es war Jahre vor ihrem Tod aufgenommen worden. Sie war dreizehn gewesen, vielleicht vierzehn. Wie das Etikett war auch das Foto vergilbt, weil er es so oft in den Händen gehalten hatte. Oder vielleicht hatten sich im Lauf der Jahre auch die Entwicklerchemikalien zersetzt. Auf dem Bild stand sie vor einem Weihnachtsbaum. Will hatte man erzählt, die Kamera sei ein Geschenk ihrer Eltern gewesen. Sie hielt ein paar Strümpfe in die Höhe, wahrscheinlich ein weiteres Geschenk. Sie lächelte. Will war nicht der Mann, der lange in Spiegel starrte, aber er hatte schon eine Menge Zeit damit zugebracht, seine Züge im Detail zu studieren, um Ähnlichkeiten zwischen sich und seiner Mutter zu finden. Sie hatten die gleichen mandelförmigen Augen. Und selbst auf dem verblassten Foto konnte er noch immer erkennen, dass die ihren so blau waren wie seine eigenen. Sein Haar war sandfarben, ein wenig dunkler als die Locken seiner Mutter. Einer seiner unteren Schneidezähne war ebenso schief wie ihrer. Auf dem Foto trug sie eine Zahnspange. Zum Zeitpunkt ihres Todes war die Fehlstellung vermutlich bereits korrigiert gewesen.

Will legte das Foto vorsichtig auf die rechte Ecke des obersten Blatts und achtete darauf, dass er die Büroklammer genau an die alte Stelle klemmte. Dann blätterte er um. Seine Augen konnten sich nicht auf den Text konzentrieren. Die Wörter sprangen über die Seite. Will blinzelte ein paarmal, starrte dann das erste Wort in der ersten Zeile an. Er kannte es auswendig, es war deshalb ganz einfach.

»*Opfer* ...«

Will schluckte. Dann las er die nächsten Wörter.

»... *wurde in Techwood Homes gefunden.*«

Will klappte die Akte zu. Er brauchte die Details nicht noch einmal zu lesen. Sie waren in sein Gedächtnis eingebrannt. Sie waren Teil seiner Existenz.

Er blickte noch einmal auf den Namen seiner Mutter. Die Buchstaben waren jetzt weniger scharf. Wenn er nicht gewusst hätte, was dort stand, würde er sie kaum mehr entziffern können.

Will war noch nie ein großer Leser gewesen. Wörter tanzten über die Seite. Buchstaben änderten ihre Reihenfolge. Im Lauf der Jahre hatte er sich einige Tricks angeeignet, die ihn als guten Leser erscheinen ließen. Mit einem Lineal unter der Zeile verhinderte er, dass sie mit den anderen verschwamm. Mit dem Zeigefinger isolierte er schwierige Wörter und sagte sich den Satz dann vor, um zu sehen, ob er einen Sinn ergab. Trotzdem brauchte er doppelt so lange wie Faith, um die diversen Berichte zu schreiben, die täglich abgeliefert werden mussten. Dass ein Mensch wie Will sich für einen Beruf entschieden hatte, der so viel Schreibarbeit erforderte, war eine Geschichte, die Dante hätte ersinnen können.

Will war bereits auf dem College gewesen, als er herausfand, das er Legastheniker war. Oder genauer, als es ihm klar wurde. Es war am fünfzehnten Todestag von John Lennon gewesen. Wills Musiklehrerin hatte über das Gerücht gesprochen, dass Lennon angeblich Legastheniker gewesen sei. Detailliert hatte sie die Anzeichen und Symptome der Störung beschrieben. Sie hätte genauso gut aus einem Buch über Wills Leben vorlesen können. Im Grunde hatte die Frau einen an Will gerichteten Monolog über das Geschenk des Andersseins gehalten.

Will hatte den Kurs nie wieder besucht. Er hatte nicht anders sein wollen. Er hatte dazugehören wollen. Er hatte normal sein wollen. Während seiner gesamten Schullaufbahn hatte man ihm immer wieder gesagt, dass er nicht in die Klassenstruktur passte. Lehrer hatten ihn dumm genannt. Sie hatten ihn in die letzte Reihe verbannt und ihm befohlen, keine Fragen mehr zu stellen, deren Antwort er ohnehin nicht verstehen würde. Im dritten Highschooljahr war er ins Büro des Direktors bestellt worden, wo man ihm nahegelegt hatte, die Schule abzubrechen.

Wenn Mrs. Flannigan vom Kinderheim nicht gewesen wäre, hätte Will die Schule wahrscheinlich verlassen. Er konnte sich immer noch deutlich an den Morgen erinnern, als sie ihn im Bett fand statt draußen an der Haltestelle, wo der Schulbus hielt. Will hatte schon mehrmals gesehen, wie sie andere Kinder geschlagen hatte. Nicht schlimm – nur einen Klaps auf den Hintern oder auf die Wange. Er selbst war noch nie von ihr geschlagen worden, doch an diesem Morgen tat sie es. Und zwar fest. Sie musste sich dafür auf Zehenspitzen stellen.

»Hör auf, dir selber leidzutun«, befahl sie ihm, »und schieb deinen Arsch in diesen Bus, bevor ich dich in der Speisekammer einschließe.«

Diese Anekdote würde er Sara nie erzählen. Sie war ein weiterer Teil seines Lebens, den sie niemals würde verstehen können. Sie würde es als Misshandlung betrachten. Wahrscheinlich würde sie es grausam nennen. Doch für Will war es genau das gewesen, was er gebraucht hatte. Denn wenn Mrs. Flannigan sich nicht so um ihn gesorgt hätte, dass sie die Treppen hochstieg und ihn zur Haustür hinausbugsierte, hätte kein Mensch sich um ihn gekümmert.

Betty stellte die Ohren auf. Die Marken an ihrem Halsband klimperten, als sie den Kopf drehte. Will hörte einen Schlüssel in der Haustür. Eine Sekunde lang dachte er, es wäre Sara. Ein Leuchten überkam ihn. Doch dann fiel ihm wieder ein, dass Sara keinen Schlüssel zu seinem Haus hatte, und sofort kehrte die

Dunkelheit zurück, als er daran denken musste, warum das der Fall war. Sara brauchte keinen Schlüssel. Sie verbrachten hier keine Zeit. Sie waren immer in Saras Wohnung, weil in Wills Haus immer das Risiko bestand, dass Angie sie überraschte.

»Willie?«, rief sie vom Wohnzimmer aus. In der offenen Küchentür blieb sie stehen.

Angie war sich ihrer Weiblichkeit überaus bewusst. Sie liebte figurbetonende Röcke und Oberteile, die ihr üppiges Dekolleté zur Geltung brachten. Heute trug sie ein schwarzes T-Shirt und tief sitzende Jeans. In den drei Wochen seit ihrer letzten Begegnung hatte sie abgenommen. Die Hose saß locker, aber nicht mit Absicht. Will sah den Rand eines schwarzen Tangas über ihrem Hosenbund.

Betty fing an zu knurren. Angie zischte den Hund an und wandte sich Will zu. Dann sah sie den blauen Hängeordner in Wills Hand an und fragte: »Fachlektüre, Baby?«

Will gab keine Antwort.

Angie ging zum Kühlschrank, nahm sich eine Flasche Wasser und schraubte den Deckel ab. Sie trank einen großen Schluck und musterte ihn erneut. »Du siehst beschissen aus.« Und er fühlte sich beschissen. Eigentlich wollte er nur noch den Kopf auf den Tisch legen und schlafen. »Was willst du?« Sie lehnte sich gegen die Anrichte. Eigentlich hätten ihre Worte ihn überraschen müssen, aber nichts, was Angie sagte, konnte ihn je überraschen. »Was unternehmen wir wegen deines Vaters?«

Will starrte auf die Akte hinab. Die Küche war still. Er konnte Bettys pfeifenden Atem hören, das Klimpern der Hundemarken, als sie sich wieder hinlegte.

Geduld war noch nie Angies Stärke gewesen. »Na?«

Will hatte keine Antwort für sie. Nicht einmal achtzehn Stunden über dieses Thema nachzudenken, hatte eine Lösung erbracht. »Ich werde rein gar nichts unternehmen.«

Angie schien enttäuscht. »Ruf deine Freundin an und fordere deine Eier zurück.«

Will starrte sie böse an. »Was willst du, Angie?«

»Dein Vater ist seit fast sechs Wochen wieder draußen. Hast du das gewusst?«

Wills Magen zog sich zusammen. Er hatte sich nicht die Mühe gemacht, die Details in der staatlichen Datenbank nachzulesen, denn er hatte angenommen, dass er erst kürzlich entlassen worden war, in den letzten Tagen und nicht vor fast zwei Monaten.

»Er ist jetzt vierundsechzig«, führte Angie aus. »Diabetiker. Vor ein paar Jahren hatte er einen massiven Herzanfall. Alte Häftlinge zu versorgen ist teuer.«

»Woher weißt du das alles?«

»Ich war bei der Anhörung. Dachte, ich würde dich dort sehen, aber nein.« Sie hob eine Augenbraue, wartete darauf, dass er die naheliegende Frage stellte. Als Will es nicht tat, sagte sie: »Er sieht gut aus für sein Alter. Hat sich fit gehalten. Schätze, der Herzanfall hat ihm Angst eingejagt.« Sie lächelte.

»Du hast seinen Mund. Die gleiche Lippenform.«

»Worum geht es dir?«

»Worum's mir geht? Ich hab unser Versprechen nicht vergessen.«

Will starrte auf seine Hände hinunter. Zupfte an der aufgerissenen Nagelhaut. »Wir waren Kinder, Angie.«

»Ramm ihm ein Messer in die Kehle. Zieh ihm eine Brechstange über den Schädel. Pump ihn voll mit H und lass es aussehen wie einen Unfall. Das war doch deine Lieblingsvariante, oder?« Sie beugte sich dicht vor sein Gesicht. »Ziehst du jetzt etwa den Schwanz ein, Wilbur?« Er wich zurück. »Muss ich dich daran erinnern, was mit deiner Mutter passiert ist?« Will versuchte, sich zu räuspern, doch es gelang ihm nicht. Angie zog einen Stuhl heran und setzte sich dicht vor ihn.

»Hör zu, Baby, du kannst mit deiner kleinen Ärztin so viel Spaß haben, wie du willst. Du weißt, dass auch ich meinen Spaß habe.« Sie wartete kurz und fuhr dann fort: »Was mit deiner Mutter passiert ist, was mit dir passiert ist – alles wegen dieses

Arschlochs –, das können wir doch nicht einfach so auf sich beruhen lassen. Er muss dafür bezahlen.«

Wills Nagelhaut fing an zu bluten, aber er konnte nicht aufhören, daran zu zupfen. Angies Worte wühlten etwas Vertrautes in ihm auf. Den Zorn. Die Wut. Das Bedürfnis nach Rache. Will hatte die vergangenen zehn Jahre seines Lebens damit zugebracht, das alles hinter sich zu lassen, und jetzt knallte Angie es ihm wieder hin.

»Es steht dir nicht zu«, sagte er langsam, »mit mir über gebrochene Versprechen zu reden.«

»Ashleigh Jordan.«

Will riss den Kopf hoch.

Angie grinste und klopfte mit dem Finger auf die Akte seiner Mutter. »Du vergisst, dass ich alles weiß, Baby. Jedes Detail. Glaubst du, er hat sich verändert? Glaubst du wirklich, er ist zu alt, um noch mal aktiv zu werden? Ich sag dir eins, mein Lieber. Er war im Knast nicht untätig. Er könnte schneller laufen und weiter springen als du und dich töten, bevor du auch nur einen Gedanken daran fasst. Allein sein Anblick hat mir Angst eingejagt, und du weißt, dass ich mich so schnell vor nichts fürchte.«

Will starrte auf ihren Finger. Der Nagellack war aufgeplatzt.

»Hörst du mir überhaupt zu, Will?«

Er wartete darauf, dass sie den Finger von der Akte seiner Mutter nahm.

Sie zog die Hand langsam weg.

Angie hatte ihm mit dem Papierkram geholfen, um an die Dokumente zu kommen. Angie war diejenige gewesen, die ihm das Foto seiner Mutter gezeigt hatte. Angie hatte ihm den Autopsiebericht vorgelesen, als er – zu aufgeregt, um normal zu funktionieren – kein Wort davon verstanden hatte. Platzwunden. Abschürfungen. Kratzer. Risse. Stiche. Das Unbeschreibliche in kalter, medizinischer Sprache. Wie Will kannte Angie jedes Wort auswendig. Sie kannte jedes grässliche Detail. Sie kannte den Schmerz und das Elend, und sie wusste auch, dass

Will, nachdem sie ihm vorgetragen hatte, was mit seiner Mutter passiert war, sich so heftig übergeben hatte, dass er Blut gespuckt hatte.

»Er hat sich im Four Seasons an der Fourteenth verkrochen«, verkündete sie ihm. »Ich schätze, er hat im Lauf der Jahre einiges an Zinsen eingestrichen.«

»Du observierst ihn?«

»Ich habe einen Freund bei der Hotelsicherheit, der ihn für mich im Auge behält.« Sie spitzte die Lippen. »Kein schlechtes Leben. Fünfsternehotel. Er geht jeden Morgen in den Fitnesskeller. Bestellt Essen beim Zimmerservice. Geht spazieren. Hängt an der Bar rum.«

Will sah jede einzelne Szene deutlich vor sich. Der Gedanke, dass dieser Mann ein derart bequemes Leben führte, fühlte sich für ihn an wie ein Schlag in die Magengrube.

»Ist ja gut«, tröstete sie ihn. Will konnte nicht aufhören, die Akte anzustarren. Seine Hände hielten sie fest umklammert.

»Ich bin's, Baby. Mir musst du nichts vorspielen.«

Er zuckte zusammen, als Angie ihm über Nacken und Rücken strich. Ihre Fingernägel schabten über die Narben auf seiner Haut. »Du kannst mit mir darüber reden. Ich war dabei. Ich weiß, was passiert ist. Ich werde dich nicht verurteilen.« Will schüttelte den Kopf, aber sie streichelte ihn weiter, ihre Hand wanderte zu seiner Brust, die Fingerspitzen berührten das perfekte Rund der Narben, die eine glimmende Zigarette in sein Fleisch gebrannt hatte. Ihr Mund war dicht an seinem Ohr. »Glaubst du, das alles wäre dir passiert, wenn deine Mutter da gewesen wäre? Glaubst du, sie hätte zugelassen, dass er ihrem Baby etwas antut?«

Genau darüber hatten sie stunden-, tage-, wochen-, jahrelang geredet. Über die Dinge, die man ihm angetan hatte. Was sie tun würden, um es ihnen allen heimzuzahlen. Kindliche Rachefantasien. Nichts anderes war es gewesen. Und doch fühlte es sich gut an, sie jetzt wieder zuzulassen. Die Vorstellung, mit diesem

Bastard all das zu tun, wogegen der Staat sich verweigerte, war einfach zu schön.

»Lass mich es übernehmen«, sagte Angie. »Lass mich es für dich wiedergutmachen.«

Will war müde. Er fühlte sich unendlich hilflos. Jeder Zentimeter seines Körpers schmerzte. In seinem Hirn war nur noch statisches Rauschen, das nicht vergehen wollte. Als Angie sich fester an ihn drückte, dachte er nur noch daran, wie gut es tat, einen Menschen in seiner Nähe zu haben. Das hatte das Zusammensein mit Sara aus Will gemacht. Sie hatte ihm eine Welt eröffnet, in der er Dinge nicht nur wollte – sondern wirklich brauchte. Er brauchte ihre Berührungen. Er brauchte ihre Arme um seinen Körper.

»Armes Baby«, murmelte Angie und küsste sein Ohr, seinen Nacken. Will spürte eine vertraute Regung in seinem Körper. Als sie ihre Hand unter sein Hemd schob, hielt er sie nicht zurück. Seine Hand wanderte zu ihrer Brust. Sie drückte sich noch fester an ihn.

Aber sie schmeckte nach nichts. Nicht nach Minze oder Honig oder nach diesen kleinen sauren Drops, die Sara so gern mochte. Angies Hand lag auf seiner Schulter, flach, nicht um seinen Nacken geschlungen. Sie zog ihn nicht zu sich. Sie stieß ihn weg.

Will versuchte erneut, sie zu küssen, doch Angie wich zurück, so wie er es erwartet hatte. So tickte sie. Sobald sie etwas in ihren Besitz gebracht hatte, wollte sie es nicht mehr haben. Will seufzte schwer. »Ich liebe dich nicht.« Dann korrigierte er sich: »Ich bin nicht verliebt in dich.«

Sie lehnte sich zurück und verschränkte die Arme. »Soll ich jetzt deswegen böse sein?«

Will schüttelte den Kopf. Er wollte sie nicht verletzen. Er wollte einfach nur, dass sie aufhörte.

»Komm auf den Boden der Tatsachen zurück, Baby. Sara mag zurzeit ja noch turtelig sein und dir sagen, dass sie alles über dich wissen will, aber was wird sie am Ende mit diesem Wissen anfangen?«

Er konnte die Frage nicht beantworten, aber eins wusste er sicher: »Sie wird es nicht gegen mich verwenden.«

»Das ist ja süß. Aber sag mir eins: Wie soll sie jede Nacht neben dir einschlafen, wenn sie erst einmal weiß, dass du die DNS deines Vaters in dir trägst? Die Natur siegt über die Kultur, Baby. Sie ist Ärztin. Irgendwann wird sie sich fragen, wozu du wirklich fähig bist.« Sie kam wieder näher an ihn heran.

»Stell dir das Grauen vor, das du dann in ihren Augen siehst.« Will starrte sie an. Sie hatte einen gemeinen Zug um den Mund, und ihr Blick wirkte leer. Sie war nicht nur dünner geworden. Sie war fast schon hager. Seit Will sie kannte, war sie immer stark geschminkt gewesen – nicht weil es nötig gewesen wäre, sondern weil sie die Maske wollte. Dicke schwarze Lidstriche. Dunkelbrauner Glitzerlidschatten. Tiefroter Lippenstift. Rouge auf den hohen Wangenknochen. Braune Locken umspielten ihr Gesicht. Ihre Lippen hatten eine perfekte Form. Sie war groß und schlank und hatte Brüste, die aus den engen Oberteilen quollen, die sie so liebte. Sie war eine Frau, die Männer dazu brachte, ihre Frauen zu betrügen. Im wahrsten Sinne des Wortes. Sie war eine Verführerin. Sie war eine Sirene. Sie war eine Diebin.

Außerdem war sie völlig zugedröhnt. Ihre Pupillen waren starr und geweitet.

»Wirfst du wieder Pillen ein?« Er griff nach ihrer Hand, doch sie zog sie weg. »Angie?«

Sie stemmte sich vom Tisch hoch und ging zum Spülbecken. Will lehnte sich zurück. »Was geht hier vor, Angie?«

Sie antwortete nicht. Stattdessen starrte sie zum Küchenfenster hinaus. Ihre Schulterblätter zeichneten sich deutlich unter dem T-Shirt ab. Das Tattoo des Totenschädels mit dahinter gekreuzten Knochen, das sie sich mit achtzehn hatte stechen lassen, war zu einem hellen Blau verblasst.

Will steckte seine Hand in die Tasche. Er spürte das kalte Metall seines Eherings. Sara bewahrte den Ehering ihres Mannes in einem kleinen Holzkästchen auf dem Kaminsims auf. Ihr Ring lag ebenfalls darin. Sie waren mit einem weißen Band miteinander verknotet und ruhten auf blauem Satin.

»Was geht hier vor, Angie?«, wiederholte Will.

Sie zog die Schultern hoch. »Ich schätze, das passiert mit mir, wenn ich ohne dich bin.«

»Das warst du schon oft.«

»Wir wissen beide, dass es jetzt anders ist.«

Gegen die Wahrheit konnte er nichts einwenden. »Bitte, hör auf, dir selber wehzutun.«

»Werde ich – sobald du aufhörst, diese Ärztin zu ficken.« Angie verließ die Küche. Sie griff nach ihrer Handtasche, die sie auf die Couch geworfen hatte. An der Haustür drehte sie sich noch einmal um und warf ihm eine Kusshand zu.

Und dann war sie verschwunden.

Will presste die Stirn auf die Tischplatte. Das Resopal fühlte sich auf seiner Haut kalt an. Wieder legte Betty ihm die Pfoten auf den Schenkel. Er zog sie hoch auf seinen Schoß. Ihr Fell fühlte sich drahtig an. Sie leckte ihm die Finger.

Angies Mutter hatte sich mit Drogen getötet. Es war ein fünfundzwanzig Jahre andauernder Selbstmord gewesen. Das hatte Angie ins Kinderheim gebracht. Deirdre Polaski hatte über die Hälfte von Angies Leben im Wachkoma gelegen, weggesperrt in einem Pflegeheim. Vor einigen Monaten war sie schließlich gestorben. Vielleicht hatte das Angie wieder zu den Pillen getrieben. Vielleicht brauchte sie diese Flucht.

Oder vielleicht war auch Will daran schuld.

Vor drei Wochen hatte Angie sich genau in dieser Küche Wills Waffe in den Mund gesteckt. Sie hatte früher schon mit Selbstmord gedroht. Das war stets ihr letztes Register, wenn sonst nichts mehr funktionierte. Wieder dachte Will an den Ehering in seiner Tasche. Vielleicht bewahrte er ihn aus dem gleichen

Grund auf wie Sara den ihres Mannes. Will trauerte seit Jahren um Angie. Der einzige Unterschied war, dass sie noch nicht gestorben war.

Sein Telefon klingelte. Nicht das Handy, das in der Ladestation auf seinem Schreibtisch steckte, sondern das Festnetz. Will hob den Kopf vom Tisch, konnte sich aber nicht zum Aufstehen überwinden. Vielleicht rief Sara an. Will war sich allerdings ziemlich sicher, dass es seine Pflicht wäre, sie anzurufen, und nicht andersherum. Er hatte sie verärgert. Und er hatte Angie geküsst.

Will strich sich mit der Hand über den Mund. Lippenstift blieb an seinen Fingern zurück. Mein Gott, was hatte er nur getan? Sara wäre am Boden zerstört. Sie würde … Will wollte überhaupt nicht darüber nachdenken, was sie tun würde. Es wäre das Ende von ihnen beiden. Es wäre das Ende von allem. Das Läuten brach ab. Jetzt war es völlig still im Haus. Er fühlte das Herz in seiner Brust pochen. Sein Mund war völlig ausgetrocknet.

Betty rührte sich auf seinem Schoß. Was zum Teufel hatte er getan?

Sein Handy fing an zu zirpen. Will hatte sich nie als Feigling gesehen, aber die Verlockung, einfach hier sitzen zu bleiben und nichts zu tun, war stark. Leider hatte er die Willenskraft nicht.

Er setzte Betty auf dem Boden ab. Wie durch Treibsand watend ging er ins Wohnzimmer. Er griff zu seinem Handy und erwartete schon, Saras Nummer zu sehen, aber es war die von Amanda.

Kurz überlegte er, das Gespräch nicht entgegenzunehmen, aber wenn die letzten vierundzwanzig Stunden ihn eins gelehrt hatten, dann dass Amanda immer Mittel und Wege fand, ihn aufzuspüren.

Will griff nach seinen Autoschlüsseln und klappte das Handy auf. »Ich bin schon unterwegs zum Flughafen.«

»Bleiben Sie, wo Sie sind.« Amanda klang ernst. »Wir haben eine Leiche gefunden. Faith ist zu Ihnen unterwegs und holt Sie ab.«

Will stützte die Hand auf den Schreibtisch. Sein Herz hämmerte noch heftiger. »Wo?«

Amanda zögerte. Das hatte Will noch nie bei ihr erlebt.

»Faith wird Ihnen die Details geben.«

»Wo?«

»Sie wissen genau, wo.« Doch Will ließ sie es sagen. »Techwood.«

9. KAPITEL

15. November 1974
MARY HALSTON

Mary war in der vergangenen Nacht in der Union Mission ausgeraubt worden, was zwar nicht ungewöhnlich war, sie aber trotzdem ärgerte. Es war kein Geld, das man ihr gestohlen hatte – das hatte längst ihr Zuhälter bekommen –, sondern ein Medaillon, das ihr Freund aus der Highschool ihr geschenkt hatte. Jerry. Er war direkt nach der Schule nach Vietnam gegangen. Gegen den Vietcong hatte er sich zwar behaupten können, war dort jedoch heroinsüchtig geworden, sodass er den Drogentest für die Rückkehr in die Staaten nicht bestanden hatte. Sechs weitere Monate hatte er im Dschungel verrotten müssen, bis er clean gewesen war, doch kaum hatte er wieder amerikanischen Boden unter den Füßen gehabt, hatte er sich Mary geschnappt und eine Tüte H, und weitere sechs Monate später war Jerry tot gewesen, eine Nadel im Arm, und Mary hatte mit dem Gesicht nach unten in einer Gasse gelegen, mit den Zähnen geknirscht und gehofft, dass es bald vorbei sein würde. Sie sah ihnen lieber nicht ins Gesicht. Die glänzenden Augen. Die feuchten Lippen. Die zusammengebissenen Zähne. Sie kam sich vor, als würden die Bilder der Männer in einen Teil ihres Gehirns eingraviert, zu dem sie eines Tages Zugang finden würde, und dann – puff! – würde sie aufflammen wie ein Römisches Licht und ausbrennen.

Irgendwann einmal hatte Mary ein verrücktes Buch über Wissenschaftler gelesen, die einem die Netzhaut herausschnitten und auf einen großen Fernseher klebten, der dann alles zeigte, was man in seinem Leben gesehen hatte. Das Buch war Quatsch gewesen, aber irgendwie doch unheimlich. Mary wollte nicht über ihr Leben nachdenken. Komisch, dass sie die Geschichte überhaupt fertig gelesen hatte. Die Dana Girls und Nancy Drew waren eher ihr Ding. Nachdem sie »2001: Odyssee im Weltraum« gesehen hatte, war sie zum Science-Fiction-Fan geworden. Wobei sie den Film gar nicht richtig gesehen hatte, weil Jerrys Hände die ganze Zeit in ihrer Hose gesteckt hatten. Doch worum es im Großen und Ganzen gegangen war, hatte sie doch mitbekommen. Dass die Menschen 2001 völlig im Arsch sein würden.

Nicht dass sie das noch miterleben würde. Mary war neunzehn Jahre alt. Wenn sie nicht auf einer Pritsche in der Union Mission schlief, ging sie auf den Strich. Sie hatte schon einige Zähne eingebüßt. Die Haare gingen ihr büschelweise aus. Sie war nicht gut genug, um an der Straße zu stehen. Sie musste tagsüber durch die Straßen laufen und Anwälte und Banker ansprechen, die sie dann von sich wegdrehten und ihr Gesicht an die Wand drückten, während sie ihr Geschäft an ihr verrichteten. Es erinnerte sie immer wieder an die Art, wie man ein Kätzchen hielt. Pack es im Genick, und es erschlafft. Doch von diesen Arschlöchern war keiner schlaff. Das wusste sie leider nur zu gut.

Mary verzog sich in eine Gasse und setzte sich neben einen Müllcontainer. Die Füße taten ihr weh. Sie hatte Blasen an den Fersen, weil ihre Schuhe zu eng waren. Nicht wirklich ihre Schuhe. Mary war in der Union Mission nicht nur Opfer. Sie nahm sich, was sie brauchte, und sie hatte Schuhe gebraucht. Weißes Lackleder. Klobige Absätze. Sie waren wirklich schick – Anne Marie würde solche Schuhe zu einem Vorsprechen anziehen.

Sie hörte, wie sich schwere Schritte näherten. Mary sah zu dem Mann auf. Es war, als würde sie einen Berg hinaufblicken.

Er war auffällig groß und hatte breite Schultern und Hände, die ihr bestimmt leicht den Hals brechen konnten.

»Guten Morgen, Schwester«, sagte er. Und das war das Letzte, was sie hörte.

10. KAPITEL

8. Juli 1975
SAMSTAG

Amanda war noch nie eine geschickte Lügnerin gewesen, vor allem nicht ihrem Vater gegenüber. Seit der Kindheit hatte Duke sie nur auf eine gewisse Weise ansehen müssen, und Amanda war in Tränen ausgebrochen und hatte sich alles von der Seele geredet, ohne an die Konsequenzen zu denken. Sie wollte sich lieber gar nicht vorstellen, wie wütend er werden würde, wenn er herausfände, dass sie den Nachmittag bei Evelyn Mitchell verbringen wollte. Sie musste an die Geschichten aus dem Nixon-Skandal denken. Ein Vertuschungsversuch brachte einen früher oder später immer zu Fall.

Dabei war ihre Geschichte der Hammer. Sie hatte nicht nur eine Kirchenveranstaltung erfunden, sie hatte sogar Vanessa Livingston mit in die Sache hineingezogen und ihr das Versprechen abgenommen, dass sie die Geschichte unter allen erdenklichen Umständen bestätigen würde. Amanda konnte nur hoffen, dass Duke zu sehr mit seinem Gerichtsprozess beschäftigt war, um ihrer Geschichte auf den Grund zu gehen. Den ganzen Vormittag lang hatte er mit seinem Anwalt telefoniert. Die Entscheidung des Obersten Gerichts zugunsten von Lars Oglethorpe hatte in der Polizeizentrale für frischen Wind gesorgt. Duke hatte kaum auf Amanda geachtet, als sie sein Haus geputzt und seine Hemden gebügelt hatte.

Doch jetzt wollte sie nichts anderes, als mit eigenen Augen

sehen, dass Evelyn okay war. Nachdem sie gestern Techwood verlassen hatten, hatten sie kein Wort mehr zueinander gesagt. Evelyn hatte Amanda zu Hause abgesetzt und war davongefahren, ohne sich zu verabschieden. Was Rick Landry in dem Hauseingang mit ihr gemacht hatte, schien ihr in der Kehle stecken geblieben zu sein.

Amanda bog auf den Monroe Drive ein. Sie war nicht oft auf dieser Seite von Piedmont Heights. In ihrer Vorstellung war dies alles noch immer ödes Farmland, obwohl die Gegend bereits vor einiger Zeit zu einem Industriegebiet umgewandelt worden war. Als Kind war sie mit ihrer Mutter hin und wieder in Monroe Gardens gewesen, wo sie stundenlang die Großgärtnerei durchstreift und Stiefmütterchen und Rosen für ihren Garten ausgesucht hatten. Auf dem Grundstück standen inzwischen Bürogebäude des Roten Kreuzes, aber an die Narzissenreihen konnte sie sich immer noch gut erinnern. Sie bog auf die Montgomery Ferry ein. Vor der Plaster's Bridge verengte sich die Straße auf eine Fahrspur. Die Reifen des Plymouth holperten über den furchigen Beton. Kalter Schweiß brach ihr aus, als sie am Ansley Golf Club vorbeifuhr, obwohl sie wusste, dass ihr Vater heute dort nicht spielte. Sie fuhr um eine scharfe Kurve auf die Lionel Lane und dann weiter auf die Friar Truck, die mitten durchs Herz Sherwoods führte.

Evelyns Haus war eins jener Gebäude im Ranch-Stil, wie sie zu Tausenden für heimkehrende Veteranen gebaut worden waren. Einstöckig, mit seitlich angebautem Carport, identisch mit dem Haus nebenan und dem nächsten und dem übernächsten.

Sie parkte auf der Straße hinten Evelyns Kombi und kontrollierte im Rückspiegel ihr Aussehen. Die Hitze hatte ihrem Makeup keinen Gefallen getan. Ihr Haar hing schlaff und schwunglos herab. Eigentlich hätte Amanda sie heute waschen wollen, aber bei dem Gedanken, unter der Trockenhaube zu sitzen, war ihr fast schlecht geworden, und an der Luft konnte sie sie nicht trocknen lassen, weil sie sich dann kräuselten. Als Amanda den

Motor abstellte, hörte sie das Jaulen einer Kreissäge. Die Einfahrt war besetzt von einem schwarzen Trans-Am und einem Ford Galaxie Cabrio, wie Perry Mason eins fuhr. Als sie auf das Haus zuging, sah sie, dass an die offene Seite des Carports ein Schuppen angebaut wurde. Die Stützbalken und der Dachstuhl standen bereits, sonst jedoch noch kaum etwas. Im Carport sah sie einen Mann, der sich gerade über eine Sperrholzplatte auf zwei Sägeböcken beugte. Sein Oberkörper war nackt, an den Beinen trug er eine abgeschnittene Jeans. Auf seinem orangefarbenen Sonnenvisier prangte ein Logo, doch Amanda erkannte den Florida Gator erst auf halber Höhe der Einfahrt.

»Hi!«, rief er und stellte die Säge ab. Amanda vermutete, dass es sich bei dem Mann um Bill Mitchell handeln musste, dachte jedoch insgeheim, dass sie einen attraktiveren Mann erwartet hätte. Er sah durchschnittlich aus, etwa so groß wie Evelyn, und hatte dünnes braunes Haar und einen leichten Bauchansatz. Seine Haut war von der Sonne gerötet. Er lächelte freundlich, trotzdem war es Amanda unangenehm, mit einem Mann zu sprechen, der nicht vollständig bekleidet war.

»Amanda.« Mit ausgestreckter Hand kam er auf sie zu. »Ich bin Bill. Freut mich sehr, Sie kennenzulernen. Ev hat schon viel von Ihnen erzählt.«

»Von Ihnen ebenfalls.« Amanda nahm seine verschwitzte Hand. Auf seiner Brust und an seinen Armen klebte Sägemehl.

»Gehen wir aus der Sonne. Es ist einfach zu heiß.« Er legte seine Hand an ihren Ellbogen und führte sie in den Schatten des Carports. Im Garten sah Amanda einen Picknicktisch. Der Weber-Grill qualmte bereits. Kurz überkam sie das schlechte Gewissen. Sie hatte sich so sehr den Kopf zerbrochen über Evelyns Verfassung und dabei ganz vergessen, dass sie zu einer Grillparty eingeladen worden war. Sie hätte ein Gastgeschenk mitbringen sollen.

»Bill?« Evelyn kam mit einem Glas Mayonnaise in der Hand aus dem Haus. Sie war barfuß und trug ein leuchtend gelbes

Sommerkleid. Ihr Haar saß perfekt. Make-up trug sie keins, schien aber auch keins zu brauchen. »Oh, Amanda! Du hast es doch geschafft.« Sie reichte ihrem Mann die Mayonnaise. »Liebling, zieh dir ein Hemd an. Du bist schon richtig krebsrot.«

Bill warf Amanda einen kurzen Blick zu und verdrehte die Augen. Dann schraubte er das Glas auf, bevor er es seiner Frau zurückgab.

»Hast du Kenny schon getroffen?«, fragte Evelyn. »Bill, wo ist er?« Sie ließ ihm keine Zeit zu antworten. »Kenny!«

»Hier unten«, rief eine tiefe Stimme unter dem Boden des Schuppens hervor. Amanda sah zwei haarige Beine, eine abgeschnittene Jeans und dann den nackten Oberkörper des Mannes, als er sich unter dem Sperrholzboden hervorschob. Er lächelte Amanda an. »Hallo.« Dann sagte er zu Bill: »Sieht aus, als sollten wir noch mehr Versteifungen anbringen.«

»Sie bauen einen Schuppen«, erklärte Evelyn. »Dort kann ich meine Waffe verstauen.«

»Und Blumenerde«, ergänzte Kenny. Er streckte Amanda die Hand hin. »Kenny Mitchell. Ich bin der Bruder von dem Kerl dort.«

Amanda schüttelte seine Hand. Sie war warm. Die Handfläche war rau. Sie spürte, dass sie in der Hitze errötete. Kenny Mitchell war der schönste Mann, den sie außerhalb eines Hollywoodfilms je gesehen hatte. Auf Brust und Bauch zeichneten sich Muskeln ab. Er trug einen gestutzten Schnurrbart über Lippen, die man lediglich als sinnlich bezeichnen konnte.

»Ev, warum hast du nicht gesagt, dass deine Freundin so hübsch ist?«

Aus Amandas Röte wurde loderndes Feuer.

»Kenny!«, tadelte Evelyn. »Du machst sie ganz verlegen.«

»Entschuldigung, Ma'am.« Er zwinkerte ihr zu, während er in seine Jeanstasche griff und eine Schachtel Zigaretten daraus hervorangelte.

Amanda zwang sich, nicht die Spur aus Haaren anzustarren, die von seinem Nabel aus nach unten wanderte.

»Er sieht aus wie der Kerl aus der Safeguard-Werbung, nicht wahr?«, fragte Evelyn und winkte Amanda dann ins Haus. »Lassen wir die Jungs in Ruhe arbeiten.«

Doch Bill hielt sie auf. »Danke, dass Sie sich gestern um mein Mädchen gekümmert haben! Sie ist eine furchtbare Fahrerin. Viel zu beschäftigt mit ihrem Make-up, um auf die Straße zu achten.«

Evelyn erwiderte, noch ehe Amanda irgendetwas erwidern konnte: »Ich hab ihm erzählt, dass ich diesen Mann auf der Straße fast umgefahren hätte.« Sie legte sich die Hand auf die Brust, genau dort, wo Rick Landry sie mit dem Kel-Lite erwischt hatte. »Vom Lenkrad habe ich einen furchtbaren blauen Fleck.«

Bill gab seiner Frau noch einen Kuss, dann tätschelte er ihr den Hintern. »Sieh zu, dass du reinkommst, bevor ich über dich herfalle.«

Evelyn erwiderte seinen Kuss. »Denkt daran, genug Cola zu trinken. Ihr wollt in dieser Hitze doch nicht verdursten!« Sie drückte sich das Mayonnaiseglas an den Bauch, während sie den Carport durchschritt.

Amanda folgte ihr ins Haus. Sie wollte Evelyn so schnell wie möglich fragen, warum sie ihren Mann angelogen hatte, aber die Kühle im Haus verschlug ihr die Sprache. Zum ersten Mal seit Monaten schwitzte Amanda nicht mehr. »Ihr habt eine Klimaanlage?«

»Bill hat sie gekauft, als ich schwanger wurde, und jetzt können wir beide nicht mehr darauf verzichten.« Evelyn stellte das Glas auf die Anrichte neben eine große Tupperware-Schüssel, die bereits randvoll war mit geschnittenen Kartoffeln, Eiern und Paprika. Sie rührte die Mayonnaise hinein. »Kartoffelsalat ist das Einzige, was ich zubereiten kann. Ich bin kein großer Fan davon, aber Bill liebt ihn.« Das Lächeln auf ihrem Gesicht wirkte fast verzückt. »Ist er nicht wunderbar? Eine typische Waage.«

Und eine sehr glückliche Waage, nach Evelyns wunderschönem Zuhause zu urteilen. Die Küche war extrem modern – weiß laminierte Arbeitsflächen mit dazu passenden avocadogrünen Armaturen. Die Chromgriffe der Schränke glänzten im Sonnenlicht. Die gerüschten Vorhänge tauchten die Küche in gelbes Licht. Hinter der Küche lag eine Kammer mit Waschmaschine und Trockner. Eine Babyjeans hing auf der Leine. Es sah fast genauso aus, wie Amanda es aus Zeitschriften kannte.

Evelyn stellte den Kartoffelsalat in den Kühlschrank. »Danke, dass du Bill nichts verraten hast von …« Sie legte sich die Hand an die Brust. »Er würde sich nur Sorgen machen.«

»Alles in Ordnung bei dir?«

»Ach«, seufzte sie, sagte dann aber nichts mehr. Sie stellte das Mayonnaiseglas neben den Salat, doch bevor sie die Kühlschranktür schloss, fragte sie: »Magst du ein Bier?«

Amanda hatte in ihrem ganzen Leben noch nie Bier getrunken, aber Evelyn stand offensichtlich der Sinn danach.

»Na gut.«

Evelyn nahm zwei Miller-Dosen heraus. Sie riss die Verschlussringe ab und warf sie in den Abfalleimer. Sie reichte Amanda eben eine der Dosen, als draußen wieder die Kreissäge losging. »Dort hinein!« Evelyn bedeutete Amanda, ihr durchs Esszimmer in eine große Diele zu folgen.

Das Wohnzimmer lag eine Stufe tiefer. Die Luft darin war beinahe eisig, dank der riesigen Klimaanlage in einem der Fenster. Amanda spürte, wie der Schweiß auf ihrem Rücken kalt wurde. Ihre Schuhe versanken in einem üppigen ockerfarbenen Teppich. Die Decke hatte eine wunderschöne Oberflächenstrukturierung. Es gab ein grün-gelbes Chintz-Sofa; dazu passende Ohrensessel rahmten die Glasschiebetür ein. Auf der Hi-Fi-Anlage lief leise eine Platte von McCartney. Das Wandregal stand voller Bücher. Doch ein Fernsehschrank von der Größe eines Kinderwagens war die Hauptattraktion. Das Einzige, was nicht ins Ambiente passte, war das große Zelt in der Zimmermitte.

»Wegen der Klimaanlage schlafen wir da drinnen«, erklärte Evelyn und setzte sich auf die Couch. Amanda setzte sich neben sie. »Wir hatten die Anlage erst im Schlafzimmer, aber das war Zeke gegenüber nicht fair. Sein Kinderbettchen ist zu groß für unser Zimmer, deshalb ...« Sie nahm einen großen Schluck Bier.

Sofort griff Amanda nach dem Strohhalm – im Small Talk war sie einfach furchtbar. »Wie alt ist er jetzt eigentlich?«

»Fast zwei«, stöhnte Evelyn, und Amanda nahm an, dass es ein schlimmes Alter war. »Als er noch kleiner war, legte Bill ihn manchmal in die untere Kommodenschublade und schob sie zu, wenn wir ungestört sein wollten. Aber jetzt, da er überall herumrennt ...« Sie deutete auf das Zelt. »Zum Glück hat er normalerweise einen tiefen Schlaf. Heute Morgen haben wir allerdings nichts davon bemerkt. Bill hat ihn zu seiner Mutter gebracht, bevor auch ich irgendwann anfangen würde zu schreien ... Ich lege mal eine neue Platte auf.« Sie stand auf und ging zu der Anlage hinüber. »Hast du gehört, was John Lennon neuerdings macht?«

Es klang, als würde er Katzen in einen Sack stecken und herumwirbeln, aber Amanda murmelte: »Ja. Er ist gut.«

»Oh, ich glaube, Bill hat sie Kenny geliehen.« Sie schien eher ein Selbstgespräch zu führen, während sie in den Platten stöberte. Vielleicht sprach sie aber auch mit Amanda. Es schien ihr nicht wichtig zu sein, dass sie keine Reaktion bekam. »Simon and Garfunkel?«, fragte sie, während sie die Platte bereits auflegte.

Amanda starrte den Couchtisch an und suchte nach einer guten Ausrede, um wieder gehen zu können. Sie konnte sich nicht daran erinnern, sich je zuvor derart fehl am Platz gefühlt zu haben. Sie war Konversation nicht gewöhnt, vor allem nicht mit Fremden. In ihrem Leben gab es nur die Kirche, die Arbeit, das

Studium und ihren Vater. Dazwischen hatte kaum etwas anderes Platz. Evelyn ging es nach dem gestrigen Erlebnis offensichtlich gut. Sie hatte ihren Ehemann und ihren Schwager. Ein Zelt im Wohnzimmer, in dem sie Sex hatte. Ein wunderschönes Zuhause. Eine *Cosmopolitan*-Ausgabe lag auf dem Tisch, sodass sie jeder sehen konnte.

Amanda spürte, wie ihre Wangen wieder zu brennen begannen, als sie die reißerischen Schlagzeilen überflog. Es wäre einfach typisch für sie, wenn sie beide jetzt ein Blitz träfe und ihr Vater sie in Evelyn Mitchells Haus mit einer Dose Bier in der Hand und einer *Cosmopolitan* vor sich vorfinden würde.

Evelyn setzte sich wieder auf die Couch. »Alles in Ordnung?«

»Ich sollte besser gehen.«

»Aber du bist doch gerade erst gekommen!«

»Ich wollte nur nachsehen, ob du okay bist, nachdem Rick ...«

»Rauchst du?« Sie griff nach einem Metallkästchen auf dem Couchtisch.

»Nein, danke.«

»Ich hab's aufgegeben, als ich mit Zeke schwanger wurde«, gab Evelyn zu. »Aus irgendeinem Grund konnte ich den Geschmack nicht mehr ertragen. Komisch, weil ich früher wirklich gerne geraucht habe.« Sie stellte das Kästchen zurück.

»Bitte, geh nicht, Amanda. Ich bin so froh, dass du gekommen bist.«

Amanda war diese Aussage peinlich. Sie fühlte sich wie in einem Käfig. Jetzt konnte sie wirklich nicht mehr gehen, ohne unhöflich zu wirken. Sie sprach wieder Evelyns Kind an, weil es das einzige sichere Thema zu sein schien. »Ist der Name Zeke eigentlich häufig in deiner Familie?«

»Er heißt eigentlich Ezekiel. Ich wollte Bill dazu bringen, dass er ihn nicht abkürzt, aber ...« Sie beendete den Satz nicht. »Bills einziges Kriterium bei der Namenswahl war, wie er aus dem Mund eines Stadionsprechers klingen würde, wenn der Junge eines Tages für Florida spielt.« Anstatt über ihren eigenen Witz zu lachen, wurde sie untypisch still. Sie nahm Amanda ins Visier.

»Was ist?«

»Ziehen wir unser Ding weiter durch?«

Amanda musste nicht fragen, welches Ding. Sie wollten das Bürogebäude observieren und Blauer Anzug finden. Amanda wollte beim Wohnungsamt anrufen, Evelyn die Vermisstenlisten der übrigen Zonen überprüfen. Gestern hatte das alles noch nach einem guten Plan geklungen. Heute wirkte es amateurhaft und gefährlich.

»Findest du, dass wir es durchziehen sollten?«

»Was denkst du?«

Amanda konnte ihr nicht antworten. Nach dem, was mit Rick Landry passiert war, hatte sie Angst. Außerdem zerbrach sie sich den Kopf wegen ihres Herumschnüffelns. Sie beide hatten Leute angerufen, mit denen sie eigentlich nicht hätten reden dürfen. Amanda hatte einen ganzen Vormittag damit zugebracht, alte Ausgaben des *Journal* und der *Constitution* zu studieren. Wenn Duke recht behielte und seinen Job wiederbekäme, würde er als Allererstes herausfinden, was Amanda alles unternommen hatte. Und er wäre nicht glücklich darüber.

»Weißt du, ich hab darüber nachgedacht ...« Evelyn legte die Hand an die Brust. Ihre Finger spielten mit einem der Perlenknöpfe ihrer Bluse. »Was Landry mit mir gemacht hat ... Was Juice bei dir tun wollte ... Das Komische ist: Ob schwarz oder weiß, sie alle gehen einem zwischen die Beine. Das scheint alles zu sein, was zählt.«

»Oder was eben überhaupt nicht zählt.« Amanda trank ihr Bier aus. Sie fühlte sich leicht benommen.

»Warum bist du zur Polizei gegangen? Wegen deines Vaters?«

»Ja«, antwortete Amanda, obwohl dies nur teilweise stimmte. »Eigentlich wollte ich ja nur bei einer Zeitarbeitsfirma arbeiten.

Jeden Tag in einem anderen Büro. Nach Hause gehen in eine hübsche Wohnung.« Amanda führte die Fantasie nicht weiter aus. Dazu würde nämlich überdies ein Mann gehören, vielleicht ein Kind – Menschen, um die sie sich kümmern könnte. »Ich weiß, das klingt flatterhaft«, versuchte sie sich zu erklären.

»Klingt besser als mein Grund.« Evelyn stützte den Arm auf die Lehne. »Ich war mal Meerjungfrau.«

»Was?«

Sie lachte, anscheinend amüsierte sie Amandas Überraschung. »Schon mal von Weeki Wachee Springs gehört? Ist ungefähr eine Stunde von Tampa entfernt.«

Amanda schüttelte den Kopf. Sie war bis jetzt nur im Nordwesten Floridas gewesen.

»Ich bekam den Job, weil ich neunzig Sekunden lang den Atem anhalten konnte. Und wegen denen hier.« Sie sah auf ihre Brüste hinab. »Ich bin den ganzen Tag geschwommen.« Sie ließ die Arme langsam nach oben wandern. »Und habe die ganze Nacht getrunken.« Sie ließ die Arme wieder sinken und lächelte.

Darauf fiel Amanda nur eine Frage ein: »Weiß Bill darüber Bescheid?«

»Was glaubst du, wo wir uns kennengelernt haben? Er hat dort Kenny auf der McDill Air Force Base besucht. Es war Liebe auf den ersten Blick.« Sie verdrehte die Augen. »Ich folgte ihm nach Atlanta. Wir heirateten. Irgendwann war es mir zu langweilig, den ganzen Tag nur zu Hause herumzuhängen, also dachte ich mir, ich suche mir einen Job beim Staat.« Sie grinste, als würde jetzt gleich eine lustige Anekdote kommen. »Ich spazierte einfach im Zentrum ins Rathaus, um das Antragsformular auszufüllen. Ich hatte in der Zeitung eine Anzeige gesehen, dass das Finanzamt Leute suchte, doch dann landete ich im falschen Büro. Und da war dann dieser Mann in Polizeiuniform. So ein Arschloch! Er sah mich nur kurz an und sagte …« – sie streckte dir Brust heraus – »»Kleine, du hast dich im Büro geirrt. Das hier ist die Polizei, und ich brauch dich nur anzugucken und sehe, dass du's nicht in dir hast‹.«

Amanda lachte. Evelyn konnte hervorragend Leute imitieren. »Und wie hast du reagiert?«

»Na ja, ich war stinksauer.« Evelyn straffte die Schultern.

»Ich sagte: ›Sir, Sie irren sich. Ich bin hier, weil ich zur Polizei will, und ich habe jedes Recht, die Prüfung zu machen.‹« Sie lehnte sich wieder zurück. »Ich nahm an, dass ich die Prüfung nicht bestehen würde, aber eine Woche später riefen sie mich an und bestellten mich zum Gespräch. Ich wusste nicht recht, ob ich hingehen sollte oder nicht. Ich hatte Bill noch gar nicht davon erzählt. Am Ende ging ich also zu diesem Gespräch, und anscheinend schlug ich mich auch da ganz ordentlich, weil sie mir schließlich mitteilten, ich sollte mich in der folgenden Woche in der Academy melden.«

Amanda konnte sich eine solche Unverfrorenheit kaum vorstellen. »Und was hat Bill zu alldem gesagt?«

»Er sagte nur: ›Amüsier dich und sei vorsichtig.‹« Sie hob die Hände. »Und so wurde ich Polizeibeamtin.«

Amanda konnte über die Geschichte nur den Kopf schütteln. Wenigstens war sie besser als die von Vanessa, die eine Anzeige auf der Anschlagtafel im Gefängnis gesehen hatte, wo wegen Fahrens unter Alkoholeinfluss ihre Personalien aufgenommen worden waren.

»Ich war mir nicht sicher, ob ich nach Zekes Geburt wieder zurückgehen könnte.« Evelyn atmete einmal tief durch. »Aber dann habe ich mich wieder daran erinnert, wie gut es sich anfühlt, einen Einsatz zu fahren, und wenn eine Frau sieht, dass ich das Sagen habe, und ihr Freund – oder Mann oder wer auch immer sie belästigt hat – meine Fragen beantworten muss. Dann habe ich das Gefühl, dass ich wirklich etwas bewirken kann. Schätze, so fühlen sich die Schwarzen auch, wenn ein schwarzer Polizist auftaucht. Sie haben das Gefühl, dass sie mit jemandem reden, der sie versteht.«

Amanda hatte noch nie darüber nachgedacht, aber im Augenblick klang all dies in ihren Ohren überaus einleuchtend.

»Ich will das alles. Ich will es wirklich.« Evelyn nahm Amandas Hand. Sie klang plötzlich sehr eindringlich. »Diese Mädchen. Kitty, Mary, Lucy, Jane – mögen sie in Frieden ruhen. Sie sind gar nicht so anders als wir, oder? Irgendwann hat irgendjemand beschlossen, dass sie unwichtig waren. Und dadurch wurde es wahr. Sie *waren* unwichtig. Im großen Ganzen. Unwichtig, wenn die Rick Landrys dieser Welt sagen können, dass Jane Delray Selbstmord begangen hat, und das einzige Problem ist, wer die Sauerei hinterher wegputzen muss.«

Amanda erwiderte nichts, aber Evelyn hatte mittlerweile gelernt, ihr Schweigen zu interpretieren.

»Was ist?«

»Es war nicht Jane«, erwiderte Amanda.

»Was soll das heißen? Woher weißt du das?«

»Ich tippe doch Butchs Berichte. Es war nicht Jane, die vom Gebäude gesprungen ist. Die Frau hieß Lucy Bennett.«

Evelyn sah verwirrt aus. Sie brauchte einen Augenblick, um die Information zu verarbeiten. »Das verstehe ich nicht. Hat irgendjemand sie identifiziert? Hat die Familie sich gemeldet?«

»Lucys Handtasche lag in Wohnung C im fünften Stock.«

»Das ist Janes Wohnung.«

»In Butchs Notizen steht, dass das Opfer die einzige Bewohnerin war. Ihre Handtasche lag auf der Couch. Darin steckte ihr Führerschein, und anhand dessen konnten sie sie eindeutig identifizieren.«

»Haben sie ihr die Fingerabdrücke abgenommen?«

»Es gab keinen Eintrag im Register. Keine Fingerabdrücke für den Abgleich.«

»Da stimmt doch irgendwas nicht. Sie war eine Hure. Die haben alle eine Akte.«

»Nein, irgendwas stimmt da wirklich nicht.« Wenn Lucy Bennett nicht eine absolute Anfängerin gewesen war, war es so gut wie unmöglich, dass sie noch nie zuvor verhaftet worden war. Einige Mädchen stellten sich sogar freiwillig, um eine Nacht im Gefängnis verbringen zu können. Dort waren sie wenigstens sicher, wenn die Zuhälter wütend auf sie waren.

»Lucy Bennett. Und ihr Führerschein steckte in ihrer Handtasche?« Evelyn dachte einen Augenblick nach. »Jane hätte nie ihren Führerschein einfach so herumliegen lassen. Hat sie nicht gesagt, diese Mädchen seien schon seit Monaten verschwunden, Lucy sogar schon ein ganzes Jahr? Jane hatte versucht, ihre Sozialhilfe zu kassieren. Lucys Führerschein war also entweder in Janes Besitz oder liegt in einem Pappkarton in der Five.«

Amanda hatte auch schon darüber nachgedacht. »Butch gibt mir immer die Empfangsbestätigungen für die Beweisstücke, damit ich sie im Bericht vermerken kann.« Die Handtasche war ins Zentralarchiv gebracht worden, wo der diensthabende Beamte jeden einzelnen Gegenstand aufgelistet hatte, der eingelagert werden sollte. »Der Empfangsbestätigung zufolge steckte in Lucys Handtasche kein Führerschein.«

»Die Diensthabenden lügen bei so was nicht. Wenn dort irgendwas verschwindet, sind sie dran.«

»Ganz genau.«

»War in der Brieftasche Geld?«

Amanda war erleichtert, dass zur Abwechslung einmal nicht sie die Naive war. In keiner Handtasche, keiner Brieftasche, die je von Mordermittlern ins Archiv gebracht worden war, hatte sich je auch nur eine einzige Münze befunden.

»Egal«, gab Evelyn zu. Sie wiederholte den Namen des Mädchens. »Lucy Bennett. Ich bin die ganze Zeit davon ausgegangen, dass es Jane war.«

»Sagt dir der Name irgendwas? Kannst du dich an eine Lucy Bennett auf einer der Vermisstenlisten erinnern?«

»Nein.« Evelyn biss sich auf die Unterlippe. Sie starrte Amanda ausdruckslos an. Schließlich sagte sie: »Was dagegen, wenn ich dich jemandem vorstelle?«

Amanda spürte ein vertrautes Unbehagen. »Wem denn?«

»Meiner Nachbarin.« Sie stand von der Couch auf, nahm Amandas Bierdose und stellte sie neben ihre eigene auf den Tisch. »Sie arbeitet seit Jahren für das APD. Ihr Mann wurde zum Flughafen strafversetzt. Trinkt zu viel. Ein echter Mistkerl.« Sie trat an die Glasschiebetür. Amanda hatte keine andere Wahl, als ihr zu folgen. Evelyn plapperte einfach weiter, während sie den Garten durchquerte. »Roz ist ein bisschen unwirsch, aber ein gutes Mädchen. Sie hat wirklich ihren Anteil an Leichen gesehen, das kannst du mir glauben. Stört es dich, dass sie Jüdin ist?«

Amanda wusste nicht recht, worauf genau sie reagieren sollte. »Warum sollte es mich stören?«

Evelyn zögerte kurz, bevor sie weiterging. »Wie auch immer, Roz ist Polizeifotografin. Und sie entwickelt die Fotos bei sich zu Hause. In der Zentrale wollen sie sie nicht haben, weil sie zu vorlaut ist. Dein Vater hat doch sicher schon mal von ihr gesprochen?«

Als Evelyn sich umschaute, schüttelte Amanda den Kopf.

»Ich habe sie heute Vormittag gesehen, und da war sie ziemlich übel drauf.« Sie gingen an einem grünen Corvair im Carport vorbei. Das Haus sah ähnlich aus wie das von Evelyn, nur befand sich zwischen Carport und Haus eine Art Wintergarten.

Evelyn senkte die Stimme. »Sag nichts zu ihrem Gesicht. Wie gesagt, ihr Mann ist ein echter Mistkerl.« Sie drückte das Fliegengitter auf und klopfte ans Küchenfenster. »Hallo?«, rief sie fröhlich. »Roz? Hier ist Ev.« Nach ein paar Sekunden ohne Reaktion wandte sie sich an Amanda: »Ich gehe nach vorne zur Haustür.«

»Ich warte hier.« Amanda stützte die Hand auf die Waschmaschine, die die Hälfte der Veranda einnahm. Ihr Unbehagen wuchs, als sie darüber nachdachte, was sie hier tat. Amanda war noch nie in einem jüdischen Haushalt gewesen. Sie hatte keine Ahnung, was sie dort erwartete.

Evelyn hatte recht, Amanda kam nicht viel unter Menschen. Seit Jahren war sie auf keiner Party mehr gewesen. Sie ging auch nicht einfach bei den Nachbarn vorbei. Sie saß nicht in vornehmen Wohnzimmern, um Platten zu hören und Alkohol zu trinken. Bis jetzt hatte sie nur sehr wenige Rendezvous gehabt. Jeder Junge, der mit ihr hatte ausgehen wollen, hatte zuerst Duke um Erlaubnis fragen müssen, und seine Musterung hatten nur wenige überstanden. In der Highschool hatte es mal einen Jungen gegeben, der Amanda dazu gebracht hatte, aufs Ganze zu gehen. Drei Mal, und dann hatte sie es nicht mehr ausgehalten. Sie hatte eine solche Angst gehabt, schwanger zu werden, dass sie die ganze Prozedur als noch wenig angenehmer empfunden hatte als einen Besuch beim Zahnarzt. Evelyn kam zurück. »Ich weiß, dass sie da ist.« Diesmal klopfte sie an die Küchentür. »Keine Ahnung, warum sie nicht öffnet.«

Amanda sah auf die Uhr und sehnte sich nach einer guten Ausrede, um sich aus dem Staub machen zu können. Wie sie so neben Evelyn Mitchell stand, kam sie sich noch gedemütigter vor. Sie fühlte sich wie eine alte Jungfer. Ihre Kleidung – der schwarze Rock, die kurzärmelige weiße Baumwollbluse, Schuhe mit Absätzen und eine Strumpfhose – war bezeichnend für den Unterschied zwischen ihnen beiden. Evelyn sah aus wie ein sorgloses Blumenmädchen. Kenny hatte wahrscheinlich auf den ersten Blick bemerkt, was Amanda wirklich war: eine Spießerin.

»Hallo?« Evelyn klopfte noch einmal an die Tür.

Da kam von drinnen eine Stimme: »Meine Güte, immer mit der Ruhe!«

Evelyn grinste Amanda an. »Lass dich nicht einschüchtern. Sie kann ziemlich fies sein.«

Die Tür ging auf. Eine ältere Frau in einem braunen Hauskleid schaute sie finster an. Ihr Gesicht sah übel aus: aufgeplatzte Lippe, blaues Auge. »Warum klopfst du erst an der Haustür, wenn du dann ums Haus herumläufst?«

Evelyn ignorierte die Frage. »Roz Levy, das ist meine Freundin Amanda Wagner. Amanda, das ist Roz.«

Roz schaute Amanda mit zusammengekniffenen Augen an.

»Duke Wagners Mädchen, oder?«

Normalerweise sagten die Leute das mit Respekt. Bei dieser Frau klang es beinahe feindselig.

»Sie ist eine von den Guten, Roz. Gib ihr eine Chance.« Roz machte ungerührt weiter: »Du weißt, dass sie dich Wag nennen, nicht? *Wagging her tail,* wedelt immer mit dem Schwanz, um die Leute ja nur zufriedenzustellen.«

Es fühlte sich an wie ein Schlag ins Gesicht. Amanda wurde ganz flau.

»Schluss damit, Roz!« Evelyn fasste Amanda am Arm und zog sie ins Haus hinein. »Ich will, dass sie die Fotos sieht, die du mir gezeigt hast.«

»Weiß nicht, ob sie das aushält.«

»Ich denke, sie wird dich überraschen. Unser Mädchen hier hält mehr aus, als du denkst.« Sie zerrte Amanda weiter durch die Küche.

Von innen wirkte das Haus völlig anders als das von Evelyn. Keine kühle Luft von einer laufenden Klimaanlage. Es fühlte sich beinahe so an, als wäre alle Luft herausgesaugt worden. Schwere braune Vorhänge verhüllten die Fenster, sodass kein Sonnenlicht hereinfiel. Das Wohnzimmer lag drei Stufen abgesenkt und war in noch dunklerem Braun gehalten. Evelyn zog Amanda an einer großen Couch vorbei, die nach Körperausdünstungen roch. Neben einem Ohrensessel lagen Bierdosen auf dem Boden. Aus einem Aschenbecher quollen Zigarettenkippen. Wieder drei Stufen hinauf, und Amanda wurde mit sanfter Gewalt durch einen Flur geschubst. Erst als sie Roz Levys Gästezimmer erreicht hatten, ließ Evelyn sie los.

Wie der Rest des Hauses war auch dieses Zimmer dunkel und luftleer. Die Tür des Wandschranks stand offen. An einem Kabel hing eine rote Glühbirne über diversen Wannen und Chemikalien. Auf einem zerwühlten Bettsofa türmten sich Fotoapparate in allen Formen und Größen. Der Schreibtisch quoll über von Papieren. In kleineren Häufchen waren Tennisschläger und Rollschuhe auf dem Boden verteilt.

»Sie veranstaltet Flohmärkte«, erklärte Evelyn. »Als Bill sie kennenlernte, meinte er, sie erinnere ihn an die Baronin Bumburst aus ›Tschitti Tschitti Bäng Bäng‹.« Als sie Amandas Miene sah, sagte sie: »Reg dich nicht auf, Süße. Sie sagt manchmal schreckliche Sachen. So ist sie eben.«

Amanda kam sich bloßgestellt vor. Sie verschränkte die Arme. Wag. Den Spitznamen hatte sie noch nie gehört. Sie wusste, dass die Leute auf dem Revier sie als Streberin betrachteten. Amanda hatte sich mit diesem Ruf abgefunden. Man hätte ihr schlimmere Namen geben können. Sie war adrett. Sie war nicht schlecht in ihrem Job. Sie war hilfsbereit. Höflich.

Aber man nannte sie Wag, weil sie versuchte, ihre Kollegen zufriedenzustellen.

Amandas Kehlkopf hüpfte auf und ab, als sie versuchte, die aufsteigenden Tränen hinunterzuschlucken. Sie wollte ihre Kollegen tatsächlich zufriedenstellen. Sie stellte ihren Vater zufrieden, indem sie tat, was er ihr auftrug. Stellte Butch zufrieden, indem sie seine Berichte tippte. Hatte Rick Landry zufriedengestellt, indem sie Evelyn aus Techwood weggebracht hatte. Warum hatte Amanda das getan? Warum hatte sie Rick nicht aufgefordert, damit aufzuhören? Er hatte Evelyn mit ihrer eigenen Taschenlampe angegriffen. Sie hatte blaue Flecke über der Brust und Gott weiß, wo sonst noch. Und was war Amandas Reaktion gewesen? Sie hatte sich Evelyn geschnappt und war davongelaufen wie ein Hündchen mit eingeklemmtem Schwanz.

Wagging her tail. Mit dem Schwanz wedeln.

Endlich ließ Roz Levy sich dazu herab, zu ihnen zu kommen. Amanda erkannte den Grund für ihre Verspätung erst, als sie das Zimmer betrat. Sie hatte sich eine Cola aus dem Kühlschrank geholt.

Roz zog den Ring von der Dose und warf ihn in ein Einmachglas auf dem Schreibtisch. »Ihr Mädchen wollt heute also Räuber und Gendarm spielen.«

Evelyn klang überraschend angespannt. »Ich hab dir doch gesagt, dass wir an diesem Fall dran sind ...«

»Schau sie dir an«, sagte Roz zu Amanda. »Sie denkt, die lassen sie eines Tages im Morddezernat arbeiten.«

»Vielleicht passiert das ja wirklich«, entgegnete Amanda.

»Ha!« Sie lachte nicht wirklich. »Emanzipation, was? Man darf alles tun, was man will, solange man genau das tut, was einem gesagt wird.«

»Wir sind jeden Tag draußen auf der Straße«, blaffte Evelyn sie an, »genau wie die anderen.«

»Ihr Mädchen passt jetzt besser mal auf. Ihr denkt, ihr seid eine ganz heiße Nummer, weil sie euch auf die Academy haben gehen lassen und euch eine Marke und eine Waffe in die Hand gedrückt haben. Sie lassen euch nur so hoch steigen, dass ihr euch das Genick brecht, wenn ihr fallt.« Sie nahm einen Schluck aus ihrer Dose. Ihr nächster Satz war direkt an Amanda gerichtet. »Glaubst du, dass dein Alter seinen Fall gewinnen wird?«

»Wenn Sie neugierig sind, sollten Sie ihn selber fragen.«

»Vielen Dank, aber ich hab schon ein blaues Auge.« Sie drückte sich die Cola an die Stirn. Die Dose war kalt. An dem Blech hatten sich Kondensationströpfchen gebildet. Sie starrte Amanda an. »Was ist eigentlich dein Problem?«

»Gar nichts. Ich verstehe nur langsam, warum Ihr Mann Sie schlägt.«

Evelyn hielt den Atem an.

Roz funkelte sie böse an. »Tatsächlich?«

Amanda biss die Zähne zusammen, um nicht die Entschuldigung herauszulassen, die ihr auf der Zunge lag.

Roz lachte heiser auf. »Ev hat recht. Du bist taffer, als du aussiehst.« Sie nahm noch einen Schluck und verzog den Mund, als die Flüssigkeit ihr durch die Kehle rann. Am Hals hatte sie gelblich verfärbte Flecken. »Sorry wegen eben. Hab den ganzen Morgen schon Hitzewallungen. Da werd ich zur Beißzange.«

Amanda sah zu Evelyn, die jedoch nur mit den Schultern zuckte.

»Wechseljahre. Das findet ihr selbst noch früh genug heraus.« Sie trat an den Wandschrank und durchsuchte einen Stapel Fotos. »Scheiße, ich hab sie in der Küche liegen gelassen.«

Amanda wartete, bis Roz das Zimmer verlassen hatte. »Hast du das schon mal gehört, was sie gesagt hat?«

»Ich glaube, alte jüdische Frauen werden nun mal so.«

»Nicht das. Hast du gehört, dass andere Frauen mich so nennen? Wag?«

Evelyn hatte den Anstand, nicht wegzuschauen. Es war Amanda, die ihren Blick nicht ertrug. Sie starrte in den Wandschrank, auf die Stapel von Fotos, die in scharfem Kodachrome grausige Szenen zeigten.

»Fotos«, murmelte Amanda. Jetzt verstand sie. Deshalb hatte Evelyn sie hierhergebracht. »Roz war gestern die Tatortfotografin in Techwood.«

»Die Fotos sind schlimm. Wirklich schlimm. Jane – ich meine Lucy – ist vom obersten Stockwerk gesprungen.«

»Vom Dach«, korrigierte Amanda sie. Sie kannte die Details aus Butchs Bericht. »Am Ende des Korridors ist eine Zugangsleiter. Sie führt zu einer Falltür im Dach. Lucy hat es geschafft, das Vorhängeschloss zu knacken. Butch glaubt, dass sie dazu einen Hammer benutzt hat. Auf dem Boden am Fuß der Leiter hat man einen gefunden.«

»Und woher hatte sie den Hammer?«

»In der Wohnung lag kein Werkzeug herum.« Dann fiel Amanda etwas ein. »Vielleicht haben die Handwerker einen bei der Reparatur des kaputten Oberlichts benutzt.«

»Schätze, dafür braucht man keinen Hammer.« Evelyn klang skeptisch. »Kann man mit einem Hammer ein Vorhängeschloss kaputt schlagen?«

»Hammer?« Roz Levy war wieder da. Sie hielt einen braunen Umschlag in der Hand. »Glauben die Trottel, dass sie den Dachzugang mit einem Hammer aufgeschlagen hat? Warum nicht einfach aus dem Fenster springen? Sie ist im obersten Stockwerk. Glauben sie wirklich, sie war so zugedröhnt, dass sie nicht den einfachsten Weg genommen hätte?« Sie zog den Umschlag auf, hielt dann aber inne. Sie durchbohrte Amanda mit einem Blick. »Wenn du hier auf den Teppich kotzt, machst du jeden einzelnen Quadratzentimeter eigenhändig wieder sauber. Mir egal, und wenn du einen Zahnstocher dafür brauchst.« Amanda nickte, spürte allerdings die Übelkeit schon in sich aufsteigen. Ihr graute bei dem Gedanken, wie das Bier schmecken würde, wenn es wieder hochkam.

»Bist du dir sicher?«, fragte Roz. »Weil ich ganz gewiss nicht hinter dir herputzen werde. Schlimm genug, dass ich hinter diesem Trottel aufputzen muss, den ich geheiratet habe.«

Amanda nickte noch einmal, und die ältere Frau zog die Fotos aus dem Umschlag. Sie hielt sie mit der Vorderseite nach unten. »Wenn man nach einem so tiefen Sturz auf den Füßen landet, spritzen einem die Eingeweide aus dem Arsch wie Tortenguss aus einer Spritztülle.«

Amanda kniff die Lippen zusammen.

»Blut quillt aus den Ohren. Das Gesicht wird vom Schädel gerissen wie eine Maske. Nase und Mund und Augen …«

»Verdammt noch mal.« Evelyn riss Roz die Fotos aus der Hand. Einzeln hielt sie sie Amanda hin. »Atme durch den Mund«, riet sie ihr. »Ganz locker. Ein und aus.«

Amanda tat genau das, sog schale Luft in die Lunge. Sie hatte Angst, ohnmächtig zu werden. Und eigentlich hatte sie sich darauf eingestellt, den Nachmittag auf allen vieren und mit einem Zahnstocher in der Hand mit der Reinigung von Roz' Teppich zu verbringen. Aber nichts davon geschah. Die Fotos waren einfach nur irreal. Was mit Lucy Bennett passiert war, war so grauenhaft, dass Amandas Hirn sich einfach weigerte zu akzeptieren, dass sie ein reales menschliches Wesen vor Augen hatte.

Amanda nahm Evelyn die Fotos ab. Die Farben waren grell, das Blitzlicht so hell, dass jedes Detail deutlich zu erkennen war. Das Mädchen war komplett angezogen. Der Stoff ihrer rot karierten Baumwollbluse war steif, klebte ihr an der Haut. Ihr Rock war nach unten gerutscht, der Bund geplatzt. Amanda nahm an, dass das die Folge des Sturzes war – wie auch das Fehlen des linken Schuhs.

Sie betrachtete Lucy Bennetts Gesicht. Roz hatte mit vielen Dingen recht gehabt, vor allem damit, was ein Sprung aus dem fünften Stock mit der Schädelhaut anrichtete. Lucys Fleisch schien ihr geradezu von den Knochen getropft zu sein. Die Augen waren aus den Höhlen gequollen. Aus jeder Körperöffnung war Blut geflossen.

Es sah irgendwie falsch aus. Wie in einem schlechten Horrorfilm.

»Alles okay?«, fragte Evelyn.

»Jetzt sehe ich, warum du gedacht hast, es wäre Jane Delray.« Bis auf die blondierten Haare hätte die Halloweenmaske ihres Gesichts schlicht und ergreifend zu jedem Mädchen auf der Straße gehören können. Die Einstichspuren auf den Armen waren ebenfalls die gleichen. Die offenen Wunden an ihren Füßen. Die roten Stiche an den Innenseiten der Oberschenkel.

»Ich frage mich, ob sie Familie hat«, murmelte Evelyn.

»Jeder hat Familie«, stellte Roz fest. »Ob sie es zugeben oder nicht, ist eine ganz andere Frage.«

Amanda sah sich die Fotos noch einmal an. Insgesamt waren es fünf. Drei zeigten das Gesicht des Mädchens – von links, von rechts, von vorne. Eins war die Nahaufnahme ihres geschundenen Körpers, wahrscheinlich von einer Leiter aus geschossen. Das letzte war eher aus der Distanz aufgenommen worden. Im Hintergrund war das Coca-Cola-Gebäude zu sehen. Lucys Hände waren nach außen gedreht, die Handgelenke sichtbar.

»Haben Sie noch mehr Fotos gemacht?«, fragte Amanda. Die ältere Frau lächelte. Einer ihrer Schneidezähne fehlte.

»Sieh dir das Blutbad doch nur an. Drei Mal darfst du raten.« Amanda konkretisierte ihre Frage. »Haben Sie auch Großaufnahmen der Handgelenke?«

»Nein. Warum?«

»Sieht das für dich aus wie eine Narbe? Da, am Handgelenk.« Sie hielt Evelyn das Foto hin.

Evelyn kniff die Augen zusammen und schüttelte dann den Kopf. »Kann ich nicht sagen. Worauf willst du hinaus?«

»Jane hatte Narben an den Handgelenken.«

»Jetzt fällt's mir wieder ein.« Evelyn studierte das Foto eingehender. »Wenn das Lucy Bennett ist, warum hat sie dann an ihrem Handgelenk Narben wie Jane Delray?«

»Die Hurerei ist nichts, wofür es sich zu leben lohnt.« Trotzdem zog Roz eine Schreibtischschublade auf und holte ein Vergrößerungsglas heraus. Der Reihe nach hielten die Frauen die Lupe über das Bild.

»Ich kann es immer noch nicht sagen«, gestand Evelyn schließlich. »Es sieht aus wie eine Narbe, aber könnte es womöglich auch das Licht sein?«

»Das ist meine Schuld.« Roz klang untypisch zerknirscht.

»Mein Blitz hat gesponnen, und Rick hat mich zur Eile gedrängt, weil er rechtzeitig zu seinem Nebenjob aufbrechen wollte.«

»Butch hat in seinen Notizen nichts von Narben gesagt«, gab Amanda zu bedenken.

»Typisch für diesen Idioten.« Im Gegensatz zu ihrer Bemerkung wirkte Roz Levy entzückt. »Okay, Wag. Jetzt wollen wir doch mal sehen, aus welchem Holz du wirklich geschnitzt bist.«

Wieder packte Amanda das Grauen. Sie kam sich vor wie auf einer Achterbahn.

»Roz, es muss absolut nicht sein, dass du …«

»Halt die Klappe, Ev.« Roz kicherte wie eine Hexe. »Pete schneidet heute Nachmittag eure tote Hure auf. Wenn ihr superheißen Schnüfflermädchen mit von der Partie sein wollt, ruf ich ihn an und besorge euch einen Platz in der ersten Reihe.«

Amanda wusste, dass eine Handvoll Streifenpolizisten die Leichenhalle als Schlummerecke benutzten, vor allem im Sommer. In einem Gebäude mit Klimaanlage schlief es sich einfach besser, wenn man nichts dagegen einzuwenden hatte, neben einer Leiche zu liegen.

Sie war schon oft in dem Gebäude an der Decatur Street gewesen, um dort Berichte abzuholen oder Beweismittel abzuliefern, aber im hinteren Teil war sie noch nie gewesen. Allein bei dem Gedanken, was dort vonstattenging, bekam Amanda ein mulmiges Gefühl. Dennoch schwieg sie, als Evelyn sie immer tiefer in das Gebäude führte, auch wenn jeder Schritt sich anfühlte, als würde eine Schraubzwinge um ihren Brustkorb noch enger gedreht.

Die zwei Bier, die Amanda auf der Fahrt hierher getrunken hatte, machten die Sache auch nicht besser. Sie fühlte sich alles andere als entspannt, eher leicht eingetrübt und zugleich höchst konzentriert. Ein Wunder, dass sie ihren Plymouth nicht an einen Telefonmast gesetzt hatte.

»Kennst du Deena?«, fragte Evelyn und stieß eine Pendeltür auf. Sie befanden sich in einem kleinen Labor. In den hinteren Ecken des Raums standen zwei Tische, darauf je ein Mikroskop. Daneben lagen verschiedene medizinische Instrumente bereit. Ein großes Fenster nahm fast die gesamte Rückwand ein. Die krankenhausgrünen Vorhänge waren aufgezogen. Bei dem dahinterliegenden Raum handelte es sich offensichtlich um den Autopsiesaal. Der Boden und die Wände waren bis zur Decke gelb gefliest. Es gab zwei Waschbecken aus Metall und zwei Waagen, die eher für einen Gemüsehändler angefertigt zu sein schienen.

Und eine Leiche. Ein grünes Tuch bedeckte ihre Gestalt. Darüber hing eine große Lampe, wie Zahnärzte sie benutzten. Eine Hand war von der Tischkante gerutscht. Die Fingernägel waren leuchtend rot lackiert. Die Hand war nach innen gedreht. Das Handgelenk war nicht zu sehen.

»Ich hasse Autopsien«, murmelte Evelyn.

»Bei wie vielen warst du denn schon dabei?«

»Ich hab eigentlich nie richtig hingesehen«, gab Evelyn zu.

»Du weißt, wie man die Augen mit Absicht auf unscharf stellen kann?«

Amanda nickte.

»Genau das mache ich immer. Ich stelle die Augen auf unscharf und sage Mhmm und Ja, wenn man mir Fragen stellt oder was Interessantes zeigt, und danach gehe ich aufs Klo und kotze.«

Das klang nach keinem allzu schlechten Plan.

»Deena hat eine schlimme Narbe am Hals. Versuch, sie nicht allzu offensichtlich anzustarren.«

»Eine was?« Evelyns Warnung ging irgendwie in Amandas Hirn unter, sodass sie keinen Sinn ergab, bis eine eindrucksvolle Schwarze durch die Tür kam. Sie trug einen weißen Laborkittel über einer locker fließenden orangefarbenen Bluse und Jeans. Ihr Haar war zu einem mächtigen Afro frisiert. Blauer Lidschatten zierte ihre Lider. Die Haut an ihrem Hals war verunstaltet wie von der Schlinge eines Henkers.

»Hey, Miss Lady«, rief Deena und stellte ein Tablett auf einen der Tische. Darauf lagen Objektträger. Rote und weiße Schlieren waren zwischen den Glasstreifen zu sehen. »Was machst du denn hier?«

»Roz hat Pete um einen Gefallen für mich gebeten.«

»Warum redest du immer noch mit dieser alten Hexe?« Sie lächelte Amanda herzlich an. »Und wer ist überhaupt deine hübsche Freundin?«

Evelyn hakte sich bei Amanda ein. »Das ist Amanda Wagner, meine neue Partnerin.«

Das Lächeln verschwand. »Ist sie mit Duke verwandt?«

Zum ersten Mal in ihrem Leben wollte Amanda nur zu gern ihren Vater verleugnen. Wenn sie alleine gewesen wäre, hätte sie es vielleicht sogar getan, so aber sagte sie: »Ja. Ich bin seine Tochter.«

»Mhmm.« Sie warf Evelyn einen Blick zu und wandte sich wieder ihren Objektträgern zu.

»Sie ist in Ordnung«, sagte Evelyn. »Na, komm, Dee, glaubst du wirklich, ich bringe irgendjemanden hierher, der …«

Die Frau wirbelte herum. Ihre Unterlippe zitterte vor Wut.

»Wissen Sie, woher ich das hier habe?« Sie deutete auf die hässliche Narbe an ihrem Hals. »Ich hab mal in der Reinigung an der Ponce gearbeitet und Klan-Kutten für Leute wie Ihren Vater schön steif gebügelt.«

»Dafür kann *sie* doch nichts«, hielt Evelyn ihr entgegen.

»Du kannst ihr doch nicht die Schuld geben an ihres Vaters …«

Deena hob die Hand, um sie zum Schweigen zu bringen.

»Eines Tages geriet meine Mom mit dem Arm in eine der Maschinen, und die Maschine ging einfach nicht mehr aus. Mr. Guntherson war immer schon zu geizig gewesen, um einen Elektriker kommen zu lassen. Ich hab das Kabel gepackt, und es wickelte sich um meinen Hals. Nackte, stromführende Drähte. Bumm, eine Explosion, und einer der Transformatoren brennt durch. Hat den ganzen Block für zwei Tage lahmgelegt. Hat mir das Leben gerettet, nur leider nicht meiner Mutter.«

Amanda wusste nicht, was sie sagen sollte. Sie war schon oft in dieser Reinigung gewesen, hatte aber nie auch nur einen Gedanken an die schwarzen Frauen verschwendet, die im Hinterzimmer arbeiteten. »Das tut mir leid.«

»Für das, was ihr Vater tut, kann sie nichts«, wiederholte Evelyn.

Deena lehnte sich gegen die Tischkante und verschränkte die Arme. »Weißt du noch, was ich dir über meine Narbe erzählt habe, Ev? Ich hab dir gesagt, ich decke sie ab, wenn es mir eines Tages nicht mehr wichtig ist.« Sie sah Amanda direkt an. »Aber es ist immer noch verdammt wichtig.«

Evelyn strich Amanda leicht über den Rücken. »Sie ist meine Freundin, Deena. Wir arbeiten gemeinsam an einem Fall. Wir versuchen, ein paar verschwundene Mädchen aufzuspüren.« Ihr Tonfall war hektisch. »Kitty Treadwell. Jemanden namens Mary. Und sie alle könnten mit Lucy Bennett zu tun haben.«

»Habt ihr die Tote-Schwarze-Akte schon kontrolliert?«, fragte sie. »So nennt ihr sie doch, nicht wahr? Die TSA. Gibt eine auf jedem Revier, hab ich recht, Wag?«

Amanda war zu verlegen, um sie anzusehen. »Vielleicht wissen Sie, dass auch ich meine Mutter verloren habe.« Was mit Miriam Wagner passiert war, war in der Truppe allgemein bekannt. Mit genug Whiskey im Blut erzählte Duke die Geschichte mit geradezu beschwingtem Machismo. »Sie sind nicht die Einzige, die Narben davongetragen hat.«

Deena tippte mit dem Finger auf den Tisch. Ein kräftiges Stakkato, das sofort wieder verklang. »Sehen Sie mich an.«

Amanda zwang sich, den Blick zu heben. Bei Roz war es einfach gewesen, aber bei der alten Jüdin hatte sie auch das Gefühl gehabt, im Recht zu sein. Jetzt hatte sie einzig ein schlechtes Gewissen.

Deena betrachtete sie noch eine Weile. Der Zorn, der in ihren Augen so heiß gebrannt hatte, verflog allmählich. Schließlich nickte sie. »Okay«, sagte sie. »In Ordnung.«

Evelyn atmete langsam aus. Sie lächelte dünn. Wie immer versuchte sie, die Wogen zu glätten. »Dee, hab ich dir schon erzählt, was Zeke vorgestern gemacht hat?«

Deena wandte sich wieder dem Tablett zu. »Nein. Was?«

Amanda blendete Evelyns Stimme aus. Sie starrte wieder in den Autopsiesaal. Ihr Hirn war vom Bier noch immer benebelt, vielleicht waren es aber auch die traumatischen Erlebnisse dieses Tages. Sie fühlte sich, als würde sich in ihr irgendetwas freisetzen. Die vergangenen Tage hatten fünfundzwanzig Jahre ihres Lebens infrage gestellt. Amanda war sich nicht im Klaren darüber, ob das gut war oder nicht. Im Grunde war sie sich über gar nichts mehr im Klaren.

»Hallo, hallo!«, dröhnte eine Männerstimme aus dem Autopsiesaal herüber.

»Das ist Pete«, erklärte Evelyn.

Der Coroner war teigig, mit Pferdeschwanz und Bart, die schon vor Tagen hätten gewaschen werden müssen – wie auch sein Batik-T-Shirt und die ausgebleichte, zerrissene Jeans. Sein weißer Laborkittel saß zu eng, sogar an den Ärmeln. Eine Zigarette hing zwischen seinen Lippen. Er stand am Fenster und fletschte seine gelben Zähne. Amanda glaubte zwar nicht an Übersinnliches, aber selbst durch das dicke Glas zwischen ihnen spürte sie, dass von Pete Hanson etwas Unheimliches ausging.

»Deena, meine Liebe«, rief er, »du siehst heute Nachmittag mal wieder blendend aus.«

Deena verdrehte die Augen und lachte. »Schnauze, du Wirrkopf.«

»Ein Wirrkopf nur deinetwegen, meine Liebe.«

»Das machen die beiden immer so«, bemerkte Evelyn.

»Oh.« Amanda versuchte, so zu tun, als sähe sie jeden Tag weiße Männer mit schwarzen Frauen flirten.

»Na, komm, Dee.« Pete klopfte ans Fenster. »Lass mich dich endlich zu einem Drink einladen.«

»Wir treffen uns um zehn nach nie.« Sie zog die Vorhänge zu. »Geht rein.« Zu Amanda sagte sie: »Wenn Sie kotzen müssen, zielen Sie auf den Abfluss im Boden, dann kann man's leichter wegspritzen.«

»Vielen Dank«, murmelte Amanda.

Sie folgte Evelyn in den Autopsiesaal. Die Temperatur war so kühl wie erwartet. Es war der Geruch, der sie unvorbereitet traf. Es roch sauber, nach Clorox und Pine-Sol und Äpfeln – ganz anders, als Amanda es befürchtet hatte.

In ihrer Zeit in Uniform hatte es zwei Einsätze gegeben, bei denen sie eine Vermisstenanzeige hatte aufnehmen müssen und dann die Person nicht weit vom Haus entfernt aufgefunden hatte. Eine davon war ein Mann gewesen, den man in seinen eigenen Kofferraum gesteckt und eingeschlossen hatte. Und dann noch ein Kind, das sich in einem alten Kühlschrank auf der Veranda des Geräteschuppens der Familie eingesperrt hatte. In beiden Fällen hatte Amanda nur einmal geschnuppert und sofort Verstärkung gerufen. Sie wusste nicht, was aus den Fällen geworden war. Sie war längst wieder auf dem Revier gewesen und hatte die Berichte getippt, als die Leichen geborgen wurden.

»Wer ist denn diese elegante Lady?«, fragte Pete Hanson mit Blick auf Amanda.

»Das ist …«

»Amanda Wagner«, fiel Amanda ihr ins Wort. »Duke Wagners Tochter.«

Er zögerte kurz. »So, so«, sagte er schließlich. »Duke ist schon 'ne Marke, was?«

Amanda zuckte nur mit den Schultern. Für heute hatte sie sich genug über ihren Vater anhören müssen.

»Pete.« Evelyns Stimme klang wieder fröhlich, doch sie zupfte schon wieder an ihrem Haar, ein deutlicher Hinweis auf ihr Unbehagen. »Dank dir, dass du uns zusehen lässt. Wir waren letzten Montag in Lucys Wohnung. Wir haben sie zwar dort nicht angetroffen, trotzdem war es ein ziemlicher Schock, von ihrem Selbstmord zu erfahren.«

»Lucy?« Pete runzelte die Stirn. »Woher habt ihr das?«

»Ihr Name stand in Butchs Bericht«, antwortete Amanda. »Er hat sie anhand ihres Führerscheins identifiziert.«

Pete trat an den großen, überquellenden Schreibtisch unter dem Fenster. Dort stapelte sich wüst durcheinander eine Unmenge von Papieren, aber irgendwie schaffte er es, das richtige zu finden.

Rauch stieg von seiner Zigarette auf, als er den vorläufigen Bericht überflog. Er bestand nur aus einem einzigen Blatt. Amanda erkannte in Spiegelschrift Butch Bonnies Sauklaue auf der Rückseite des Papiers, weil er das Kohlepapier verkehrt herum daruntergelegt hatte.

»Bonnie. Nicht der Hellste in dem Verein, aber wenigstens war es nicht dieser Trottel Landry.« Pete legte den Bericht wieder auf den Schreibtisch. »In Fällen wie diesem ist der Führerschein das letzte Mittel zur Identifikation. Im Allgemeinen ziehe ich Zahnbefunde, Fingerabdrücke oder ein Familienmitglied vor, um die Identifikation mit einem guten Gefühl abzuzeichnen.« Er holte zu einer Erklärung aus: »Ich habe meine Lektion in Vietnam gelernt. Man schickt nicht irgendjemanden in einem Leichensack nach Hause, bevor man nicht mit Sicherheit weiß, dass am anderen Ende die richtige Familie wartet.«

Amanda hörte dies mit großer Erleichterung. Trotz seiner Schrullen war der Mann offenbar gewissenhaft, was seinen Job anging.

»Und?« Pete schnippte Asche von seiner Zigarette. »Was treibt Kenny so? Ich habe ihn schon eine ganze Weile nicht mehr gesehen.«

»Dies und das«, sagte Evelyn. Sie beobachtete jede seiner Bewegungen – wie er ein Papiertaschentuch aus der Hosentasche zog und sich die Nase abwischte, wie seine Zigarette beim Reden auf und ab hüpfte. Unterdessen zog sie so fest an ihren Haaren, dass Amanda schon dachte, sie würde sie sich ausreißen wollen. »Er hilft Bill mit einem Schuppen an unserem Haus.« Kurz kaute sie an ihrer Unterlippe. »Wir wollen später grillen. Möchtest du nicht auch kommen?«

Pete lächelte Amanda an. »Werden Sie auch dort sein?« Ihr wurde flau. Es sollte wohl ihr Schicksal sein, sich zu den Kenny Mitchells dieser Welt hingezogen zu fühlen, während die Pete Hansons die Einzigen waren, die je mit ihr ausgehen wollten. »Vielleicht«, brachte sie mit Mühe hervor.

»Ausgezeichnet.« Er zog einen Rollwagen mit einer Metallschale zu sich heran. In der Schale lagen Skalpelle, Scheren und eine Säge.

Evelyn starrte die Instrumente an. Ihr Gesicht war blass.

»Wisst ihr, vielleicht sollte ich Bill anrufen. Wir sind einfach losgestürzt, ohne ihm zu sagen, wann wir zurück sein werden.«

Das stimmte nicht ganz. Evelyn hatte ihm gesagt, sie habe keine Ahnung, wann sie zurückkommen würden. Bill war, was keine Überraschung war, seiner Frau gegenüber sehr entgegenkommend gewesen.

»Ich sollte ihn wirklich anrufen«, wiederholte Evelyn und stürzte geradezu aus dem Zimmer.

Und Amanda war mit Pete alleine.

Er sah sie an. Sie sah die Güte in seinen Augen. »Sie ist eine klasse Lady, aber das hier ist ein ziemlich anstrengender Zuschauersport.«

Amanda schluckte.

»Wollen Sie, dass ich Ihnen den Arbeitsablauf erkläre?«

»Ich …« Ihre Kehle wurde eng. »Warum müssen Sie eine Autopsie vornehmen, wenn es sich doch um einen Selbstmord handelt?«

Pete dachte über die Frage nach, bevor er den Saal durchquerte. An der Wand hing ein Lichtkasten. Er legte den Schalter um, und die Lampen sprangen an. »Autopsie heißt wörtlich: ›es sich selbst ansehen.‹« Er winkte sie zu sich. »Kommen Sie, meine Liebe. Entgegen den Gerüchten beiße ich nicht.« Amanda versuchte, ihre Beklommenheit zu verbergen, als sie sich neben ihn stellte. Die Röntgenaufnahme zeigte einen Schädel. Die Löcher, wo sonst Augen und Nase waren, sahen unheimlich leer aus.

»Sehen Sie das hier?«, fragte er sie und deutete auf den Hals. Die Wirbelstücke waren gespreizt wie ein Nagelzieheisen. »Diesen Knochen hier nennt man *Os hyoideum* oder Zungenbein. Es hat die Form eines Hufeisens und hängt frei auf der Mittellinie zwischen Kinn und Schildknorpel.« Er demonstrierte es an seinem Hals. »Hier.«

Amanda nickte, obwohl sie nicht wirklich verstand, was er ihr erklären wollte.

»Das Wunderbare an unserem Hals ist, dass man ihn auf und ab und nach links und rechts bewegen kann. Möglich macht dies der Knorpel. Und auch das Zungenbein selbst ist faszinierend. Es ist der einzige gelenklose Knochen in unserem ganzen Körper. Stützt die Zunge. Wackelt, wenn man sie bewegt. Nun, wie gesagt, es sitzt genau hier …« Er deutete wieder an seine Kehle. »Wenn jemand gewürgt wird, findet man normalerweise Quetschungen am Zungenbein. Und hier …« – er hob den Finger ein Stück – »findet man Quetschungen, wenn jemand aufgehängt wird, ganz knapp über dem Zungenbein. Das ist genau genommen das klassische Indiz für den Tod durch Erhängen. Ich bin mir sicher, Sie werden das in Ihrer Karriere noch mehr als einmal zu sehen kriegen.«

»Wollen Sie damit sagen, dass sie erst versuchte, sich zu erhängen?«

»Nein.« Er deutete auf das Röntgenfoto des Halses. »Sehen Sie diese dunklere Linie hier, die das Zungenbein durchtrennt?« Amanda nickte. »Das deutet auf einen Bruch hin, was mir sagt, dass sie erwürgt wurde, wahrscheinlich mit großer Kraft.«

»Mit großer Kraft …«

»Sie ist eine junge Frau. Am Anfang besteht das Zungenbein aus zwei Teilen. Erst im Alter von dreißig verschmilzt das Zungenbein komplett. Fühlen Sie mal selber.«

Amanda wollte ihn auf keinen Fall berühren. Dennoch streckte sie die Hand aus.

Pete grinste. »Sie haben selber einen Hals.«

»Oh. Ja, richtig.« Amanda überspielte ihr Unwohlsein mit einem Kichern. Behutsam berührte sie ihre Kehle mit zwei Fingern. Sie tastete den Bereich ab, spürte, wie Dinge sich hin und her bewegten. In ihrem Kopf hörte sie ein leises Knacken.

»Sie können selbst fühlen«, dozierte Pete weiter, »dass da drinnen alles ziemlich beweglich ist. Sie müssten also schon ordentlich Druck ausüben, damit das Zungenbein bricht.«

Er bedeutete ihr, ihm zu der Leiche zu folgen. Die Zigarette drückte er in einem Aschenbecher auf dem Tisch aus. Ohne Vorwarnung zog er das Tuch so weit zurück, dass Lucys Kopf und Schultern zum Vorschein kamen. »Sehen Sie diese Quetschungen?«

Amanda merkte, dass ihr Blick verschwamm. Sie hatte es nicht mit Absicht getan. Sie blinzelte und konzentrierte sich. Am Hals der Frau erkannte sie dunkelviolette und rote Flecken. Sie erinnerten sie vage an Roz Levy. »Sie wurde gewürgt.«

»Korrekt«, pflichtete Pete ihr bei. »Der Angreifer legte ihr die Hände um den Hals und strangulierte sie. Sehen Sie hier die Fingerabdrücke?«

Amanda beugte sich über die Leiche. Jetzt, da er sie darauf gebracht hatte, erkannte sie die Quetschspuren, die die Finger einer Hand nachzeichneten.

»Die Karotiden«, erklärte er. »Schlagadern. Eine auf jeder Seite des Halses. Sie transportieren sauerstoffreiches Blut ins Hirn. Lebenswichtig. Kein Sauerstoff, keine Hirnaktivität.«

»Richtig.« Sie erinnerte sich an einen Kurs aus ihrer Zeit auf der Polizeiakademie. An einem Vormittag hatte sie dabei zusehen dürfen, wie die Männer den Würgegriff lernten.

»Und jetzt …« Pete legte seine Hände locker um den Hals der Frau. »Sehen Sie, wo meine Hände liegen?« Amanda nickte noch einmal. »Sehen Sie, wie das Zusammenpressen der Karotisarterien beim Strangulieren genug Druck auf die Vorderseite des Halses ausübt, um auf das Zungenbein einzuwirken?« Wieder nickte Amanda. »Was mir sagt, dass diese Frau bis zur Bewusstlosigkeit gewürgt wurde.«

Amanda sah sich die Röntgenaufnahme noch einmal an.

»Und der Sturz vom Dach hat den Knochen nicht brechen können?«

»Wenn ich den Hals öffne, werden Sie sehen, dass das sehr unwahrscheinlich ist.«

Amanda konnte ein Schaudern nicht unterdrücken.

»Sie halten sich wirklich gut.«

Amanda ignorierte das Kompliment. »Hätte sie mit einem gebrochenen Zungenbein weiterleben können?«

»Mit Sicherheit. Ein Bruch des Zungenbeins muss nicht tödlich enden. Ich habe das oft in Vietnam gesehen. Die Offiziere waren im Nahkampf ausgebildet, was sie natürlich gern herzeigten. Man trifft einen Mann hier …« – er deutete einen Schlag gegen seinen Hals an – »mit dem Ellbogen oder der offenen Hand. So kann man ihn betäuben und mit genug Kraft sogar das Zungenbein brechen.« Er hielt sich in typischer Professorenpose die Hand ans Kinn. »Wenn man mit den Fingern über den Hals streicht, fühlt es sich an, als würden Hunderte von Bläschen unter der Haut platzen. Das kommt von der Luft, die aus dem Kehlkopf in die Gewebeschichten entweicht. Zusätzlich zu der offensichtlichen Panik entstehen entsetzliche Schmerzen, Blutungen, Quetschungen.« Er lächelte. »Eine fiese kleine Verletzung. Macht fast augenblicklich kampfunfähig. Man liegt einfach da, ringt verzweifelt nach Luft und hofft, dass einem irgendjemand zu Hilfe kommt.«

»Kann man noch schreien?«

»Ich wäre überrascht, wenn irgendjemand mehr als nur ein heiseres Röcheln hervorbrächte. Aber theoretisch wäre es möglich. Jeder Mensch ist anders.«

Amanda versuchte, all diese neuen Informationen zu verarbeiten. »Aber Sie sagten doch, dass Lucy Bennett erwürgt wurde.« Sie erinnerte sich an Petes genaue Formulierung. »Stranguliert.«

Er schüttelte gleichzeitig den Kopf und zuckte mit den Schultern. »Dazu muss ich erst die Lunge sehen. Die Strangulation verursacht eine Aspirationspneumonie – das Einsaugen von Erbrochenem in die Lungenflügel. Die Magensäure frisst sich ins Gewebe. Das gibt uns einen ungefähren Zeitrahmen. Je größer der Gewebeschaden, umso länger war sie noch am Leben. Wurde sie bis zur Bewusstlosigkeit stranguliert und dann vom Dach geworfen, oder wurde sie zu Tode stranguliert und anschließend vom Dach geworfen?«

»Was wäre der Unterschied?« Lucy war in jedem Fall ermordet worden.

»Wenn man den Täter schnappen will, sollte man die Details des Verbrechens kennen. Auf diese Art kann man feststellen, ob man den Richtigen erwischt hat oder nur einen Spinner, der in die Zeitung kommen will.«

Amanda konnte sich nicht vorstellen, dass sie je einen Täter schnappen würde. Sie konnte sich nicht einmal erklären, warum Pete ihre Fragen überhaupt beantwortete. »Aber würde der Mörder die Details des Verbrechens denn eingestehen? Das würde doch nur der Anklage gegen ihn nutzen.«

»Er wird nicht merken, dass er in die Falle tappt, die Sie ihm gestellt haben«, sagte Pete. »Sie sind schlauer als er. Ihr Täter ist ein Mann, der sich nicht unter Kontrolle hat.«

Amanda dachte darüber nach, richtig überzeugt war sie jedoch nicht. »Er war schlau genug, um zu versuchen, sein Verbrechen zu vertuschen.«

»Nicht so schlau, wie Sie glauben. Sie vom Dach zu werfen war riskant. Dadurch erhielt das Verbrechen Aufmerksamkeit. Er muss davon ausgehen, dass es Zeugen seiner Tat gibt. Warum sie nicht einfach in ihrer Wohnung liegen lassen, damit ein Nachbar sich Tage – oder Wochen – später über den Geruch beschwert?«

Er hatte recht. Amanda musste an die Manson-Morde denken, an die Art, wie die Leichen zur Schau gestellt worden waren. »Glauben Sie, der Mörder wollte uns hiermit eine Botschaft zukommen lassen?«

»Möglicherweise. Wir können außerdem davon ausgehen, dass er das Opfer ziemlich gut kannte.«

»Wie kommen Sie darauf?«

Pete umfasste mit beiden Händen den oberen Rand des Leichentuchs. »Vergessen Sie das Atmen nicht.« Dann zog er das Tuch weg, sodass die Leiche vollends entblößt vor ihnen lag. Amanda schlug die Hand vor den Mund. Doch nichts stieg ihr die Kehle hoch, und sie wurde auch nicht ohnmächtig. Ihr wurde nicht einmal schwindelig. Wie schon bei Roz Levys Fotos hatte sie eine heftige körperliche Reaktion erwartet, empfand jedoch nichts anderes als stählerne Entschlossenheit. Wie bereits in Techwood spürte sie, wie ihr Rückgrat sich versteifte. In ihrem Magen rührte sich nichts mehr. Anstatt umzukippen, merkte sie, wie ihr Blick sich schärfte.

Amanda hatte noch nie zuvor eine Frau völlig nackt gesehen. Es lag etwas Trauriges in der Art, wie die Brüste zur Seite sackten. Ihr Bauch war schlaff. Die Schambehaarung war kurz, wie gestutzt, doch die Innenseiten ihrer Schenkel waren grotesk unrasiert. Blut und Eingeweide quollen zwischen ihren Beinen hervor. Sie war verprügelt worden. Die Quetschungen an Bauch und Rippen waren schwarz verfärbt.

»Um jemanden so zu verletzen, muss man die Person hassen«, erklärte Pete. »Und Hass entsteht nicht ohne Vertrautheit. Fragen Sie meine Exfrau. Sie hat einmal versucht, mich zu erwürgen.«

Amanda sah ihn mit weit aufgerissenen Augen an. Sein Lächeln hatte nichts Anzügliches. Er war nicht nur unheimlich, er war richtiggehend befremdlich. Aber höflich. Amanda konnte sich an keine Unterhaltung mit einem anderen Mann erinnern, der sie nicht ständig unterbrochen hätte oder ihr ins Wort gefallen wäre.

»Sie würden sich für diese Arbeit hier gut eignen«, sagte Pete.

Amanda wusste nicht, ob sie darauf stolz sein sollte. Mit Sicherheit war es kein Gesprächsthema für ein Abendessen.

»Können Sie mir irgendwas über den Nagellack sagen?«

Er zog einen Gummihandschuh aus der Tasche. »Warum sagen Sie es mir nicht?«

Amanda zuckte kurz zurück, nahm dann aber den Handschuh entgegen. Sie versuchte, ihre Hand in den steifen Latex zu schieben.

»Trocknen Sie sich erst die Handfläche ab«, riet Pete. Amanda wischte sich die schweißfeuchte Hand an ihrem Rock ab. Der Handschuh war noch immer ziemlich eng, aber als sie erst die Finger in die Spitzen geschoben hatte, folgte der Rest der Hand problemlos.

Behutsam griff sie nach Lucys Hand. Sie fühlte sich durch den Handschuh kalt an, aber vielleicht bildete Amanda sich das auch nur ein. Der Körper war nicht schlaff, sondern steif.

»*Rigor mortis*«, erklärte Pete. »Die Leichenstarre. Die skelettalen Muskeln ziehen sich zusammen und arretieren die Gelenke. Das Einsetzen variiert abhängig von der Außentemperatur und anderen Faktoren. Sie kann bereits nach zehn Minuten einsetzen und dauert bis zu vierundzwanzig Stunden.«

»Dann kann man anhand des Steifheitsgrads sagen, wie lange sie schon tot ist.«

»Richtig«, bestätigte Pete. »Als ich gestern Nachmittag zu unserem Opfer kam, war es bereits drei bis sechs Stunden tot.«

»Das ist eine ziemlich lange Zeitspanne.«

»Unsere Wissenschaft ist leider nicht so präzise, wie wir es gern hätten.«

Amanda versuchte, den Arm zu drehen. Er ließ sich nicht bewegen.

»Versuchen Sie gar nicht erst, behutsam mit ihr umzugehen. Sie spürt nichts mehr.«

Amanda hörte sich selber schlucken. Sie zerrte den Arm hoch, bis ein lauter Knall ertönte, der Amanda wie ein Stich in die Brust traf.

»Einatmen und ausatmen«, wiederholte Pete. »Denken Sie daran, es sind nur Gewebe und Knochen.«

Amanda schluckte noch einmal. Das Geräusch hallte durch den Saal. Sie sah sich Lucy Bennetts Finger an. »Da ist etwas unter ihren Fingernägeln.«

»Sehr gut beobachtet.« Er ging zu dem Schrank in der Ecke. »Wir sollten es zur Untersuchung ins Labor schicken.« Amanda wünschte sich jetzt Roz Levys Vergrößerungsglas. Das Material unter den Fingernägeln des Mädchens war kein Dreck. »Was glauben Sie, was es ist?«

»Wenn sie sich gewehrt hat, ist es wahrscheinlich die Haut ihres Angreifers. Dann wollen wir hoffen, dass sie ihn auch blutig gekratzt hat.« Pete kam mit einem Objektträger und einem Instrument zurück, das aussah wie ein überdimensionierter Zahnstocher. »Halten Sie die Hand ruhig.« Pete schob das hölzerne Instrument unter den Fingernagel. Ein langer Hautfetzen kam zum Vorschein. »Wenn genug Blut in dem Gewebe ist und Sie einen Verdächtigen finden, können wir sein Blut untersuchen und sehen, ob es die gleiche Blutgruppe und ob er Sekretor oder Nicht-Sekretor ist.«

»Wir brauchen mehr als Blut, um ihn zu überführen.«

»Das FBI leistet zurzeit Erstaunliches mit Enzymen.« Er streifte die Haut auf den Objektträger. »In zehn Jahren werden wir die Analyse von Gewebeproben jedes einzelnen Amerikaners auf Tausenden Computern im ganzen Land gespeichert haben. Dann müssen wir nur noch die entsprechende Gegenprobe durch all diese Computer schicken, und bingo, binnen Monaten hat man Namen und Adresse des Täters.«

»Das sollten Sie mal Butch und Rick sagen.« Die beiden Detectives des Morddezernats würden ihn wahrscheinlich auslachen. »Es ist ihr Fall.«

»Ist er das wirklich?«

Sie machte sich nicht die Mühe, ihm zu antworten. »Schätze, ich muss Ihnen nicht sagen, in welche Schwierigkeiten Evelyn und ich kommen, wenn sie herausfinden, dass wir hier herumgeschnüffelt haben.«

Pete legte den Objektträger auf die Arbeitsfläche. »Wissen Sie was? Das GBI kann seine Frauenquote nicht erfüllen. Es verliert seinen Bundeszuschuss, wenn es die freien Stellen nicht bis zum Jahresende besetzt.«

»Ich arbeite für das Atlanta Police Department.«

»Das müssen Sie aber nicht.«

Pete kannte Duke Wagner offensichtlich nicht so gut wie alle anderen, die sie heute kennengelernt hatte. Butch und Rick waren unwichtig. Ihr Vater würde einen Tobsuchtsanfall bekommen, wenn er wüsste, dass Amanda sich in einer Leichenhalle aufhielt. Einen toten Menschen berührt hatte. Mit einem Hippie darüber sprach, ihren sicheren Job aufzugeben und bei der staatlichen Polizei die Quotenfrau zu spielen.

Aber wer A sagt, muss auch B sagen, dachte sie. Es gab immer noch einen triftigen Grund, warum sie überhaupt hierhergekommen war. Amanda drehte die Hand der Frau um, damit sie das Gelenk im Licht besser sehen konnte. Da waren sie – die vertrauten weißen Narben. »Sie hatte zuvor schon mal versucht, sich das Leben zu nehmen.«

»Vielleicht«, gab Pete zu. »Viele junge Frauen verletzen sich selbst. Im Allgemeinen tun sie es nur der Aufmerksamkeit halber. Ihr Opfer war offensichtlich drogensüchtig. Das sieht man an den Einstichspuren. Wenn sie sich hätte umbringen wollen, hätte sie sich einfach einen goldenen Schuss gesetzt.«

»Sie haben sie gewaschen.«

»Ja. Wir haben Fotos und Röntgenaufnahmen gemacht, ihr dann die Kleidung vom Leib geschnitten und sie, zur Vorbereitung auf die Obduktion, gewaschen. Sie hatte eingeharnt – ein bedauernswerter Nebeneffekt des Strangulierens. Doch man könnte auch sagen, dass das verblasst im Vergleich zum Vorfall der Eingeweide.« Dann fügte er hinzu: »Ich sollte Sie auch darauf hinweisen, dass sie angesichts ihrer Tätigkeit und ihrer Sucht erstaunlich sauber war.«

»Was meinen Sie damit?«

»Wir haben es hier mit den erwartbaren Auswirkungen des Sturzes zu tun – stellen Sie sich einen mit Wasser gefüllten Ballon vor, den man aus großer Höhe auf den Boden wirft. Aber meiner Erfahrung nach baden Süchtige nicht gerne. Die körpereigenen Öle verstopfen die Haut. Sie glauben, dass die Droge so länger im Körper verbleibt. Ich bin mir nicht sicher, ob es dafür eine wissenschaftliche Grundlage gibt – aber jemand, der sich Abflussreiniger in die Adern spritzt, lässt sich von Tatsachen nicht unbedingt beirren. Sie sehen die gestutzte Schambehaarung ...« Er deutete auf die entsprechende Stelle. »Das ist ungewöhnlich, aber ich habe es schon mal gesehen. Einige Männer fühlen sich zu Frauen hingezogen, die kindlicher wirken ...«

»Kinderschänder?«

»Nicht unbedingt.«

Amanda nickte, obwohl ihre Augen die Stelle mieden, auf die Pete gedeutet hatte. Stattdessen untersuchte sie noch einmal Lucys Hand. Der Nagellack war perfekt bis auf die abgeplatzten Ränder. Die Pinselstriche sahen gleichmäßig aus. Es war viel Zeit und Geduld nötig gewesen, um eine derart dicke Schicht aufzutragen. Sogar Amanda, die ihre Nägel jeden Abend vor dem Fernseher polierte und mit Klarlack überzog, schaffte es nicht, auch nur annähernd so makellos zu arbeiten.

»Fällt Ihnen sonst noch etwas auf?«, fragte Pete.

»Ihre Fingernägel.«

»Sind sie falsch? Ich habe in letzter Zeit viele von diesen Plastikdingern aus Kalifornien gesehen.«

»Es sieht aus wie ...« Amanda schüttelte den Kopf. Sie wusste nicht, wie es aussah. Die Nägel waren gerade abgeschnitten, das Nagelbett war gepflegt. Der rote Lack ging nicht über die Nagelränder hinaus. Sie hatte noch keine Frau getroffen, die sich eine professionelle Maniküre leisten konnte. Und sie bezweifelte, dass diese tote Prostituierte die erste sein sollte. Amanda ging um den Tisch herum und griff nach Lucys anderer Hand. Auch hier war der Nagellack perfekt, als hätte eine andere Person ihn aufgetragen.

Amanda öffnete den Mund, verkniff sich dann aber, was sie hatte sagen wollen.

»Na los«, forderte Pete sie auf. »Hier drinnen gibt es keine dummen Fragen.«

»Können Sie feststellen, ob sie Links- oder Rechtshänderin war?«

Pete strahlte, als wäre Amanda seine Vorzeigeschülerin. »An der dominanten Seite wären kräftigere Muskelansätze festzustellen.«

»Vom Halten eines Stifts?«

»Unter anderem. Warum fragen Sie?«

»Wenn ich mir die Fingernägel lackiere, sieht eine Seite immer besser aus als die andere. Bei ihr sind beide Seiten perfekt.«

Sein Lächeln wurde breiter. »Das, meine Liebe, ist der Grund, warum auf unserem Gebiet mehr Frauen arbeiten sollten.«

Amanda bezweifelte, dass irgendeine Frau, die ihre Sinne beisammenhatte, diese Arbeit machen wollte – zumindest keine, die irgendwann heiraten wollte. »Vielleicht hatte sie eine Freundin, die ihr die Nägel lackiert hat.«

»Lackieren Frauen sich wirklich gegenseitig die Nägel? Ich dachte mir immer, dass man sich ›Hinter der grünen Tür‹ gewisse künstlerische Freiheiten herausnimmt.«

Amanda ignorierte die Bemerkung. Behutsam legte sie Lucys Hand wieder auf den Tisch. Es war viel einfacher, sich auf einzelne Teile zu konzentrieren als auf das Ganze. Sie hatte verdrängt, dass es sich bei Lucy Bennett um ein tatsächliches menschliches Wesen handelte.

Das lag zum Teil daran, dass Amanda dem Mädchen immer noch nicht ins Gesicht gesehen hatte. Jetzt zwang sie sich dazu. Sie spürte die gleiche unbeugsame Entschlossenheit wie zuvor, doch dazu kam eine Empfindung, die man nur Neugier nennen konnte. Lucys Gesicht sah jetzt, da das Blut abgewaschen war, anders aus. Wie auf Roz' Foto hing die Haut noch immer schlaff zu einer Seite, aber auch außer dem Offensichtlichen stimmte etwas nicht.

»Könnten Sie …« Amanda wollte nicht geschmacklos klingen, aber sie zwang sich, die Frage zu stellen. »Kann ich die Zähne sehen?«

»Die meisten sind bei dem Sturz abgebrochen. Worauf wollen Sie hinaus?«

»Ihre Gesichtshaut. Kann man sie vielleicht zurückschieben, um ...«

»Natürlich.« Pete trat ans Kopfende. Er packte das lose Fleisch an Wange und Stirn und schob es über den Schädel. Lucy hatte sich bei dem Sturz die Lippe aufgebissen. Pete drückte sie wieder in die Ursprungsposition. Mit den Fingern schob er die Haut um Nase und Augen zurecht wie ein Bäcker, der Teig knetete. »Was denken Sie?«

Es war genau, wie Amanda es erwartet hatte. Diese Frau war nicht Lucy Bennett. Die Narben auf dem Handgelenk waren nicht der einzige Hinweis. Die offenen Wunden an den Füßen zeigten ein vertrautes Muster – wie eine Sternenkonstellation. Davon abgesehen war da noch das Gesicht, das eindeutig Jane Delray gehörte. »Ich denke, wir sollten Evelyn wieder hereinholen.«

»Jetzt wird's spannend.«

Amanda verließ den Raum durch die Pendeltür. Das Labor war leer, also stieß sie die zweite Tür auf, die in den Gang hinausführte. Evelyn stand einige Meter entfernt vor dem Eingang und sprach mit einem Mann in einem marineblauen Anzug. Er war groß, deutlich über eins achtzig. Seine sandfarbenen Haare berührten im Nacken den Kragen. Der Anzug war ganz offensichtlich maßgeschneidert. Das Sakko schmiegte sich an seinen Rücken. Er zündete sich gerade eine Zigarette an, als Amanda zu ihnen trat. Aus weit aufgerissenen Augen warf Evelyn ihr einen alarmierenden Blick zu.

Sie sprach mit Blauer Anzug.

»Mr. Bennett.« Evelyns Stimme war höher als sonst, doch abgesehen davon verbarg sie ihre Nervosität einigermaßen.

»Das ist meine Partnerin, Miss Wagner.«

Er würdigte sie kaum eines Blicks, sondern hielt die Augen weiter auf Evelyn gerichtet. »Wie gesagt, ich will nur meine Schwester sehen und wieder gehen.«

»Wir hätten da noch ein paar Fragen«, setzte sie an, aber Bennett schnitt ihr das Wort ab.

»Gibt es denn keinen Mann, mit dem ich reden kann? Jemand, der hier das Sagen hat?«

»Der Coroner ist dort hinten«, warf Amanda ein. Bennetts Lippen zuckten angewidert – ob bei dem Gedanken an den Coroner oder daran, was er in ihr sah, konnte Amanda nicht sagen. Eigentlich war das aber auch gleichgültig. Sie hatte nur einen einzigen Gedanken: wie arrogant und unsympathisch er wirkte.

»Dr. Hanson richtet die Leiche gerade her«, erklärte Amanda. »Es dauert nur noch ein paar Minuten.«

Evelyn spann die Lüge weiter. »Wie sie jetzt aussieht, wollen Sie sie nicht besuchen, Mr. Bennett.«

»Eigentlich will ich sie überhaupt nicht sehen«, blaffte er sie an. »Wie ich Ihnen bereits sagte, Mrs. Mitchell, war meine Schwester eine Drogensüchtige und Prostituierte. Was ich hier tue, ist eine reine Formalität, damit meine Mutter am Ende ihres Lebens ein wenig Frieden finden kann.«

»Seine Mutter hat Krebs«, erklärte Evelyn.

Aus Respekt vor der Mutter des Mannes ließ Amanda ein paar Sekunden verstreichen, dann aber konnte sie sich die Frage nicht verkneifen: »Mr. Bennett, können Sie uns sagen, wann Sie Ihre Schwester zuletzt gesehen haben?«

Er wandte den Blick ab. »Vor fünf, vielleicht sechs Jahren?« Er sah auf die Uhr. Es war nur eine flüchtige Geste, aber so bezeichnend wie Evelyns Zupfen an den Haarspitzen. »Es ist wirklich kein Vergnügen, hier von Ihnen aufgehalten zu werden. Kann ich jetzt zum Coroner?«

»Nur noch einen Augenblick.« Amanda war nicht sonderlich gut darin, Lügner zu durchschauen, aber in Bennett konnte sie lesen wie in einem offenen Buch. »Sind Sie sich sicher, dass dies der letzte Kontakt mit Ihrer Schwester gewesen ist?«

Bennett zog eine Schachtel Parliaments aus seiner Brusttasche und klopfte eine Zigarette heraus. An seinem Mittelfinger trug er einen breiten goldenen Collegering. *UGA Law School, Class of '74.* In den roten Stein war der Georgia Bulldog eingraviert.

»Mr. Bennett«, wiederholte Amanda, »sind Sie sich ganz sicher? Es hat den Anschein, dass Sie in jüngerer Zeit mit Ihrer Schwester Kontakt hatten.«

Als er sich die Zigarette zwischen die Lippen steckte, blitzte kurz Schuldbewusstsein in seinen Augen auf. »Ich habe ihr einen Brief an die Union Mission geschickt. Ein höchst flüchtiger Kontakt, das kann ich Ihnen versichern.«

»Die Mission an der Ponce de Leon?«, hakte Amanda nach. Die dortige Obdachloseneinrichtung war die einzige, die auch Frauen aufnahm.

»Ich habe versucht, Lucy ausfindig zu machen, als unser Vater starb. Meine Mutter war überzeugt davon, dass sie sich der Hippiebewegung angeschlossen hätte – Sie wissen schon, eine Weile die Aussteigerin spielen. Sie glaubte, Lucy würde irgendwann zurückkommen, aufs College gehen, ein normales Leben führen. Sie konnte einfach nicht akzeptieren, dass Lucy sich für ein Leben als Hure entschieden hatte.«

»Wann starb Ihr Vater?«, fragte Evelyn.

Bennett klappte sein goldenes Feuerzeug auf und ließ sich Zeit mit dem Anzünden der Zigarette. Erst als er eine Wolke blauen Rauchs ausgestoßen hatte, antwortete er: »Das war ein paar Wochen nach meinem Juraabschluss.«

»Im letzten Jahr?«

»Ja. Ende Juli, Anfang August.« Er inhalierte tief den Zigarettenrauch. »Damals war Lucy noch ein braves Mädchen. Ich schätze, sie hat uns alle zum Narren gehalten bis zu dem Tag, als sie mit irgend so einem Rocker nach Atlanta durchbrannte. Ich bin mir sicher, Sie haben diese Geschichte schon Dutzende Male gehört.« Als er ausatmete, stieg Rauch aus seinen Nasenlöchern. »Sie war immer schon eigensinnig. Stur.«

»Woher wussten Sie, dass Sie den Brief an die Union Mission schicken mussten?«, fragte Amanda.

Bennett schien es zu ärgern, dass sie ihn nicht das Thema wechseln ließ. »Ich habe ein paar Leute angerufen, die meinten, dass Lucy dort gelandet sein könnte.«

Amanda fragte sich, welche Leute das wohl waren. Dann entschied sie sich, ein Risiko einzugehen. »Sind Sie Prozessanwalt, Mr. Bennett?«

»Nein, ich bin Steueranwalt. Ich bin Juniorpartner bei Treadwell-Price in der Innenstadt. Warum fragen Sie?«

Evelyn hatte also recht gehabt. Offensichtlich hatte er seinen Chef zu einem Anruf überredet. »Haben Sie damals etwas von Ihrer Schwester gehört?«

»Nein, aber der Mann, der dort arbeitete, versicherte mir, dass er Lucy den Brief gegeben habe. Was immer das auch heißen mag.«

»Erinnern Sie sich noch an den Namen des Mannes?«

»Trask? Trent?« Bennett blies Rauch aus. »Ich weiß es nicht mehr. Er war äußerst unprofessionell. Schmutzige Kleidung. Ungekämmte Haare. Ehrlich gesagt, er hat überdies merkwürdig gerochen. Ich könnte mir vorstellen, dass er Marihuana geraucht hat.«

»Sie sind ihm persönlich begegnet?«

»Man kann solchen Leuten nicht trauen.« Er zog an seiner Zigarette. »Ich dachte mir, vielleicht finde ich Lucy dort. Was ich allerdings fand, war ein Haufen widerwärtiger Huren und Säufer. Ich wusste schon immer, dass Lucy genau an so einem Ort landen würde.«

»Haben Sie sie gesehen?«

»Natürlich nicht. Und ich bezweifle, dass ich sie überhaupt wiedererkannt hätte.«

Amanda nickte, auch wenn dies die merkwürdige Aussage eines Mannes war, der in Kürze seine tote Schwester würde identifizieren müssen.

»Kennen Sie eine junge Frau namens Kitty Treadwell?«, fragte Evelyn.

Er kniff die Augen zusammen. Von der Spitze seiner Zigarette stieg Rauch hoch. »Was wissen Sie von Kitty?« Er ließ sie nicht antworten. »Meine Damen, Sie sollten beide aufpassen, wohinein Sie Ihre Nasen stecken. Sie könnten Ihnen abgeschnitten werden.«

Die Vordertür schlug krachend auf. Rick Landry und Butch Bonnie stürzten in den Flur. Beide runzelten die Stirn, als sie Amanda und Evelyn sahen.

»Endlich«, murmelte Bennett.

Landry war stinksauer. »Was treibt ihr Schlampen hier?« Amanda hatte neben Evelyn gestanden. Nur ein kleiner Schritt, und sie stand vor ihr. »Wir ermitteln in unserem Fall.« Landry würdigte Amanda keiner Antwort. Er drehte sich um und stieß dabei mit der Schulter so hart gegen sie, dass sie zurückweichen musste. »Hank Bennett?« Bennett nickte. »Haben Sie hier das Sagen?«

»Ja«, sagte Landry. »Wir beide.« Er drängte Amanda zur Seite, zwang sie, noch einen Schritt zurückzutreten, während er sich zwischen sie und Bennett drängte. »Ihr Verlust tut uns sehr leid, Sir.«

Bennett winkte ab, als ginge es um eine Lappalie. »Ich habe meine Schwester schon vor langer Zeit verloren.« Wieder sah er auf die Uhr. »Können wir das hier hinter uns bringen? Ich komme sonst zu spät zum Abendessen.«

Landry führte ihn den Gang entlang. Butch folgte ihnen. Er drehte sich zu Amanda und Evelyn um und zwinkerte Amanda anzüglich zu. Sie wartete, bis die drei Männer durch die Tür verschwunden waren.

Da erst stieß Evelyn zischend Luft aus. Sie drückte sich die Hand an die Brust. Sie zitterte.

»Komm.« Amanda griff nach Evelyns Hand. Die andere Frau wehrte sich. Amanda musste sie den Gang geradezu entlangzerren. Sie schob die Tür zum Labor einen Spaltbreit auf, als die Männer den Autopsiesaal betraten.

Amanda wartete, bis die drei drinnen waren, bevor sie die Tür noch ein Stück weiter öffnete. Sie hielt die Knie leicht gebeugt, als würde sie sich anschleichen. Die Vorhänge vor dem Panoramafenster waren immer noch zugezogen.

»Amanda!«, flüsterte Evelyn.

»Pscht!«, zischte Amanda. Behutsam zog sie die Vorhänge ein paar Zentimeter auseinander. Evelyn trat zu ihr, und gemeinsam spähten sie durch das Fenster.

Pete Hanson stand mit dem Rücken an der hinteren Wand. Er hatte die Arme vor der Brust verschränkt. Zuvor war er Amanda sehr entspannt vorgekommen, jetzt jedoch sprach aus seiner Haltung, wie unwohl er sich fühlte.

Landry und Butch standen mit dem Rücken zum Fenster. Hank Bennett stand ihnen gegenüber. Der Seziertisch stand genau zwischen ihnen. Er blickte auf das Gesicht des Opfers hinab.

Evelyn offensichtlich ebenfalls. Sie flüsterte: »Das ist doch Jane Delray!« – im selben Augenblick, als Hank Bennett mit fester Stimme verkündete: »Ja, das ist meine Schwester.«

11. KAPITEL

15. April 1975
LUCY BENNETT

Im Zimmer nebenan war jetzt ein anderes Mädchen. Das alte war verschwunden. Sie war in Ordnung gewesen, aber die Neue war schrecklich. Dauernd weinte sie. Schluchzte. Bettelte. Flehte.

Und sie bewegte sich nicht. Das wusste Lucy ganz sicher. Keine von ihnen bewegte sich. Der Schmerz war zu entsetzlich. Zu unaussprechlich. Er nahm einem den Atem. Er raubte einem das Bewusstsein.

Am Anfang war es unmöglich, es nicht wenigstens zu versuchen. Das klaustrophobische Gefühl war schlichtweg zu heftig. Die unsinnige Angst vor dem Ersticken. Es fing in den Beinen an wie die Krämpfe beim Entzug. Die Zehen bogen sich auf. Die Muskeln schrien nach Bewegung. Es arbeitete sich durch den Körper wie ein heftiger Sturm.

Im letzten Monat hatte ein Tornado das Stadthaus des Gouverneurs erfasst. Das Ganze hatte in Perry Homes angefangen, was allen noch gleichgültig gewesen war. Das Haus des Gouverneurs war allerdings etwas anderes. Es war ein Symbol, das Geschäftsleuten und Würdenträgern auf Besuch zeigen sollte, dass Georgia das Herz des neuen Südens war.

Doch der Tornado hatte andere Vorstellungen gehabt.

Er hatte das Dach abgerissen. Den Park verwüstet. Gouverneur Busbee war voll Kummer über die Zerstörung. Lucy hatte es in den Nachrichten gehört. Es hatte eine Sondersendung mitten in der Wiederholung der Hitparade gegeben. Linda Ronstadt hatte »When Will I Be Loved« gesungen, und anschließend hatte der Gouverneur verkündet, dass man alles wieder aufbauen werde. Phönix aus der Asche.

Als es richtig kalt geworden war, hatte der Mann Lucy erlaubt, Radio zu hören. Er hatte es ganz leise gestellt, damit die anderen Mädchen es nicht hören konnten. Vielleicht hatte er es auch speziell für Lucy so leise gestellt. Sie hörte Nachrichten, Geschichten aus der ganzen Welt, die an ihr vorüberzogen. Dann schloss sie die Augen und spürte, wie der Boden unter ihrem Bett sich bewegte.

Lucy wollte lieber nicht zu viel darüber nachdenken, aber sie ahnte, dass sie sein Liebling war. Und sie erinnerte sich an die Spiele, die sie in der Grundschule mit Jill Henderson gespielt hatte. Jill war geschickt mit den Händen gewesen. Sie hatte ein Blatt Papier genommen und es zu Dreiecken gefaltet. Wie hatte man das gleich wieder genannt?

Lucy versuchte, sich zu konzentrieren. Dass das andere Mädchen so heftig schluchzte, war nicht gerade hilfreich. Sie war nicht laut, aber beharrlich, wie ein jaulendes Kätzchen.

Himmel und Hölle. So hatte das Spiel geheißen.

Jill hatte die Fingerspitzen in die gefalteten Ecken gesteckt. Auf der Innenseite hatten Wörter gestanden. Man fragte, wer in einen verliebt war. Wer einen heiraten würde. Würde man glücklich werden? Würde man ein Kind oder zwei bekommen?

Ja. Nein. Vielleicht. Kyle. John. Bobby.

Nicht nur wegen des Radios fühlte Lucy sich als etwas Besonderes. Der Mann verbrachte mehr Zeit mit ihr, und er ging sanfter mit ihr um als zuvor – als er es mit den anderen Mädchen tat. Das konnte Lucy genau hören.

Wie viele andere hatte es schon gegeben? Zwei, drei? Alle schwach. Alle vertraut.

Die Neue im Nachbarzimmer sollte einfach damit aufhören, sich zu wehren. Sie sollte sich fügen, dann würde er dafür sorgen, dass es besser würde. Ansonsten würde sie enden wie das Mädchen vor ihr. Und das davor. Nichts würde besser werden. Nichts würde sich ändern.

Für Lucy hatten sich die Dinge verändert. Hatte er ihr anfangs Stücke von Wiener Würstchen und Brocken alten Brots zwischen die Zähne geschoben, ließ er sie jetzt selber essen. Sie setzte sich im Bett auf und aß Burger und Pommes von McDonald's. Er saß dann auf dem Stuhl, das Messer auf dem Schoß, und sah ihr dabei zu.

Bildete Lucy es sich nur ein, oder heilte ihr Körper sich wirklich selbst? Sie schlief jetzt besser. In den ersten Wochen – Monaten – hatte sie nichts anderes zu tun gehabt als zu schlafen, aber damals war sie, sobald sie merkte, dass sie einnickte, in Panik wieder hochgeschreckt. Wenn er jetzt ins Zimmer kam, musste er sie oft sogar wecken.

Ein sanftes Rütteln an der Schulter. Ein Streicheln über die Wange. Das warme Gefühl des Waschlappens. Die sorgfältige Pflege ihres Körpers. Er säuberte sie. Er betete für sie. Er heilte sie.

Damals an Juice' Ecke hatten die Mädchen einander Geschichten von üblen Kunden erzählt. Bei welchen man aufpassen musste. Welche man nie kommen sah. Da gab es denjenigen, der einem ein Messer vors Gesicht hielt. Denjenigen, der einem die ganze Faust reinstecken wollte. Denjenigen, der eine Windel trug. Denjenigen, der einem die Fingernägel lackieren wollte.

War dieser Kerl alles in allem also wirklich so übel?

12. KAPITEL

Gegenwart
DIENSTAG

Die Morgensonne blinzelte eben über den Horizont, als Will den Beifahrersitz in Faiths Mini nach hinten schob. Man hatte eine Leiche gefunden, wahrscheinlich die vermisste Studentin von der Georgia Tech, und er vergeudete seine Zeit mit Knöpfen und Hebeln in einem automobilen Witz, um zu verhindern, dass sein Kopf gegen das Dach drückte.

Faith wartete, bis er den Sicherheitsgurt angelegt hatte. »Sie sehen furchtbar aus«, sagte sie.

Will sah sie an. Sie trug, was eine Frau des GBI im Einsatz tragen sollte: Kakihose, marineblaue Bluse, die Glock an den Oberschenkel geschnallt. »Herzlichen Dank.«

Faith stieß zurück. Die Reifen holperten über den Bordstein. Sie sagte sonst nichts, und das war ungewöhnlich. Faith redete gern. Sie stellte gern Fragen. Aus irgendeinem Grund tat sie an diesem Morgen beides nicht. Will hätte sich deswegen Sorgen machen müssen, doch es lastete schon mehr als genug auf seinen Schultern. Seine sinnlose Nacht im Keller. Sein Streit mit Sara. Dass sein Vater auf freiem Fuß war. Dass Amanda etwas vor ihm verbarg. Dass in Techwood eine Leiche gefunden worden war. Dass er seine Frau geküsst hatte.

Unwillkürlich hob Will die Finger an den Mund. Er hatte sich Angies Lippenstift mit einem Papiertuch abgewischt, aber den bitteren, chemischen Rückstand konnte er immer noch schmecken.

»Auf dieser Seite der North Avenue hat es einen Unfall gegeben«, sagte Faith. »Was dagegen, wenn ich die lange Strecke über Ansley fahre?«

Will schüttelte den Kopf.

»Haben Sie heute Nacht nicht geschlafen?«

»Nur ein bisschen.«

»Sie haben da was vergessen.« Sie tippte leicht an ihre Wange. Als Will nicht reagierte, klappte sie den Sonnenschutz vor ihm herunter.

Will sah in den Spiegel. Da war ein kleiner Stoppelstreifen, den er beim Rasieren vergessen hatte. Er sah sich in die Augen. Sie waren blutunterlaufen. Kein Wunder, dass ihm immerzu alle sagten, er sehe schlecht aus.

»Dieser Mord in Techwood …«, setzte Faith an. »Donnelly war als Erster am Tatort.«

Will klappte die Sonnenblende zurück. Detective Donnelly war Faiths Partner gewesen, als sie im Morddezernat des APD angefangen hatte. Er war eine Nervensäge, aber sein größerer Fehler war seine Mittelmäßigkeit. »Haben Sie mit ihm gesprochen?«

»Nein. Nur Amanda.« Sie hielt inne, um Will die Möglichkeit zu eröffnen, sich nach dem zu erkundigen, was Amanda gesagt hatte. Als er jedoch nicht reagierte, erklärte sie: »Ich weiß über Ihren Vater Bescheid.«

Will starrte zum Fenster hinaus. Faith war mehr als nur die längere Strecke gefahren. Es gab bessere Umleitungen, wenn man nicht über die North Avenue nach Techwood fahren wollte. Sie war über Nebenstraßen zum Monroe Drive gezockelt. Eben fuhren sie am Piedmont Park vorbei in Richtung Ansley. Es war sechs Uhr morgens. Auf der North konnte es gar keinen Unfall gegeben haben.

»Mama hat es mir gestern Abend erzählt. Ich habe einen Anruf für sie erledigt.«

Will sah Häuser und Wohnblöcke an sich vorbeiziehen. Sie

kamen an der Praxis des Tierarztes vorbei, der Betty die nötigen Impfungen verpasste.

»Es gibt da einen Kerl, mit dem ich früher mal ausgegangen bin. Ich glaube, Sie haben ihn einmal getroffen. Sam Lawson. Er ist Reporter bei der *AJC*.«

Die *Atlanta Journal/Constitution*. Will wollte lieber nicht darüber nachdenken, was hinter Evelyn Mitchells Anfrage steckte. Er nahm an, dass Amanda irgendeinen machiavellischen Schachzug plante, um vorab zu erfahren, was in der Zeitung stehen würde. Sara las die *AJC* jeden Morgen. Sie war der einzige Mensch in Wills Bekanntenkreis, der sich die Zeitung noch liefern ließ. Würde Sara es so erfahren? Will konnte sich den Anruf nur zu gut vorstellen. Falls sie überhaupt anrief. Vielleicht würde sie es gar nicht tun. Vielleicht würde Sara es als günstige Gelegenheit ansehen, hinter sich zu lassen, was sie gerade erst angefangen hatten. Sie war eine kluge Frau.

»So hat Amanda von der Freilassung Ihres Vaters erfahren.« Wieder hielt sie inne, um ihm eine Chance zum Reagieren zu geben. »Sam hat bei ihr angerufen und um eine Stellungnahme gebeten.« Faith blieb an einer roten Ampel stehen.

»Sam wird die Geschichte nicht bringen. Ich habe ihm ein paar Details über eine Rockerbande gegeben, die das APD wegen Meth-Handels an einer öffentlichen Schule hat hochgehen lassen. Das ist die Titelgeschichte wert. Die andere Sache wird er auf sich beruhen lassen.«

Will starrte zu der dunkel vor ihnen liegenden Ansley Mall hinüber. Die schicken Läden hatten noch nicht geöffnet.

Nichtsdestotrotz waren die Schaufenster in der frühen Morgendämmerung erleuchtet. Er fühlte sich, als würde er zu einer Operation ins Krankenhaus gefahren. Als müsste irgendein Teil seines Körpers entfernt werden. Er würde sich davon erholen. Er würde lernen müssen, seine Sinne so zu trainieren, dass sie das klaffende Loch nicht spürten.

»Was haben Sie mit Ihren Händen gemacht?«, fragte Faith. Will versuchte, seine Finger zu beugen, doch schon die kleinste Bewegung schmerzte. Sein Knöchel pochte mit jedem Herzschlag. Er spürte die Exkursion in den Keller in jedem Knochen.

»Wie auch immer.« Faith fuhr um eine enge Kurve, die sie auf die Fourteenth Street brachte. »Ich habe mir seinen Fall angesehen.«

Will waren die Verbrechen seines Vaters nur allzu vertraut.

»Er ist der Kugel gerade noch entkommen. Furman vs. Georgia war Anfang der Siebziger.«

»Zweiundsiebzig«, erwiderte Will. Die wegweisende Entscheidung des Obersten Gerichts hatte die Todesstrafe zeitweise ausgesetzt. Ein paar Jahre früher oder später wäre Wills Vater vom Staat Georgia hingerichtet worden. »Gary Gilmore war der Erste, der nach Furman wieder hingerichtet wurde.«

»Der Serienmörder, oder? Oben in Utah.« Faith las alles, was sie über Massenmörder in die Finger bekommen konnte. Es war ein unseliges Hobby, das sich aber manchmal als nützlich erwies.

»Ist es denn eine Serie, wenn es nur zwei Opfer gibt?«, fragte Will.

»Ich glaube, zwei genügen nur, wenn sie dicht beieinanderliegen.«

»Ich dachte, es müssten drei sein.«

»Ab drei spricht man immer von einer Serie.« Faith holte ihr iPhone heraus. Sie tippte mit dem Daumen etwas ein, während sie darauf wartete, vorschriftswidrig in die Peachtree einbiegen zu können.

Will starrte die Fourteenth Street hinauf. Von hier aus konnte er das Four Seasons nicht erkennen, wusste aber, dass das Hotel nur zwei Blocks entfernt lag. Vermutlich war das der Grund, warum Faith diesen Umweg fuhr. Sie wusste, dass sein Vater dort abgestiegen war. Will fragte sich, ob der Mann immer noch im Bett lag. Er war über dreißig Jahre im Gefängnis gewesen.

Wahrscheinlich war es ihm mittlerweile unmöglich auszuschlafen. Vielleicht hatte er beim Zimmerservice bereits Frühstück bestellt. Angie hatte erwähnt, dass er jeden Morgen in den Fitnessraum ging. Er stieg aufs Laufband, sah sich eine der Morgenshows an und plante seinen Tag.

»Hier haben wir's. Zwei oder drei begründen eine Serie.« Faith steckte ihr iPhone in den Becherhalter und bog noch bei Rot ab. »Können wir jetzt über Ihren Vater reden?«

»Haben Sie gewusst, dass die Peachtree Street Georgias kontinentale Wasserscheide ist?« Er deutete zum Straßenrand. »Regen, der auf dieser Seite der Straße fällt, fließt in den Atlantik. Regen auf der anderen Seite fließt in den Golf. Vielleicht habe ich jetzt die Seiten verwechselt, aber Sie wissen, was ich meine.«

»Das ist faszinierend, Will.«

»Ich habe Angie geküsst.«

Faith wäre fast über den Bordstein gefahren. Sie riss das Auto auf die Straße zurück. Einen Augenblick schwieg sie, dann sagte sie: »Sie verdammter Idiot!«

So ungefähr fühlte es sich auch an.

»Was haben Sie jetzt vor?«

»Ich weiß es nicht.« Er starrte wieder aus dem Fenster. Sie näherten sich dem Zentrum. »Ich glaube, ich muss es Sara sagen.«

»Nein, das tun Sie auf gar keinen Fall«, entgegnete Faith.

»Sind Sie verrückt? Sie verpasst Ihnen einen Tritt in den Arsch.«

Und das sollte sie vermutlich auch tun. Will konnte Sara unmöglich erklären, dass das älteste Klischee der Welt dieses eine Mal wirklich zutraf: Der Kuss hatte nichts zu bedeuten. Für Will war er lediglich einer Erinnerung daran gleichgekommen, dass Sara die einzige Frau war, mit der er zusammen sein wollte; vielleicht die erste Frau, mit der er *wirklich* zusammen sein wollte. Und für Angie hatte der Kuss nicht mehr bedeutet, als hätte ein Hund an einen Hydranten gepisst.

»Wollen Sie mit Angie zusammen sein?«

»Nein.« Er schüttelte den Kopf. »Nein.«

»Ist sonst noch was passiert?«

Will erinnerte sich daran, dass er ihre Brust berührt hatte.

»Nein …« Er wollte Faith gegenüber nicht ins Detail gehen. »Es gab keinen Kontakt zwischen uns außer …«

»Okay, ich hab's kapiert.« Sie bog auf die North Avenue ein. »Mein Gott, Will.«

Er wollte, dass sie weiterredete.

»Sie dürfen es Sara nicht sagen.«

»Ich kann ihr nichts verheimlichen.«

Sie lachte so laut, dass seine Ohren schmerzten. »Wollen Sie mich verarschen? Weiß sie von Ihrem Vater? Weiß sie, dass er …«

»Nein.«

Faith versuchte erst gar nicht, ihre Ungläubigkeit zu verbergen. »Na, dann machen Sie die Sache mit Angie nicht zur einzigen, über die Sie ihr die Wahrheit sagen.«

»Das ist etwas anderes.«

»Glauben Sie, dass Angie es ihr erzählen wird?«

Will schüttelte den Kopf. Angies Moralkodex war schwer zu entziffern, aber Will wusste, dass sie Sara nie von dem Kuss erzählen würde. Es brachte ihr viel mehr, wenn sie Will damit quälte.

Faith kam direkt zum Punkt. »Wenn es nicht wieder passiert und nichts zu bedeuten hatte, dann werden Sie mit der Schuld weiterleben müssen. Oder ohne Sara.«

Will wollte nicht länger darüber reden. Er starrte zum Fenster hinaus. Wieder standen sie an einer roten Ampel. Bei Varsity brannte bereits Licht. In wenigen Stunden würden Männer den Parkplatz fegen, Nummern auf Windschutzscheiben kleben und Bestellungen entgegennehmen. Mrs. Flannigan war mit den älteren Kindern einmal im Monat zu Varsity gegangen. Als Belohnung für gutes Betragen.

»Haben Sie je versucht, mit den Detectives zu reden, die den Fall Ihrer Mutter bearbeitet haben?«, fragte Faith.

»Einer von ihnen ist verschwunden. Irgendjemand glaubte, er sei nach Miami gezogen. Der andere starb Anfang der Achtziger an AIDS.«

»Hatten die beiden keine Familien?«

»Ich konnte keine finden.« Allerdings hatte Will auch nicht allzu intensiv recherchiert. Es hätte sich angefühlt, als würde er an einem Stück Schorf kratzen. Irgendwann würde es anfangen zu bluten.

»Ich kann nicht glauben, wie oft wir uns in den letzten beiden Jahren unterhalten haben, und Sie haben mir nie davon erzählt.«

Will ließ sie mit dem Warum allein.

Faith überquerte die Interstate. Die Sportlerunterkünfte, die für die Olympischen Spiele gebaut worden waren, trugen inzwischen das Logo der Georgia Tech. Die Straßen waren frisch geteert. Die Bürgersteige waren mit Backsteinen gepflastert. Auch so früh am Morgen sah man bereits Studenten beim Joggen. An der nächsten Ampel bog Faith ab. Sie kannte sich in der Gegend gut aus. Ihr Sohn studierte an der Georgia Tech. Ihre Mutter hatte hier promoviert. Und auch Faith selbst hatte hier vier Jahre lang studiert und ihren Abschluss gemacht, damit sie sich für die Stelle beim GBI bewerben konnte.

Sie zog einen Zettel aus der Sichtblende. Will sah, dass sie darauf die Wegbeschreibung notiert hatte. Sie bremste und murmelte: »Centennial Park North … hier entlang.« Schließlich bog sie auf eine Straße ein und schaltete runter, weil es steil aufwärtsging. Die Gegend bestand aus schicken Backsteinwohnblöcken und Stadthäusern. Die Autos auf den Straßen sahen solide aus – neuere Toyotas und Fords und hin und wieder ein BMW. Die Rasenflächen waren gestutzt. Die Dachgesimse und Fensterrahmen waren weiß gestrichen. An jedem zweiten Balkon hing eine Satellitenschüssel. Das Viertel galt als gemischtes Wohngebiet, was bedeutete, dass eine Handvoll Menschen in den wenigen hochwertigen Wohnungen lebte und der Rest nach dem großen Geld schielte. Will wusste, dass einige der wohlhabenderen Studenten eher hier wohnten als in den Studentenwohnheimen, wo Faiths Sohn untergebracht war.

»Zell Miller Center«, las Faith von einem Schild ab. »Clark Howell Community Building. Das Gemeinschaftszentrum. Wir sind da.« Sie bremste. Die Wegbeschreibung war nicht mehr nötig. Zwei Streifenwagen blockierten die Straße. Ein paar Anwohner tummelten sich bereits hinter der Polizeiabsperrung. Die meisten trugen Pyjamas und Bademäntel. Auch einige Jogger waren stehen geblieben, um zu sehen, was hier los war.

Faith musste mehrere Blocks absuchen, bis sie einen Parkplatz fand. Sie fuhr auf einen Bordstein und zog die Handbremse. Dann fragte sie Will: »Alles okay?«

Er wollte die Frage schon ignorieren, aber das schien ihm nicht fair. »Mal sehen«, murmelte er und stieg dann aus, noch ehe sie etwas erwidern konnte.

Die Straßenlaternen brannten noch, auch wenn die Sonne inzwischen schon höher stand. Zwei Hubschrauber von Fernsehsendern kreisten in der Luft. Das Knattern der Rotoren zerhackte die Luft in Rauschen. Weiter unten auf der Straße drängten sich weitere Journalisten. Kameras wurden aufgestellt, Reporterinnen kontrollieren ihr Make-up, machten sich Notizen.

Will wartete nicht auf Faith. Er steuerte direkt den Tatort an, vor dem Amanda Wagner wartete.

Sie trug den Arm in einer Schlinge – der einzige Hinweis darauf, dass sie die Nacht im Krankenhaus verbracht hatte. Sie stand auf dem Bürgersteig in ihrer gewohnten unifarbenen Kombination aus Rock, Jacke und Bluse. Zwei stämmige Streifenpolizisten hatten sich ihr zugewandt und nickten diensteifrig, als sie ihnen Befehle gab. Sie sahen aus wie Footballspieler im Gedränge kurz vor dem Anpfiff.

Als Will und Faith auf sie zukamen, liefen die Streifenbeamten zu den Schaulustigen hinüber, wahrscheinlich um Namen und Fotos einzusammeln, die sie dann in die Datenbank einspeisen konnten. Amanda bestand bei ihren Ermittlungen immer auf der Vorgehensweise nach alter Schule. Sie verließ sich nicht darauf, dass eine Blutprobe oder ein Haar die Geschworenen überzeugten. Sie bearbeitete einen Fall, bis sie zu einer Lösung kam, die kein menschliches Wesen mehr in Zweifel ziehen konnte.

Sie hielt sich nicht lange mit Small Talk auf. »Ich will Sie nicht hierhaben.«

»Warum haben Sie mich dann gerufen?«

»Weil ich wusste, dass Sie nicht wegbleiben würden.«

Amanda wartete nicht auf eine Erwiderung. Sie drehte sich auf dem Absatz um und ging auf das Gemeinschaftszentrum zu. Will hielt problemlos mit ihr Schritt. Faith blieb auf Abstand, was untypisch für sie war. Sie hing mehrere Schritte zurück.

»Hier regiert der Amtsschimmel«, blaffte Amanda. »Wie Sie wissen, war diese ganze Gegend hier früher ein einziger Slum. Der Staat hat ihn für die Olympiade geräumt, und die Stadt hat ordentlich mitgemischt. Die Tech hat ein Stückchen abbekommen. Die Parkverwaltung hat was zu sagen, das Wohnungsamt, das Stadtarchiv, was ein absoluter Witz ist. Wir haben es hier mit mehr Zuständigkeiten zu tun, als Übertragungswagen vor Ort sind. Im Augenblick hilft das APD aus, aber unsere Techniker und unser Medical Examiner bearbeiten die Spuren.«

»Ich will bei der Autopsie dabei sein.«

»Es wird Stunden dauern, bis …«

»Ich kann warten.«

»Halten Sie das wirklich für eine gute Idee?«

Will hielt es für eine schreckliche Idee, aber das hielt ihn nicht davon ab. »Sie müssen ihn zum Verhör aufs Revier holen.«

»Warum sollte ich das tun?«

Ihre Stimme klang so sachlich und vernünftig, dass Will sie am liebsten geohrfeigt hätte. »Sie kennen die Akte meines Vaters.«

Sie blieb stehen und sah ihn direkt an. »Ja.«

»Halten Sie es für einen Zufall, dass er aus dem Gefängnis entlassen und prompt eine tote Studentin in Techwood gefunden wird?«

»Zufälle passieren die ganze Zeit.« Ihre gewohnte Selbstsicherheit zeigte erste Risse. »Ich kann ihn nicht ohne triftigen Grund aufs Revier holen, Will. Rechtsstaatliches Verfahren? Der Vierte Verfassungszusatz? Kommt Ihnen vielleicht irgendeins dieser unveräußerlichen Rechte bekannt vor?«

»Die haben Sie doch noch nie abgehalten.«

»Ich habe gelernt, dass reiche weiße Männer durchaus Mittel und Wege haben, solchen Unannehmlichkeiten aus dem Weg zu gehen.«

Will merkte, dass sie ihn in die Ecke gedrängt hatte. »Trotzdem …«

»Es gibt dazu nichts mehr zu sagen.« Amanda setzte sich wieder in Bewegung. »Wir haben die vorläufige Identifikation. Es ist Ashleigh Jordan. Ihre Handtasche lag in einem Müllcontainer. Die Kreditkarten waren noch da, aber der Führerschein fehlte. Das Bargeld ebenfalls.«

»Das kommt mir bekannt vor.«

»Die Sunshine Laws sind doch wirklich ein Segen.« Georgias Gesetz zur Informationsfreiheit war eins der liberalsten im ganzen Land. Vor allem Gefängnisinsassen liebten das Gesetz.

»Er hat ein Zimmer im Four Seasons«, sagte Will.

»Das weiß ich«, erwiderte sie. »Wir haben gestern Nachmittag für zwei Stunden seine Spur verloren, aber ich habe dafür gesorgt, dass das nicht noch einmal passiert.«

»Er ist seit fast zwei Monaten draußen.«

Amanda antwortete nicht sofort. »Ich habe den Straferlass für gute Führung nie verstanden. Sollte man sich nicht immer gut führen?«

»Als er rauskam, hat kein Mensch etwas zu mir gesagt.«

»Das liegt an Ihrem versiegelten Jugendregister, Will. Man darf den Betreffenden erst benachrichtigen, wenn er es verlangt.«

»Er hätte drinnen verrecken sollen.«

»Ich weiß.«

Einer der Streifenbeamten rief: »Dr. Wagner?«

»Ihr zwei geht schon mal vor«, sagte Amanda, blieb stehen und wartete auf den Streifenbeamten.

Will ging weiter. Faith musste schneller laufen, um mit ihm mitzuhalten. »Was war das denn?«

Er schüttelte lediglich den Kopf, als sie auf den Parkplatz traten. Der Boden fiel leicht ab. Im hinteren Teil bildete eine Gruppe Detectives einen Halbkreis um die Leiche. Die Frau lag vor einem großen Müllcontainer. Eine Ziegelmauer fasste den Metallbehälter an drei Seiten ein. Die großen Metalltüren standen offen. Das Vorhängeschloss hing mit aufgebrochenem Bügel am Riegel. Irgendjemand hatte es bereits mit einem gelben Aufkleber markiert, damit es als Beweismittel registriert würde.

Will sah sich um. Er fühlte sich beobachtet. Vielleicht bildete er es sich aber auch einfach nur ein. Er musterte die Umgebung. Das Gemeinschaftszentrum lag auf der gegenüberliegenden Seite des Parkplatzes. Wohnblocks säumten die anderen Seiten. Die weißen Garagentüren sahen aus wie Zähne im Zahnfleisch des Backsteins. In einiger Entfernung sah er einen Spielplatz mit leuchtend farbigen Tunnels und Schaukeln. Am Horizont ragte das Coca-Cola-Gebäude in die Höhe.

Wenn er die Augen zusammenkniff und über die Interstate zurückschaute, konnte er die vertraute rostfarbene Fassade des Four Seasons erkennen.

»Noch ein Fall, der vom glorreichen GBI gelöst wird.« Leo Donnelly lachte an der Zigarette in seinem Mundwinkel vorbei. Wie üblich trug der Detective des Morddezernats einen hellbraunen Anzug, der vermutlich bereits zerknittert gewesen war, als er ihn an diesem Morgen vom Boden aufgehoben hatte. Sein neuer Partner, ein junger Kerl namens Jamal Hodge, nickte zu Faith hinüber.

Leo zwinkerte ihr zu. »Siehst gut aus um die Brust herum, Mitchell. Schätze, du stillst noch, oder?«

»Leck mich, Leo.« Faith zog ihr Notizbuch aus der Handtasche. »Wann wurde der Fund gemeldet?«

Leo zückte seinerseits ein Notizbuch. »Vier Uhr achtunddreißig am fröhlichen frühen Morgen. Hausmeister kommt zum Schichtbeginn, sieht sie und dreht durch. Sein Name ist Otay Kehole.«

»Utay Keo«, korrigierte Jamal ihn.

»Seht euch diesen Klugscheißer an.« Leo warf ihm einen bösen Blick zu. »Uuuu-tay ist Student an der Tech. Vierundzwanzig Jahre alt. Lebt mit der Mutter seines Kindes zusammen. Keine Vorstrafen.«

»Kommt er dafür infrage?«, fragte Faith.

»Unwahrscheinlich«, antwortete Jamal.

Leo klappte sein Notizbuch zu. Er nahm einen Zug an seiner Zigarette und starrte Jamal an. »Der Junge ist aus Kambodscha und seit zwei Jahren hier. Arbeitet auf Studentenvisum. Hat sich freiwillig Fingerabdrücke und DNS abnehmen lassen. Kein Eintrag im Polizeiregister. Kein Motiv. Ich bin mir sicher, er hat in seinem Leben schon ein paar Huren gevögelt – wer hat das nicht –, aber er hat nicht mal ein Auto. Kam mit dem Bus hierher.«

»Sie haben das Opfer anhand der Kreditkarten identifiziert?«, fragte Will.

Jamal streckte die Hand aus, um Leo den Vortritt zu lassen.

»Wir sind uns sicher, dass es Jordan ist«, sagte Leo. »Das Gesicht ist ein Trümmerfeld, aber die blonden Haare sind ein gutes Indiz.«

»Haben Sie die Familie schon benachrichtigt?«, fragte Will.

»Ihre Mom lebt nicht mehr«, erklärte Leo. »Ihr Dad fliegt soeben von einer Geschäftsreise aus Salt Lake City zurück.«

»Wir haben ihn um die zahnärztlichen Unterlagen gebeten«, fügte Jamal hinzu.

»Klasse, danke«, murmelte Faith. Wahrscheinlich dachte sie an den langen Heimflug des Vaters, den Augenblick in der Leichenhalle, wenn sein Leben sich für immer ändern würde. Sie wandten sich alle wieder dem Müllcontainer zu. Die Schaulustigen hatten sich zerstreut, sodass die Techniker mit dem mühseligen Prozess der Tatortsicherung und Spurensuche anfangen konnten.

Will sah hinab auf die verdrehte Leiche der Frau. Lange blonde Haare verdeckten ihr Gesicht. Sie lag auf dem Rücken. Die Arme waren verrenkt, die Handgelenke lagen offen da. Ihr Gesicht war eine einzige blutige Masse, auch für die engsten Freunde wahrscheinlich nicht mehr zu erkennen. Ihre Fingernägel waren leuchtend rot lackiert. Die Kleidung war blutverklebt. Will ahnte, was sie unter dem engen T-Shirt und dem blumengemusterten Rock finden würden.

»So was sieht man nicht alle Tage«, sagte Leo. »Der Kerl hat auf ihren Bauch eingeprügelt, bis die Eingeweide hinten rauskamen. Auf YouTube findet man so einen Scheiß nicht.« Er kicherte in sich hinein. »Zumindest nicht, bis ich herausgefunden habe, wie die Kamera von meinem iPhone funktioniert.«

»Der Herr steh uns bei«, murmelte Jamal. Er ging zu Charlie Reed hinüber, dem Leiter der Spurensicherung des GBI.

»Ach, komm, Hodge«, rief Leo ihm nach. »Das war ein Scherz!«

»Echt schlau von dir, Leo«, sagte Faith. »Willst du wirklich den Enkel des Deputy Chief vergraulen?«

Will sah Faith an. Ihre Stimme klang ein wenig zittrig. Den Anblick von Leichen hatte sie noch nie gut vertragen, aber mit purer Entschlossenheit immer überstanden. Ein Riss in ihrer Fassade, und Leo oder einer von seinem Schlag würde aus Faith einen Witz machen, über den in jedem Bereitschaftssaal beim Morgenappell gelacht werden würde. Faith hatte Will einmal erzählt, dass die Arbeit mit Leo so gewesen sei, als würde man einem Aufziehäffchen zusehen, das es nicht ganz schaffte, die Becken aufeinanderzuschlagen.

Will fragte sie lieber nicht, ob alles in Ordnung war. Stattdessen kniete er sich neben die Leiche, doch so weit entfernt, dass er die unmittelbare Umgebung nicht kontaminierte. Die Tatortfotografen warteten nicht auf die Sonne. Ihre Digitalkameras und Computer lagen schon auf einem Klapptisch bereit. Eine der Frauen schaltete den Dieselgenerator an. Die Xenon-Scheinwerfer flackerten. Die Hand des Opfers hob sich grell vom Asphalt ab. Die rot lackierten Fingernägel glänzten, als wären sie noch feucht.

»Was ist das hier für ein Gebäude?«, wandte sich Faith an Leo. »Immer noch das Gemeinschaftszentrum?«

»Keine Ahnung.« Leo zuckte mit den Schultern. »Schätze, es ist nach dem Kerl im Radio benannt.«

Will stand zu schnell auf und musste gegen einen leichten Schwindel ankämpfen. »Clark Howell war Herausgeber der *Atlanta Constitution*.«

»Im Ernst?«, fragte Leo.

»Er strotzt heute nur so von faszinierendem unnützem Wissen«, sagte Faith. »Gibt es irgendwelche Spuren?«

»Was geht euch das an?«

Faith stemmte die Hände in die Hüften. »Sei kein Arschloch, Leo. Du weißt, dass dies ein Fall für den Staat ist. Habt ihr irgendwelche Spuren, oder soll ich Jamal fragen?«

Widerwillig ließ sich Leo zu einer Antwort herab: »Ich habe ein paar Anrufe gemacht und in der Zentrale nachgefragt. In unseren Akten haben wir niemanden, der einem Mädchen derart die Scheiße aus dem Leib prügeln würde.« Er lachte über seinen eigenen Witz. »Im wahrsten Sinne des Wortes.«

»Hatte sie irgendwelche Feinde?«

»Darüber solltet ihr besser Bescheid wissen als ich.«

»Hatte sie ein Drogenproblem?«

Leo schniefte und rieb sich die Nase. »Nichts Ernstes, soweit ich gehört habe.«

»Koks oder Meth?«

»Sie ist Studentin. Was glaubst du?«

»Meth«, murmelte Faith. »Und pass auf deine Verallgemeinerungen auf, Leo. Mein Junge geht auch auf die Tech, und er schluckt nichts Härteres als Red Bull.«

»Na klar.«

»Faith«, rief Amanda. Sie stand am Rand des Parkplatzes und winkte sie zu sich. Faith warf Leo einen strengen Blick zu, bevor sie zu Amanda hinübergingen.

Leo rief ihnen nach: »Sie brauchen mir nicht zu danken, Officer. Es war mir ein Vergnügen.«

Amanda kramte in ihrer Handtasche, als sie zu ihr kamen. Dann zog sie ihr Blackberry heraus. Der Riss im Gehäuse zeugte immer noch von ihrem Sturz. Sie blätterte ihre E-Mails durch, während sie berichtete: »Eine der Streifen hat einen Jogger aufgetrieben, der in dieser Gegend kurz nach vier Uhr heute Morgen einen verdächtigen grünen Minivan beobachtet hat.«

»Hat er sich eben erst gemeldet?« Faith sah auf die Uhr. »War er zwei Stunden lang unterwegs?«

»Das klingt nach einer guten Anfangsfrage. Er wohnt dort, Apartment zwei-sechs-zwanzig.« Amanda deutete auf das Gebäude auf der anderen Straßenseite. »Seht zu, dass ihr eine schriftliche Aussage von ihm bekommt. Korrekt und mit allen Details.«

»Ich rede mit ihm«, bot Will an. Er wandte sich schon zum Gehen, doch Amanda hielt ihn auf.

»Faith, Sie machen das.«

Faith warf ihm einen entschuldigenden Blick zu, bevor sie sich auf den Weg zu dem Wohnblock machte.

Amanda hob den Finger, um Will zum Schweigen zu bringen. Sie überflog noch ein paar E-Mails und steckte das Blackberry dann wieder in die Handtasche. »Sie wissen, dass Sie diesen Fall nicht bearbeiten können.«

»Ich sehe nicht, wie Sie mich davon abhalten wollen.«

»Die Sache muss auf dem Papier lupenrein aussehen. Wir können es uns nicht leisten, dass der Fall vor Gericht auseinandergenommen wird.«

»Beim letzten Mal hatte sein Fall vor Gericht Bestand, und er kam trotzdem wieder frei.«

»Willkommen im Strafrechtssystem. Ich dachte, inzwischen wären Sie damit vertraut.«

Will starrte über die Interstate. Der morgendliche Stoßverkehr stand kurz bevor. Schon jetzt füllten Autos die vierzehn Spuren. Ein Schild wies den Weg zu den Emory Hospitals. Sara war an der Emory University gewesen. Grady gehörte zu ihren Lehrkrankenhäusern. Jetzt gerade machte sie sich vermutlich für die Arbeit fertig. Duschte, föhnte sich die Haare. Normalerweise führte Will die Hunde aus, bevor er zur Arbeit ging. Er fragte sich, ob es ihr leidtat, dass das heute nicht passiert war.

»Geben Sie uns die Zeit, das hier richtig zu machen, Will«, sagte Amanda. »Es muss wasserdicht sein.«

Will schüttelte den Kopf. Die Mittel waren ihm egal, nur das Ziel war wichtig. »Wir müssen diesen Fall von Anfang an abarbeiten.«

»Was glauben Sie, was ich bis jetzt getan habe?«, fragte sie.

»Seit ich davon erfahren habe, arbeiten zwei Teams daran. Wir haben es mit einer Zeitspanne von mehr als fünfunddreißig Jahren zu tun, und das in einer Stadt, die sich alle fünf Jahre selbst niederreißt. Sein alter Tummelplatz ist jetzt ein zwölfstöckiger Bürokomplex.«

»Ich sehe ihn mir an. Faith kann ja mitkommen.«

»Er wurde bereits von oben bis unten durchsucht.«

»Nicht von mir.«

Sie sah ihn nicht an. Wie Will starrte sie über die Interstate.

»Motiv, Mittel und Gelegenheit.« Das war Amandas Mantra.

»Sie wissen, dass er alles davon hatte.«

Sie nickte knapp. Wenn Will sie nicht genau gemustert hätte, hätte er es übersehen. Er studierte ihr Profil. Sie schien ebenso müde zu sein wie er selbst. Sie hatte dunkle Ringe unter den Augen. Um Augen und Mund hatte ihr Make-up sich in den Fältchen verkrustet.

»Eins muss ich sagen«, fuhr sie fort. »Was Sie mit diesem Keller gemacht haben, hat mir gut gefallen.«

Will ballte die Fäuste. Die Schnitte an seinen Fingern platzten auf. »Haben Sie gefunden, wonach Sie suchten?«

Seine Kiefergelenke knackten, als er den Mund zum Sprechen öffnete. »Sie waren noch mal dort?«

»Eine interessante Frage.«

»Wie lange wissen Sie schon über meinen Vater Bescheid?«

»Sie arbeiten für mich, Will. Es ist mein Job, alles über Sie zu wissen.«

»Warum hat dieser Reporter Sie angerufen?«

»Schätze, es roch nach einer guten Geschichte – dass ausgerechnet Sie sich für den Weg von Recht und Ordnung entschieden haben. Ihre Auferstehung aus der Asche. Atlantas Symbol ist der Phönix. Das passt doch gut.«

Er machte auf dem Absatz kehrt und ging in Richtung North Avenue zur Brücke über die Interstate. Amandas Schritte waren nur halb so lang wie seine. Sie musste sich anstrengen, um mit ihm mitzuhalten.

»Wohin gehen Sie?«

»Ich will mit meinem Vater reden.«

»Zu welchem Zweck?«

»Sie kennen seine Akte. Sie wissen, dass er Verhaltensmuster hat. Eine tötet er, eine andere hält er sich. Er hat sie sich wahrscheinlich schon ausgesucht.«

»Soll ich eine Fahndung nach einer verschwundenen Prostituierten rausgeben?«

Sie machte sich über ihn lustig. »Sie wissen, dass er nach einem neuen Mädchen sucht.«

»Wie gesagt, er steht unter Beobachtung. Er hat sein Zimmer nicht verlassen.«

»Außer gestern Nachmittag.«

Sie ließ sich zurückfallen. »Sie werden *nicht* mit ihm reden!«
Will drehte sich um. Amanda erhob nie ihre Stimme. Sie schrie
nicht. Sie stampfte nicht mit dem Fuß auf. Sie fluchte nicht. Sie
flößte ihrem Gegenüber einzig und allein durch ihren Ruf Angst
ein. Doch jetzt gerade und zum ersten Mal seit fünfzehn Jahren
durchschaute er sie. Eigentlich war sie ein Niemand. Eine alte
Frau mit dem Arm in einer Schlinge und Geheimnissen, die sie
mit ins Grab nehmen würde.

»Ich habe den Befehl gegeben, Sie zu verhaften, sobald Sie
auch nur einen Fuß in das Hotel setzen. Verstanden?«

Er starrte sie hasserfüllt an. »Ich hätte Sie in diesem Keller
verfaulen lassen sollen.«

»Ach, Will.« In ihrer Stimme lag Bedauern. »Ich habe das Gefühl, dass wir uns, wenn das alles vorbei ist, beide wünschen
werden, Sie hätten es getan.«

13. KAPITEL

Gegenwart
SUZANNA FORD

Sie vermisste *Dancing With the Stars*. Sie vermisste Bobo, ihren kleinen Hund, der gestorben war, als sie zehn war.

Sie vermisste ihre Großmutter, die gestorben war, als sie elf war, und ihren Großvater, der ein paar Monate später gestorben war. Sie vermisste Adam, ihren Goldfisch, der in der Nacht gestorben war, nachdem sie ihn aus dem Laden geholt hatte. Suzanna hatte ihn auf der Seite treibend im Aquarium gefunden. Seine Augen waren leer gewesen. Sie hatte ihr Spiegelbild darin sehen können.

Suzanna hatte in dem Laden angerufen, um sich zu beschweren.

»Spül ihn einfach die Toilette runter«, hatte der Verkäufer zu ihr gesagt. »Komm morgen vorbei, und du bekommst einen neuen.«

Suzanna hatte sich unwohl gefühlt bei dem Gedanken. Es hatte sich irgendwie falsch angefühlt. Bedeutete Adam denn gar nichts? War er so leicht ersetzbar? Einfach nur einen neuen Fisch ins Aquarium setzen und vergessen, dass Adam je existiert hatte? Und den neuen auch Adam nennen? Ihm Adams Futter geben? Ihn durch Adams Schatztruhe und sein rosa Korallenschloss schwimmen lassen?

Letztendlich hatte sie jedoch nichts anderes tun können.

Suzanna hatte ihn die Toilette hinuntergespült. Als das Wasser in der Schüssel gewirbelt hatte, konnte sie seine Schwanzflosse hochschnellen sehen. Die Glaskugel seines Augapfels hatte sich ihr zugedreht, und sie hatte darin so etwas wie Panik erkannt.

In ihren Träumen war Suzanna dieser Fisch. Sie war Adam eins, weil natürlich die Versuchung zu groß gewesen war – sie war tags darauf in den Laden gegangen und hatte Adam zwei umsonst bekommen.

Das war die Gesamtheit ihres Traums: Suzanne eins, die hilflos zur Decke starrte, während sie in Windeseile den Abfluss hinunter, hinunter, hinunterwirbelte.

14. KAPITEL

14. Juli 1975
MONTAG

Amanda stand in der Parkgarage des Sears-Gebäudes an ihren Plymouth gelehnt und wartete auf Evelyn. Die Luft in dieser unterirdischen Halle stand still. Selbst die Kühle, die die Wände aus Gussbeton abstrahlten, konnte gegen die sengende Hitze nichts mehr ausrichten. Bereits um sieben Uhr morgens spürte Amanda, wie ihr der Schweiß den Nacken hinab in den Kragen lief.

Weder sie noch Evelyn hatten noch Lust auf das Grillfest gehabt, nachdem sie am Samstagabend die Leichenhalle verlassen hatten. Hank Bennett. Das falsch identifizierte Mädchen. Die roten Fingernägel. Das gebrochene Zungenbein. Sie hatten viel zu verarbeiten, und beide hatten sich nicht zu einer zusammenhängenden Unterhaltung imstande gesehen. Sie waren einsilbig geblieben, Amanda wegen der Dinge, die sie bei Pete Hanson gesehen hatte, und Evelyn – höchstwahrscheinlich –, weil sie das Wiedersehen mit Rick Landry aus der Fassung gebracht hatte. Doch was immer die Gründe gewesen sein mochten: Evelyn war nach Hause gefahren zu ihrem Ehemann, und Amanda war in ihre leere Wohnung zurückgekehrt. Der Sonntag hatte dann eine willkommene Rückkehr zur Normalität gebracht. Amanda hatte ihrem Vater das Frühstück zubereitet. Sie waren in die Kirche gegangen. Sie hatte das Sonntagsessen gekocht. In der ganzen Zeit war Duke deutlich fröhlicher gewesen. Er hatte ein paar Witze über den Priester gerissen. Er hatte das Gefühl, in seinem Fall Oberwasser zu bekommen. Er hatte wieder mit seinem Anwalt gesprochen. Lars Oglethorpes Wiedereinstellung war auf jeden Fall eine gute Nachricht für die Männer, die Reginald Eaves entlassen hatte.

Amanda bezweifelte, dass es eine gute Nachricht für sie war. Die Reifen quietschten, als Evelyns Kombi um eine Rechtskurve fuhr. Sie stieß rückwärts in die Lücke neben Amandas Plymouth und rief durchs offene Fenster: »Hat Kenny dich gestern angerufen?«

Amanda spürte Panik in sich aufsteigen. »Warum sollte Kenny mich anrufen?«

»Ich hab ihm deine Nummer gegeben.«

Amanda war zu verlegen, um etwas anderes tun zu können, als zu starren. »Warum hast du ihm meine Telefonnummer gegeben?«

»Weil er mich darum gebeten hat, Kindskopf! Warum klingst du so überrascht? Warum stehst du einfach nur dort rum?«

Amanda schüttelte den Kopf, als sie einstieg. Männer wie Kenny Mitchell fragten nicht nach ihrer Telefonnummer. »Es ist wirklich nett von dir, dass du das eingefädelt hast, aber wir sollten keine Zeit verschwenden auf Dinge, die sowieso nicht passieren.«

»Du kannst …« Evelyn brach ab, aber nur für ein paar Sekunden. Dann platzte es aus ihr heraus: »Du kannst doch Tampons tragen, oder?«

Amanda drückte sich die Finger auf die Lider. Es war ihr egal, ob sie ihr Make-up verschmierte. »Wenn ich jetzt Ja sage, können wir dann bitte das Thema wechseln?«

Evelyn ließ sich nicht davon abbringen. »Du weißt, Pete ist ein richtiger Arzt. Er kann dir ein Rezept ausstellen und stellt keine Fragen, und wenn du dem Kerl in der Plaza-Apotheke ein paar Dollar extra zusteckst, macht er deswegen auch kein großes Tamtam.«

Amanda fächelte sich Luft ins Gesicht. Im Auto war die Hitze noch stickiger. Sie versuchte, nicht daran zu denken, dass gestern in ihrer leeren Wohnung das Telefon geklingelt hatte.

»Es ist inzwischen legal, Süße. Man muss nicht mehr verheiratet sein, um an Verhütungsmittel zu kommen.«

Diesmal war Amandas Lachen echt. »Ich glaube, du ziehst da eine Menge voreiliger Schlüsse.«

»Vielleicht, aber es macht doch Spaß, oder?«

Amanda fühlte sich gedemütigt, doch sie versuchte, es zu verbergen, indem sie noch einmal auf die Uhr sah. »Hat dich das den ganzen Sonntag beschäftigt, oder hattest du auch noch Zeit, darüber nachzudenken, was wir hier treiben?«

Evelyn verdrehte die Augen. »Soll das ein Witz sein? Es ging mir die ganze letzte Woche nicht mehr aus dem Kopf. Heute Morgen war ich so abgelenkt, dass ich Salz statt Zucker in Bills Kaffee gestreut habe.« Sie machte eine Atempause. »Was ist mit dir?«

»Ich bin Butchs Notizen noch mal durchgegangen.« Amanda zog das Notizbuch des Detective aus ihrer Handtasche.

»Siehst du das hier?« Sie deutete Evelyn zuliebe auf die Seite. Die Buchstaben »VI« waren zwei Mal eingekreist.

»Vertraulicher Informant«, sagte Evelyn. Sie blätterte in dem Notizbuch zurück. »Schreibt er sonst noch was darüber? Einen Namen vielleicht?«

»Nein, nichts. Aber viele von Butchs Fällen hängen von VIs ab.« Eigentlich die meisten. Der Mann war gut darin, Kriminelle und anderes Pack zu finden, das Informationen weitergab, um nicht selbst im Gefängnis zu landen. »Er nennt seine Quellen nie beim Namen.«

»Oh, das ist raffiniert.« Sie überflog die Seiten und hielt bei einer groben Skizze der Wohnung inne, in der Jane Delray gelebt hatte. »Er hat das Badezimmer weggelassen. Hat er die Wohnung überhaupt durchsucht?« Sie beantwortete sich die Frage selbst. »Natürlich nicht. Warum sollte er?«

Amanda sah wieder auf die Uhr. Sie wollte nicht zu spät zum Morgenappell kommen. »Wir sollten besprechen, was wir heute vorhaben. Vom Büro aus kann ich meine Freundin im Wohnungsamt anrufen. Vielleicht finden wir so heraus, wer die Wohnung gemietet hat.«

Evelyn hielt einen Augenblick inne, um den Gang einzulegen. »Und ich rufe Cindy Murray von der Five an und frage, ob sie Zeit hat, in der Kiste mit den konfiszierten Führerscheinen nach einer Lucy Bennett zu suchen. Wenigstens bekommen wir so ein Foto von ihr.«

»Ich weiß nicht, ob das was bringen wird. Pete muss die Identifikation unterschreiben. Sie kam von ihrem eigenen Bruder.« Weder sie noch Evelyn hatten die Nerven, Hank Bennetts Identifikation seiner vermeintlichen Schwester öffentlich in Zweifel zu ziehen. »Bennett hat sie seit fünf oder sechs Jahren nicht mehr gesehen. Glaubst du, er wusste, dass es nicht Lucy war?«

»Ich glaube, ihn hat nur interessiert, nicht zu spät zu seinem Abendessen zu kommen.«

Sie schwiegen beide. In Amandas Kopf spielten die Gedanken Pingpong. Sie sprangen umher, verloren sich. Es war einfach zu viel, um alles im Blick zu behalten.

Evelyn ging es offensichtlich genauso. »Gestern Abend haben Bill und ich ein Puzzle angefangen – Brücken des Pazifischen Nordwestens. Zeke hat es letzten Monat zum Vatertag ausgesucht. Ich dachte die ganze Zeit: Genauso habe ich mich die ganze letzte Woche gefühlt. Als würden dort draußen all diese verschiedenen kleinen Teile herumwirbeln, und wenn ich sie nur zusammensetzen könnte, dann würde ich vielleicht das ganze Bild sehen.«

»Ich weiß, was du meinst. Ich tue nichts anderes, als mir selber Fragen zu stellen, und wie's aussieht, bekomme ich auf keine eine befriedigende Antwort.«

»Hey, ich hab da eine verrückte Idee.«

»Das überrascht mich.«

Evelyn schnitt eine Grimasse und drehte sich dann zum Rücksitz des Kombis um.

»Was tust du da?«

Sie beugte sich über die Rückenlehne. Ihre Beine kamen hoch. Amanda sah sich auf dem Parkplatz um und hoffte, dass man sie nicht gesehen hatte.

»Evelyn«, sagte sie. »Was um alles in der Welt …«

»Hab sie.« Endlich rutschte sie wieder auf ihren Sitz. Sie hielt einen Stapel Bastelpapier in der Hand. »Zekes Kreiden sind da unten mit dem Teppich verschmolzen … Hast du einen Stift dabei?« Sie stieß die Tür auf.

Amanda stieg aus und trat neben sie vor die Motorhaube. Evelyn zog ein Blatt Papier vom Stapel und schrieb mit Amandas Stift darauf: »HANK BENNETT«. Auf das nächste schrieb sie: »LUCY BENNETT«, auf das dritte: »JANE DELRAY«. Sie schrieb »MARY« auf das nächste und »KITTY TREAD-WELL« auf ein weiteres Blatt, dann »HODGE«, »JUICE/DWAYNE MATHISON« und schließlich »ANDREW TREADWELL«.

»Was machst du da?«

»Puzzlestücke.« Sie breitete die bunten Blätter auf der Motorhaube des Falcon aus. »Fügen wir sie zusammen.«

Amanda betrachtete die einzelnen Namen. Die Idee war gar nicht so verrückt. »Gehen wir es chronologisch an.« Im Sprechen bewegte sie die Namen umher. »Hank Bennett kam aufs Revier, woraufhin Sergeant Hodge uns nach Techwood schickte. Schreib ein neues für Tech.« Evelyn schrieb den Namen auf ein weiteres Blatt. »Wir müssen die Namen spezifizieren.« Amanda nahm den Stift und schrieb die Details dazu: Datumsangaben, Uhrzeiten, was man ihnen gesagt hatte. Der Motor des Falcon knackte in der Hitze. Das Metall der Motorhaube brannte an ihrer Taille.

»Ich mache mal eine Zeittafel«, schlug Evelyn vor. Amanda reichte ihr den Stift. Sie deutete zu den einzelnen Blättern, während sie den Ablauf aufsagte: »Hank Bennett kommt am Montag zu Sergeant Hodge. Hodge schickt uns nach Techwood, um eine Vergewaltigung aufzunehmen.« Sie warf Evelyn einen Blick zu. »Hodge will uns nicht sagen, warum er uns überhaupt hingeschickt hat. Eine Vergewaltigung gab es offensichtlich gar nicht. Warum also schickte er uns trotzdem dorthin?«

»Ich frage ihn heute Vormittag noch mal, aber bei den letzten vier Malen hat er mich abblitzen lassen.«

Amanda drängte es zu einem Kompliment: »Dass du das überhaupt getan hast, war echt mutig.«

»Und was hat es gebracht?« Evelyn tat das Lob ab. »Juice, der Lude, gehört nicht hier rein.«

»Außer er ist derjenige, der Jane umgebracht hat.«

»Das ist nicht sehr wahrscheinlich. Juice saß wahrscheinlich im Gefängnis, als es passierte. Oder ließ sich gerade die Seele aus dem Leib prügeln, weil er sich der Verhaftung widersetzte.«

»Okay, schieben wir ihn hier drauf, als eine vage Möglichkeit.« Amanda schob das Blatt mit Juice' Namen an den Rand.

»Was passiert dann? Wir sind in der Wohnung in Techwood. Jane sagt uns, dass drei Mädchen verschwunden sind: Lucy Bennett, Kitty – von der wir später herausfinden, dass sie Treadwell heißt – und ein Mädchen namens Mary, Familienname unbekannt.«

»Richtig.« Evelyn schrieb die Informationen, mit Pfeilen versehen, auf Jane Delrays Blatt.

»Ein paar Tage später wird Jane ermordet.«

»Aber sie wird falsch als Lucy identifiziert«, gab Evelyn zu bedenken. »Ich setze ein Sternchen neben ihren Namen. Aber um der Klarheit willen sollten wir es so belassen.«

»Richtig. Eine Person, die für Lucy Bennett gehalten wird, wird ermordet.«

»Ich frage mich, ob der Bruder eine lukrative Lebensversicherung auf sie abgeschlossen hat.«

Amanda nahm an, dass Evelyn nur auf diese Idee gekommen war, weil sie mit einem Versicherungsvertreter verheiratet war. »Kann man das überprüfen? Gibt es da ein Register?«

»Ich werde mal Bill fragen, aber wenn man es sich genau überlegt: Warum sollte irgendjemand Lucy ermorden, wenn sie sich bei ihrem Lebenswandel mit den Drogen früher oder später selbst umgebracht hätte?« Evelyn blickte auf die Zeittafel hinab. »Es gibt einfach kein starkes Motiv.«

»Motiv …« Das war etwas, woran sie noch gar nicht gedacht hatten. »Warum sollte irgendjemand Jane überhaupt ermorden wollen?«

»Gehen wir davon aus, der Mörder wusste, dass es Jane war, die er umbrachte?«

Amanda schwirrte allmählich der Kopf. »Ich denke, wir müssen davon ausgehen, bis wir das Gegenteil herausfinden.«

»Okay. Motiv. Jane war nervig.«

»Stimmt«, pflichtete Amanda ihr bei. »Aber der letzte Mensch, den sie – außer uns natürlich – nervte, war Juice, und wenn ich eins über Zuhälter weiß, dann dass sie ihre Mädchen nicht umbringen. Sie wollen schließlich, dass sie für sie arbeiten. Sie sind ihre Ware.«

»Ich rufe mal im Gefängnis an und frage, wann Juice rauskam, nur um auf Nummer sicher zu gehen.« Evelyn tippte sich mit dem Stift ans Kinn. »Vielleicht war der Mörder jemand, der uns in Techwood mit Jane hat sprechen sehen? Der ganze Komplex ist doch aufgewacht, als wir dort ankamen. Es ist schlicht unmöglich, dass es nicht bis in die allerhöchsten Spitzen durchgesickert ist, dass Jane mit zwei Polizistinnen gesprochen hat.«

Amanda beunruhigte der Gedanke, dass sie möglicherweise mitverantwortlich war für den Tod dieses Mädchens. »Schreib es als Möglichkeit auf.«

»Der Gedanke, dass wir irgendwas damit zu tun haben könnten, ist einfach grässlich. Andererseits hat sie ja auch nicht gerade Plätzchen für den Elternbeirat gebacken.«

»Nein«, stimmte Amanda zu. Aber Evelyn hatte nur die Fotos gesehen. »Warst du eigentlich je bei einer Maniküre?«

Evelyn sah ihre Fingernägel an, die mit Klarlack überzogen waren, genau wie die von Amanda. »Bill hat mir letztes Jahr eine zu Weihnachten geschenkt. Ich kann nicht sagen, dass ich es genossen hätte, mir von einer Fremden die Hände anfassen zu lassen.«

»Janes Fingernägel sahen perfekt aus. Sie waren gefeilt und poliert. Ich hätte es selber nicht besser machen können.«

»Diese Maniküre war lachhaft teuer. Ich kann mir nicht vorstellen, dass Jane das Geld dafür erübrigen konnte.«

»Nein, und wenn doch, dann hätte sie es für Drogen ausgegeben, nicht für eine Maniküre.« Amanda fiel noch etwas ein: »Pete hat was Interessantes über den Angreifer erwähnt. Er sagte, der Mann sei wütend und unkontrolliert gewesen.«

»Wie in aller Welt kann er so etwas behaupten?«

»Anhand der Art, wie Jane aussah. Sie war aufs Übelste zugerichtet.« Amanda versuchte, ihre Gedanken selbst zu sortieren, fand es aber einfacher, mit Evelyn darüber zu reden. »Ich schätze, wir sollten uns fragen, was für eine Art von Mensch zu so etwas fähig ist. Und uns dann fragen, wie er vorgehen würde. Offensichtlich benutzte er seine Fäuste, aber er hatte auch einen Hammer. Er schlug das Schloss an der Klappe zum Dach auf. Aber dann müssen wir uns auch überlegen, wie er es schaffte, jemanden wie Jane in die Finger zu bekommen. Sie war nicht gerade die Hellste, aber auf der Straße kam sie gut zurecht.«

»Wer, wie und warum«, fasste Evelyn zusammen. »Das sind hervorragende Fragen. Wenn Juice nicht die Antwort darauf ist, wer ist es dann? Jemand, den Jane schon einmal gesehen hat? Ein Stammkunde, der weiß, wo sie wohnt?« Evelyn tippte sich wieder mit dem Stift ans Kinn. »Aber damit würden wir ja sagen: Er hat an ihre Tür geklopft. Er hat ihr eine Maniküre gemacht. Und dann hat er sie vom Dach geworfen.«

»Er hat sie stranguliert, bevor er sie vom Dach warf.«

»Hat Pete das gesagt?« Amanda nickte.

»Dieses Szenario scheint mir schon einleuchtender. Jane schrie wie ein Schwein, als du nach ihr tratst, und das war ja kaum ein Klaps.«

»Zu der Zeit hast du das nicht gesagt …«

»Ich hatte Angst«, gab Evelyn zu. »Tut mir leid.«

»Schon in Ordnung«, entgegnete Amanda. »Vielleicht sollten wir mal herumfragen, ob irgendwelche Stecher auf Würgespiele stehen.«

»Ich kenne ein Mädchen, das verdeckt in der Innenstadt arbeitet. Mal sehen, was sie weiß. Aber auch wenn es da draußen einen Kerl gibt, der die Frauen würgt – und irgendwas sagt mir, da gibt es mehr als einen –, wie sollten wir an seinen Namen kommen? Und falls wir ihn durch ein Wunder herausfinden sollten, wie um alles in der Welt können wir ihn mit Jane in Verbindung bringen?«

Amanda hatte eine Idee. »Pete hat unter Janes Fingernägeln Hautpartikel gefunden. Er sagt, er könnte die Blutgruppe mit der eines Verdächtigen vergleichen. Kontrollieren, ob er Sekretor oder Nicht-Sekretor war.«

»Achtzig Prozent der Bevölkerung haben Sekretor-Status. Fast vierzig Prozent sind 0 positiv. Das schränkt den Kreis kaum ein.«

»Das hab ich nicht gewusst«, gab Amanda zu. Evelyn war in Statistik viel besser als sie. »Kommen wir zurück zu unserem Puzzle, bevor wir beide zu spät zur Arbeit kommen.« Amanda machte in der Abfolge dort weiter, wo sie abgebrochen hatten. »Als Nächstes treffen wir Blauer Anzug alias Hank Bennett in der Leichenhalle. Er gibt zu, seine Schwester seit Jahren nicht gesehen zu haben, was erklären könnte, warum er sie nicht identifizieren konnte.«

»Oder er ist einfach zu arrogant, um zuzugeben, dass er es nicht konnte.«

Das klang sehr viel wahrscheinlicher. »Ich finde es trotzdem merkwürdig, dass Lucy Bennett kein Vorstrafenregister hat. Sie geht seit mindestens einem Jahr auf den Strich, wahrscheinlich sogar länger.«

»Kitty Treadwell hat auch keins.« Evelyn verzog das Gesicht. »Ich hab auf dem Weg hierher in der Zentrale angerufen. Sie sind für mich alle Variationen durchgegangen. Für eine Kitty Treadwell gibt es keinen Eintrag.«

»Was ist mit Jane Delray?«

»Sie hatte vor ein paar Jahren zwei Aufgriffe, aber in letzter Zeit nichts mehr.«

»Dann sind ihre Fingerabdrücke in den Akten.«

Evelyn runzelte die Stirn. »Nein, sind sie nicht. Ich hab gefragt. Viele von den älteren Akten wurden ausgedünnt.«

»Wie praktisch.« Amanda schrieb die Informationen unter den Namen jedes Mädchens. »Wir müssen uns Andrew Treadwell vornehmen. Er ist Anwalt. Er ist ein Freund des Bürgermeisters. Was wissen wir sonst noch über ihn?«

»Jane ließ durchblicken, dass er Kittys Onkel sein könnte. Sie hat doch geradeheraus gesagt, dass Kitty reich ist und ihre Familie Einfluss hat.«

»In dem Zeitungsartikel stand, dass Andrew Treadwell nur eine Tochter hat.«

»Er ist einer der Spitzenanwälte in der Stadt. Er hat politische Macht. Wenn er eine Tochter hätte, die von einem Schwarzen auf den Strich geschickt wird, glaubst du wirklich, dass er damit hausieren ginge? Viel eher würde er sein Geld und seinen Einfluss dazu benutzen, das Ganze unter Verschluss zu halten.«

»Du hast recht«, gab Amanda zu. Sie starrte die Zeittafel an.

»Findest du es nicht merkwürdig, dass Lucy und Kitty beide auf den Strich gehen und eine von ihnen einen Bruder hat, der für den Onkel der anderen arbeitet?«

»Vielleicht haben sie sich bei einer Selbsthilfegruppe kennengelernt.« Evelyn grinste. »Die ›Anonymen Huren‹.«

Amanda verdrehte die Augen. »Nehmen wir noch immer an, dass Andrew Treadwell derjenige war, der Hank Bennett am letzten Montag zu Hodge geschickt hat?«

»Ich schon. Und du?«

Amanda nickte noch einmal. »Was unsere Theorie stützen könnte, dass Andrew Treadwell seine Verwandtschaft mit Kitty nicht bekannt werden lassen will. Wir betrachten es vielleicht aus dem falschen Blickwinkel. Vor wem will Treadwell die Verwandtschaft verbergen, wenn nicht vor seinen Freunden im Rathaus?«

»Bennett ist schon eine Marke«, murmelte Evelyn. »Er ist eins der arrogantesten Arschlöcher, die ich je getroffen habe. Und das heißt etwas, wenn man sich überlegt, mit welchen Typen wir zusammenarbeiten.«

Amanda versuchte, sich an Hank Bennetts knappe Antworten auf ihre Fragen in der Leichenhalle zu erinnern. Sie hätte sie sich aufschreiben sollen. »Bennett sagte, er hätte seiner Schwester einen Brief in die Union Mission geschickt. Weißt du noch, wann das gewesen sein soll?«

»Ja. Als sein Vater letztes Jahr starb – in etwa diese Zeit im vergangenen Jahr. Dabei fällt mir ein: Jane sagte, Lucy wird seit ungefähr einem Jahr vermisst.«

Amanda schrieb diese Information unter Lucys Namen.

»Als du Bennett gefragt hast, ob er den Namen Kitty Treadwell kenne, sagte er, wir sollten unsere Nasen nicht überall hineinstecken.«

»Trask«, sagte Evelyn unvermittelt. »Das war der Mann, mit dem er in der Union Mission gesprochen hat.«

»Trask oder Trent«, verbesserte Amanda sie. Es war ihr im Gedächtnis geblieben, weil der Mädchenname ihrer Mutter Trent gewesen war.

»Vorläufig müssen wir ihn irgendwie nennen«, gab Evelyn zu bedenken.

»Trask«, schlug Amanda vor.

»Okay, Trask erzählt Bennett, er habe Lucy den Brief übergeben, was bedeutet, dass er Lucy gekannt haben muss. Wenn er in der Union Mission arbeitet, kennt er vielleicht all unsere Mädchen. Oh, Amanda ...« Sie klang bestürzt. »Warum haben wir nicht gleich daran gedacht, zur Union Mission zu gehen? Alle Nutten gehen dorthin, wenn sie mal eine Pause brauchen. Das ist ihr Acapulco.«

»Die Mission ist nur ein Stück von hier entfernt«, erinnerte Amanda sie. »Wir können immer noch mit Trask reden und sehen, ob er irgendetwas über Lucy weiß – oder über Jane.«

»Wenn wir Glück haben, sagt man uns dort, dass Lucy lebt und an dieser oder jener Ecke steht, und wundert sich darüber, dass erzählt wird, sie wäre ermordet worden.« Evelyn sah auf die Uhr. »Ich muss mich im Revier melden, aber ich könnte dich in einer halben Stunde dort treffen.«

»Das sollte reichen, um im Wohnungsamt anzurufen und mir zu überlegen, was ich mit Peterson anstelle.«

»Ich bin mir sicher, Vanessa hat nichts dagegen, ihn zu übernehmen.«

Amanda steckte ihren Stift wieder in die Handtasche. »Ich hab das Gefühl, da braut sich was Übles zusammen.«

»Vielleicht. Hör zu, ich versuche, Hodge noch mal zu fragen, aber ich glaube nicht, dass mir das irgendwas bringen wird.« Sie schob die bunten Blätter zusammen und stapelte sie aufeinander. »Ich habe bei dieser Sache ganz einfach ein schlechtes Gefühl.«

»Wie meinst du das?«

»Ich glaube, dass Lucy Bennett so oder so tot ist.«

»Vielleicht, aber es könnten die Drogen gewesen sein und kein Verbrechen.«

»Hast du von all diesen Mädchen gelesen, die in Texas in der Umgebung der I-45 verschwunden sind?«

»Was?«

»Ein Dutzend oder mehr«, führte Evelyn aus. »Und man weiß nicht einmal, wo die Leichen sind.«

»Woher weißt du denn solche Sachen?«

Ihr Lächeln war jetzt alles andere als verschämt. »Aus dem *True Crime Magazine.*«

Amanda seufzte, während Evelyn in ihren Kombi stieg.

»Wir sehen uns bei der Mission.«

»Okay.« Evelyn stieß langsam aus der Parklücke. »Und ich würde mir nicht allzu viele Gedanken wegen Vanessa machen«, rief sie durch das offene Fenster. »Was denkst du, wer mir von dem Kerl aus der Plaza-Apotheke erzählt hat?«

»Mandy!«, rief Vanessa, als sie das Revier betrat.

Amanda schob sich durch die Menge. Das Revier war voll. Zum Morgenappell waren es nur noch wenige Minuten. Amanda warf einen Blick in das Büro des Sergeant, aber es war leer.

»Beeil dich!« Vanessa saß wieder ganz hinten und hüpfte beinahe auf ihrem Stuhl. Sie trug eine Bundfaltenhose und eine Bluse mit Blumenmuster. Die Waffe hatte sie in einem Holster an der Hüfte. An den Füßen trug sie Männerschuhe. Amanda fragte sich allmählich, ob sie sich, was Vanessa betraf, um das falsche Geschlecht Sorgen machte. Wenigstens trug sie einen BH.

»Schau mal, was ich hier habe.« Vanessa hielt eine Kreditkarte in die Höhe wie einen Goldbarren. Amanda erkannte das Firmenzeichen des Franklin-Simon-Kaufhauses. Und dann klappte ihr der Mund auf, als sie in eingestanzten Goldbuchstaben den Namen VANESSA LIVINGSTON las.

»Wie hast du ...« Amanda ließ sich auf ihren Stuhl sinken. Sie hatte fast Angst, die Karte zu berühren. Dann tat sie es doch. »Ist die echt?«

»Ja.« Vanessa strahlte.

Amanda konnte nicht aufhören, die Karte anzustarren. »Ist das ein Witz?« Sie drehte den Kopf, um zu sehen, ob sie beobachtet wurden. Doch es schien sich niemand für sie zu interessieren. »Wie hast du die bekommen?«

»Rachel Foster von der Telefonzentrale hat es mir gesagt. Man muss dort nichts anderes vorweisen als die Gehaltszettel der letzten sechs Monate.«

»Willst du mich auf den Arm nehmen?« Amanda hatte noch nicht einmal eine eigene Wohnung bekommen, ohne dass Duke für die Miete bürgte. Wenn die Stadt ihr kein Auto stellen würde, müsste sie zu Fuß gehen. »Sie haben sie dir einfach gegeben? Einfach so?«

»Einfach so.«

»Und sie wollten nicht mit deinem Mann oder deinem Vater oder sonst jemandem sprechen?«

»Nichts dergleichen.«

Amanda war immer noch skeptisch. Sie gab ihr die Karte zurück. Franklin Simon war wirklich in Ordnung, aber jetzt drohte der Firma mit Sicherheit der Bankrott, wenn sie so bedenkenlos Kreditkarten ausgab.

»Hör mal, kannst du mir einen Gefallen tun und heute mit Peterson fahren?«

»Klar.«

»Willst du gar nicht wissen, warum?«

Das gutturale Geräusch von Erbrechen füllte den Saal. Immer mehr Männer stimmten mit ähnlichen Geräuschen ein. Butch Bonnie kam herein, die Fäuste wie Muhammad Ali in die Luft gereckt. Amanda hatte vergessen, wie schlecht ihm am Freitag am Tatort geworden war. Der Rest der Truppe offensichtlich nicht. Die Leute klatschten und johlten. Aus der schwarzen Hälfte des Saals kam ein Grölen. Butch machte eine Art Siegergeste und kam dann auf Amanda zu.

Er stützte sich vor ihr auf den Tisch. »Hey, Mädchen, hast du meine Sachen?«

Amanda zog den Bericht aus der Tasche. Sie warf die Seiten vor ihn auf den Tisch.

»Warum denn so unterkühlt?«, fragte er. »Schon wieder unpässlich?«

»Es geht darum, was dein Partner mit Evelyn Mitchell gemacht hat«, blaffte Amanda. »Er ist ein Monster.«

Butch kratzte sich an der Wange. Er wirkte ungepflegt. Sein Anzug war zerknittert, das Gesicht unrasiert. Der Geruch von Alkohol und schalem Zigarettenrauch quoll aus seinen Poren.

Amanda starrte stur geradeaus. »Sonst noch was?«

»Mein Gott, Mandy, ein bisschen Nachsicht ist doch nicht zu viel verlangt. Zu Hause macht ihm schon seine Frau die Hölle heiß. Da muss er doch nicht auch noch zur Arbeit kommen und sich von einer anderen Tussi was anhören.«

Sie schaffte es, hart zu bleiben. »In den Notizen ist ein sachlicher Fehler.«

Butch steckte sich schwungvoll eine Zigarette zwischen die Lippen. »Was soll das heißen?«

»Da steht, du hättest Lucy Bennett anhand ihres Führerscheins identifiziert. Im Beweismittelregister steht aber nichts von irgendeinem Führerschein.«

»Scheiße«, murmelte er. »'tschuldigung für den Ausdruck.« Er überflog sein Notizbuch und verglich es mit dem getippten Bericht. »Ja, ich sehe es.«

»Wie hast du das Opfer dann identifiziert?« Er senkte die Stimme. »Durch einen VI.«

»Wer war das?«

»Geht niemanden was an«, sagte er. »Korrigier einfach den Bericht.«

»Du weißt, dass man das Beweismittelregister nicht mehr ändern kann. Es gibt drei Durchschläge.«

»Dann schreib den Bericht so um, dass da steht, jemand hätte sie identifiziert.« Er gab ihr die getippten Seiten zurück.

»Es gab einen Zeugen vor Ort. Nenn ihn Jigaboo Jones. Mir egal. Schreib's nur so, dass es funktioniert.«

»Wirklich?«, fragte sie. »Untendrunter steht deine Unterschrift.«

Er wirkte nervös, sagte aber: »Ja, wirklich. Tu's einfach.«

»Butch …« Sie hielt ihn auf, bevor er weggehen konnte.

»Woher wusste Hank Bennett, dass seine Schwester tot war? Normalerweise gehst du in deinen Notizen im Detail darauf ein, aber diesmal steht da nichts.« Amanda ließ nicht locker.

»Lucy hatte kein Vorstrafenregister, es erscheint mir deshalb merkwürdig, dass du und Landry die Verwandten so schnell ausfindig machen konntet.«

Er starrte sie an, ohne zu blinzeln. Sie konnte beinahe sehen, wie sich in seinem Kopf die Rädchen drehten. Sie wusste nicht, ob Butch sich die Frage gerade erst selbst stellte oder überlegte, warum Amanda sie gestellt hatte. Schließlich sagte er: »Ich weiß es nicht.«

Sie musterte ihn, versuchte, ein falsches Spiel hinter seiner Antwort auszumachen. »Wie's aussieht, sagst du die Wahrheit.«

»Mein Gott, diese Evelyn Mitchell hat wirklich einen schlechten Einfluss auf dich.« Er stieß sich vom Tisch ab.

»Ich will diesen Bericht gleich als Erstes morgen früh haben.« Er wartete ihr Nicken ab und ging dann in den vorderen Teil des Saals.

»Wow«, sagte Vanessa. Sie war merkwürdig still geworden.

»Was ist denn da los zwischen dir und Butch?«

Amanda schüttelte den Kopf. »Ich muss mal telefonieren.« Im vorderen Teil des Saals standen zwei Telefone, aber Amanda wollte sich nicht durch die Menge zwängen. Und sie wollte auch Rick Landry nicht über den Weg laufen, der soeben ins Revier kam. Die Uhr an der Wand zeigte genau acht Uhr. Sergeant Woody war immer noch nicht da. Das überraschte Amanda nicht. Woody stand in dem Ruf, vor der Arbeit die Bars abzuklappern. Da konnte sie ebenso gut sein Büro benutzen.

Seit Luther Hodge seinen Platz geräumt hatte, hatte sich darin kaum etwas verändert. Auf der Schreibunterlage waren Papiere verstreut. Der Aschenbecher quoll über. Woody hatte sich nicht einmal einen anderen Becher für seinen Kaffee besorgt.

Amanda setzte sich hinter den Schreibtisch und suchte in ihrer Handtasche nach ihrem Adressbuch. Das schwarze Leder war brüchig und bog sich auf. Sie blätterte zu C und fuhr mit dem Finger bis zu Pam Canales Nummer beim Wohnungsamt. Sie waren keine engen Freundinnen – die Frau war Italienerin –, aber Amanda hatte Pams Nichte vor ein paar Jahren aus der Bredouille geholfen. Amanda hoffte nun, dass die Frau nichts dagegen hatte, ihr den Gefallen zu erwidern. Sie blickte kurz in den Bereitschaftssaal, bevor sie Pams Nummer wählte, und wartete, bis sie durchgestellt wurde.

»Canale«, sagte Pam gerade, doch Amanda legte auf. Sergeant Luther Hodge kam auf das Büro zu. Sein Büro.

Sie stand so schnell vom Tisch auf, dass der Stuhl gegen die Wand stieß.

»Miss Wagner«, sagte Hodge. »Hat es eine Beförderung gegeben, über die ich nicht informiert worden bin?«

»Nein«, sagte sie, und dann: »Sir.« Sie eilte um den Schreibtisch herum. »Es tut mir leid, Sir. Ich wollte nur schnell einen Anruf erledigen.« Sie hielt inne, versuchte, weniger verwirrt zu wirken. Aber sie war einfach völlig überrumpelt. »Sind Sie wieder hierher zurückversetzt worden?«

»Ja, das wurde ich.« Er wartete, bis sie aus dem Weg war, damit er sich setzen konnte. »Ich nehme an, Sie glauben, ich bin nur die Zwischenlösung für Ihren Vater.«

Amanda hatte schon gehen wollen, aber das konnte sie jetzt nicht mehr. »Nein, Sir. Ich wollte wirklich nur telefonieren.« Sie dachte an Evelyn, ihren Mut, Hodge direkt zu fragen.

»Warum haben Sie mich letzte Woche nach Techwood geschickt?«

Er hatte sich eben setzen wollen. Jetzt hielt er, die Hand an der Krawatte, mitten in der Bewegung inne.

»Sie haben uns befohlen, in einer Vergewaltigung zu ermitteln. Es hatte keine Vergewaltigung gegeben.«

Ganz langsam setzte er sich. Er deutete auf den Stuhl gegenüber. »Setzen Sie sich, Miss Wagner.«

Amanda wollte die Tür schließen.

»Lassen Sie sie offen.«

Sie tat es und setzte sich vor den Schreibtisch.

»Versuchen Sie, mich einzuschüchtern, Miss Wagner?«

»Ich …«

»Mir ist bewusst, dass Ihr Vater immer noch eine Menge Freunde in dieser Abteilung hat, aber ich lasse mich nicht einschüchtern. Ist das klar?«

»Einschüchtern?«

»Miss Wagner, ich stamme vielleicht nicht aus dieser Gegend. Aber eins können Sie Ihrem Daddy brühwarm stecken: Der Arsch geht nicht auf die Felder zurück.«

Sie merkte, dass ihr Mund sich bewegte, aber es kam kein Ton heraus.

»Sie können gehen.« Amanda rührte sich nicht.

»Muss ich mich wiederholen?«

Amanda stand auf. Sie ging zur offenen Tür. Ihre widerstreitenden Empfindungen zwangen sie zur Bewegung, sie musste irgendwohin, wo sie ungestört darüber nachdenken und eine vernünftigere Antwort formulieren konnte als die, die ihr nun über die Lippen kam. »Ich versuche doch nur, meine Arbeit zu machen.«

Hodge hatte etwas auf ein Blatt Papier geschrieben. Wahrscheinlich den Antrag, sie nach Perry Homes versetzen zu lassen. Er hielt beim Schreiben inne, starrte sie an und wartete. Die Wörter purzelten ihr einfach aus dem Mund. »Ich will arbeiten. Ich will gut sein in dem … Ich muss gut sein in dem …« Sie zwang sich, lange genug innezuhalten, um ihre Gedanken zu sammeln. »Das Mädchen, zu dessen Befragung Sie uns geschickt hatten. Ihr Name war Jane Delray. Sie wurde nicht vergewaltigt. Sie hatte keinen Kratzer am Leib. Es ging ihr gut.«

Hodge betrachtete sie einen Augenblick. Er legte den Stift weg, lehnte sich zurück und faltete die Hände vor dem Bauch.

»Als wir bei ihr waren, kam ihr Zuhälter herein. Sein Straßen-

272

name ist Juice. Er scheuchte Jane aus der Wohnung und überschüttete mich und Evelyn mit Anzüglichkeiten. Wir haben ihn verhaftet.«

Hodge starrte sie weiter an. Schließlich nickte er.

»Am vergangenen Freitag wurde in Techwood Homes eine Frau tot aufgefunden. Jane Delray. Es wurde als Selbstmord deklariert, doch der Coroner sagte mir, dass sie erst stranguliert und dann von dem Gebäude geworfen worden war.«

Hodge sah sie noch immer unverwandt an. »Ich glaube, Sie irren sich.«

»Nein, das tue ich nicht.« Doch noch während Amanda dies sagte, zweifelte sie bereits an ihren eigenen Worten. Wie konnte sie sich sicher sein, dass das Opfer nicht Lucy Bennett war? War es überhaupt möglich zu sagen, dass die Leiche in der Leichenhalle wirklich Jane Delray war? Hank Bennett war sich bei der Identifikation seiner Schwester absolut sicher gewesen. Aber das Gesicht, die Einstichspuren, die Narben auf ihren Handgelenken …

»Das Opfer war nicht Lucy Bennett«, sagte Amanda schließlich. »Es war Jane Delray.«

Ihre Sätze hingen in der schalen Luft. Amanda zwang sich, nicht nach Ausflüchten oder Entschuldigungen zu suchen. Das war die schwerste Lektion gewesen, die sie auf der Academy gelernt hatten. Es lag in der Natur der Frau, sich kleinzumachen, für Frieden zu sorgen. Stunden hatten sie damit zugebracht, ihre Stimmen zu heben, eher Befehle zu geben, als Wünsche zu äußern.

Hodge legte die Finger aneinander. »Was ist Ihr nächster Schritt?«

Sie atmete langsam aus. »Ich treffe mich mit Evelyn Mitchell an der Union Mission. Sämtliche Stricherinnen landen irgendwann dort. Es ist ihre Zuflucht, ihr Mexiko.« Hodge runzelte die Stirn über den Vergleich, doch Amanda redete einfach weiter. »Es muss in der Union Mission jemanden geben, der die Mädchen kennt.«

Er musterte sie weiter. »Habe ich da einen Plural gehört?«
Amanda biss sich auf die Lippen. Sie sehnte sich nach Evelyn.
Sie konnte so etwas viel besser. Aber Amanda konnte jetzt nicht
aufgeben. »Der Mann, mit dem Sie am Montag gesprochen
haben ... Der Anwalt im blauen Anzug. Sein Name ist Hank
Bennett. Sie dachten, er wäre von Andy Treadwell geschickt
worden.« Hodge widersprach nicht, deshalb redete sie weiter.
»Er war hier, weil er nach seiner Schwester Lucy Bennett
suchte.«

»Und weniger als eine Woche später fand er sie.«

Hodges Aussage hing zwischen ihnen. Amanda versuchte,
ihre Bedeutung zu analysieren, aber nun tauchte ein viel drän-
genderes Problem auf. Rick Landry stürmte ins Büro. Er stank
nach Whisky. Er warf seine Zigarette auf den Boden. »Sagen Sie
dieser verdammten Schlampe, sie soll ihre Nase nicht in meinen
Fall stecken.«

Falls Hodge eingeschüchtert war, zeigte er es nicht. Stattdessen fragte er mit völlig sachlicher Stimme: »Und Sie sind ...?«

Landry war sichtlich aus der Fassung gebracht. »Rick Landry.
Morddezernat.« Er starrte Hodge an. »Wo ist Hoyt?«

»Ich nehme an, dass Sergeant Woody irgendwo dort draußen
in der Innenstadt ein flüssiges Frühstück zu sich nimmt.« Wieder war Landry überrumpelt. Es war eine stillschweigende
Übereinkunft in der Truppe, dass das Alkoholproblem eines
Mannes seine persönliche Angelegenheit war und blieb.

»Hier geht's um einen Mordfall. Sie hat damit nichts zu tun.
Und auch nicht diese vorlaute Schlampe, mit der sie herum-
hängt.«

»Mordfall?« Hodge pausierte einen Augenblick länger als nötig. »Ich hatte den Eindruck, Miss Bennett hätte Selbstmord
begangen.« Er wühlte in den Papieren auf seinem Schreibtisch
und fand, wonach er suchte. »Ja, hier ist Ihr vorläufiger Bericht.
Selbstmord.« Er hielt ihm das Blatt hin. »Ist das Ihre Unterschrift, Officer?«

»Detective.« Landry riss ihm das Blatt aus der Hand. »Wie Sie eben gesagt haben, er ist vorläufig.« Er knüllte das Blatt zusammen und steckte es sich in die Tasche. »Ich bringe Ihnen den endgültigen Bericht später.«

»Der Fall ist also noch offen? Glauben Sie, dass Lucy Bennett ermordet wurde?«

Landry warf Amanda einen Blick zu. »Ich brauche mehr Zeit.«

»Nehmen Sie sich alle Zeit, die Sie brauchen, Detective.« Hodge streckte die Hände aus, als würde er Landry die ganze Welt zu Füßen legen. Als der Mann sich nicht rührte, frage er: »Gibt es sonst noch etwas?«

Landry sah Amanda finster an, dann drehte er sich um und knallte die Tür hinter sich zu. Hodge starrte erst die geschlossene Tür und dann Amanda an.

»Warum war Hank Bennett letzten Montag hier?«

»Das klingt nach einer sehr guten Frage«, antwortete er.

»Warum wollte er, dass Sie uns in Kittys Wohnung schicken?«

»Noch eine gute Frage.«

»Sie haben uns keinen Namen genannt, nur eine Adresse.«

»Das ist korrekt.« Er nahm seinen Stift wieder zur Hand.

»Sie können den Appell auslassen.« Amanda blieb sitzen. Sie verstand nicht.

»Ich sagte, Sie können den Appell auslassen, Miss Wagner.« Er widmete sich wieder seinen Papieren. Als Amanda immer noch nicht ging, sah er sie an. »Haben Sie denn nicht einen Fall zu bearbeiten?«

Sie musste sich an der Armlehne abstützen, um aufzustehen. Die Tür klemmte. Sie musste sie aufreißen. Amanda blickte stur geradeaus, als sie durch den Bereitschaftssaal und zur Tür hinausging. Als sie den Plymouth vom Parkplatz steuerte, hätte ihre Entschlossenheit sie beinahe verlassen. Sie sah den Bereitschaftssaal durch die zerbrochene Scheibe in der Ladenfront. Ein paar der Streifenbeamten sahen ihr nach.

Amanda fuhr auf die Highland. Erst als sie auf der Ponce de Leon und unterwegs zur Union Mission war, normalisierte sich ihre Atmung wieder. Nach ihrer Uhr würde Evelyn erst in zehn Minuten kommen. Vielleicht konnte Amanda die Zeit nutzen, um darüber nachzudenken, was soeben passiert war. Das Problem war nur: Sie wusste nicht einmal, wo sie anfangen sollte. Sie brauchte Zeit, um das alles zu verdauen. Außerdem brauchte sie Zeit für einen Anruf.

Vor der Filiale der Trust Company an der Ecke Ponce und Monroe gab es eine Reihe Münzfernsprecher. Amanda fuhr auf den Parkplatz. Sie stieß rückwärts in eine Lücke und saß dann mit den Händen am Lenkrad da. Das alles ergab überhaupt keinen Sinn. Warum sprach Hodge in Rätseln? Er schien vor kaum etwas Angst zu haben. Versuchte er, Amanda zu helfen oder sie zu entmutigen?

Amanda fischte ein paar Münzen aus ihrer Brieftasche und nahm ihr Adressbuch zur Hand. Zwei der Telefone waren defekt. Das letzte nahm ihre Münzen an. Sie wählte noch einmal Pams Nummer und hörte es läuten. Bei zwanzig wollte sie schon aufgeben, doch endlich meldete Pam sich. »Canale.« Sie klang noch gehetzter als beim ersten Mal.

»Pam, hier ist Amanda Wagner.«

Erst nach ein paar Sekunden schien Pam den Namen wiederzuerkennen. »Mandy! Was gibt's? Ach, Scheiße, sag nicht, dass Mimi schon wieder in Schwierigkeiten steckt.« Mimi Mitideri, die Nichte, die beinahe mit einem Navy-Kadetten durchgebrannt wäre.

»Nein, nichts dergleichen. Ich rufe an, weil ich dich fragen wollte, ob du mir einen Gefallen tun könntest.«

Sie schien erleichtert, obwohl sie vermutlich dauernd mit Leuten zu tun hatte, die sie um einen Gefallen baten. »Was brauchst du?«

»Ich habe mich gefragt, ob du einen Namen für mich nachschlagen könntest ... oder eine Wohnung.« Amanda merkte selbst, dass sie sich nicht sehr verständlich ausdrückte. Sie hatte sich das Gespräch im Vorhinein nicht zurechtgelegt. »Es gibt da eine Wohnung in Techwood Homes ... Wohnung C im fünften Stock in der Gebäudereihe ...«

»Moment mal. In Techwood Homes gibt es kein C. Die Wohnungen sind nummeriert.«

Amanda verkniff sich die Frage, wie man an diese Nummern kam. »Kannst du dann einen Namen für mich nachschlagen? Eine Katherine oder Kate oder Kitty Treadwell?«

»Wir gehen nicht nach Namen. Wir gehen nach Listennummern.«

Amanda seufzte. »Ich habe befürchtet, dass du das sagen würdest.« Die Sinnlosigkeit der Situation lastete schwer auf ihr. »Ich weiß ja nicht mal genau, ob ich den richtigen Namen habe. Es gibt – gab – mindestens drei Mädchen, die dort wohnten. Vielleicht noch mehr.«

»Augenblick mal. Sind sie miteinander verwandt?«

»Ich bezweifle es. Sie gehen alle anschaffen.«

»Und sie leben in derselben Wohnung?«, fragte Pam. »Das ist nur erlaubt, wenn sie miteinander verwandt sind. Und selbst wenn sie es sind – von denen will doch keine ihr Zimmer teilen. Die lügen, sobald sie den Mund aufmachen.« Hinter Pam war ein Geräusch zu hören. Sie bedeckte kurz die Sprechmuschel und hatte einen gedämpften Wortwechsel mit einer anderen Person. Als sie sich wieder meldete, klang ihre Stimme klarer. »Erzähl mir von der Wohnung. Du sagtest, sie liegt im obersten Stock?«

»Ja. Im fünften Stock.«

»Das sind die Wohnungen mit einem extra Schlafzimmer. Ein alleinstehendes Mädchen würde so eine nie zugewiesen bekommen, außer sie hat ein Kind.«

»Da war kein Kind. Nur drei Frauen. Ich vermute, es waren drei. Vielleicht waren es sogar noch mehr.«

Pam seufzte. Als sie wieder sprach, war ihre Stimme kaum

mehr als ein Flüstern. »Mein Vorgesetzter lässt sich hin und wieder erweichen.«

Amanda wollte schon fragen, was sie damit meinte, aber dann wurde es ihr klar.

Pam klang verbittert. »Sie sollten mir die Verantwortung übertragen. Ich würde keine Wohnung im obersten Stockwerk für einmal Blasen hergeben.«

Amanda lachte schockiert auf – als wäre so etwas möglich.

»Na dann, vielen Dank, Pam. Ich weiß, du hast viel zu tun.«

»Sag mir Bescheid, wenn du die Wohnungsnummer hast. Vielleicht finde ich damit etwas heraus. Es könnte ein, zwei Wochen dauern, aber ich mach's für dich.«

»Vielen Dank«, wiederholte Amanda. Sie legte auf, ließ aber die Hand auf dem Hörer liegen. Ihre Gedanken hatten eine neue Richtung eingeschlagen, während sie mit Pam Canale gesprochen hatte, als hätte sie nach ihren Schlüsseln gesucht und sich erst dann wieder daran erinnert, wo sie sie hingelegt hatte, als sie die Suche aufgegeben hatte.

Es gab nur einen Weg, um sicherzugehen.

Amanda warf eine neue Münze in den Schlitz. Sie wählte eine vertraute Nummer. Duke Wagner war kein Mensch, der ein Telefon mehr als zwei Mal klingeln ließ. Er hob fast sofort ab.

»Hi, Daddy«, krächzte Amanda und wusste dann nicht, wie sie weitermachen sollte.

Duke klang besorgt. »Alles in Ordnung mit dir? Ist was passiert?«

»Nein, nein«, erwiderte sie und fragte sich, warum sie ihren Vater überhaupt angerufen hatte. Das war der reinste Wahnsinn.

»Mandy? Was ist los? Bist du im Krankenhaus?«

Amanda hatte ihren Vater kaum je so panisch gehört. Es war ihr auch nie in den Sinn gekommen, dass er sich den Kopf zerbrechen könnte über den Job, den sie machte, vor allem da er nicht mehr da war, um sie zu beschützen.

»Mandy?« Sie hörte, wie ein Stuhl über den Küchenboden geschoben wurde. »Sprich mit mir!«

Sie schluckte die unbequeme Erkenntnis, dass es ihr einen Augenblick lang Spaß gemacht hatte, ihrem Vater Angst einzujagen. »Mir geht's gut, Daddy. Ich hab nur eine Frage zu …« Sie wusste nicht, wie sie es nennen sollte. »Über Politik.«

Er klang erleichtert und leicht irritiert. »Hätte das nicht bis heute Abend Zeit gehabt?«

»Nein.« Sie sah auf die Straße. Vor der Ampel stauten sich Autos. Geschäftsleute gingen zur Arbeit. Frauen brachten ihre Kinder zur Schule. »Wir hatten letzte Woche einen neuen Sergeant. Einer von Reggies Jungs.«

Duke machte dazu eine scharfe Bemerkung, als wäre ihr seine Einstellung zu dem Thema nicht bereits bekannt.

»Nach nur einem Tag wurde er wieder versetzt, und Hoyt Woody nahm seine Stelle ein.«

»Hoyt ist ein guter Mann.«

»Na ja.« Amanda beendete ihren Gedanken nicht. Sie selbst hatte ihn als schmierig und abstoßend empfunden, aber darum ging es bei dieser Unterhaltung nicht. »Wie auch immer, nach nur vier Tagen wurde Hoyt selbst wieder abberufen, und der alte Sergeant, Reggies Junge, ist zurück.«

»Und?«

»Na ja«, wiederholte sie. »Kommt dir das nicht komisch vor?«

»Nicht besonders.« Sie hörte, wie er sich eine Zigarette anzündete. »Genau so funktioniert das System. Man holt sich einen, um eine Sache zu erledigen, und bringt dann einen anderen für das nächste Problem.«

»Ich kann dir nicht ganz folgen.«

»Man hat einen super Werfer, okay?« Duke liebte Baseball-Metaphern. »Nur kann der keinen Schläger halten. Kannst du mir jetzt folgen?«

»Ja.«

»Also schickt man einen Ersatzspieler aufs Feld.«

»Ach so.« Sie nickte.

Offenbar glaubte Duke nicht, dass sie ihn verstanden hatte. »Irgendwas läuft da auf deinem Revier. Reggies Junge hat irgendeinen Befehl nicht befolgt, also hat man Hoyt ins Feld geschickt, um die Sache zu erledigen.« Er lachte. »Typisch. Schicke einen Weißen, wenn irgendwas richtig laufen soll.«

Amanda hielt den Hörer vom Mund weg, damit er ihr Seufzen nicht hörte. »Danke, Daddy. Ich muss jetzt wieder an die Arbeit.«

Doch so einfach ließ Duke sie nicht davonkommen. »Du mischst dich da doch nicht in irgendwas ein, das dich nichts angeht?«

»Nein, Daddy.« Sie suchte verzweifelt nach einem anderen Thema. »Denk dran, dass du das Hühnchen gegen zehn wieder in den Kühlschrank legst. Es wird schlecht, wenn du es den ganzen Tag draußen lässt.«

»Das habe ich schon kapiert, als du es mir die ersten sechs Mal gesagt hast«, blaffte er. Anstatt einfach aufzulegen, sagte er: »Sei vorsichtig, Mandy.«

So viel Mitgefühl hatte sie in seiner Stimme nur selten gehört. Ihr traten die Tränen in die Augen. In einer Sache hatte Butch Bonnie recht gehabt. Ihre Tage standen kurz bevor. Ihre Hormone waren in Aufruhr. »Bis heute Abend.«

Sie hörte ein Klicken, als Duke auflegte.

Amanda hängte den Hörer auf die Gabel. Im Auto zog sie ein Taschentuch aus ihrer Handtasche und wischte sich die Hand ab. Dann tupfte sie ihr Gesicht trocken. Die Sonne brannte erbarmungslos. Sie kam sich vor, als würde sie schmelzen.

Ein Hupen zerriss die Stille in ihrem Auto. Evelyn Mitchells Ford hatte bereits bei Gelb angehalten. Ein Transporter hatte ausscheren müssen, um sie in letzter Sekunde zu überholen. Der Fahrer streckte die Hand durchs Fenster und machte eine obszöne Geste.

»O Mann«, murmelte Amanda. Sie fuhr auf die Straße und folgte Evelyn drei Blocks die Ponce de Leon entlang bis zur

Union Mission. Evelyn fuhr in einer langsamen, weiten Kurve auf den Parkplatz, damit sie rückwärts in eine Lücke stoßen konnte. Amanda bog scharf ab und stieg bereits aus ihrem Plymouth, als Evelyn den Motor abstellte.

»Du bringst dich noch um, wenn du so langsam fährst«, sagte Amanda.

»Du meinst, weil ich nach Vorschrift fahre? Dieser Transporterfahrer ...«

»Hätte dich fast umgebracht«, ergänzte Amanda. »Ich werde am Wochenende mit dir ins Stadion fahren und dir eine anständige Fahrstunde geben.«

»Oh.« Evelyn schien sich zu freuen. »Machen wir doch einen ganzen Tag daraus. Wir könnten auch noch mittagessen und ein bisschen shoppen.«

Amanda war überrascht von Evelyns Eifer. Sie wechselte das Thema. »Hodge ist zurück.«

»Ich hab mich schon gewundert, dass er nicht in Model City war.« Evelyn schlug die Autotür zu. »Warum hat man ihn wieder zurückgeschickt?«

Amanda wusste nicht so recht, ob sie Evelyn erzählen sollte, was ihr Vater zu ihr gesagt hatte. »Es ist möglich, dass Hoyt Woody zu uns versetzt wurde, damit er für die Oberen die Drecksarbeit erledigt.«

»Warum schickt man dazu einen Weißen? Wäre einer von Reggies Jungs nicht besser für so etwas? Es quasi in der Familie halten?«

Das war ein gutes Argument, allerdings litt Evelyn nicht an Dukes Farbenblindheit. Hoyt Woody würde tun, was man ihm auftrug, weil er hoffte, sich so bei den Oberen beliebt zu machen. Luther Hodge war womöglich nicht so gefügig.

»Ich kann mir vorstellen, dass Woody aus demselben Grund da war, aus dem Hodge zwei Frauen schickte, um mit Jane zu reden. Wir sind unwichtig. Niemand hört wirklich auf uns.«

»Das dürfte stimmen.« Sie zuckte angesichts ihrer Lage mit

den Schultern. »Hodge wurde also vorübergehend durch jemanden ersetzt, der die Drecksarbeit erledigte, und dann wurde er zurückbeordert.«

»Ganz genau«, sagte Amanda. »Deine Freundin in der Five hat übrigens erzählt, sie hätte wegen Jane Delray die Sicherheit gerufen, als Jane versuchte, Lucys Gutscheine einzulösen. Die Sicherheit wird vom Revier in Five Points aus organisiert. Wer auch immer Jane aus dem Gebäude warf, muss einen Report geschrieben haben.« Diese Reports waren Teil eines größeren Systems zur Überwachung von Kleinkriminellen, bei denen es zu einer Verhaftung noch nicht reichte.

»Der Report geht in den Tagesbericht ein, der in der Befehlskette hinaufgereicht wird. Irgendjemand weiter oben hat so ganz bestimmt erfahren, dass Jane versucht hat, sich als Lucy auszugeben.«

Evelyn kam zur gleichen Schlussfolgerung wie Amanda.

»Und dann wurden wir nach Techwood geschickt, um Jane Angst einzujagen und sie zum Schweigen zu bringen.«

»Das haben wir toll gemacht, was?«

Evelyn hielt sich die Hand an die Stirn. »Ich brauche einen Drink. Von dieser Geschichte kriege ich Kopfweh.«

»Na ja, das hier könnte deine Schmerzen noch schlimmer machen.« Amanda erzählte ihr von dem Anruf bei Pam Canale und der Sackgasse, in die sie dabei geraten war. Dann berichtete sie von ihrem kryptischen Gespräch mit Sergeant Hodge.

»Merkwürdig«, meinte Evelyn. »Warum beantwortet Hodge unsere Fragen nicht?«

»Ich glaube, er will, dass wir an diesem Fall weiterarbeiten, aber er darf nicht den Eindruck erwecken, als würde er uns dazu ermutigen.«

»Du hast vermutlich recht«, sagte Evelyn. »Vielleicht bekam Kitty diese Wohnung im obersten Stock gar nicht wegen irgendwelcher sexuellen Gefälligkeiten. Vielleicht hat ihr Onkel oder Daddy ein paar Strippen gezogen.«

»Wenn Kitty das schwarze Schaf der Familie Treadwell ist, dann kann ich mir gut vorstellen, dass Andrew Treadwell versucht zu verhindern, dass sie Schwierigkeiten macht. Er bringt sie zusammen mit ihresgleichen in einer Wohnung unter. Er organisiert ihre Sozialhilfe. Er versorgt sie mit gerade genug Geld, um sie sich vom Leib zu halten.«

»Mit Andrew Treadwell können wir auf keinen Fall reden. Wir würden es nicht einmal bis in die Lobby schaffen.«

Das war so offensichtlich, dass Amanda eine Zustimmung überflüssig fand.

Evelyn fuhr fort: »Ich habe mit dem Mädchen gesprochen, das dort verdeckt arbeitet. Es ist genauso, wie ich dachte: Es wäre einfacher, einen Mann zu finden, der Huren *nicht* gern würgt.«

»Das ist wirklich deprimierend.«

»Wenn man eine Hure ist.« Dann fügte sie hinzu: »Ich habe sie gebeten, sich umzuhören, ob irgendjemand gern Fingernägel lackiert.«

»Gute Idee.«

»Mal sehen, ob es was bringt. Ich hab ihr gesagt, sie soll mich zu Hause anrufen. Ich will nicht, dass irgendwas davon im Polizeifunk landet.«

»Hast du herausgefunden, ob Juice noch im Gefängnis war, als Jane ermordet wurde?«

»Er war im Grady und bekam einen Turban verpasst wegen Widerstands gegen die Verhaftung.«

Amanda hatte die Formulierung schon häufiger gehört. Es gab oft Gefangene, die in der Notaufnahme des Grady aufwachten und sich nicht mehr daran erinnern konnten, wie sie dorthin gekommen waren. »Das ist kaum ein Alibi. Er könnte aus dem Krankenhaus raus- und wieder hineinspaziert sein, ohne dass irgendjemand es bemerkt hätte.«

»Stimmt«, pflichtete Evelyn ihr bei.

Amanda blinzelte gegen die sengende Sonne. »Wir könnten

wohl den ganzen Tag hier draußen stehen und uns im Kreis drehen.«

»Stimmt schon wieder. Bringen wir lieber das da hinter uns.« Evelyn deutete auf das flache einstöckige Gebäude, das vor ihnen lag. Die Union Mission war früher einmal eine Metzgerei gewesen.

»Acapulco. Wo hast du das eigentlich her?«, fragte Amanda. »Ich hab im *Life Magazine* einen Artikel gelesen. Johnny Weissmüller hat dort ein Haus. Es sieht fantastisch aus.«

»Du und deine Zeitschriften!«

»Wie gehen wir die Sache an? Die allgemeine Annahme ist ja, dass Lucy Bennett Selbstmord begangen hat.«

»Dann sollten wir bei dieser Geschichte bleiben.«

»Ich glaube, wir haben keine andere Wahl.«

Amanda war es gewohnt, keine andere Wahl zu haben, aber es hatte sie noch nie so gestört wie in jüngster Zeit. Sie ging auf den Vordereingang zu. Aus einem Radio kam unverständliches Gerede. Die gläserne Ladenfront war mit Metallstangen gesichert. Reihen leerer Betten füllten den vorderen Raum, mindestens zwanzig in der Tiefe und vier in der Breite. Tagsüber durften die Mädchen sich hier nicht aufhalten. Sie sollten unterwegs sein auf Arbeitssuche.

Die Vordertür wurde von einem Keil offen gehalten, und der Geruch, der aus dem Gebäude drang, war das Unangenehmste, was Amanda in der letzten Woche gerochen hatte.

»… Ihnen helfen?«, rief ein Mann über die Musik hinweg. Er war angezogen wie ein Hippie und trug auch drinnen eine Sonnenbrille. Sein sandfarbener Schnurrbart war lang und hing an den Spitzen tief herab. Er hatte sich einen braunen Fedorahut tief in die Stirn gezogen. Er war extrem groß und schlank. Sein Gang war eher ein Schlendern.

»Er sieht aus wie Spike, Snoopys Bruder«, flüsterte Evelyn. Amanda verkniff sich zu sagen, dass sie genau das Gleiche gedacht hatte. Sie rief dem Mann zu: »Wir suchen nach einem gewissen Trask?«

Mit einem Kopfschütteln kam er auf sie zu. »Hier gibt's keinen Trask, Ladys. Ich bin Trey Callahan.«

»Trey«, sagten Evelyn und Amanda gleichzeitig. Wenigstens war Bennett nahe dran gewesen. Schwer zu sagen, was er dachte, wie Amanda und Evelyn hießen. Falls er überhaupt darüber nachdachte.

»Also?« Callahan steckte die Hände in die Hosentaschen und grinste lakonisch. »Ich nehme an, eins der Mädchen ist in Schwierigkeiten, doch wenn das der Fall sein sollte, kann ich Ihnen wahrscheinlich nicht helfen. Ich bin neutral wie die Schweiz. Wenn Sie verstehen, was ich meine.«

»Natürlich«, sagte Evelyn. Wie Amanda musste sie zu dem Mann hochschauen. Er war mindestens eins achtzig groß.

»Vielleicht ändert das Ihre Meinung: Wir sind wegen Lucy Bennett hier.«

Seine lockere Fröhlichkeit war im Nu wie weggefegt. »Sie haben recht. Ich werde tun, was ich kann, um Ihnen zu helfen. Gott sei ihrer Seele gnädig.«

»Wir hatten gehofft«, sagte Amanda, »Sie könnten uns etwas über sie erzählen. Uns eine Vorstellung davon geben, wie sie war, mit wem sie Umgang hatte.«

»Gehen wir in mein Büro.« Er trat zur Seite, um ihnen den Vortritt zu lassen. Trotz seiner Hippieart hatte irgendjemand es geschafft, ihm Manieren beizubringen.

Amanda folgte Evelyn in Callahans Büro. Der Raum war klein, wirkte aber freundlich. Die Wände waren in leuchtendem Orange gestrichen. Poster unterschiedlicher Funk-Bands hingen an den Wänden. Amanda prägte sich die Gegenstände auf seinem Schreibtisch ein: ein gerahmtes Foto einer jungen Frau mit einem Dobermannwelpen im Arm. Eine rostige Slinky-Spirale. Ein dicker Stapel Schreibmaschinenpapier, der mit einem Gummiband zusammengehalten wurde. In der Luft lag ein süßlicher Duft. Amanda warf einen Blick auf den Aschenbecher, der aussah, als wäre er erst kürzlich geleert worden.

Callahan schaltete das Transistorradio auf seinem Schreibtisch aus. Er deutete auf zwei Stühle und wartete, bis Evelyn und Amanda sich gesetzt hatten, bevor er seinen Sessel hinter dem Schreibtisch hervorzog und sich neben sie setzte – eine taktvolle Geste, erkannte Amanda. So war es ihm gelungen, sie alle auf eine Ebene zu bringen.

Evelyn holte ein Spiralnotizbuch aus ihrer Handtasche. Sie tat geschäftsmäßig. »Mr. Callahan, in welcher Funktion arbeiten Sie hier?«

»Direktor. Hausmeister. Berufsberater. Priester.« Er hob die Hände zu einer umfassenden Geste. Amanda erkannte, dass er noch größer war, als sie zunächst gedacht hatte. Seine Schultern waren breit. Sein Körper füllte den Sessel aus.

»Es bringt nicht viel ein, aber es gibt mir die Zeit, an meinem Buch zu arbeiten.« Er legte die Hand auf den Stapel Schreibmaschinenpapier. »Ich schreibe eine Atlanta-Version von *Frühstück für Helden.*«

Amanda war so schlau, ihn nicht nach diesem Projekt zu fragen. Die Professoren im College konnten stundenlang über ihre Texte schwadronieren. »Sind Sie der Einzige, der hier arbeitet?«

»Meine Verlobte übernimmt die Nachtschicht. Sie macht gerade ihren Abschluss als Krankenschwester im Georgia Baptist.« Er deutete zu dem gerahmten Foto der jungen Frau mit dem Hund und lächelte dabei wie ein Gebrauchtwagenhändler. »Glauben Sie mir, Ladys, wir sind hier alle sauber.« Evelyn notierte sich das, obwohl es kaum sachdienlich war.

»Was können Sie uns über Lucy Bennett erzählen?« Callahan wirkte besorgt. »Lucy war anders als unsere normale Kundschaft. Zum einen redete sie anständig. Sie war taff, aber darunter war auch eine gewisse Weichheit.« Er deutete in den vorderen Raum mit den leeren Betten. »Viele dieser Mädchen kommen aus kaputten Familien. Sie alle wurden in irgendeiner Form verletzt. Auf schlimme Art.« Er hielt inne.

»Sie checken, was ich meine?«

»Angekommen«, sagte Evelyn, ebenfalls um Coolness bemüht. »Sie wollen damit sagen, Lucy war nicht wie die anderen Mädchen?«

»Lucy war irgendetwas Böses angetan worden, das merkte man ihr an. Allen diesen Mädchen wurde irgendwann einmal etwas angetan. Man landet nicht auf der Straße, wenn man glücklich ist.« Er lehnte sich zurück und spreizte die Beine. Amanda konnte nicht anders: Sie war fasziniert von der Art, wie dieser Haltungswechsel aus dem Jungen einen Mann machte. Ursprünglich hatte sie angenommen, er wäre in ihrem Alter, aber wenn sie ihn jetzt ansah, wirkte er eher wie dreißig.

»Hatte Lucy Freundinnen?«, fragte Evelyn.

»Diese Mädchen sind nie wirklich Freundinnen«, erwiderte Callahan. »Lucy hing mit ihrer Gruppe ab. Ihr Zuhälter war Dwayne Mathison. Nennt sich Juice. Aber ich sage Ihnen offensichtlich nichts, was Sie nicht bereits wüssten.«

Amanda zupfte eine unsichtbare Fluse von ihrem Rock. Im Getto verbreiteten sich Nachrichten noch schneller als bei der Polizei. Wahrscheinlich wusste Callahan bereits, dass Juice sie angegriffen hatte.

»Wann haben Sie Lucy zum letzten Mal gesehen?«, fragte Evelyn.

»Vor mehr als einem Jahr.«

»Sie scheinen sehr viel über sie zu wissen.«

»Ich hatte eine Schwäche für sie.« Er hob die Hand. »Nicht, wie Sie denken, nichts in der Richtung! Lucy war intelligent. Wir redeten über Literatur. Sie träumte davon, eines Tages ihr derzeitiges Leben aufzugeben und aufs College zu gehen. Ich erzählte ihr von meinem Buch. Ließ sie sogar ein paar Seiten lesen. Sie hat es gleich kapiert. Sie hat begriffen, worauf ich hinauswollte.« Er zuckte mit den Schultern. »Ich habe versucht, ihr zu helfen, aber sie war noch nicht bereit dafür.«

»Hatten Sie je Kontakt mit ihrer Familie?«

Seine Hände hielten die Armlehnen umklammert. »Sind Sie deswegen hier?«

Evelyn konnte besser ahnungslos klingen als Amanda. »Ich verstehe nicht …«

»Lucys Bruder. Hat er Sie geschickt, um mir zu sagen, dass ich den Mund halten soll?«

»Wir arbeiten nicht für Mr. Bennett«, versicherte Amanda ihm. »Er hat uns lediglich erzählt, er sei hier gewesen, um nach seiner Schwester zu suchen.«

Callahan antwortete nicht sofort. »Im letzten Jahr. Der Kerl kommt rein und spielt sich auf. Gut angezogen, aber verdammt arrogant.« Das klang wirklich nach Hank Bennett.

»Sagt mir, er will wissen, ob ich Lucy den Brief gegeben habe, den er ihr geschickt hatte.«

»Und, haben Sie es getan?«

»Natürlich.« Seine Hände entspannten sich wieder. »Das arme Ding konnte sich nicht überwinden, ihn aufzumachen. Ihre Hände haben so sehr gezittert, dass ich ihn für sie in ihre Handtasche stecken musste. Ich habe nie erfahren, ob sie ihn gelesen hat. Eine, vielleicht zwei Wochen später ist sie verschwunden.«

»Wann war das?«

»Wie gesagt, ungefähr vor einem Jahr. Im August, vielleicht noch im Juli? Es war heiß wie in der Hölle, daran erinnere ich mich noch.«

»Aber Sie haben Hank Bennett weder davor noch danach je wiedergesehen?«

»Dafür schätze ich mich glücklich.« Er veränderte seine Haltung. »Der Mann wollte mir nicht einmal die Hand geben. Ich schätze, er hatte Angst, dass der Groove abfärbt.«

»Ich weiß, es ist schon eine Weile her«, sagte Evelyn, »aber erinnern Sie sich an die anderen Mädchen, mit denen Lucy herumhing?«

»Äh …« Er schob sich die Sonnenbrille in die Stirn und drückte sich die Finger auf die Augen, während er darüber nachdachte. »Jane Delray, Mary irgendwas und ...« Er schob die Brille wieder herunter. »Kitty irgendwer. Sie war nicht oft hier – die meisten Nächte hat sie drüben in Techwood verbracht, aber ich hatte den Eindruck, das war kein Dauerzustand für sie. Ihren Familiennamen kenne ich nicht. Sie war eher wie Lucy als die anderen Mädchen. Auch sie konnte sich gut ausdrücken, wenn Sie wissen, was ich meine. Aber sie hassten einander. Konnten nicht miteinander in einem Zimmer sein.«

Amanda verkniff sich den Blick zu Evelyn, aber sie spürte bei ihr die gleiche Aufregung, die sie selbst ergriffen hatte. »Dieses Haus in Techwood – hatte Kitty dort eine Wohnung?«

»Keine Ahnung. Sie war oft dort, aber vielleicht gehörte sie jemand anderem?«

»Kannten Lucy und Kitty sich von früher?«

»Das glaube ich nicht.« Er dachte schweigend über die Frage nach und schüttelte dann den Kopf. »Sie waren einfach die Art Mädchen, die nicht miteinander auskommen. Schätze mal, sie waren sich zu ähnlich.« Er beugte sich vor. »Ich bin Student der Soziologie, okay? Alle guten Schriftsteller waren das. Und das ist auch der Fokus meiner Arbeit. Die Straßen sind meine Dissertation, wenn Sie so wollen.«

Evelyn schien genau zu verstehen, was der Mann meinte.

»Haben Sie eine Theorie?«

»Die Zuhälter wissen, wie sie die verschiedenen Typen gegeneinander aufhetzen. Sie demonstrieren ihnen, dass nur ein Mädchen die Nummer eins sein kann. Einige geben sich damit zufrieden, die zweite Geige zu spielen. Sie sind es gewohnt, dass sie unten stehen. Andere kämpfen sich an die Spitze. Sie tun alles, was nötig ist, um die Nummer eins zu werden. Sie arbeiten härter. Arbeiten länger. Es geht um das Überleben des Stärkeren. Sie müssen einfach auf dem Podium stehen. Und die Zuhälter lehnen sich zurück und lachen sich ins Fäustchen.«

Von wegen Soziologie. Amanda hatte diese Lektion bereits in der Highschool gelernt. »Wann haben Sie Kitty das letzte Mal gesehen?«

»Vor vielleicht einem Jahr?«, mutmaßte er. »Wie gesagt, sie war nicht oft hier. Es muss ungefähr zu der Zeit gewesen sein, als die Kirche an der Juniper ihre Suppenküche eröffnete. Ich glaube, dort war eher Kittys Szene. Dort gab's auf jeden Fall weniger Konkurrenz.«

»Wissen Sie noch«, fragte Evelyn, »ob Kitty vor oder nach Lucys Verschwinden aufhörte hierherzukommen?«

»Danach. Ein paar Wochen später vielleicht? Nicht länger als einen Monat. Vielleicht erinnert man sich in der Kirche noch an sie. Wie schon gesagt, das war eher Kittys Szene. Diese Erlösersache faszinierte sie. Ich vermute mal, sie hatte eine religiöse Erziehung genossen. Trotz all ihrer Fehler war Kitty ein anständiges Mädchen.«

Amanda konnte sich nur schwer vorstellen, dass eine Hure nahe bei Gott sein konnte. »Können Sie sich an den Namen der Kirche erinnern?«

»Nein, aber sie hat ein großes schwarzes Kreuz vorn an der Fassade. Wird von einem echt großen Bruder geleitet – der ist mal schneidig! Und reden kann er auch sehr gut.«

»Bruder«, wiederholte Evelyn. »Meinen Sie damit, dass er Schwarz ist?«

Callahan lachte. »Nein, Schwester. Ich meine, dass er ein Bruder in Christus ist. Letztendlich schütteln wir doch alle ab den Drang des Ird'schen.«

»Hamlet«, sagte Amanda. Sie hatte vor einem Semester Shakespeare studiert.

Callahan hob seine Sonnenbrille an und zwinkerte ihr zu. Seine Augen waren blutunterlaufen. Die Wimpern erinnerten sie an die Fänge einer Venusfliegenfalle. »Reizende Ophelia! Schließ in dein Gebet all meine Sünden ein!«

Amanda wurde vor Verlegenheit rot.

Zum Glück übernahm Evelyn. »Dieser Mann in der Kirche ... Kennen Sie seinen Namen?«

»Keine Ahnung. Ziemliches Arschloch, wenn Sie mich fragen. Will über Bücher und alles diskutieren, aber man merkt, dass er in seinem Leben noch nie eins gelesen hat.« Callahan schob sich die Sonnenbrille wieder vor die Augen. »Wissen Sie, ich dachte, Lucy würde sich von mir verabschieden, bevor sie abhaute. Wie gesagt, da war etwas zwischen uns. Was Platonisches. Vielleicht schämte sie sich zu sehr. Diese Mädchen bleiben normalerweise nicht lange an einem Ort. Ihr Zuhälter hat irgendwann die Nase voll, wenn sie nicht mehr genug verdienen. Er verkauft sie an den nächsten. Manchmal ziehen sie einfach weiter. Ein paar gehen zurück nach Hause, wenn ihre Familien sie noch haben wollen. Der Rest von ihnen landet in den Gradys.«

»In den Gradys«, wiederholte Amanda. Es war merkwürdig, dieses Wort aus dem Mund eines Weißen zu hören. Nur die Schwarzen nannten das Grady Hospital »die Gradys«. Der Name stammte noch aus der Zeit, als die Stationen nach Rassen getrennt waren. »Was ist mit Jane Delray?«, fragte sie.

»Haben Sie je wieder von ihr gehört?«

Callahan lachte überrascht auf. »Diese Schwester ist echt fies! Die sticht dich ab, bevor sie dich auch nur anschaut.«

»Warum sagen Sie das?«

»Jane stritt sich ständig mit den anderen. Stahl ihnen Sachen. Ich musste sie schließlich aus der Mission werfen, was ich mit keinem der Mädchen gern tue. Das hier ist ihre letzte Zuflucht. Wenn sie nicht mehr hierherkommen können, können sie nirgendwo mehr hin.«

»Nicht mal mehr in die Suppenküche?«

»Nicht, wenn sie zugedröhnt sind. Der Bruder lässt sie dann nicht durch die Tür.« Callahan zuckte mit den Schultern. »Ist keine schlechte Politik. Wenn die Mädchen high sind, machen sie eher Schwierigkeiten. Aber ich kann nicht die Tür verschließen und sie auf der Straße stehen lassen.«

»Könnten sie nicht auch Unterstützung vom Wohnungsamt bekommen?«

»Nicht, wenn sie bereits wegen Prostitution verhaftet wurden. Das Amt siebt sie dann aus. Die wollen nicht, dass die Mädchen ihr Geschäft in Immobilien der öffentlichen Hand betreiben.«

Amanda versuchte, die Information zu verarbeiten. Sie war froh, dass Evelyn sich alles notierte. »Was wissen Sie sonst noch über Lucy?«

»Nur, dass sie ein gutes Mädchen war. Ich weiß, das ist schwer zu glauben, vor allem wenn man für die Polizei arbeitet. Aber sie alle haben als gute Mädchen angefangen. Sie haben irgendwann im Leben eine schlechte Entscheidung getroffen, und dann noch eine, und im Nu bestand ihr Leben auf einmal nur noch aus schlechten Entscheidungen. Vor allem bei Lucy. Sie hat es nicht verdient, so abzutreten.« Wieder umklammerten seine Hände die Lehnen. Seine Stimme wurde hart. »Ich will ja nicht schlecht über einen Bruder reden, aber ich hoffe, sie grillen ihn deswegen.«

»Was meinen Sie damit?«

»Ist doch schon raus.« Callahan deutete zum Radio. »Hab's im Radio gehört, kurz bevor Sie beide reinkamen. Juice wurde wegen des Mordes an Lucy Bennett verhaftet. Er hat ein Geständnis abgelegt.« Das Telefon auf seinem Schreibtisch klingelte. »Entschuldigung«, sagte er und drehte sich nach hinten, um zum Hörer zu greifen.

Amanda traute sich noch immer nicht, Evelyn anzusehen. Callahan legte die Hand über die Sprechmuschel des Hörers. »Tut mir leid, Ladys. Das ist einer unserer Unterstützer. Wollten Sie sonst noch etwas von mir?«

»Nein.« Evelyn stand auf. Amanda tat es ihr gleich. »Vielen Dank, dass Sie sich Zeit für uns genommen haben.«

Als sie das Gebäude verließen, schien die Sonne so grell, dass Amandas Augen sich mit Tränen füllten. Sie hielt sich die Hand vor die Stirn, als sie über den Parkplatz gingen.

»Na ja.« Evelyn setzte ihre Foster-Grant-Brille auf. »Verhaftet ...«

»Verhaftet«, wiederholte Amanda. »Gestanden.«

In verblüfftem Schweigen standen sie beide neben ihren Autos.

Schließlich fragte Amanda: »Was hältst du davon?«

»Ich bin baff«, gab Evelyn zu. »Ich nehme an, Juice könnte es gewesen sein. Hat es vielleicht sogar getan.« Sie überlegte einen Augenblick. »Andererseits ist es nicht schwer, an ein Geständnis zu kommen – vor allem für Butch und Landry nicht.«

Amanda nickte. Mindestens einmal pro Woche kamen Butch und Landry mit Schnitten und Abschürfungen an den Händen zum Morgenappell. »Du hast es selbst gesagt: Juice könnte sich aus dem Krankenhaus geschlichen haben und später wieder in sein Bett gestiegen sein, ohne dass irgendjemand etwas bemerkt hätte.« Amanda lehnte sich an ihr Auto, überlegte es sich jedoch anders, als die Hitze durch ihren Rock strömte. »Andererseits hat Trey Callahan soeben bestätigt, dass Juice der Zuhälter sowohl von Lucy Bennett als auch von Jane Delray war. Er würde die beiden Mädchen doch auseinanderhalten können. Warum sollte er gestehen, die eine ermordet zu haben, wenn es in Wirklichkeit die andere war?«

»Ich bezweifle ernsthaft, dass Rick Landry ihn seine Geschichte selbst hat erzählen lassen.« Dann fügte sie hinzu: »Ein Schwarzer, der eine weiße Frau umbringt? Das ist ein Knaller, wie es schon lange keinen mehr gegeben hat.«

Sie hatte recht. Der Fall würde die Rathauswände zum Wanken bringen, und Juice würde im Gefängnis landen, noch ehe das Jahr zu Ende ging – sofern er so lange am Leben blieb.

Beide Frauen schwiegen wieder. Amanda konnte sich nicht daran erinnern, wann sie je so schockiert gewesen war.

Und dann setzte Evelyn noch einen drauf: »Meinst du, wir können mit ihm sprechen?«

»Mit wem?«

»Mit Juice?«

Die Frage war so verrückt, wie sie gefährlich war. »Rick Landry würde uns bei lebendigem Leib aufknüpfen. Ich wollte es dir eigentlich nicht sagen, aber heute Morgen war er rasend vor Wut. Er hat sich vor meinen Augen bei Hodge beschwert, dass wir uns in seinen Fall einmischen.«

»Und was hat Hodge gesagt?«

»Eigentlich nichts. Der Mann spricht in Rätseln. Bei jeder Frage, die ich ihm gestellt habe, sagte er nur: ›Das ist eine gute Frage.‹ Es war zum Verrücktwerden.«

»Das ist seine Art, dir zu sagen, du sollst Rick ignorieren und weitermachen.« Evelyn hob die Hand, um Amandas Protest abzuwehren. »Überleg doch mal: Wenn Hodge dich davon abbringen wollte, diese Geschichte genauer zu untersuchen, hätte er dir den entsprechenden Befehl gegeben. Er hätte dich zum Zebrastreifendienst abkommandiert. Er hätte dich in den Innendienst verdonnert und dich den ganzen Tag Berichte schreiben lassen. Stattdessen sagt er dir, du sollst den Appell auslassen und dich mit mir treffen.« Sie nickte anerkennend. »Das ist wirklich clever. Er beauftragt dich nicht direkt mit dieser Sache, aber er bringt dich dazu, dass du dich darum kümmerst.«

»Es ist einfach nur ärgerlich. Warum kann er nicht offen sagen, was er denkt? Was wäre denn daran so verkehrt?«

»Er wurde schon einmal vorübergehend nach Model City versetzt. Ich glaube, er will nur dafür sorgen, dass er nicht dorthin zurückgeschickt wird.«

»Und unterdessen liegt mein Kopf auf dem Block.« Evelyn schien sich ihre Worte sehr genau zu überlegen.

»Wahrscheinlich hat er Angst vor dir, Amanda. Du weißt, dass viele Leute Angst vor dir haben.«

Amanda war wie vor den Kopf gestoßen. »Aber warum denn das?«

»Wegen deines Vaters.«

»Das ist doch lächerlich! Selbst wenn mein Vater sich um solche Sachen kümmern würde – ich bin doch keine Petze.«

»Das wissen die Leute aber nicht.« Und dann fügte Evelyn sanft hinzu: »Süße, es ist nur eine Frage der Zeit, bis dein Vater wieder seine Uniform anlegt. Er hat immer noch eine Menge mächtiger Freunde. Er wird auf Vergeltungen aus sein. Hältst du es wirklich für verkehrt, dass die Leute da Respekt haben?«

Amanda wollte nicht zugeben, dass Evelyn in Bezug auf Duke ganz sicher recht hatte, auch wenn der Rest nicht zutraf.

»Ich weiß nicht, warum wir dieses Gespräch überhaupt führen. Juice wurde wegen Mordes verhaftet. Der Fall ist abgeschlossen. Wir hätten die gesamte Abteilung gegen uns, wenn wir jetzt weiter Probleme machten.«

»Da hast du recht.« Evelyn sah auf die Straße, die vorbeirauschenden Auto. »Wahrscheinlich sind wir einfach nur blöd, dass wir uns überhaupt diese Gedanken machen. Juice wollte uns vergewaltigen. Jane hasste uns vom ersten Augenblick an. Lucy Bennett war ein Junkie und eine Prostituierte, deren Bruder es nicht ertragen konnte, mit ihr in einem Zimmer zu sein.« Sie nickte in Richtung der Mission. »Egal wie belesen sie Snoopys Bruder zufolge gewesen sein mag.« Sie nahm die Sonnenbrille wieder ab. »Was sollte das mit dieser Ophelia-Zeile?«

»Das war aus *Hamlet*.«

»Das ist mir klar.« Evelyn klang gereizt. »Ich lese mehr als nur Zeitschriften, weißt du.«

Amanda beschloss, dass es klüger war, den Mund zu halten. Evelyn setzte ihre Sonnenbrille wieder auf. »Ophelia war eine tragische Figur. Sie hatte eine Abtreibung und brachte sich um, indem sie sich von einem Baum stürzte.«

»Woher willst du wissen, dass sie eine Abtreibung hatte?«

»Sie hat Raute zu sich genommen. Das ist ein Gewächs, das Frauen benutzen, um eine Fehlgeburt herbeizuführen. Shakespeare ließ sie Blumen verteilen, und sie …« Evelyn schüttelte den Kopf. »Egal. Wichtig ist nur: Fährst du zum Gefängnis oder nicht?«

»Ich?« Amanda konnte Evelyns plötzlichen Themenwechseln kaum folgen. »Allein?«

»Ich hab Cindy gesagt, ich komme in die Five und suche in ihrer Kiste nach Lucys Führerschein.«

»Na, das passt ja.«

»Bubba Keller ist doch einer der Pokerfreunde deines Vaters, oder?«

Amanda überlegte, ob das eine Anspielung auf den Klan sein sollte. »Was hat das damit zu tun?«

»Keller leitet das Gefängnis.«

»Und?«

»Wenn *du* ins Gefängnis gehst und fragst, ob du mit Juice sprechen kannst, ist das keine große Sache. Wenn du mit *mir* ins Gefängnis gehst und mit Juice sprechen willst, erfährt es dein Vater garantiert.«

Amanda wusste nicht, was sie sagen sollte. Sie fühlte sich ertappt, als wüsste Evelyn plötzlich Bescheid über alle Lügen, die sie Duke in der letzten Woche aufgetischt hatte.

»Ist schon gut«, sagte Evelyn. »Wir alle müssen uns vor jemandem verantworten.«

Nur Evelyn schien sich vor niemandem verantworten zu müssen. »Bloß um es klarzustellen«, erwiderte Amanda. »Du willst, dass ich ins Gefängnis stürme und mit einem Gefangenen rede, der wegen Mordes verhaftet wurde?«

Evelyn zuckte mit den Schultern. »Warum nicht?«

15. KAPITEL

Gegenwart
SUZANNA FORD

Zanna schreckte aus dem Schlaf hoch. Sie konnte sich nicht bewegen. Sie konnte nicht sehen. Sie konnte kaum schlucken. Sie drehte den Kopf hin und her. Über ihrem Gesicht lag ein Kissen. Sie lag auf dem Rücken in einem Bett.

Sie versuchte, um Hilfe zu rufen, aber ihre Lippen bewegten sich nicht. Das Wort blieb ihr im Hals stecken. Sie versuchte es noch einmal.

»Hilfe …«

Sie hustete. Ihre Kehle war staubtrocken. Die Augen pochten in ihren Höhlen. Jede Bewegung jagte ihr Schmerzen durch den Körper. Sie sah nichts. Sie wusste nicht, wo sie war. Alles, woran sie sich erinnern konnte, war der Mann.

Der Mann.

Die Matratze bewegte sich, als er aufstand. Sie waren nicht mehr im Hotel. Das leise Rauschen des Innenstadtverkehrs war ersetzt worden durch zwei Geräusche. Das erste war ein Summen – wie von der Geräuschkassette, die sie ihrer Großmutter irgendwann einmal zu Weihnachten geschenkt hatte. Es klang wie eine ständige Beschwichtigung.

Pscht, meine Kleine … schlaf schön ein …

Das andere Geräusch war schwieriger zu identifizieren. Es klang vertraut, aber sobald sie es benennen wollte, veränderte es sich. Ein Pfeifen. Nicht wie das eines Zuges. Eher wie Luft, die durch einen Tunnel fegte. Einen Tunnel, der unter Wasser hindurchführte. Eine pneumatische Röhre.

Das Geräusch kam nicht regelmäßig. Es verstärkte ihr Gefühl, sich nicht in ihrem Körper zu befinden. Sich überhaupt irgendwo zu befinden. Sie wusste nicht einmal, ob sie noch in Atlanta war. Oder in Georgia. Oder in Amerika. Sie hatte keine Ahnung, wie lange sie bewusstlos gewesen war. Sie hatte kein Gefühl mehr für Zeit und Raum. Sie kannte nichts mehr außer banger Erwartung.

Der Mann murmelte wieder. Da war noch ein Geräusch – das eines Wasserhahns, der aufgedreht wurde. Das von Wasser, das in eine Metallschüssel plätscherte.

Zannas Zähne fingen an zu klappern. Sie wollte Meth. Sie brauchte Meth. Ihr Körper verkrampfte sich. Gleich würde sie die Beherrschung verlieren. Sie würde anfangen zu schreien. Vielleicht sollte sie schreien. Vielleicht sollte sie so laut schreien, dass er sie töten musste, denn sie zweifelte nicht daran, dass der Mann genau das tun würde. Die Frage war nur, durch welche Hölle er sie zuvor führen würde.

Ted Bundy. John Wayne Gacy. Jeffrey Dahmer. Richard Ramírez, der Nightstalker. Gary Ridgway, der Green River Killer.

Zanna hatte jedes Buch gelesen, das Ann Rule geschrieben hatte, und wenn es kein Buch gab, dann gab es eine Fernsehdokumentation oder eine Internetseite oder sonst irgendetwas, und sie erinnerte sich an jedes grässliche Detail zu jedem sadistischen Spinner, der je eine Frau zum Zweck seines eigenen dämonischen Vergnügens entführt hatte.

Und dieser Mann war ein Dämon. Daran war kein Zweifel. Zannas Eltern hatten aufgehört, in die Kirche zu gehen, als sie noch ein Kind gewesen war, aber sie hatte lange genug in Roswell gelebt, um sich noch an Liedzeilen und Bibeltexte erinnern zu können. Der Mann murmelte Gebete, und er flehte Gott um Vergebung an, aber Zanna wusste, dass niemand ihn hörte außer dem Teufel höchstpersönlich.

Das Wasser wurde abgedreht. Zwei Schritte, dann war er wieder an ihrem Bett. Sie spürte sein Gewicht, als er sich neben sie setzte. Wasser tropfte. Laute Tropfen in der Schüssel.

Suzanna zuckte zusammen, als der warme, nasse Lappen über ihre Haut strich.

16. KAPITEL

Gegenwart
DIENSTAG

Saras Knie protestierten, als sie sich durchs Wohnzimmer arbeitete, einen Lappen in die Schüssel mit Essig und heißem Wasser tauchte und die Sockelleisten Stück für Stück pedantisch abschrubbte.

Einige Frauen saßen nur herum und sahen fern, wenn sie ein Problem hatten. Andere wiederum gingen einkaufen oder stopften sich mit Schokolade voll. Saras Schicksal im Leben war es, dass sie putzte. Sie schob es auf ihre Mutter. Cathy Lintons Antwort auf jeden Kummer war immer schon harte Arbeit gewesen.

»Au!« Sara kauerte sich auf die Fersen. Sie war es nicht gewohnt, ihre Wohnung selber zu putzen. Trotz der niedrigen Temperatur auf dem Thermostat war sie schweißgebadet. Diese Einstellung wurde sonst von keinem gutgeheißen. Ihre Greyhounds lagen aneinandergekuschelt auf dem Sofa, als wäre ein arktischer Winter ausgebrochen.

Eigentlich sollte Sara jetzt bei der Arbeit sein, aber es war ein unausgesprochenes Gesetz in der Notaufnahme, dass jeder, der in einer Schicht drei schlimme Dinge erlebt hatte, nach Hause gehen durfte. Heute war Sara von einem Obdachlosen getreten worden, hatte einem Schlag ins Gesicht von der Mutter eines Jungen, der so high war, dass er in die Hose gemacht hatte, gerade noch ausweichen können und sich von einem der neuen Assistenzärzte auf die Hand kotzen lassen müssen. Und das alles noch vor Mittag. Wenn ihr Vorgesetzter ihr nicht gesagt hätte, dass sie nach Hause gehen sollte, hätte sie mit ziemlicher Sicherheit gekündigt. Das war einer der Gründe, warum es im Grady diese Regelung überhaupt gab.

Sie war mit dem letzten Stück der Sockelleiste fertig und stand auf. Ihre Knie waren ganz weich, weil Sara so lange auf dem Boden gekauert hatte. Sie dehnte die Waden, bevor sie mit Lumpen und Schüssel in die Küche ging. Sie kippte die Essiglösung in den Abfluss, wusch sich die Hände und griff dann nach einem trockenen Lumpen und einer Dose Sprühpolitur, um die nächste Phase zu beginnen.

Sie sah auf die Uhr an der Mikrowelle. Will hatte immer noch nicht angerufen. Sie stellte sich vor, dass er auf irgendeiner Toilette im Hartsfield-Jackson-Flughafen saß und darauf wartete, dass ein Geschäftsreisender einen Fuß unter die Kabinentür schob. Was bedeutete, dass er genügend Zeit hatte, ihre Nummer zu wählen. Vielleicht war das ja seine Nachricht. Vielleicht versuchte er, ihr zu verstehen zu geben, dass es vorbei war mit ihnen.

Vielleicht interpretierte Sara aber auch zu viel in sein Schweigen hinein. Beim Taktieren in Beziehungen war sie noch nie gut gewesen. Sie mochte es lieber direkt. Und genau das war die Wurzel all ihrer Probleme.

Was sie unbedingt brauchte, war eine zweite Meinung. Cathy Linton war sicherlich zu Hause, aber Sara hatte das Gefühl, ihre Reaktion würde ähnlich sein wie damals, als es Sara schlecht geworden war, weil sie eine ganze Packung Oreos auf einmal verdrückt hatte. Natürlich hatte sie Sara die Haare nach hinten gehalten und ihr den Rücken getätschelt, aber nicht ohne zuvor zu fragen: »Was um alles in der Welt hast du dir dabei nur gedacht?«

Und genau diese Frage stellte Sara sich selbst gerade immer und immer wieder. Das Schlimmste war, dass sie zu einem jener nervigen Menschen wurde, die so damit beschäftigt waren, über ihre schreckliche Situation zu jammern, dass sie darüber ganz vergaßen, dass sie etwas dagegen tun konnten. Sara räumte den Kaminsims ab, um Staub wischen zu können. Sanft nahm sie das kleine Kirschholzkästchen in die Hand, das ihrer Großmutter gehört hatte. Das Scharnier löste sich. Behutsam öffnete Sara den Deckel. Auf dem Satinkissen lagen zwei Eheringe.

Ihr Mann war Polizist gewesen, doch im Grunde endete hier auch schon die Ähnlichkeit zwischen Jeffrey und Will. Vielleicht auch nicht. Sie waren beide lustig. Sie hatten den gleichen moralisch gefestigten Charakter, zu dem Sara sich schon immer hingezogen gefühlt hatte. Sie waren beide überaus pflichtbewusst. Sie waren beide in Sara verliebt.

Doch Jeffrey hatte etwas an sich gehabt, das bei Will völlig anders war. Er hatte ihr unmissverständlich gezeigt, dass er sie wollte. Das war von Anfang an klar gewesen. Er war ein Mal fremdgegangen, aber er war auch durch die Hölle gegangen, um sie wieder zurückzugewinnen. Nicht dass Sara eine ähnlich dramatische Geste von Will erwartete, aber sie brauchte ein stärkeres Zeichen der Hingabe als nur, dass er jeden Abend zu ihr ins Bett gekrochen kam.

Sara hatte sich wegen seiner wunderschönen Handschrift in ihren Ehemann verliebt. Sie hatte seine Notizen an den Rändern eines Buches gesehen. Die Schrift war weich und flüssig gewesen – ungewöhnlich für jemanden, dessen Arbeit es verlangte, dass er eine Waffe trug und gelegentlich auch die Fäuste einsetzte. Wills Handschrift hatte Sara noch nie gesehen; bis auf seine Unterschrift, die eher ein Gekritzel war. Er hinterließ ihr Post-it-Zettel mit Smileys darauf. Ein paarmal hatte er ihr eine SMS mit dem gleichen Symbol geschickt. Sara wusste, dass Will hin und wieder ein Buch las, meistens aber hielt er sich an Hörbücher. Wie vieles andere auch war seine Legasthenie kein Thema, über das sie sprachen.

Konnte sie diesen Mann lieben? Konnte sie sich als Teil seines Lebens vorstellen – oder zumindest als Teil des Lebens, das er sie sehen ließ?

Sara war sich nicht sicher.

Sie schloss das Kästchen wieder und stellte es auf seinen Platz auf dem Kaminsims zurück.

Vielleicht wollte Will sie gar nicht. Vielleicht hatte er nur seinen Spaß mit ihr gewollt. Noch immer trug er seinen Ehering in der Hosentasche bei sich. Es hatte Sara gefreut, als er plötzlich ohne den Ring am Finger aufgetaucht war, aber sie war nicht dumm. Will ebenso wenig, und genau das war der Grund, warum es sie verwirrte, dass er den Ring dort aufbewahrte, wo normalerweise ihre Hände landeten.

Sara hatte nicht gleich erkannt, dass sie sich in Jeffrey verliebt hatte, als sie jenes Buch aufgeschlagen und seine Handschrift gesehen hatte. Erst als sie später zurückblickte, hatte sie begriffen, was damals passiert war. Es gab Erinnerungen an Will, die ihr ganz ähnlich ans Herz gingen. Ihm zuzusehen, wie er am Spülbecken ihrer Mutter das Geschirr wusch. Dass er so konzentriert zuhörte, wenn sie über ihre Familie sprach. Sein Gesicht, als er sie zum ersten Mal richtig geliebt hatte.

Sara lehnte sich an den Kamin. Wenn sie nur genug Zeit und Muße hätte, könnte sie sich einreden, diesen Mann entweder zu lieben oder zu hassen. Und das war der Grund, warum sie sich wünschte, er würde einfach in den sauren Apfel beißen und sie anrufen.

Das Telefon klingelte. Sara erschrak. Mit klopfendem Herzen ging sie zum Telefon, was dumm und töricht war. Um Himmels willen – sie hatte erfolgreich Medizin studiert. Sie sollte sich von einem Zufall nicht so leicht aus der Fassung bringen lassen. »Hallo?«

»Wie geht's meiner Lieblingsstudentin?«, fragte Pete Hanson. Er war einer der besten forensischen Pathologen des Staates. Sara hatte bei ihm als Medical Examiner des Grant County mehrere Kurse absolviert. »Ich habe gehört, du schwänzt die Schule.«

»Auszeit wegen Überlastung«, gab sie zu und versuchte dabei, ihre Enttäuschung darüber zu verbergen, dass der Anrufer nicht

Will war. Und dann fragte sie, weil Pete sie nie einfach so anrief: »Ist irgendwas passiert?«

»Ich habe Neuigkeiten, meine Liebe. Es ist allerdings persönlich, deshalb will ich lieber unter vier Augen mit dir darüber sprechen.«

Sara sah sich in der Wohnung um, in der es chaotisch aussah. Kissen lagen auf dem Boden. Teppiche waren zusammengerollt. Überall lag Hundespielzeug herum. Und genug Hundehaare, um einen neuen Greyhound daraus zu basteln. »Bist du in City Hall East?«

»Wie immer.«

»Ich bin schon unterwegs.«

Sara legte auf und ließ das schnurlose Telefon auf die Couch fallen. Sie warf einen Blick in den Spiegel. Der Schweiß hatte ihre Haare gekräuselt. Ihre Haut war fleckig. Sie trug Jeans, die an den Knien zerrissen waren, und ein T-Shirt der Lady Rebels, das toll ausgesehen hatte, als sie noch in der Highschool gewesen war. Will arbeitete im selben Gebäude wie Pete, aber er würde den ganzen Tag im Süden der Stadt unterwegs sein. Das Risiko, ihm zu begegnen, war also gleich null. Sie schnappte sich ihre Schlüssel und verließ die Wohnung. Sie lief in die Lobby hinunter und blieb erst stehen, als sie ihr Auto sah.

Wieder klemmte ein Zettel unter dem Scheibenwischer. Angie Trent hatte einen Gang hochgeschaltet. Zusätzlich zu der vertrauten »Hure« hatte die Frau das weiße Notizblockpapier mit ihrem stark geschminkten Mund geküsst.

Beim Einsteigen faltete Sara den Zettel zusammen. Sie ließ das Fenster hinunter und warf ihn in die Mülltonne neben dem Rolltor. Sara vermutete, dass Angie auf der Straße parkte und dann unter dem Tor hindurchkroch, um ihr diese Zettel hinter die Windschutzscheibe zu stecken. Bis vor wenigen Jahren war Angie Polizistin gewesen. Anscheinend war sie eine der besten verdeckten Ermittlerinnen gewesen, die das Sittendezernat je gehabt hatte. Wie viele frühere Polizisten zerbrach sie sich nicht den Kopf über so belanglose Vergehen wie unbefugtes Betreten und terroristische Bedrohungen. Hinter ihr hupte jemand. Sara hatte nicht bemerkt, dass das Tor hochgegangen war. Sie winkte entschuldigend und fuhr auf die Straße. Wenn das Nachdenken über Will ein vergebliches Bemühen war, dann war das Nachdenken über seine Frau eine Lektion in Selbsthass. Es gab einen Grund, warum man Angie das hochklassige Callgirl so bedenkenlos abgenommen hatte. Sie war groß und kurvig und hatte ein geheimes Pheromon, das jeden interessierten Mann – oder jede interessierte Frau, wenn man den Gerüchten Glauben schenken wollte – wissen ließ, dass sie zu haben war. Das war auch der Grund, warum Will ein Kondom benutzen wollte, bis er die Ergebnisse seines jüngsten Bluttests erhielt.

Natürlich nur, wenn es sie beide so lange noch gäbe.

City Hall East war weniger als eine Meile von Saras Wohnung entfernt. Untergebracht im alten Sears-Gebäude an der Ponce de Leon Avenue war der Komplex ebenso ausgedehnt, wie er heruntergekommen war. Die Metallfenster und die rissigen Ziegelmauern waren irgendwann einmal makellos gewesen, aber die Stadtverwaltung hatte nicht das Geld, um einen derart gewaltigen Bau in Schuss zu halten. Es war dem Volumen nach eins der größten Gebäude in den südöstlichen Staaten, was nur zum Teil erklärte, warum die Hälfte leer stand.

Wills Büro lag in einem der oberen Stockwerke, die vom Georgia Bureau of Investigation genutzt wurden. Dass Sara sein Büro noch nie gesehen hatte, gehörte zu den vielen Dingen, die sie aus ihren Gedanken verdrängte, während sie die lang gestreckte Kurve hinunter in die Tiefgarage fuhr.

Trotz des Aprilwetters war die Garage nicht so kühl, wie sie als unterirdische Anlage sein sollte. Die Leichenhalle lag noch tiefer, aber wie die Garage war auch sie ein wenig wärmer, als man erwarten würde. Anscheinend stimmte irgendetwas mit der Luftzirkulation nicht, oder vielleicht war das Gebäude so alt, dass es alles dafür tat, um die Benutzer zum Auszug zu zwingen.

Sara nahm die rissige Betontreppe hinunter ins untere Kellergeschoss. Sie sog die vertrauten Gerüche der Leichenhalle ein, die ätzenden Mittel zur Bodenreinigung und die Chemikalien, die zur Leichendesinfektion benutzt wurden. Damals im Grant County hatte Sara den Teilzeitjob als Medical Examiner angenommen, um ihren Partner aus der Kinderklinik, der in Rente gehen wollte, ausbezahlen zu können. Die Arbeit in der Leichenhalle war manchmal mühsam gewesen, aber im Allgemeinen viel faszinierender als die Bauchschmerzen und triefenden Nasen, die sie in der Klinik behandelte. Dass das Grady Hospital nur eine marginal größere Herausforderung war, war noch ein Gedanke, den sie lieber verdrängte.

Pete Hansons Büro lag direkt neben der Leichenhalle. Sara konnte durch die offene Tür hindurch sehen, dass er über seinen Schreibtisch gebeugt vor Papierbergen saß. Sara hätte mit Sicherheit ein anderes Ablagesystem als Pete gewählt, aber schon oft hatte sie ihn exakt das Papier, das er benötigte, ohne es suchen zu müssen, aus einem beliebigen Stapel ziehen sehen.

Sie wollte schon anklopfen, bevor sie sein Büro betrat, doch ihre Hand stoppte mitten in der Bewegung. Er hatte in letzter Zeit Gewicht verloren. Zu viel Gewicht.

»Sara.« Er lächelte sie an und entblößte dabei seine gelblichen Zähne. Pete war ein alternder Hippie, der sich einfach nicht von seinem langen Zopf trennen konnte, obwohl dieser inzwischen sichtlich dünner geworden war. Er bevorzugte grelle Hawaiihemden und hörte während seiner Untersuchungen am liebsten Grateful Dead. Er war ein geradezu prototypischer Medical Examiner, was bedeutete, dass das Präparat des Herzens eines achtzehnjährigen Opfers in einem Glas auf dem Regal über seinem Schreibtisch ihm nur als Illustration für seinen Lieblingswitz diente.

Sie gab ihm die Steilvorlage dafür. »Wie geht's, Pete?«

Doch anstatt ihr wie sonst zu verkünden, dass er das Herz eines Achtzehnjährigen habe, runzelte Pete die Stirn. »Danke, dass du gleich vorbeigekommen bist, Sara.« Er deutete auf einen leeren Stuhl. Pete hatte sich offensichtlich auf sie vorbereitet. Die Papiere und Tabellen, die sich normalerweise auf dem Stuhl stapelten, lagen jetzt am Boden.

Sara setzte sich. »Was ist los?«

Er wandte sich seinem Computer zu und drückte die Leertaste auf der Tastatur. Auf dem Monitor erschien eine digitalisierte Röntgenaufnahme. Das frontale Brustbild zeigte eine große weiße Masse inmitten des linken Lungenflügels. Sara blickte auf den Namen über der Abbildung. Peter Wayne Hanson.

»SCLC«, verkündete er. »Kleinzelliges Lungenkarzinom, die tödlichste Variante.«

Sara kam sich vor wie nach einem Schlag in den Magen.

»Das neue Protokoll …«

»Funktioniert bei mir nicht.« Er schloss die Datei wieder.

»Ich habe bereits Metastasen in Hirn und Leber.«

Sara musste ihren Patienten täglich schlechte Nachrichten überbringen. Doch Empfängerin war sie nur selten. »Oh Pete, das tut mir so leid!«

»Na ja, nicht gerade die beste Art zu gehen, aber immer noch besser, als in der Badewanne auszurutschen.« Er lehnte sich in seinem Sessel zurück. Jetzt sah sie es deutlich – die eingefallenen Wangen, der fahle Blick in seinen Augen. Er deutete zu dem Glas auf dem Regal. »So viel zu meinem achtzehnjährigen Herzen.«

Sara lachte über den unangebrachten Scherz. Pete war ein großartiger Arzt, aber sein bester Zug war immer schon seine Großzügigkeit gewesen. Er war der geduldigste und freigiebigste Lehrer, den Sara je gehabt hatte. Es freute ihn, wenn seinen Studenten ein Detail auffiel, das er selbst übersehen hatte; unter Ärzten kam das nur sehr selten vor.

»Wenigstens habe ich jetzt eine wunderbare Ausrede, um wieder mit dem Rauchen anzufangen.« Er tat so, als würde er eine Zigarette paffen. »Filterlose Camels. Meine zweite Frau hat sie gehasst. Du kennst Deena doch, oder?«

»Ich kenne ihren Ruf.« Dr. Coolidge leitete das forensische Institut in der GBI-Zentrale. »Hast du irgendwelche Pläne?«

»Du meinst eine Liste letzter Dinge, die ich noch tun will, bevor ich sterbe?« Er schüttelte den Kopf. »Ich hab die Welt gesehen – zumindest den Teil, den ich sehen wollte. Ich mache mich in der wenigen Zeit, die mir noch bleibt, lieber so nützlich wie möglich. Vielleicht pflanze ich auf meiner Farm noch ein paar Bäume, auf die meine Enkel eines Tages klettern können. Verbringe Zeit mit Freunden. Ich hoffe, du gehörst dazu.«

Sara rang um Fassung. Sie starrte hinunter auf den rissigen Fliesenboden. In dem Gebäude gab es so viel Asbest, dass es sie nicht überrascht hätte, wenn Petes Krebs auch andere Ursachen haben würde als die Zigaretten. Sie blickte zu dem Papierstapel neben dem Stuhl. Obenauf lag ein hellbrauner Umschlag, verschlossen mit einem ausgebleichten roten Bändchen. Der Beweismittelumschlag war alt, die Akkordeonfaltung stark zerknittert. Die Stellen, die nicht vom Alter vergilbt waren, waren schwarz verschmiert.

Pete folgte ihrem Blick. »Ein alter Fall.«

Saras Blick fiel auf das Datum. Er war vor mehr als dreißig Jahren datiert worden. »Sehr alter Fall.«

»Wir hatten Glück, dass das im Archiv überhaupt noch auffindbar war, aber ich bin mir nicht sicher, ob wir es auch brauchen.« Er nahm den Umschlag zur Hand und legte ihn vor sich auf den Schreibtisch. Schwarzer Staub blieb an seinen Fingern kleben. »Früher räumte die Stadt abgeschlossene Fälle alle fünf Jahre aus. Damals wurden einige verrückte Dinge gemacht.«

Sara ahnte, dass dieser Fall ihm etwas bedeutete. Sie kannte das Gefühl. Es gab Opfer, die sie damals im Grant County bearbeitet hatte, die sie für den Rest ihres Lebens verfolgen würden.

»Wie läuft's im Grady?«, fragte er.

»Ach, du weißt doch …« Sara wusste nicht, was sie sagen sollte. Sie wurde dort so oft Schlampe geschimpft, dass sie sich mittlerweile auch draußen auf der Straße umdrehte, sobald sie das Wort vernahm. »Poolpartys und Filmstars – das Übliche.«

»In fast vierzig Jahren hatte ich keinen einzigen Patienten, der mir frech gekommen wäre oder mich verklagt hätte.« Er hob eine Augenbraue. »Du weißt, dass sie jemanden brauchen, der meinen Platz einnimmt, wenn ich nicht mehr da bin.«

Sara lachte, merkte dann aber, dass er keinen Witz gemacht hatte.

»Nur so ein Gedanke«, sagte er. »Aber das bringt mich zu dem Gefallen, um den ich dich bitten möchte.«

»Was kann ich für dich tun?«

»Ich habe eben einen Fall hereinbekommen. Er ist äußerst wichtig. Er muss vor Gericht Bestand haben.«

»Hat das da irgendwas damit zu tun?« Sie deutete zu dem schmutzigen Umschlag auf seinem Schreibtisch.

»Ja«, gab er zu. »Ich erledige den Hauptteil der Arbeit, aber ich muss sicher sein, dass es in sechs Monaten oder in einem Jahr noch jemanden gibt, der vor Gericht aussagen kann.«

»Du hast doch Dutzende, die unter dir arbeiten …«

»Im Augenblick nur vier«, korrigierte er sie. »Leider besitzt keiner von ihnen die Länge und Breite deiner Erfahrung.«

»Ich kann nicht …«

»Du hast immer noch die Zulassung. Ich hab das überprüft.« Er beugte sich vor. »Ich bin kein Heuchler, Sara, das weißt du. Du wirst also verstehen, dass ich einfach nur brutal ehrlich bin, wenn ich sage, dass dies die letzte Bitte eines Sterbenden ist. Du musst das für mich tun. Du musst für mich vor Gericht aussagen. Du musst direkt mit der Jury sprechen und diesen Mann dorthin zurückschicken, wo er hingehört.« Sara wusste im ersten Augenblick nicht, was sie sagen sollte. Das war das Letzte, was sie erwartet hatte. Ihre Wohnung sah aus, als hätte der Blitz eingeschlagen. Sie musste sich immer noch mit Will herumschlagen. Sie war eher passend für ein spontanes Softballspiel angezogen als für die Arbeit. Trotzdem wusste sie, dass sie keine Wahl hatte. »Gibt es bereits einen Verdächtigen?«

»Ja.« Er wühlte in seinen Papieren und fand einen gelben Aktendeckel.

Sara überflog den vorläufigen Bericht. Dort stand nicht viel. Eine tote Unbekannte war vor einem Müllcontainer in einem eher vornehmen Stadtviertel gefunden worden. Sie war zu Tode geprügelt worden. In ihrer Brieftasche war kein Geld gewesen. Die Quetschungen an Hand- und Fußgelenken deuteten darauf hin, dass sie gefesselt, möglicherweise entführt worden war. Sara sah zu Pete auf. Ihr wurde bang ums Herz. »Die vermisste Studentin der Georgia Tech?«

»Wir haben noch keine eindeutige Identifikation, aber ich fürchte, ja.«

»Ein Fall für die Todesstrafe?« Pete nickte.

»Ist die Leiche hier?«

»Sie wurde vor einer halben Stunde gebracht.« Pete sah zur Tür. »Hallo, Mandy.«

»Pete.« Amanda Wagner trug den Arm in einer Schlinge. Sie sah ziemlich lädiert aus, achtete aber immer noch auf die Formalitäten. »Dr. Linton.«

»Dr. Wagner«, entgegnete Sara. Sie konnte nicht anders, sie musste über die Schulter der Frau hinweg nach Will Ausschau halten.

»War Vanessa schon hier?«, fragte Amanda Pete.

»Gleich heute Morgen.« Und an Sara gewandt: »Die vierte Mrs. Hanson.«

»Dr. Linton«, hob Amanda an, »darf ich hoffen, dass Sie uns Ihr Fachwissen zur Verfügung stellen?«

Sara fühlte sich in die Enge getrieben. »Ist dies Wills Fall?«

»Nein. Agent Trent ist diesem Fall in keiner Weise zugewiesen. Was nicht erklärt, warum ich die letzten drei Stunden meines Tages damit zugebracht habe, jeden Korridor eines zwölf-stöckigen Gebäudes entlangzugehen und mit Leuten zu sprechen, die Besseres zu tun haben, als zuzusehen, wie wir uns im Kreis drehen.« Sie atmete tief ein. »Pete, wann sind wir so alt geworden?«

»Das musst du dir selbst beantworten. Ich habe dir immer gesagt, dass ich jung sterbe.«

Sie lachte, aber es hatte einen traurigen Unterton.

»Ich kann mich immer noch an den Tag erinnern, als du zum ersten Mal in die Leichenhalle kamst.«

»Bitte, jetzt keine Sentimentalität. Versuch, mit Würde abzutreten.«

Er grinste wie eine Katze. Es war ein Augenblick der Vertrautheit zwischen ihnen beiden, und Sara fragte sich, ob Amanda Wagner irgendwie auch in die Chronik der vielen Mrs. Hansons gehörte.

Der Augenblick war schnell vorüber. Pete stand vom Schreibtisch auf. Er griff nach hinten und stemmte sich aus dem Sessel. Sara stürzte zu ihm hinüber, aber er schob sie sanft weg. »So weit sind wir noch nicht, meine Liebe.« Zu Amanda sagte er: »Du kannst mein Büro benutzen. Wir gehen voraus und fangen schon mal an.«

Pete bedeutete Sara, dass sie vor ihm hinausgehen sollte. Sie stieß die Türen zur Leichenhalle auf und widerstand dem Impuls, sie für Pete offen zu halten. In dem großen gefliesten Saal wirkte er noch kümmerlicher. Das Bürolicht hatte sein schlechtes Aussehen tatsächlich ein wenig abgemildert, doch im grellen Licht des Autopsiesaals ließ sich das Offensichtliche nicht mehr verbergen.

»Ein bisschen kühl hier drinnen«, murmelte Pete und nahm einen weißen Laborkittel vom Haken. Er ging zum Schrank und nahm einen weiteren für Sara heraus. Über der Tasche war sein Name eingestickt. Sara hätte sich den Kittel zwei Mal um den Körper wickeln können. Pete inzwischen allerdings auch.

»Unser Opfer.« Er deutete zu der zugedeckten Leiche in der Mitte des Saals. Blut war durch den Stoff gesickert, was ungewöhnlich war. Der Kreislauf blieb stehen, wenn das Herz aufhörte zu schlagen. Das Blut stockte. Sara empfand eine gewisse Aufregung und bekam zwar sofort ein schlechtes Gewissen, aber sie genoss einen schwierigen Fall. Die Arbeit im Grady, die sich ständig wiederholende Behandlung der immer gleichen Beschwerden und Verletzungen, konnte auf Dauer ein bisschen eintönig sein.

»Wir haben sie bereits fotografiert und geröntgt«, erklärte Pete. »Ihre Kleidung wurde ins Labor geschickt. Weißt du, früher haben wir sie heruntergeschnitten und in einen Sack gestopft. Bei Vergewaltigungsfällen!« Er lachte. »Mein Gott, die Wissenschaft war von Anfang an mit Makeln behaftet. Das Wort des Opfers galt einfach nicht. Wenn wir kein Sperma in der Unterwäsche des Verdächtigen finden konnten, dann war unsere Unterschrift unter einer Vergewaltigungsklage keinen Pfifferling wert.«

Sara wusste nicht, was sie sagen sollte. Sie konnte sich nicht vorstellen, wie schrecklich früher alles gewesen war. Zum Glück musste sie es auch nicht.

Pete wickelte seinen Zopf auf und zog eine Baseballkappe der Atlanta Braves darüber. Im Autopsiesaal war er in seinem Element, hier wirkte er sofort deutlich lebhafter. »Ich weiß noch, als ich zum ersten Mal mit einem Odontologen über Bissspuren sprach. Ich war mir sicher, dass wir in die Zukunft der Verbrechensaufklärung sahen. Haare. Teppichfasern.« Er kicherte. »Wenn ich an meinem bevorstehendem Ende eins bedaure, dann, dass ich den Tag nicht mehr erleben werde, an dem wir die DNS eines jeden Menschen auf dem iPad haben und nichts weiter tun müssen, als eine Blutprobe oder einen Gewebefetzen einzuscannen, und schon wird der aktuelle Aufenthaltsort unseres bösen Buben auf dem Display angezeigt. Das wird das Ende des Verbrechens sein, wie wir es kennen.«

Sara wollte nicht über Petes bevorstehendes Ende reden. Sie widmete sich ihrem Haar, zog das Band fester und streifte sich eine Chirurgenkappe darüber, damit sie nichts kontaminierte. »Wie lange kennst du Amanda schon?«

»Seit die Dinosaurier auf Erden wandelten«, witzelte er. Dann sagte er eine Spur ernster: »Ich habe sie kennengelernt, als sie anfing, mit Evelyn zu arbeiten. Die beiden waren zwei scharfe Waffen, das sag ich dir!«

Sara fand die Beschreibung merkwürdig, als wären Amanda und Evelyn wie zwei Calamity Janes durch Atlanta gelaufen.

»Wie war sie so?«

»Interessant«, sagte Pete, und das war eines der größten Komplimente, die er je einem Menschen machen würde. »Ich weiß, dass es sogar während deines Medizinstudiums noch nicht so richtig toll war ... Wie viele wart ihr damals – zehn, vielleicht zwanzig Frauen?«

»Zwölf«, antwortete Sara. »Im letzten Semester waren es dann über sechzig Prozent.« Sie erwähnte nicht, dass diejenigen, die sich keine Auszeit nahmen, um Kinder zu bekommen, sich überwiegend auf Pädiatrie oder Gynäkologie spezialisiert hatten – wie damals schon, als Sara noch Assistenzärztin gewesen war. »Wie viele Frauen gab es bei der Polizei, als Amanda anfing?«

Er kniff die Augen zusammen, während er darüber nachsann. »Weniger als zweihundert von über tausend?« Pete trat beiseite, damit Sara sich die Hände waschen konnte. »Niemand war damals der Ansicht, dass Frauen diesen Job machen sollten. Er wurde als Männerarbeit betrachtet. Ständig murrten sie, dass Frauen sich nicht selber schützen könnten, nicht die Eier hätten, den Abzug zu drücken. In Wahrheit hatten sie alle insgeheim Angst, dass die Frauen es besser machen würden als sie selbst. Man kann es ihnen nicht verdenken.« Pete zwinkerte ihr zu. »Als zum letzten Mal Frauen das Sagen hatten, haben sie den Alkohol verboten.«

Sara grinste ihn an. »Ich glaube, diesen einen Fehler in über hundert Jahren solltet ihr uns verzeihen.«

»Vielleicht«, gab er zu. »Weißt du, wenn man heutzutage meiner Generation zuhört, waren wir alle Hippies, die die freie Liebe propagierten, aber in Wahrheit gab es mehr Amanda Wagners als Timothy Learys, vor allem in diesem Teil des Landes.« Er grinste und zwinkerte noch einmal. »Ich will damit nicht sagen, dass dies alles spurlos an uns vorbeigegangen ist. Ich wohnte damals in einem wunderbaren Apartmentblock an der Chattahoochee. In Riverbend. Je davon gehört?«

Sara schüttelte den Kopf. Es gefiel ihr, wenn Pete in Erinnerungen schwelgte. Sein Krebs zwang ihn offensichtlich dazu, sein Leben ins rechte Licht zu rücken.

»Dort wohnte eine Menge Linienpiloten. Stewardessen. Anwälte und Ärzte und Krankenschwestern, oh Mann.« Seine Augen strahlten. »Mein kleines Nebengeschäft brummte – der Verkauf von Penicillin an viele dieser redlichen republikanischen Männer und Frauen, die mittlerweile in unserer Staatsregierung sitzen.«

Sara drehte das Wasser mit dem Ellbogen zu. »Klingt nach einer verrückten Zeit.« Sie war mit der AIDS-Epidemie groß geworden, als die freie Liebe anfing, ihren Preis einzufordern.

»Wirklich verrückt.« Pete gab ihr ein paar Papierhandtücher. »Wann war der Fall Brown gegen das Erziehungsministerium?«

»Der Fall zur Abschaffung der Rassentrennung?« Sara zuckte mit den Schultern. Ihr Geschichtsunterricht in der Highschool lag schon eine Weile zurück. »Vierundfünfzig? Fünfundfünfzig?«

»Ungefähr zu der Zeit verlangte der Staat von weißen Lehrern noch ein Gelöbnis, dass sie sich von der Rassenintegration distanzierten.«

Von diesem Gelöbnis hatte Sara noch nie etwas gehört, aber es überraschte sie nicht.

»Duke, Amandas Vater, war nicht da, als das Gelöbnis zirkulierte.« Pete blies in ein paar gepuderte Gummihandschuhe, bevor er sie überstreifte. »Miriam, Amandas Mutter, weigerte sich damals, das Gelöbnis zu unterschreiben. Also schickte Amandas Großvater – ein sehr mächtiger Mann, ziemlich weit oben bei Southern Bell – sie nach Milledgeville.«

Sara öffnete überrascht den Mund. »Er schickte seine eigene Tochter ins staatliche Irrenhaus?«

»Die Einrichtung war damals nichts anderes als eine Verwahrstation – vorwiegend für Veteranen und geistesgestörte Verbrecher. Und Frauen, die ihren Vätern nicht gehorchten.« Pete schüttelte den Kopf. »Sie zerbrach daran. Viele zerbrachen daran.«

Sara versuchte nachzurechnen. »War Amanda damals schon auf der Welt?«

»Ja, aber sie war noch ein Kleinkind. Weil Duke nicht da war, kam sie in die Obhut seines Schwiegervaters. Ich nehme an, kein Mensch hat Duke je erzählt, was da vor sich ging. Kaum war er wieder in Georgia, nahm er Amanda wieder zu sich, holte seine Frau aus Milledgeville zurück und sprach nie mehr mit seinem Schwiegervater.« Pete gab Sara ein Paar Handschuhe. »Alles schien bestens, doch irgendeines Tages ging Miriam in den Garten und erhängte sich an einem Baum.«

»Das ist ja furchtbar.« Sara zog die Gummihandschuhe an. Kein Wunder, dass Amanda so verschlossen war. Sie war noch schlimmer als Will.

»Aber du solltest deswegen nicht allzu viel Mitleid mit ihr haben«, warnte Pete sie. »Sie hat dich in meinem Büro belogen. Sie wollte dich aus einem bestimmten Grund hierhaben.« Anstatt nach dem Grund zu fragen, folgte sie seinem Blick zur Tür. Dort stand Will. Er starrte Sara vollkommen fassungslos an. Sie hatte ihn noch nie in einem so schrecklichen Zustand gesehen. Seine Augen waren blutunterlaufen. Er war unrasiert, die Kleidung zerknittert. Er schwankte vor Erschöpfung. Sein Schmerz war so offensichtlich, dass es Sara fast das Herz brach.

Ihr erster Impuls war, zu ihm zu eilen, aber dann trat Faith neben ihn, dann Amanda und schließlich Leo Donnelly, und Sara wusste, dass diese öffentliche Zurschaustellung alles nur noch schlimmer machte. Sie konnte es in seinem Gesicht lesen. Er war bestürzt, sie hier zu sehen.

Sara starrte Pete an – so böse, dass selbst er merkte, wie wütend sie war. Amanda hatte vielleicht gelogen, dass dies nicht Wills Fall war, aber Pete war derjenige gewesen, der sie in die Leichenhalle gelockt hatte. Sie riss sich die Handschuhe herunter und ging auf Will zu. Er wollte offensichtlich nicht, dass Sara ihn so sah. Sie hatte vor, mit ihm in Petes Büro zu gehen, zu erklären, was passiert war, und sich ausführlich zu entschuldigen, aber Wills Miene hielt sie davon ab.

Aus der Nähe sah er noch viel schlimmer aus. Sara musste sich zusammenreißen, um nicht sein Gesicht in die Hände zu nehmen und seinen Kopf auf ihre Schulter zu legen. Tiefe Erschöpfung strahlte von seinem Körper ab. Er hatte so viel Schmerz in den Augen, dass ihr erneut bange wurde.

Sie flüsterte ihm zu: »Sag mir, was du von mir willst. Ich kann gehen. Ich kann bleiben. Was immer das Beste für dich ist.«

Sein Atem war flach. Er sah sie mit einer solchen Verzweiflung an, dass Sara sich beherrschen musste, um nicht zu weinen.

»Sag mir, was ich tun soll«, flehte sie ihn an. »Was *du* von mir brauchst.«

Sein Blick fiel auf die Rollbahre. Auf das Opfer auf dem Tisch. »Bleib«, murmelte er und betrat den Saal.

Sara atmete stockend aus, bevor sie sich umdrehte. Faith konnte sie nicht ansehen, aber Amanda hielt ihrem Blick stand. Sara hatte Wills wechselhaftes Verhältnis zu seiner Chefin nie verstanden, aber in diesem Augenblick war es ihr gleichgültig. Im Augenblick gab es auf diesem Planeten keinen Menschen, den Sara so sehr verachtete wie Amanda Wagner. Offensichtlich spielte sie irgendein Spiel mit Will, und genauso offensichtlich war es, dass Will den Kürzeren dabei zog.

»Fangen wir an«, schlug Pete vor.

Sara stellte sich neben Pete, gegenüber Will und Faith, die ihre Arme vor der Brust verschränkte. Sie versuchte, ihre Wut zu beherrschen. Will hatte sie gebeten zu bleiben. Sara hatte keine Ahnung, was der Grund dafür sein mochte, aber sie durfte die Spannung im Saal nicht noch verstärken. Eine Frau war ermordet worden. Darauf sollten sie sich alle konzentrieren.

»Okay, Ladys und Gentlemen.« Mit dem Fußschalter stellte Pete das Diktafon an, mit dem er die Prozedur aufzeichnete. Er ratterte die üblichen Informationen herunter – Tageszeit, anwesende Personen, die vermutete Identität des Opfers: Ashleigh Renee Jordan. »Identifikation muss von der Familie noch bestätigt werden, und wir folgen dann natürlich mit dem Zahnstatus, der bereits digitalisiert und an das Institut an der Panthersville Road geschickt wurde.« Er fragte Leo Donnelly: »Ist der Vater unterwegs?«

»Ein Streifenwagen holt ihn vom Flughafen ab. Sollte jeden Augenblick hier sein.«

»Sehr gut, Detective.« Pete warf ihm einen strengen Blick zu. »Ich hoffe doch, Sie werden alle trockenen Kommentare oder schlechten Witze für sich behalten?«

Leo hob die Hände. »Ich bin nur wegen der Identifikation hier. Damit ich den Fall weitergeben kann.«

»Vielen Dank.«

Ohne weitere Vorbereitung nahm Pete den oberen Rand des Tuchs in beide Hände und zog es zurück. Faith keuchte auf. Ihre Hand schnellte zum Mund. Doch ebenso schnell senkte sie sie wieder. Ihr Kehlkopf arbeitete. Sie blinzelte nicht. Faith hatte derlei Dinge noch nie gut ertragen, aber sie schien entschlossen, standhaft zu bleiben.

Normalerweise teilte Sara ihr Unbehagen. Sie hatte gedacht, nach all diesen Jahren immun zu sein gegen die Entsetzlichkeit von Gewalttaten, aber beim Zustand der Leiche dieser Frau drehte sich einem wirklich der Magen um. Sie war nicht nur umgebracht worden. Man hatte sie verstümmelt. Quetschungen schwärzten ihren Torso. Winzige rote Ödeme brachen durch die Haut. Eine Rippe hatte das Fleisch durchstoßen. Die Eingeweide hingen zwischen den Beinen.

Aber das war noch nicht das Schlimmste.

Sara hatte noch nie an das Konzept des Bösen geglaubt.

Sie betrachtete das Wort als eine Ausrede – als Möglichkeit, Geistesgestörtheit oder Verderbtheit wegzuerklären. Ein sicheres Wort, hinter dem man sich verstecken konnte, statt der Wahrheit ins Auge zu sehen: dass Menschen zu abscheulichen Taten fähig waren; dass uns nicht viel davon abhielt, unseren niederen Trieben nachzugeben.

Dennoch war »das Böse« der einzige Begriff, der Sara in den Sinn kam, als sie das Opfer betrachtete. Es waren nicht die Quetschungen, die Risse, nicht einmal die Bissspuren, die sie schockierten. Es waren die methodisch gesetzten Schnitte an den Innenseiten von Armen und Beinen der Frau. Es war das Kreuzstichmuster, das in fast schnurgerader Linie an Hüfte und Torso hinaufwanderte. Ihr Angreifer hatte das Fleisch so aufgerissen, wie man eine Naht in einem Kleid aufreißen würde.

Und dann war da ihr Gesicht. Sara konnte sich nicht einmal ansatzweise vorstellen, was man mit ihrem Gesicht getan hatte.

»Die Röntgenaufnahmen zeigen, dass das Zungenbein gebrochen ist«, erklärte Pete.

Sara erkannte die vertrauten Quetschungen am Hals der Frau. »Wurde sie nach dem Strangulieren aus großer Höhe hinabgeworfen?«

»Nein. Sie wurde vor einem einstöckigen Gebäude gefunden. Der Eingeweidevorfall scheint eher von prämortal zugefügten äußeren Verletzungen herzurühren. Ein stumpfer Gegenstand – oder eine Hand. Wirkt dieses Streifenmuster auf dich wie Fingerspuren, vielleicht von einer geballten Faust?«

»Ja.« Sara kniff die Lippen zusammen. Die Schläge mussten eine enorme Gewalt gehabt haben. Der Mörder war offensichtlich fit, ein großer Mann und zweifellos rasend vor Wut gewesen. Auch wenn die Welt sich verändert hatte – es gab da draußen immer noch Männer, die Frauen per se zutiefst verabscheuten.

»Pete ... Dr. Hanson«, warf Amanda ein. »Nur für die Aufnahme. Was ist der geschätzte Todeszeitpunkt?«

Pete lächelte. »Ich würde sagen, irgendwann zwischen drei und fünf Uhr heute früh.«

Faith bemerkte: »Der Zeuge, der den grünen Transporter gesehen hat, war gegen vier Uhr dreißig joggen. Er kannte allerdings weder Hersteller noch Modell.« Sie konnte Sara immer noch nicht ansehen. »Wir haben ihn zur Fahndung ausgeschrieben, aber das ist wahrscheinlich eine Sackgasse.«

»Vier Uhr dreißig heute Morgen erscheint mir auf jeden Fall plausibel«, sagte Pete. »Wie wir alle wissen, kann ein Todeszeitpunkt wissenschaftlich nicht exakt eruiert werden.«

»Immer noch genau wie früher«, schnaubte Amanda.

»Sara?« Pete winkte sie zu sich. »Warum nimmst du nicht die linke Seite, während ich die rechte nehme?«

Sara zog sich frische Handschuhe über. Will trat zurück, als sie um den Tisch herumkam. Er war zu still. Er reagierte nicht auf ihre fragenden Blicke. Sara hatte das Bedürfnis, etwas für ihn zu tun, und zugleich das überwältigende Gefühl, sich dieser Toten gegenüber ehrerbietig verhalten zu müssen. Irgendetwas sagte ihr, dass ihr Letzteres bei Ersterem helfen würde. Dies hier war Wills Fall, ganz gleich welche Lüge Amanda ihr aufgetischt hatte. Offensichtlich verband ihn irgendetwas Emotionales damit. Sara hatte noch nie jemanden gesehen, der so verloren gewirkt hatte.

Und sie verstand jetzt auch Petes Wunsch, dass jemand, dem er hundertprozentig vertraute, in diesem Fall als Gutachterin auftreten sollte. Jeder Quadratzentimeter dieses Opfers schrie nach Gerechtigkeit. Wer Ashleigh Jordan angegriffen und ermordet hatte, hatte ihr nicht einfach nur wehtun wollen. Er hatte sie vernichten wollen.

Sara spürte eine leichte Veränderung in ihrem Bewusstsein, als sie sich auf die Prozedur vorbereitete. Auch Jurys schauten sich CSI-Folgen im Fernsehen an und kannten die Grundzüge einer Autopsie, aber es war die Aufgabe des Medical Examiner, sie durch die Wissenschaft hinter jedem der Befunde zu führen. Die Beweismittelkette war sakrosankt. Objektträgernummern, Gewebeproben und sämtliches Spurenmaterial wurden gespeichert und katalogisiert. Alles wurde auf schreibgeschützten Bändern gesichert, die nur im GBI-Labor geöffnet werden konnten. Spurenmaterial und Gewebeproben wurden auf DNS untersucht. Diese DNS konnte dann hoffentlich mit der eines Verdächtigen in Übereinstimmung gebracht werden, und dieser Verdächtige würde dann aufgrund unanfechtbarer Beweise verhaftet werden.

Pete warf Sara einen Blick zu. »Sollen wir anfangen?«

Es gab zwei Edelstahlschalen mit identischen Instrumenten: hölzerne Sonden, Pinzetten, flexible Lineale, Glasröhrchen und Objektträger. Pete hielt sich ein Vergrößerungsglas vors Auge, als er sich über die Leiche beugte. Anstatt oben am Kopf anzufangen, konzentrierte er sich zunächst auf die Hand des Opfers. Wie Beine und Torso war auch das Fleisch an Unterarm und Handgelenk in gerader Linie aufgerissen. Die Linie setzte sich unter dem Arm U-förmig fort und von dort aus weiter bis zur Hüfte.

»Du hast sie wirklich nicht gewaschen?«, fragte Sara. Die Haut wirkte wie frisch geschrubbt. Ein schwacher Seifengeruch hing in der Luft.

»Nein«, antwortete Pete.

»Sie sieht sauber aus«, bemerkte Sara für die Aufnahme.

»Der Schambereich ist rasiert. Keine Stoppeln auf den Beinen.« Mit ihrem Daumen drückte sie in die Haut rund um die Augen. »Augenbrauen zu einem akkuraten Bogen gezupft. Falsche Wimpern.«

Sara konzentrierte sich auf die Schädelhaut. Die Haarwurzeln waren dunkel, die verbliebenen Strähnen unregelmäßig gelb und weiß. »Sie trägt blonde Extensions. Sie sind dicht an der Kopfhaut befestigt, sie müssen also verhältnismäßig neu sein.« Sara arbeitete mit einem feingezahnten Kamm, so behutsam sie konnte, und zog ihn vorsichtig durch die eingewebten Haarverlängerungen. Auf dem weißen Papier unter dem Kopf des Mädchens zeigten sich Schuppen und Asphaltpartikel. Sara nahm Proben für die Untersuchung und legte sie beiseite.

Als Nächstes untersuchte sie den Haaransatz, suchte nach Einstichwunden und anderen Details, die dort nicht hingehörten. Dann untersuchte sie die Nasenlöcher mit einem Otoskop. »Nasal sind ein paar Zersetzungen festzustellen. Die Scheidewand ist eingerissen, aber nicht perforiert.«

»Meth«, vermutete Pete, was beim Alter des Opfers nicht abwegig war. Er hob die Stimme. Entweder war das Diktafon alt, oder er benutzte es nicht allzu oft. »Die Fingernägel sind professionell manikürt. Die Nägel sind leuchtend rot lackiert.« Dann wandte er sich an Sara: »Wie sieht es auf der anderen Seite aus?«

Sara hob die Hand der Frau. Der Körper befand sich im frühen Stadium der Leichenstarre. »Das Gleiche an dieser Hand. Manikürt. Derselbe Lack.« Sie wusste nicht, warum Pete den Fingernägeln so große Aufmerksamkeit schenkte. Man konnte in Atlanta keinen Stein werfen, ohne ein Nagelstudio zu treffen.

»Der Lack auf den Fußnägeln ist ein anderer«, sagte er dann.

Sara sah sich die Zehen des Mädchens an. Sie waren schwarz lackiert.

»Lackieren sich Frauen für gewöhnlich die Zehennägel anders als die Fingernägel?«

Sara zuckte mit den Schultern, Faith und Amanda ebenfalls.

»Na gut«, sagte Pete und wollte schon fortfahren, aber die ersten Takte von »Brick House« schnitten ihm das Wort ab.

»Entschuldigung.« Leo Donnelly zog sein Handy aus der Tasche und warf einen Blick auf die Anruferkennung. »Das ist der Streifenbeamte, den ich zum Flughafen geschickt habe. Daddy

Jordan steht wahrscheinlich schon vor der Tür.« Er ging nach draußen, während er den Anruf entgegennahm.

»Donnelly.«

Bis auf das Summen des Motors oben auf dem begehbaren Kühlschrank wurde es wieder still im Saal. Sara versuchte, Wills Aufmerksamkeit zu erregen, aber er starrte nur zu Boden.

»O Gott.« Faith ärgerte sich nicht über Donnelly – sie sah sich das Gesicht des Opfers an. »Was zum Teufel hat er nur mit ihr gemacht?«

Ein Klicken war zu hören, als Petes Fuß das Diktafon ausschaltete. Er sprach zu Sara, als hätte sie die Frage gestellt.

»Ihr sind Augen und Mund zugenäht worden.« Pete musste beide Hände benutzen, um eins der zerfetzten Lider offen zu halten. Sie waren in dicke Streifen zerteilt und sahen aus wie die Lamellen des Plastikvorhangs im Kühlraum eines Metzgers. »Man sieht, wie der Faden die Haut zerschnitten hat.«

»Woher weißt du das?«

Pete beantwortete die Frage nicht. »Diese Linien am Torso, an den Innenseiten der Arme und Beine – hier wurde ein dickerer Faden benutzt, um sie bewegungsunfähig zu machen. Ich vermute, dazu wurde eine Polsterernadel geführt, wahrscheinlich mit einem gewachsten Faden oder einem Garn mit Seidenbeimischung. Wahrscheinlich finden wir genügend Fasern für eine Analyse.«

Pete reichte Sara das Vergrößerungsglas. Sie betrachtete die Wunden. Wie auch bei Augen und Mund des Opfers war die Haut zerfetzt, das Fleisch hing in gleichmäßigen Abständen herunter. Sie sah die roten Punkte, wo die Nadel mit dem Faden eingedrungen war. Nicht nur einmal. Nicht nur ein paarmal. Die Narben sahen aus wie die Löcher in Saras Ohrläppchen, die sie sich als Kind hatte stechen lassen.

»Vielleicht hat sie sich von der Matratze – oder woran sie sonst festgenäht war – losgerissen, als er anfing, sie zu schlagen«, gab Amanda zu bedenken.

Pete ging näher auf die Hypothese ein. »Es könnte auch ein unkontrollierbarer Reflex gewesen sein. Er schlägt sie in den Bauch, sie krümmt sich. Sie reißt den Mund auf. Sie reißt die Augen auf. Und dann schlägt er sie wieder und wieder.«

Sara schüttelte den Kopf. Er traf vorschnelle Schlussfolgerungen. »Ist mir irgendetwas entgangen?«

Pete steckte die Hände in die Taschen seines Laborkittels und sah Sara stumm und mit der gleichen aufmerksamen Intensität an, die er an den Tag legte, wenn er ein neues Verfahren unterrichtete.

Amanda antwortete für ihn: »Dies hier ist nicht das erste Opfer unseres Mörders.«

Sara verstand kein Wort. Sie fragte Pete: »Woher weißt du das?«

Will räusperte sich. Sara hatte beinahe vergessen, dass er sich ebenfalls im Saal befand. »Weil meiner Mutter genau das Gleiche angetan wurde.«

17. KAPITEL

15. Juni 1975
LUCY BENNETT

Vatertag. Es kam überall im Radio. Bei Richway gab es einen Sonderverkauf. Davis Brothers bot ein All-you-can-eat-Büfett an. Hemden. Krawatten. Golfschläger.

Lucys Dad war leicht zu beschenken gewesen. Sie hatten ihm immer eine Flasche Scotch gekauft. Dann waren zwei Wochen vergangen, und wenn in der Flasche noch etwas drin war, bekamen sie am vierten Juli alle einen Schluck, während sie sich das Feuerwerk über dem Lake Spivey ansahen.

Lucys Dad.

Sie wollte nicht darüber nachdenken.

Über Nacht war Patty Hearst auf einmal wieder in den Schlagzeilen. Bis zu ihrem Prozess dauerte es noch ein Jahr, aber ihre Verteidigung hatte beschlossen, Details über ihre Entführung durchsickern zu lassen. Lucy wusste, was mit dieser verrückten Frau passiert war. Es war passiert, als Lucy noch auf der Straße unterwegs gewesen war. Damals hatte es sonst niemanden gegeben, mit dem sie darüber hätte reden können. Bis auf Kitty hatte keins der Mädchen Hearsts Namen überhaupt je gehört. Vielleicht hatte Kitty aber auch gelogen. Sie konnte ausgezeichnet lügen, tat immer so, als würde sie bestimmte Sachen wissen, doch am Ende war es bloß ein Vorwand, um einen ins Vertrauen zu ziehen, damit sie einem später in den Rücken fallen konnte wie eine hinterhältige kleine Schlampe.

Nach Hearst war da noch dieser Reporter der *Atlanta Constitution* gewesen, der entführt worden war. Irgendjemand hatte eine Million Dollar für seine Freilassung verlangt. Die Entführer hatten behauptet, zur Symbionese Liberation Army zu gehören. Was waren das für Idioten! Sie wurden von der Polizei geschnappt. Sie konnten keinen Cent des Gelds ausgeben.

Eine Million Dollar. Was würde Lucy mit so viel Kohle machen?

Die einzige Bank, die das Lösegeld in bar vorrätig hatte, war die C&S.

Mills Lane war ihr Vorstandsvorsitzender. Sein Foto war regelmäßig in den Zeitungen. Er war derjenige, der dem Bürgermeister geholfen hatte, das Stadion zu bauen. Nicht dem schwarzen Bürgermeister, sondern demjenigen, der gegen Lester Maddox kandidiert hatte.

Lucy spürte Lachen in ihrer Kehle gurgeln.

The Pickrick. Maddox' Restaurant an der West Peachtree. Er hatte Äxte an die Wand gehängt. Es gab ein Gerücht, demzufolge er jedem Schwarzen, der es wagte, durch die Vordertür hereinzukommen, eine davon in den Schädel rammen würde. Lucy stellte sich vor, wie Juice durch die Vordertür spazierte. Mit einer Axt im Schädel. Überall verspritztes Hirn. Washington-Rawson. Der Slum, den man abgerissen hatte, um das Stadion zu bauen. Lucys Dad hatte ihr die Geschichte erzählt, als sie einmal zu einem Baseballspiel dort waren. Die Braves. Chief Knock-a-Homa mit seinem verrückt riesigen Gesicht, der mit einer Axt herumrannte, die er von Lester Maddox gestohlen haben mochte. Lucys Dad meinte, das Stadion sollte die Gegend wiederbeleben. Innerhalb der Stadtgrenzen gab es fast eineinhalb Millionen Einwohner, und die meisten davon lebten auf Staatskosten. Wenn Atlanta die Schwarzen schon nicht aus der Stadt vertreiben konnte, dann musste sie sie eben niederwalzen.

Die SLA hatte Patty Hearst niedergewalzt. Sie waren eine Sekte. Sie hatten sie einer Gehirnwäsche unterzogen. Das sagte zumindest eine Ärztin im Radio. Eine Psychotante, und Lucy war deshalb skeptisch, aber die Frau behauptete, es dauere nur zwei Wochen, bis so eine Gehirnwäsche funktionierte.

Zwei Wochen.

Lucy hatte mindestens zwei Monate durchgehalten. Auch nachdem das H aus ihrem Körper geschwemmt war. Auch nachdem sie aufgehört hatte, nach dem Kick zu gieren. Und nachdem sie gelernt hatte, sich nicht zu bewegen, nicht zu tief oder zu gierig zu atmen. Nachdem sie aufgehört hatte, sich den Kopf über die wunden Stellen an ihrem Rücken und an den Beinen zu zerbrechen, weil sie so lange in ihrer eigenen Pisse und Scheiße gelegen hatte.

Sie hatte geglüht vor Hass, sobald er ins Zimmer kam. Sie war zusammengezuckt, sobald er sie berührte. Sie hatte in ihrer Kehle Geräusche produziert, Worte benutzt, von denen sie wusste, er würde sie verstehen, auch wenn sie den Mund gar nicht bewegte.

Satan.

Teufel.

Ich bring dich um. Arschloch.

Dann plötzlich war er nicht mehr gekommen. Es hatte sich nur um ein paar Tage gehandelt. Ohne Wasser konnte man nicht mehr als zwei, maximal drei Tage überleben. Also war er vielleicht seit drei Tagen nicht mehr da gewesen. Vielleicht hatte sie geweint, als er durch die Tür kam. Vielleicht war sie nicht einmal zusammengezuckt, als er ihr über die Haare gestrichen hatte. Vielleicht hatte sie sich nicht einmal mehr verkrampft, als er sie gewaschen hatte. Und als er schließlich auf sie gestiegen war und das getan hatte, was Lucy vom ersten Tag an von ihm erwartet hatte, hatte er womöglich gemerkt, dass sie auf ihn reagierte.

Als er sie schließlich wieder verlassen hatte, hatte sie ihm vermutlich nachgeweint. Sich nach ihm gesehnt. Nach ihm gefleht. Ihn vermisst.

So wie sie es bei Bobby getan hatte, ihrer ersten Liebe. So wie sie es bei Fred getan hatte, dem Kerl, der am Flughafen die Maschinen putzte. Dann Chuck, dem Hausmeister des Wohnblocks. Dann den zahllosen anderen, die sie vergewaltigt, geschlagen, gefickt und zum Sterben am Straßenrand abgelegt hatten.

Stockholm-Syndrom.

So hatte die Ärztin im Radio es genannt. Walter Cronkite hatte sie als Autorität auf dem Gebiet vorgestellt. Sie arbeitete mit Sekten- und Gehirnwäscheopfern. Sie schien zu wissen, wovon sie redete, aber vielleicht redete sie sich auch nur heraus, weil das, was sie sagte, nicht vollends schlüssig klang.

Zumindest nicht für Lucy.

Nicht für das Mädchen, das in seinen eigenen Exkrementen daliegen musste. Nicht für das Mädchen, das Arme und Beine nicht bewegen konnte. Nicht für das Mädchen, das den Mund nicht öffnen konnte, außer er wurde für sie aufgeschnitten. Das nicht blinzeln konnte, außer die rasiermesserscharfe Klinge seines Taschenmessers durchtrennte den dünnen Faden der Naht.

Sobald Lucy einen Ausweg sähe – in dem Augenblick, da sie nur den Hauch einer Chance sähe –, würde sie fliehen. Sie würde um ihre Freiheit rennen. Sie würde auf Händen und Knien nach Hause kriechen. Sie würde ihre Eltern finden.

Sie würde Henry finden. Sie würde zu den Bullen gehen. Sie würde ihren Körper von der Matratze reißen und sich nach Hause durchschlagen.

Patty Hearst war eine dumme Kuh. Sie hatte in einem Wandschrank gesteckt, aber niemand hatte sie niedergezwungen. Sie hatte eine Chance gehabt. Sie hatte reichlich Gelegenheiten gehabt. Sie hatte mit einem Gewehr in einer Bank gestanden und SLA-Blödsinn geschrien, obwohl sie einfach zur Tür hinausrennen und um Hilfe hätte rufen können.

Wenn Lucy ein Gewehr hätte, würde sie dem Mann in den Kopf schießen. Sie würde ihm den Schädel mit dem Schaft zertrümmern. Sie würde ihn mit dem Lauf vergewaltigen. Sie würde lachen, wenn ihm das Blut aus dem Mund floss und die Augäpfel aus den Höhlen platzten.

Und dann würde sie diese Frau aus dem Radio finden und ihr sagen, dass sie völlig falschlag. Patty Hearst war nicht hilflos gewesen. Sie hätte davonkommen können. Sie hätte jederzeit ausreißen können.

Aber dann könnte die Ärztin vielleicht erwidern, dass Lucy etwas hatte, das Patty Hearst nicht gehabt hatte.

Lucy war nicht mehr allein. Sie brauchte Bobby oder Fred oder Juice oder ihren Vater oder auch Henry nicht mehr. Sie bestimmte die Zeit nicht mehr anhand des warmen Sonnenlichts, das über ihr Gesicht wanderte, oder der jahreszeitlichen Veränderung der Temperatur. Sie gliederte ihren Verlauf nicht mehr in Tage, sondern in Wochen und Monate und nach dem Anschwellen ihres Bauchs.

Es konnte jetzt jeden Tag passieren. Lucy würde ein Baby bekommen.

18. KAPITEL

14. Juli 1975
MONTAG

Captain Bubba Keller war einer von Dukes Pokerfreunden, was bedeutete, dass er seine weiße Kutte in der Reinigung bügeln ließ, in der Deena Coolidges Mutter gestorben war. Kellers Frau brachte die Kutte dorthin. Wahrscheinlich hatte er keine Ahnung, wer sie reinigte.

Amanda hatte sich nie viele Gedanken gemacht über die Klan-Zugehörigkeit ihres Vaters. Als Männer wie Duke Wagner und Bubba Keller zur Polizei gegangen waren, hatte der Klan dort noch die Kontrolle gehabt. Die Mitgliedschaft war Pflicht gewesen, genau wie die Beiträge für den *Fraternal Order of the Police,* den Bruderschaftsorden der Polizei. Keiner der beiden dürfte etwas dagegen gehabt haben. Sie waren beide deutscher Abstammung. Sie hatten sich beide zur Navy gemeldet, weil sie gehofft hatten, in den Pazifik geschickt zu werden und nicht in den europäischen Arenen kämpfen zu müssen. Sie trugen ihr Haar militärisch kurz geschnitten. Ihre Hosen waren immer akkurat gebügelt. Die Krawatten saßen perfekt. Sie übernahmen Verantwortung. Sie öffneten Damen die Tür. Sie beschützten die Unschuldigen. Sie bestraften die Schuldigen. Sie wussten, was richtig und falsch war.

Genauer gesagt: Sie waren im Recht und alle anderen im Unrecht.

Ende der Sechziger hatte der Polizeichef Herbert Jenkins den Klan aus der Truppe gejagt, aber die meisten Männer, mit denen

Duke Poker spielte, hielten ihre einstige Mitgliedschaft noch immer in Ehren. Soweit Amanda es beurteilen konnte, bestand die Mitgliedschaft einzig und allein darin, herumzusitzen und darüber zu jammern, wie sich alles zum Schlechteren veränderte. Sie konnten über nichts anderes reden als über die gute alte Zeit – wie viel besser es doch gewesen war, bevor die Schwarzen alles ruiniert hatten.

Was sie einfach nicht sehen wollten, war die Tatsache, dass die Dinge, die für sie selbst das Leben schlechter machten, es für alle anderen besser machten. In den letzten Tagen hatte Amanda sich häufiger bei dem Gedanken ertappt, dass Ungerechtigkeit nie tragischer war, als wenn sie an die eigene Tür klopfte.

Sie hatte dies alles im Hinterkopf, als sie das Gefängnis betrat. Captain Bubba Keller war stolz auf seinen Posten, auch wenn das Gebäude abscheulich war – schlimmer als alles, was man in Attica finden konnte. Von der Decke hingen Fledermäuse. Im Dach klafften Löcher. Der Betonboden bröckelte. Im Winter ließ man die Gefangenen auf den Gängen schlafen, damit sie in ihren Zellen nicht erfroren. Im letzten Jahr hatte man einen Mann ins Grady gebracht, nachdem er von einer Ratte angegriffen worden war. Das Tier hatte ihm fast die Nase abgebissen, bevor einer der Wärter es geschafft hatte, es mit einem Besen wegzuschlagen.

Das Überraschende an dieser Geschichte war jedoch nicht, dass es im Gefängnis einen Besen gab, sondern dass ein Wärter überhaupt etwas bemerkt hatte. Mit der Sicherheit ging man verhältnismäßig lax um. Die meisten Männer waren bereits betrunken, wenn sie zur Arbeit kamen. Ausbrüche waren an der Tagesordnung – ein Problem, das noch verschärft wurde durch die Tatsache, dass das Sekretariat direkt an die Zellen stieß. Amanda hatte von einigen der Frauen Horrorgeschichten über Vergewaltiger und Mörder gehört, die auf dem Weg zu den Vordertüren bei ihnen vorbeischlenderten.

»Ma'am.« Ein Wärter tippte sich an die Mütze, als Amanda die Treppe hochstieg. Als er auf die Straße trat, atmete er tief die frische Luft ein. Amanda ahnte, dass sie das Gleiche tun würde, wenn sie diesen grässlichen Ort wieder verließ. Der Geruch hier war fast so schlimm wie in den Sozialsiedlungen.

Sie lächelte Larry Pearse an, der die Einrichtung von einem Büro mit Gittertür aus bewachte. Er zwinkerte ihr zu, während er einen Schluck aus seinem Flachmann nahm. Erst oben auf dem Treppenabsatz sah Amanda auf die Uhr. Es war noch nicht einmal zehn Uhr vormittags. Wahrscheinlich war gerade erst das halbe Gefängnis beleuchtet.

Das Surren elektrischer Schreibmaschinen wurde lauter, als Amanda sich dem Sekretariat näherte. Dies war früher einmal ihr Traumjob gewesen, aber jetzt konnte sie sich nicht mehr vorstellen, den ganzen Tag an einem Schreibtisch zu sitzen. Und sie konnte sich auch nicht mehr vorstellen, für Bubba Keller zu arbeiten. Er war aufgeblasen und lüstern, und er hielt es nicht für nötig, beides vor Amanda zu verbergen, obwohl er einer von Dukes engsten Freunden war.

Sie fragte sich oft, was passieren würde, wenn sie ihrem Vater erzählte, dass Keller ihr schon des Öfteren an den Busen gefasst und sie einmal sogar an die Wand gedrückt und ihr schmutzige Dinge ins Ohr geflüstert hatte. Amanda wollte nur zu gern glauben, dass Duke sich darüber aufregen würde. Dass er Keller die Freundschaft kündigen würde. Dass er ihm eins auf die Nase geben würde. Das Risiko, dass er nichts von alldem tat, war vermutlich der Grund, warum sie ihm nicht davon erzählte.

Wie zu erwarten, hörte sie Kellers laute Stimme über das Surren der Schreibmaschinen hinweg. Sein Büro ging direkt auf den großen, offenen Saal des Sekretariats hinaus. Sechzig Frauen saßen dort an Tischreihen, tippten und taten so, als könnten sie nicht hören, was nur ein paar Meter entfernt vor sich ging. Holly Scott, Kellers persönliche Sekretärin, stand in seiner Bürotür. Sie war so schlau, nicht einzutreten. Kellers Gesicht war dunkelrot. Er gestikulierte wild, ließ dann einen Arm niedersausen und wischte sämtliche Papiere von seinem Schreibtisch auf den Boden.

»Tun Sie es, verdammt noch mal!«, schrie er. Holly murmelte etwas, und er packte sein Telefon und warf es gegen die Wand. Der Verputz bröckelte, ein weißliches Pulver rieselte herab. »Und räumen Sie diesen Saustall auf!«, befahl Keller, schnappte sich seinen Hut und stürmte aus dem Büro. Als er Amanda sah, blieb er stehen. »Was zum Teufel machst du denn hier?«

Die Lüge kam ihr bedenkenlos über die Lippen. »Butch Bonnie hat mich gebeten, nachzuprüfen, ob …«

»Mir egal«, unterbrach er sie. »Sei einfach nicht mehr da, wenn ich zurückkomme.«

Amanda sah ihm nach, wie er auf den Ausgang zuwalzte. Er war das Idealbild eines Elefanten im Porzellanladen. Tische wurden aus dem Weg gerückt. Papierstapel segelten zu Boden. Da saßen sechzig Frauen an sechzig Tischen, arbeiteten an sechzig Schreibmaschinen und taten alles, um nur ja nicht herausgepickt zu werden.

Schließlich war ein kollektives Seufzen zu hören, als Keller den Saal verließ. Die Schreibmaschinen blieben einige Augenblicke stumm. Hinten in den Zellen schrie irgendjemand.

»Gute Nacht, Irene«, sagte Holly, und Gelächter erhob sich im Saal. Die Schreibmaschinen fingen wieder an zu klappern. Holly winkte Amanda in Kellers Büro.

»Ach du meine Güte«, sagte Amanda. »Was ist denn hier passiert?«

Holly bückte sich und hob eine kaputte Flasche Old Grandad Bourbon auf. »Mir ist einfach der Kragen geplatzt.«

Amanda kniete sich hin, um ihr beim Einsammeln der Papiere zu helfen. »Warum das denn?«

»Wir versuchen, Reggies neues Handbuch für den Drucker fertig zu tippen.« Holly warf die kaputte Flasche in den Abfalleimer. »Wir sind kurz vor dem Abgabetermin. Die Oberen sitzen uns im Nacken. Sitzen Keller im Nacken.«

»Und?«

»Und Keller glaubt, es wäre an der Zeit, mich in sein Büro zu rufen und mir zu sagen, ich solle ihm meine Titten zeigen.« Amanda seufzte. Sie kannte diese Aufforderung nur zu gut.

Darauf folgten normalerweise ein verstörendes Lachen und eine grapschende Hand. »Und?«

»Ich hab ihm gesagt, ich werde mich beschweren.« Amanda hob das Telefon auf. Das Gehäuse war zersprungen, aber das Freizeichen war immer noch zu hören. »Willst du das wirklich tun?«

»Wahrscheinlich nicht«, gab Holly zu. »Mein Mann sagt, wenn er das noch mal macht, soll ich einfach meine Tasche nehmen und gehen.«

»Und warum tust du es nicht?«

»Weil dieses Arschloch nur noch einen Wutanfall von einem Herzinfarkt entfernt ist. Ich werde ihn überleben, und wenn es mich umbringt.« Sie schob die letzten Papiere zusammen. Sie hatte ein Lächeln im Gesicht. »Was willst du eigentlich hier?«

»Ich muss mit einem Insassen sprechen.«

»Weiß oder schwarz?«

»Schwarz.«

»Gut. Wir haben hier nämlich eine Läuseplage.« Jeder wusste, dass die Schwarzen keine Läuse bekamen. »Keller wird dort hinten eine Dose DDT versprühen müssen. Es ist das dritte Mal in diesem Jahr. Der Geruch ist einfach furchtbar.« Holly nahm einen Stift vom Schreibtisch und hielt ihn über ein Blatt Papier. »Wer ist das Mädchen?«

Amanda spürte, wie sich ihre Kehle verengte. »Männlich.«

Holly ließ den Stift sinken. »Du willst da reingehen und mit einem schwarzen Mann sprechen?«

»Dwayne Mathison.«

»Gott, Mandy, bist du verrückt? Er hat eine weiße Frau ermordet. Und er hat gestanden.«

»Ich brauche nur ein paar Minuten.«

»Nie im Leben.« Sie schüttelte energisch den Kopf »Keller würde mir den Kopf abreißen. Und völlig zu Recht. So was Verrücktes hab ich ja noch nie gehört. Warum um alles in der Welt willst du mit ihm reden?«

Nicht zum ersten Mal bemerkte Amanda, dass sie besser zurechtkommen würde, wenn sie sich ihre Erklärungen im Voraus zurechtlegte. »Es geht um einen meiner Fälle.«

»Was für ein Fall?« Holly setzte sich an den Schreibtisch, um die Papiere zu sortieren. Auf der Schreibtischunterlage standen zwei weitere Flaschen Bourbon, eine davon fast leer, und dazwischen ein Glas aus geschliffenem Kristall, das ein Ring zierte, der nie mehr abgespült werden würde, weil Keller seine Drinks kontinuierlich auffüllte. Eine grobe Skizze von Brüsten und einem Penis war in das weiche Holz des Tisches geritzt.

Holly sah sie unverwandt an. »Um was geht's überhaupt?«

Amanda zog sich einen Stuhl heran, so wie es Trey Callahan an diesem Vormittag in der Union Mission getan hatte. Sie setzte sich Holly direkt gegenüber. Ihre Knie berührten sich fast. »Ein paar Mädchen sind verschwunden.«

Holly hielt beim Sortieren inne. »Du glaubst, der Lude hat sie ebenfalls umgebracht?«

Amandas Antwort war keine komplette Lüge. »Vielleicht.«

»Du solltest Butch und Rick davon erzählen. Es ist ihr Fall. Und du weißt, dass sie hiervon erfahren werden.« Sie legte eine Hand aufs Herz und hob die andere wie zu einem Treueschwur. »Von mir oder den anderen Mädchen werden sie nichts erfahren, aber du weißt, dass so was die Runde macht.«

»Ich weiß.« In einer Polizeitruppe war nichts verbreiteter als Klatsch.

»Mandy …« Holly schüttelte den Kopf, als könnte sie nicht

begreifen, was in ihre Freundin gefahren war. »Warum machst du dir selber solche Probleme?«

Amanda sah sie an. Holly Scott hatte den schlanken Körper einer Tänzerin. Sie glättete ihr langes rotes Haar. Ihr Make-up war fachmännisch aufgetragen. Ihre Haut war perfekt. Sogar in dieser elenden Hitze hätte man sie noch für ein Werbeplakat fotografieren können. Dass sie im Diktat so gut wie perfekt war und einhundertundzehn Wörter pro Minute tippen konnte, waren vermutlich Faktoren, an die Keller nicht einmal gedacht hatte, als er sie einstellte.

Amanda griff hinter sich und warf die Tür zu. Die Schreibmaschinen waren zwar noch immer genauso laut, aber es vermittelte ein Gefühl der Vertraulichkeit.

Dann sagte sie zu Holly: »Rick Landry hat mich bedroht.« Sie fand es nicht richtig, Evelyns Namen ins Gespräch zu bringen, aber als sie fortfuhr, sagte Amanda die Wahrheit: »Er hat mich vor meinem Chef eine Schlampe genannt. Er hat mich verflucht. Er hat gesagt, ich soll verdammte *Schsch...* noch mal die Finger von seinem Fall lassen.«

Holly presste die Lippen aufeinander. »Und wirst du auf ihn hören?«

»Nein«, sagte Amanda. »Werde ich nicht. Ich hab keine Lust mehr, auf die zu hören. Ich hab keine Lust mehr, Angst vor denen zu haben und zu tun, was sie verlangen, obwohl ich es besser weiß.«

Es war ganz ruhig dahergesagt, hatte aber etwas Revolutionäres.

Holly spähte nervös über Amandas Schulter. Sie hatte Angst, dass man sie hörte. Dennoch fragte sie: »Warst du schon mal im Männertrakt?«

»Nein.«

»Es ist furchtbar dort hinten. Viel schlimmer als auf der Frauenseite.«

»Davon gehe ich aus.«

»Ratten. Fäkalien. Blut.«

»Übertreib nicht.«

»Keller wird fuchsteufelswild.«

Amanda zwang sich zu einem Schulterzucken. »Vielleicht bekommt er davon ja den Herzanfall, auf den du so sehnlich wartest.«

Holly sah sie lange an. In ihren blauen Augen glitzerten Tränen, aber sie lösten sich nicht. Sie hatte sichtlich Angst. Amanda wusste, dass sie einen Sohn hatte und einen Mann, der gleich zwei Jobs hatte, damit sie sich ein Leben in der Vorstadt leisten konnten. Holly besuchte die Abendschule. Sie half am Sonntag in der Kirche aus. Sie arbeitete ehrenamtlich in der Bücherei. Und sie kam an fünf Tagen in der Woche hierher und ertrug Kellers Annäherungsversuche und Zweideutigkeiten, weil die Stadt der einzige Arbeitgeber war, den das Gesetz dazu zwang, Frauen das gleiche Gehalt zu zahlen wie Männern.

Und dennoch wich Holly Amandas Blick nicht aus, als sie zum Telefon auf Kellers Schreibtisch griff. Ihre Finger fanden die Wählscheibe. Ihre Hand zitterte leicht. Sie musste nicht nach unten schauen, um die Nummer zu wählen. Holly stellte den ganzen Tag Anrufe für Keller durch. Sie wartete, bis die Verbindung stand. »Martha«, sagte sie, »hier ist Holly aus Kellers Büro. Kannst du für mich einen Gefangenen ins Verhörzimmer bringen lassen?«

Amanda sah sie aufmerksam an, während sie Dwayne Mathisons Daten durchgab. Sie hatte nur kurz in den Papieren auf Kellers Schreibtisch stöbern müssen, um den Bericht über die Verhaftung und die entsprechende Aufnahmenummer zu finden. Ihre Nägel waren genau wie die von Amanda kurz und mit farblosem Lack überzogen. Ihre Haut war fast so weiß wie die von Jane Delray – natürlich ohne deren Einstichnarben. Doch Amanda sah die blauen Spuren der Adern auf Hollys Handrücken.

Sie sah auf ihre eigenen Hände hinab, die sie im Schoß gefaltet hatte. Ihre Nägel waren ordentlich geschnitten, aber das Lackieren hatte sie sich am Abend zuvor gespart. Die Haut an der Handkante war aufgekratzt. Amanda konnte sich nicht daran erinnern, sich verletzt zu haben. Vielleicht hatte sie die Hand beim Putzen irgendwo aufgescheuert. Im Kühlschrank stand ein Metallteil hervor, an dem sie immer wieder hängen blieb, wenn sie ihn auswischte.

Holly legte auf. »Er wird überstellt. Es dauert ungefähr zehn Minuten.« Sie zögerte kurz. »Du weißt, noch kann ich das Ganze abblasen. Du musst das nicht durchziehen.«

Doch Amanda hatte andere Dinge im Kopf. »Darf ich von hier aus telefonieren, während ich warte?«

»Klar.« Holly stöhnte, als sie ihr den Apparat zudrehte. »Ich bin draußen. Ich sag dir Bescheid, wenn sie so weit sind.«

Amanda zog ihr Adressbuch aus der Handtasche. Eigentlich sollte sie Angst haben vor dieser neuerlichen Begegnung mit Juice, aber beim Blick auf ihre zerkratzte Hand war ihr etwas anderes eingefallen.

Sie hatte hinten in ihrem Adressbuch eine Karteikarte mit den Nummern, die sie täglich benutzte. Butch ließ in seinen Notizen andauernd Details weg. Amanda musste mindestens einmal pro Woche in der Leichenhalle anrufen. Normalerweise redete sie mit der Frau, die sich um die Ablage kümmerte, aber heute wollte sie mit Pete Hanson persönlich sprechen.

Nach dem dritten Läuten wurde abgenommen. »Coolidge.« Amanda dachte schon daran, wieder aufzulegen, aber dann hatte sie einen Anfall von Paranoia, als könnte Deena Coolidge sie irgendwie sehen. Das Gefängnis war nur ein paar Häuser von der Leichenhalle entfernt. Amanda sah sich nervös um.

»Hallo?«

»Amanda Wagner hier.«

Die Frau ließ einige Zeit verstreichen. »Aha.«

Amanda blickte in den Schreibsaal hinaus. Die Frauen waren wieder bei der Arbeit, Rücken gerade, Kopf leicht geneigt, während sie die Seiten eines Handbuchs tippten, das höchstwahrscheinlich von der einen Hälfte der Truppe als Toilettenpapier und von der anderen als Zielscheibe für Schießübungen benutzt werden würde. »Ich hätte eine Frage an Dr. Hanson«, sagte Amanda. »Ist er in der Nähe?«

»Er ist den ganzen Tag bei Gericht, wo er als Gutachter in einem Fall auftritt. Kann ich irgendwie helfen?«

Amanda schloss die Augen. Mit Pete wäre es einfacher gewesen. »Es geht um die Hautpartikel, die unter den Fingernägeln unseres Opfers gefunden wurden.« Amanda betrachtete den Kratzer an ihrer Handkante. »Ich habe mich gefragt ...« Sie konnte es nicht. Vielleicht sollte sie auf Pete warten. Wahrscheinlich war er morgen wieder in seinem Büro. Und Jane Delray würde morgen auch nicht toter sein.

»Na, kommen Sie, Mädchen«, sagte Deena. »Ich hab nicht den ganzen Tag Zeit. Spucken Sie es aus.«

»Dr. Hanson hat am Samstag etwas unter den Fingernägeln des Mädchens gefunden.«

»Genau. Hautgewebe. Anscheinend hatte sie ihren Angreifer gekratzt.«

»Wurde das Gewebe schon untersucht?«

»Noch nicht. Warum?«

Amanda schüttelte den Kopf. Am liebsten wäre sie im Boden versunken. Wahrscheinlich war es am besten, einfach damit herauszuplatzen. »Wenn der Angreifer ein Schwarzer war, wäre die Haut unter den Fingernägeln des Mädchens dann nicht schwarz?«

»Mhmm.« Deena schwieg ein paar Sekunden. »Wissen Sie, Pete hat da ein spezielles Licht. Man richtet es auf die Hautprobe, und wenn sie von einem Schwarzen ist, leuchtet sie irgendwie orange auf.«

»Wirklich?« Von so einer Lampe hatte Amanda noch nie gehört. »Hat er die Haut schon untersucht? Weil ich nämlich glaube ...«

Anfangs dachte sie, Deena würde schluchzen, doch dann erkannte Amanda, dass die Frau so sehr lachte, dass sie nach Luft schnappen musste.

»Ja, ja, sehr lustig«, sagte Amanda. »Ich lege jetzt besser auf.«

»Nein, warten Sie ...« Deena lachte noch immer, bemühte sich aber ganz offensichtlich, sich unter Kontrolle zu bringen.

»Moment. Nicht auflegen.« Sie lachte weiter. Amanda blickte auf Kellers Schreibtisch hinab. Zigarettenkippen quollen aus dem Aschenbecher. Selbst seine Kaffeetasse hatte einen orangefarbenen Nikotinrand.

»Okay«, sagte Deena. »In Ordnung.« Und dann fing sie wieder an zu lachen.

»Ich lege jetzt wirklich auf.«

»Nein, warten Sie!« Sie hustete ein paarmal. »Jetzt geht's. Ich bin wieder ganz bei mir.«

»Ich habe eine ernsthafte Frage gestellt.«

»Ich weiß, ich weiß.« Sie hustete noch einmal. »Hören Sie, kennen Sie diese Anzeige von Pure and Simple Lotion, die die verschiedenen Schichten der Haut zeigt?«

Amanda wusste nicht, ob sie damit einen Witz einleitete oder nicht.

»Ich meine es ernst, Mädchen. Hören Sie mir zu.«

»Okay, ja, ich kenne die Anzeige.«

»Die Haut hat im Wesentlichen drei Schichten, okay?«

»Okay.«

»Wenn man jemanden kratzt, erreicht man normalerweise nur die oberste Schicht, die Dermis oder Lederhaut, und die ist weiß, egal welche Hautfarbe man hat. Um zu der pigmentierten Hautschicht, der schwarzen Schicht, zu kommen, muss man bis zur Unterhaut, der Subkutis kratzen, was heißt, man muss die Fingernägel so tief eingraben, dass es richtig blutet. Und das wäre dann kein Hautfetzchen, das man unter dem Fingernagel herauskratzen müsste. Das wäre ein richtiger Brocken.«

Amanda hörte Petes geduldigen Lehrertonfall aus den Worten der Frau heraus. »Also gibt es keine Möglichkeit festzustellen, ob das Mädchen vom Freitag einen schwarzen oder einen weißen Angreifer hatte?«

Deena schwieg einen Augenblick. Diesmal lachte sie auch nicht. »Sie sprechen von diesem Zuhälter, der wegen des Mordes an dem Mädchen verhaftet wurde, nicht wahr?«

Amanda sah, wie ein Wärter neben Hollys Schreibtisch trat. Er war schlaksig, hatte einen ungepflegten Schnurrbart und dunkle Haare. Holly winkte Amanda zu sich. Juice war so weit.

»Amanda?«, fragte Deena. »Ich meine es ernst. Sie sollten es sich gut überlegen, was Sie tun.«

»Ich dachte, es würde Sie freuen, einem von Ihrer Sorte helfen zu können.«

»Dieser Mistkerl hat mit mir nichts zu tun.« Sie senkte die Stimme. »Ich will einfach nur meinen Kopf auf den Schultern behalten, das würde mich sehr freuen.«

»Trotzdem danke, dass Sie meine Frage beantwortet haben.«

»Warten Sie!«

Holly winkte immer energischer. Wahrscheinlich hatte sie Angst, dass Keller zurückkam. Amanda hob die Hand, um anzudeuten, dass sie noch ein paar Augenblicke brauchte. »Was ist?«

»Seien Sie vorsichtig. Die Leute, die Sie jetzt beschützen, werden über Sie herfallen, wenn sie herausfinden, was Sie tun.«

Danach kam lange nichts mehr. Beide dachten über das soeben Gesagte nach.

»Vielen Dank.« Amanda versuchte, in Deenas barschen Abschied nichts hineinzulesen. Sie legte auf. Das Herz hämmerte in ihrer Brust. Die Frau hatte selbstverständlich recht. Duke wäre rasend vor Wut, wenn er wüsste, was Amanda vorhatte. Keller ebenfalls. Butch und Landry gleichermaßen – und möglicherweise sogar auch Hodge. Dazu kam noch die ganze Abteilung, wenn irgendjemand herausfand, dass sie versuchte, einen

Schwarzen aus dem Gefängnis zu holen. Einen Schwarzen, der den Mord bereits gestanden hatte.

Holly kam zur Tür. »Beeil dich, Mandy. Phillip wird dich nach hinten bringen und bei dir bleiben.« Sie senkte die Stimme. »Er ist kein Schlechter.«

Am liebsten wäre Amanda geflohen. Ihr Wagemut schnellte auf und ab wie der Kolben in einem Motor. »Ich bin so weit.« Sie stand vom Tisch auf. Als Phillip ins Büro trat, zwang sie sich zu einem Lächeln. Er trug die dunkelblaue Uniform der Gefängniswachen, an einer Seite seines Gürtels hing ein Schlüsselbund, ein Schlagstock an der anderen.

Er war jünger als Amanda, aber er sprach mit ihr wie mit einem Kind. »Bist du sicher, dass du das tun willst, Mädchen?« Amanda schluckte den Kloß in ihrer Kehle hinunter. Allzu gern hätte sie jetzt Evelyn an ihrer Seite gehabt, damit sie ihr Kraft gab. Dann bekam sie ein schlechtes Gewissen, weil Evelyn in den letzten Tagen geballten Zorn abgekommen hatte – nicht nur von Rick Landry, sondern auch von Butch und der Person, die sie nach Model City versetzt hatte.

Vielleicht hatte Evelyn recht. Vielleicht waren die Leute bei Amanda vorsichtiger, weil sie Angst vor Duke hatten. Statt selber vor ihm Angst zu haben, sollte Amanda diesen Vorteil nutzen. Wenigstens solange sie konnte.

»Ich glaube, wir kennen uns noch nicht.« Amanda ging mit ausgestreckter Hand auf den Mann zu. »Ich bin Amanda Wagner. Dukes Tochter.«

Sein Blick wanderte zu Holly, dann zu Amanda, als er ihr die Hand gab. »Ich kenne Duke.«

»Er ist ein guter Freund von Bubba.« Amanda hatte Keller nie beim Vornamen genannt, aber das musste der Wärter ja nicht wissen. Sie nahm ihre Handtasche vom Stuhl und suchte darin den neuen Stift und das Notizbuch, das sie von zu Hause mitgebracht hatte. Sie gab Holly die Tasche. »Kannst du die für mich aufbewahren?«

Holly sah Amanda mit großen Augen nach, als sie durch die Tür marschierte. Beim Gang durch den Schreibsaal zwang sie sich zu einem gemäßigten Tempo. Das permanente Drehen und Hacken der Kugelköpfe schien zu ihrem sprunghaften Herzschlag zu passen, aber Amanda zwang sich zum Weitergehen. Ein Gefängnis zu betreten war vermutlich ähnlich, wie in ein Schwimmbecken zu steigen. Entweder man sprang mit einem Satz hinein und spürte den Kälteschock, oder man zögerte es hinaus und stieg ganz langsam hinein, sodass man eine Gänsehaut bekam und die Zähne klapperten.

Amanda würde hineinspringen.

Als sie die Treppe hinunterging, hielt sie sich am Geländer fest. Sie wartete nicht, bis Phillip ihr die Tür öffnete. Sie stieß sie mit der Handfläche auf. Die Zellen. Holly hatte recht gehabt. Die Männerseite war noch sehr viel schlimmer als die der Frauen. Die Wände waren von langen Rissen überzogen. Tauben gurrten im Dachgebälk, ihr Kot sprenkelte den Betonboden. Sie stieg über eine Schnapsleiche, die an der Wand lehnte. Die Pfiffe und anzüglichen Blicke ignorierte sie. Sie hielt den Rücken gerade und den Blick stur geradeaus gerichtet, bis Phillip sagte: »Es ist auf der linken Seite.«

Vor einer Tür blieb sie stehen. Jemand hatte mit einem Messer VERHÖR in die dicke Schicht Bleifarbe geritzt. Etwa auf Augenhöhe war ein quadratisches Fenster eingelassen, doch das Glas war vor Dreck beinahe undurchsichtig.

Phillip nahm seinen Schlüsselbund zur Hand und suchte den richtigen Schlüssel hervor. Er schwankte leicht; offensichtlich hatte auch er getrunken. Er steckte den Schlüssel ins Schloss und stieß die Tür auf. Amanda drehte sich um und hielt ihn so vom Eintreten ab.

»Ich übernehme jetzt.«

Er lachte, merkte dann jedoch, dass sie es ernst meinte. »Bist du verrückt?«

»Ich rufe Sie, wenn ich Sie brauche.«

»Dazu würde die Zeit nicht reichen.« Er deutete auf die Tür. »Die schnappt zu, sobald du sie zumachst. Ich kann sie einen Spalt offen halten, damit …«

»Vielen Dank.« Sie benutzte einen von Rick Landrys Tricks, verkürzte den Abstand zwischen ihnen und zwang ihn so zum Zurückweichen, ohne ihn berühren zu müssen. Das Letzte, was sie von Phillip sah, war sein verwirrter Gesichtsausdruck, als sie die Tür zudrückte.

Das Klicken des Riegels hallte durch den Raum. Im Fenster sah sie noch einen Augenblick lang den Mützenschirm des Wärters, sonst nichts.

Und dann drehte sie sich um.

Dwayne Mathison saß am Verhörtisch. Um den Kopf trug er einen blutigen weißen Verband. Ein Auge war zugeschwollen. Die Nase war gebrochen. Er hatte seinen Stuhl so weit nach hinten geschoben, dass er fast die Wand berührte. Amanda sah, dass die Kleidung dieselbe war, die er in der vergangenen Woche getragen hatte, jetzt allerdings war sie fleckig von Dreck und Blut. Er hatte die Beine weit gespreizt. Sein Arm hing über die Rückenlehne, die Finger berührten beinahe den Boden. Sie sah das Jesus-Tattoo auf seiner Brust. Das Muttermal auf der Wange. Den Hass in seinen Augen.

»Willst'n du hier, Schlampe?«

Das war eine gute Frage. Noch nie zuvor hatte Amanda einen Verdächtigen in einem richtigen Vernehmungsraum befragt. Normalerweise suchte sie die Verdächtigen zu Hause auf. Meistens waren Eltern anwesend, manchmal sogar ein Anwalt. Die Jungs waren in der Regel zerknirscht, erschrocken darüber, mit der Polizei reden zu müssen – und erleichtert gleichermaßen, weil es sich um eine Frau handelte. Die Väter versicherten Amanda stets, dass so etwas nie wieder vorkommen würde. Die Mütter plauderten pikante Details aus über das Mädchen, das die entsprechende Anschuldigung vorgebracht hatte. Im Allgemeinen war in weniger als einer Stunde alles vorüber, und der Junge durfte sein Leben so weiterführen wie zuvor.

Was genau wollte sie also hier?

Amanda presste sich das Notizbuch an die Brust, bedauerte es aber sofort. Juice sollte nicht den Eindruck bekommen, dass sie ihren Busen bedecken wollte. Er würde denken, dass sie Angst hätte. Beides traf zu, aber das durfte sie sich nicht anmerken lassen. Als sie zum Tisch hinüberging, ließ sie beide Arme sinken. Das Zimmer war klein. Es waren nur ein paar Schritte. Sie zog den leeren Stuhl unter dem Tisch hervor und setzte sich. Juice beobachtete sie, wie ein Raubtier seine Beute beobachtete. Amanda rückte mit dem Stuhl näher an den Tisch heran, obwohl jeder Muskel in ihrem Körper nach Flucht schrie.

Innerhalb einer Sekunde würde er über den Tisch springen und ihr das Genick brechen können. Er würde sie schlagen können. Sie verprügeln. Erneut versuchen, sie zu vergewaltigen. Amanda hatte immer befürchtet, dass sie, wenn etwas Schlimmes passierte – ein Mann mitten in der Nacht in ihre Wohnung eindrang, ein Angreifer sie in einer dunklen Gasse in die Ecke trieb –, nicht würde schreien können. Sie hatte auch nicht geschrien, als Juice sich auf sie gestürzt hatte. Könnte sie jetzt schreien, wenn er sie angriff? Würde Phillip sie überhaupt hören? Und wenn ja, würde er rechtzeitig den richtigen Schlüssel finden, um das Schlimmste zu verhindern? Amandas Mund war zu trocken, um zu schlucken. Sie schlug ihr Notizbuch auf. »Mr. Mathison, soweit ich weiß, haben Sie den Mord an Lucy Bennett gestanden?«

Er antwortete nicht.

Von einem Loch in der Decke tropfte Wasser. Aus den Tropfen war auf dem Boden eine Pfütze geworden. In einer Ecke lag eine tote Ratte, den Hals in einer Falle gebrochen. In den Ecken hingen Spinnweben. Die Luft stank nach Schweiß, vermischt mit dem durchdringenden Geruch getrockneten Urins.

»Mr. Math…«

»Mhmm.« Juice leckte sich über die Oberlippe. »Bist immer noch eine gut aussehende Frau.« Er schnalzte mit der Zunge. »Hätte dich nehmen sollen, als ich die Gelegenheit dazu hatte.«

Völlig unpassenderweise spürte Amanda, dass ein Lächeln sie überkam. Sie konnte geradezu Evelyns Stimme hören, wie sie Juice im Varsity nachgeäfft hatte.

Sie klang erstaunlich gefestigt, als sie sagte: »Tja, die Gelegenheit haben Sie verpasst.« Amanda klickte ihren Kugelschreiber auf, um sich Notizen machen zu können. »Was ist mit Jane Delray passiert?«

Er machte ein Geräusch irgendwo zwischen einem Grunzen und einem Ächzen. »Was interessiert dich diese Schlampe?«

»Ich will wissen, wo sie ist.«

Er hob die Hand über den Kopf und pfiff wie ein Kampfbomber, als er sie auf den Tisch niedersausen ließ.

Amanda starrte seine Hand an. Zwei Finger waren mit einem medizinischen Textilband zusammengepflastert. An den Händen und den nackten Armen hatte er jedoch nicht einen einzigen Kratzer. »Sie haben gestanden, Lucy Bennett getötet zu haben.«

»Ich habe gestanden, um meinen schwarzen Arsch vor dem elektrischen Stuhl zu retten.«

»Die Todesstrafe ist gekippt.«

»Für mich führen sie sie wieder ein.«

Amanda bezweifelte nicht, dass der Staat unter diesen Umständen genau das versuchen würde. Jeder wusste, es war nur eine Frage der Zeit, bis der elektrische Stuhl wieder eingeschaltet würde.

»Wir wissen beide, dass Sie diese Frau nicht getötet haben.«

»Hätte ich's bloß getan.«

»Warum haben Sie es nicht getan?«

»Warum bist du hier, Schlampe? Was kümmert's dich, was mit einem Schwarzen passiert?«

»Rein gar nichts, wenn Sie's wissen wollen.« Amanda erschrak beinahe über die Wahrheit, die sie gerade ausgesprochen hatte. »Ich mache mir nur Sorgen um die Mädchen.«

»Weil sie weiß sind.«

»Nein.« Wieder sagte Amanda die Wahrheit. »Weil sie Mädchen sind. Und weil sich sonst niemand Sorgen um sie macht.« Er sah sie an. Erst jetzt wurde Amanda bewusst, dass Juice ihrem Blick ausgewichen war. Sie starrte zurück und fragte sich, ob sie die erste Frau war, die je den Mut dazu gehabt hatte. Irgendwo musste doch eine Mutter sein. Eine Schwester. Er konnte doch nicht jede Frau, die ihm über den Weg lief, vergewaltigen und auf den Strich schicken.

Juice klopfte mit dem Finger auf den Tisch. Amanda sah ihn weiter unverwandt an, und Juice senkte den Blick. »Du bist wie sie.«

»Wer?«

»Lucy.« Er trommelte weiter auf den Tisch. »Sie ist stark. Zu stark. Ich hab versucht, sie zu brechen. Aber sie steht immer wieder auf.«

»War Kitty auch so?«

»Kitty.« Er schnaubte. »Die Schlampe hätte fast *mich* gebrochen, okay? Musste sie zu Boden schlagen und unten halten.« Er deutete mit dem Finger auf Amanda. »Wenn man diese Ladys nur lange genug für sich laufen lässt, merkt man, dass die Stärkste auch die Loyalste sein wird. Man muss nur den Zugang zu ihr finden.«

»Ich werd's mir merken, falls ich je vorhabe, Frauen auf den Strich zu schicken.«

Er legte die Hände flach auf den Tisch und beugte sich zu ihr vor. »Dich schnapp ich mir noch, Schlampe. Nur fünf Minuten mit diesem netten weißen Arsch ...« Er ruckte mit den Hüften vor und zurück, sodass sie an den Tisch stießen.

»... bohr dir die Hände in dein saftiges weißes Fleisch. Ramm sie dir rein, bis du schreist.« Er stieß fester gegen den Tisch und unterstrich jede Bewegung mit einem tiefen Stöhnen – ein gutturales Geräusch, bei dem ihr auf einmal die dunklen Flecken an seiner Kehle auffielen.

»Würden Sie mich würgen?«

»Klar würg ich dich, Schlampe.« Er stieß ein letztes Mal gegen den Tisch. »Ich würg dich, bis du so heftig kommst, dass du ohnmächtig wirst.«

»Lassen Sie sich gern würgen?«

»Scheiße.« Er verschränkte die Arme vor der Brust. Sein Bizeps war riesig. »Diesen Bruder würgt niemand.«

Amanda fiel etwas ein, das Pete im Obduktionssaal gesagt hatte. »Pissen Sie sich dabei in die Hose?«

»Ich bepiss mich doch nicht selbst!« Er reckte das Kinn vor.

»Wer hat das behauptet?«

Amanda spürte ein süffisantes Lächeln auf den Lippen. »Sie selbst gerade eben.«

Er starrte die Wand an.

»Diese Wohnung in Techwood gehört Kitty, nicht wahr?« Er antwortete nicht.

»Ich kann nicht den ganzen Tag bleiben«, sagte Amanda, doch im selben Augenblick konnte sie sich tatsächlich nur zu gut vorstellen, dass sie genau dies tun würde: Sie würde hier sitzen und diesen widerlichen Zuhälter so lange niederstarren, wie es nötig war. »Die Wohnung in Techwood gehörte Kitty, nicht wahr?«

Juice schien ihre Entschlossenheit erkannt zu haben. »Diese ganzen Mädchen ... Sie hat sie untervermietet. Versucht, Geld für die Bude rauszuschlagen. Ich hab dem Ganzen ein Ende gesetzt.«

Amanda konnte sich nicht vorstellen, dass irgendeine Frau anderen Huren Geld abknöpfte, aber ihre Weltsicht hatte sich in jüngster Zeit deutlich erweitert. »Erzählen Sie mir von Hank Bennett.«

»Was hat er dir erzählt?«

»Erzählen Sie mir von ihm.«

»Der Trottel kam an meine Ecke und wollte mich rumkommandieren.« Er schlug mit der geballten Faust auf den Tisch.

»Hat dann aber sofort den Schwanz eingezogen.«

»Wann war das?«

»Keine Ahnung, Schlampe. Ich führe keinen Kalender.« Amanda machte eine Markierung in ihrem Notizbuch.

Wenn sie für jedes Mal, das ein Mann sie in letzter Zeit Schlampe genannt hatte, einen Dollar bekommen hätte, könnte sie sofort in Rente gehen. »Kam Hank Bennett vor oder nach Lucys Verschwinden zu Ihnen?«

Seine Zunge ragte zwischen den Lippen hervor, als er darüber nachdachte. »Davor. Ja, davor. Die Schlampe ist ein oder zwei Wochen später verschwunden. Denke, er hat sie sich geholt. Lucy hat die ganze Zeit von ihm geredet.«

Ihre Schreibfähigkeit war eingerostet, aber sie kehrte zu Amanda zurück, als sie die Zeilen über die Seite jagte. »Hank Bennett kam also auf Sie zu, *bevor* Lucy verschwand?« Der Anwalt hatte also auch diesbezüglich gelogen. »Was wollte er?«

»Wollte mir vorschreiben, wie ich meine Geschäfte zu führen hätte. Der Bruder kann froh sein, dass ich ihm nich' seinen dünnen weißen Arsch aufgerissen hab.«

»Was für Geschäfte?«

»Hat mir gesagt, ich soll Kitty gehen lassen. Dass er ein paar Scheinchen rüberwachsen lassen würde, wenn ich ihr kein H mehr gäbe.«

Amanda war sich sicher, dass sie sich verhört hatte. »Kitty? Sie meinen Lucy.«

»Nichts da, Schlampe. Über Kitty wollte er reden. Der Kerl war scharf auf sie.«

»Warum sollte Hank Bennett sich um Kitty kümmern?« Er zuckte mit den Schultern, antwortete aber trotzdem: »Ihr Daddy is' irgend so ein bonziger Anwalt. Wollte nichts mehr mit ihr zu tun haben, als er herausfand, dass sie Meth nahm.«

Er setzte ein gleichgültiges Gesicht auf. »Sie hat irgendwo noch eine Schwester. Die ist die Gute. Kitty war immer die Schlechte.«

»Kittys Vater ist Andrew Treadwell …«

Er nickte. »Kapierste's endlich, Schlampe? Hat dir der Bürgermeister das nicht schon gesagt?«

Amanda blätterte in ihren Notizen. »Hank Bennett hat Ihnen Geld angeboten, wenn Sie Kitty kein Heroin mehr geben?«

»Warum wiederholst du eigentlich alles, was ich sage?«

»Weil es keinen Sinn ergibt«, erwiderte Amanda. »Hank Bennett kommt wegen Kitty zu Ihnen. Er fragt nicht nach seiner Schwester? Will sie nicht sehen?« Juice schüttelte den Kopf. »Er macht sich keine Sorgen um Lucy?« Wieder schüttelte Juice den Kopf. »Und eine Woche später verschwindet Lucy?«

»Und dann eine Woche danach …« – er schnippte mit den Fingern – »ist auch Kitty weg.«

Amanda erinnerte sich an Janes Worte. »Einfach verschwunden.«

»Ganz genau.«

»Was ist mit Mary?«

Er schnaubte. »Die Schlampe is' auch verschwunden. Nich' einen Monat später. Schon 'ne Weile her, dass ich so viele Mädchen auf einmal verloren hab. Normalerweise versucht irgendein anderer Zuhälter, sie mir abzuluchsen.«

»Drei Mädchen, die innerhalb von drei Monaten verschwinden.« Amanda versuchte zu verstehen, was geschehen war. »Haben Sie Lucy je mit einem Brief von ihrem Bruder gesehen?«

Er nickte knapp. »Hatte ihn in ihrer Handtasche.«

»Können Sie lesen?«

»Ich bin doch nicht blöd.« Amanda wartete.

»Irgendein Blödsinn, wie sehr er sie vermisst, obwohl ich doch weiß, dass das nicht stimmt. Schrieb, er wollte sich mit ihr treffen.« Juice trommelte wieder auf den Tisch. »Mann, wenn der Bruder sie hätte sehen wollen, hätte er nur fünf Minuten länger an meiner Ecke warten müssen. Ich hab ihm gesagt, dass sie gleich zurückkommen würde.«

Amanda notierte sich, was er sagte, während sie sich ihre nächste Frage überlegte. »Hing da sonst noch jemand herum, der …« Furchteinflößend wäre nicht das richtige Wort für einen Mann wie Juice. »Der nicht sauber war? Jemand, der gefährlich oder gewalttätig wirkte? Jemand, dem Sie Ihre Mädchen lieber nicht anvertrauen wollten?«

»Schlampe, für so was verlange ich extra.« Er grinste. Ein Schneidezahn fehlte. Das Zahnfleisch war gerötet. »Gibt schon ein paar perverse Arschlöcher da draußen.« Er räusperte sich. »'tschuldigung.«

Amanda tat es mit einem Nicken ab. »Was für Perverse?«

»Da ist so ein Kerl, der besorgt's ihnen gern mit der Faust.« Er rammte seine Faust in die Höhe. Amanda vermutete, Juice meinte, dass der Kerl gern auf die Mädchen einprügelte. »Und dann ist da noch einer, der benutzt ein Messer, aber der ist okay. Hat noch niemanden abgestochen.«

»Sonst noch jemand?«

»Dieser große Typ, der die Suppenküche leitet.«

»Von ihm hab ich schon gehört.«

»Der ist ganz dicke mit dem von der Mission.« Also hatte auch Callahan sie belogen.

»Der Kerl kommt immer nachts vorbei, versucht, meinen Mädchen was vorzupredigen.«

»Der Mann von der Suppenküche?« Juice nickte. »Hatten die Mädchen Angst vor ihm?«

»Scheiße, sie haben vor gar nichts Angst, wenn ich in der Nähe bin. Das ist mein Job, Schlampe.«

Sie machte noch einen Strich auf dem Papier. »Dieser Mann von der Kirche kam nachts zu Ihrer Straße und versuchte, Lucy und Kitty und …«

»Nee, die waren zu der Zeit schon weg. Mary auch.« Er setzte sich auf. »Pass auf, diese Erlösungsscheiße ist tagsüber ja okay, aber komm nicht und quassle von Jesus, wenn ich meine Geschäfte mache. Kapiert?«

»Kapiert.« Amanda beugte sich vor. »Sagen Sie mir, wer Jane Delray umgebracht hat.«

»Holste mich dann hier raus?« Amanda beherrschte das Spiel inzwischen ziemlich gut, aber ganz war sie noch nicht am Ziel, und Juice konnte offensichtlich ihren Gesichtsausdruck lesen. »Scheiße.« Er ließ sich wieder zurücksinken. »Du kannst überhaupt nichts tun, Schlampe.«

»Wenn ich im Rathaus jemanden finde, der mit Ihnen spricht, würden Sie ihm dann sagen, wer Jane getötet hat?«

»Noch 'ne Möse?«

»Nein, einen Mann. Einen, der was zu sagen hat.« Amanda kannte im Rathaus nur ein paar Sekretärinnen. Dennoch hielt sie die Schultern straff und ließ ihre Stimme leicht drohend klingen. »Aber Sie müssen ihm schon was Bedeutsames sagen. Sie müssen ihm einen Namen nennen, mit dem man weiterarbeiten kann. Ansonsten ist die Abmachung, die Sie mit Bonnie und Landry getroffen haben, keinen Cent wert. Ich schwöre Ihnen, der Staat wird die Todesstrafe wieder einführen. Und bis die Sache beim Obersten Gericht landet, sind Sie längst tot.«

Wieder dieses Klopfen. Sein Bein wippte auf und ab. Der Absatz seines Lacklederschuhs klackerte auf dem Boden. »Ich hab 'ne Abmachung. Hab mein Geständnis unterschrieben.«

»Das zählt nicht mehr.«

»Was soll das heißen?«

»Sie haben gestanden, Lucy Bennett ermordet zu haben, nicht Jane Delray. Sobald ich denen von diesem Fehler berichte ...« Sie zuckte mit den Schultern. »Ich hoffe, sie denken daran, Ihnen den Schädel zu rasieren, bevor sie Ihnen diese Metallkappe umschnallen.«

Er war nervös. Sein Atem pfiff durch die gebrochene Nase.

»Was soll das heißen, Schlampe?«

»Haben Sie von dem letzten Typ gehört, der hingerichtet wurde? Der Schalter war zu heiß, und sie konnten den Stuhl nicht mehr abschalten. Der Typ verbrannte bei lebendigem Leib. Die Flammen schlugen bis zur Decke. Er schrie volle zwei Minuten lang, bevor sie den Verteilerkasten fanden und den Strom abdrehen konnten.«

Juice' Kehlkopf zuckte. Sein Bein wippte jetzt so heftig, dass das Knie gegen den Tisch stieß.

»Nennen Sie mir einen Namen, Juice. Sagen Sie mir, wer Jane umgebracht hat.«

Seine Faust öffnete und schloss sich wieder. Der Tisch zitterte.

»Einen Namen!«

Er schlug mit der Faust auf den Tisch. »Ich hab keinen Namen!«

Amanda klickte die Kugelschreibermine zurück und klappte das Notizbuch zu. Sie hatte nicht mit der Wimper gezuckt. Sie war vollkommen ruhig und abwartend geblieben.

»Verdammte Scheiße!«, fauchte er durch die zusammengebissenen Zähne. »Diese verdammten Schlampen! Reiten mich deswegen in die Scheiße!«

»Wer hätte Jane umbringen wollen?«

»Jeder«, sagt er. »Hat immer die Klappe aufgerissen. Sich auf der Straße Feinde gemacht.«

»Irgendjemand, der sie hätte ermorden können?«

»Nicht, ohne dass sie ihm die Kehle aufgeschlitzt hätte. Die Schlampe hatte ein Messer in der Tasche. Das haben sie alle. Aber sie wusste damit umzugehen. Man konnte ihr keine Sekunde den Rücken zudrehen. Die Schlampe war gemein wie eine Schlange.«

»Klingt ziemlich absurd aus dem Mund ihres Zuhälters.« Er reagierte nicht darauf. Seine Schultern wurden schlaff.

In seinem Schoß hielt er eine Hand mit der anderen umklammert. »Was hat diese andere Schlampe gesagt? Dass Kitty den

Bürgermeister kannte. Denkste, der kann einem Bruder unter die Arme greifen? Mich aus diesem Schlamassel rausholen?«

»Wie gesagt, wenn Sie mir die Wahrheit sagen, kann ich Ihnen vielleicht helfen.«

Er starrte sie an, und seine Augen zuckten hin und her, als würde er in einem Buch lesen.

»Scheiiiiße«, murmelte er schließlich. »Denkst du wirklich, die hören auf dich?« Er stemmte sich vom Tisch hoch. Amanda spannte alle Muskeln an, blieb aber sitzen, während er sich bedrohlich vor ihr aufbaute. »Sieh dich doch um, Schlampe.« Er streckte die Hände aus. »Die lassen eher einen Schwarzen diese Welt regieren, bevor sie es eine Möse tun lassen.«

Mit einer Flasche Wein in der Hand stand Amanda vor Evelyns Tür. Der Wein war nicht billig gewesen, aber Amanda hatte keine Ahnung, ob der Preis mit dem Geschmack zusammenhing. Wie in vielerlei Zusammenhängen fühlte sie sich auch in dieser Hinsicht fehl am Platz. Erst recht, als Kenny Mitchell ihr die Tür aufmachte.

Ein Lächeln breitete sich über sein Gesicht aus. Seine Zähne waren perfekt. Sein Gesicht war perfekt. Da war rein gar nichts, was Amanda an ihm ändern würde. Nicht dass sie die Chance dazu hätte.

»Amanda! Schön, Sie wiederzusehen.« Er beugte sich zu ihr vor, und Amanda lehnte sich, ohne nachzudenken, zurück.

»Oh«, sagte sie und richtete sich wieder auf, sah dabei aber eher aus wie eine pickende Ente als wie eine erwachsene Frau. Sie wäre am liebsten im Boden versunken, doch dann lachte Kenny, legte ihr die Hand ans Gesicht und küsste sie auf die Wange. Sie spürte seine raue Haut, die stacheligen Haare seines Schnurrbarts. Seine andere Hand ruhte leicht auf ihrem Arm. Hitze durchströmte Amandas Körper.

»Kommen Sie rein!« Er hielt ihr die Tür auf. Als Amanda das Haus betrat, war sie sofort umfangen von kühler Luft.

»Nicht schlecht, was?« Kenny nahm ihr die Flasche Wein ab. Jede seiner Bewegungen war so anmutig wie die eines Sportlers auf dem Spielfeld. »Ev ist hinten und bringt gerade den Jungen ins Bett. Ich fürchte, was Sie da riechen, stammt von mir und Bill. Wir versuchen gerade, das Abendessen vorzubereiten. Darf ich Ihnen ein Glas Wein anbieten?« Er musterte die Flasche und pfiff leise durch die Zähne. »Klasse! Vielleicht behalte ich den für mich.«

»Gerne«, sagte Amanda, wusste aber selbst nicht so recht, welche Frage sie damit beantwortete. Sie sah zu Boden und stellte überrascht fest, dass ihre Füße noch da waren, dass sie nicht zu einem blubbernden Tümpel pubertärer Unbesonnenheit zerschmolzen war. »Hätte nichts dagegen einzuwenden.«

Kenny schien nichts zu bemerken, oder er war daran gewöhnt, dass Frauen in seiner Gesellschaft sich dümmlich verhielten. »Erste Tür rechts.«

Amanda spürte seinen Blick im Rücken, als sie den Gang entlangging. Unwillkürlich musste sie an Juice denken, an die Dinge, die er über ihren Hintern gesagt hatte. Amanda biss sich auf die Unterlippe. Warum war ihr von allem, was der Zuhälter gesagt hatte, gerade das in Erinnerung geblieben? Kenny war mit Sicherheit nicht so. Er war weder hinterhältig noch vulgär. Und auch Amanda war es nicht, was allerdings die obszönen Bilder nicht erklärte, die ihr durch den Kopf schossen, als sie an die Kinderzimmertür klopfte.

»Komm rein«, flüsterte Evelyn.

Amanda schob die Tür auf. Evelyn saß in einem Schaukelstuhl. Zeke lag in ihren Armen. Sein Kopf war nach hinten gefallen. Die Arme hingen herab. Er hatte flachsblonde Haare, rosige Wangen und eine Stupsnase. Es war kaum überraschend, dass Evelyn ein so hübsches Baby hatte. Oder dass sein Kinderzimmer so verspielt eingerichtet war. Flauschige weiße Schafe waren an die hellblau gestrichenen Wände gemalt. Sein Kinderbettchen war glänzend weiß. Das Gelb der Bettwäsche passte zum Teppich, der wiederum zu dem glimmenden Nachtlicht passte, das die einzige Beleuchtung des Zimmers darstellte.

»Siehst gut aus«, flüsterte Evelyn.

»Danke.« Amanda strich sich verlegen übers Haar. Sie hatte es vier Mal gewaschen, um den Gefängnisgestank herauszubekommen, und sich dann – aus anderen Gründen – ein wenig Revlon Charlie an Handgelenke und Hals getupft. »Brauchst du Hilfe in der Küche?«

»Nein, es ist Bills Abend.« Mit einem Ächzen stemmte Evelyn sich aus dem Stuhl und trug Zeke zu seinem Kinderbettchen. Er plumpste auf die Matratze wie eine Flickenpuppe. Evelyn zog die Decke über ihn und steckte sie ihm um die schmalen Schultern herum fest. Mit den Fingern strich sie seine Haare zurück. Dann beugte sie sich zu ihm hinunter und küsste ihn, bevor sie Amanda mit einem Nicken zu verstehen gab, dass sie jetzt gehen konnten.

Statt in die Küche führte Evelyn Amanda ins Nachbarzimmer. Sie trug ein kurzes blaues Petticoatkleid, das beim Gehen raschelte. Als sie das Deckenlicht anschaltete, fand Amanda sich in einem Büro wieder. Zwei Schreibtische standen an gegenüberliegenden Wänden. Beide sahen sehr ordentlich aus. Amanda nahm an, dass der schwarze Metalltisch Bill Mitchell gehörte. Sie bezweifelte, dass er den elegant geschwungenen weißen Rokokotisch mit rosa Glasknäufen benutzte. Darauf lag außerdem Evelyns Spiralnotizbuch präzise an der Kante entlang ausgerichtet, daneben eine Einkaufsliste. Das Erstaunlichste war aber, dass ihr gemeinsames Puzzlediagramm an der Wand hing. Evelyn hatte die verschiedenen Stücke Bastelpapier mit Reißzwecken aufgehängt.

»Ich dachte mir, so ist es einfacher.« Evelyn zog Bills Stuhl für Amanda heran. Dann setzte sie sich an den Schreibtisch und zog die oberste Schublade auf. »Die hier hab ich in der Five gefunden.«

Amanda sah sich die Führerscheine an. Lucy Anne Bennett. Kathryn Elizabeth Treadwell. Mary Louise Eitel. Donna Mary Halston. Mary Abigail Ellis.

Sie betrachtete die Fotos, legte dann zwei der Marys beiseite und sah sich Donna Mary Halston genauer an. »Die hier sieht aus wie Kitty und Lucy.«

»Das habe ich mir auch gedacht.«

»Er hat einen ganz bestimmten Typ.« Daran hatte Amanda zuvor noch überhaupt nicht gedacht, aber natürlich ergab es einen Sinn. Männer hatten immer einen gewissen Typ, zu dem sie sich hingezogen fühlten. Warum sollte es sich bei einem Mörder anders verhalten?

»Sie sehen alle so normal aus«, sagte Evelyn. »Man würde nie draufkommen, was sie tun.«

Amanda studierte die Fotos der Mädchen. Sie sahen wirklich vollkommen normal aus. Nichts deutete darauf hin, dass sie Prostituierte waren, nichts ließ darauf schließen, dass sie bis auf den Untergrund der Verderbtheit gesunken waren, nur um ihre Sucht zu befriedigen.

Am auffälligsten jedoch war tatsächlich die Ähnlichkeit zwischen ihnen. Langes blondes Haar. Blaue, ausdrucksstarke Augen. Groß und schlank. Volle Lippen. Sie alle waren nicht nur hübsch, sondern schön. »Und sie geben alle dieselbe Adresse an«, bemerkte Amanda. »Techwood Homes. Ich kann Pam Canale noch einmal anrufen und sie fragen, ob sie für diese Wohnung eine Listennummer herausfinden kann. Ich hab so eine Ahnung, dass sie Kitty gehört, aber es würde nicht schaden, wenn wir es genau wüssten.« Dann kam ihr eine Idee. »Wir könnten morgen mit diesen Führerscheinen nach Techwood fahren. Wie du schon festgestellt hast, leben dort neunzig Prozent Schwarze. Drei weiße Mädchen fallen da doch auf.«

»Gute Idee. Nimm du sie dir!« Evelyn griff nach ihrem Notizbuch, schlug es jedoch nicht auf. »Ich hab sämtliche Vermisstenakten des Reviers durchgesehen. Für Lucy und Jane habe ich nichts gefunden, aber für Mary Halston. Sie hat eine Schwester, die in Virginia lebt und seit fast einem Jahr nach ihr sucht.«

»Wir könnten sie anrufen.« Amanda steckte die Führerscheine in die Handtasche. »Ich bin mir sicher, dass sie mit uns reden wird.«

»Das müssen wir allerdings von hier aus erledigen. Wenn wir vom Revier aus ein Ferngespräch führen, reißen die uns den Kopf ab.« Ihre Köpfe waren ohnehin längst in Gefahr.

»Hast du sonst noch was gefunden?«

»Ich habe die TSA überprüft.« Jetzt schlug sie ihr Notizbuch auf. »All diese Mädchen, Amanda. Mindestens zwanzig.« Sie schüttelte langsam den Kopf. »Sie sind tot, und niemanden kümmert das. Oder es weiß keiner, dass er sich kümmern sollte. Sie müssen doch Familien haben, die nach ihnen suchen. Aber es gibt ja auch kaum Vermisstenmeldungen von schwarzen Frauen. Schätze, ihre Familien wissen, dass es keinen interessiert. Zumindest nicht …« Sie verstummte und blätterte ein paar Seiten um. »Ich hab mir ihre Namen aufgeschrieben. Weiß auch nicht, warum. Ich dachte mir einfach, dass jemand es tun sollte. Jemand muss doch zumindest zur Kenntnis nehmen, dass sie tot sind.«

Amanda sah sich die lange Liste der Frauennamen an. Alle tot. Alle in Akten gesteckt, die kein Mensch je mehr aufschlagen würde.

Evelyn seufzte und legte das Notizbuch wieder auf den Schreibtisch. »Wie war's im Gefängnis?«

»Ekelerregend.« Amanda stöberte in ihrer Handtasche, doch sie brauchte kaum in ihren Notizen nachzusehen. »Juice hat gestanden, Lucy Bennett ermordet zu haben, aber nur, um der Todesstrafe zu entgehen.«

»Hat ihm denn niemand erklärt, dass wir niemanden mehr hinrichten?«

»Sie haben ihm gesagt, für ihn würden sie die Todesstrafe wieder einführen.«

Evelyn nickte. »Schätze, das war also ein schlauer Schachzug von Juice.«

»Wenn man den Rest seines Lebens im Gefängnis verbringen will.« Amanda schlug ihr Notizbuch auf. »Er hat bestätigt, dass Kitty Andrew Treadwells Tochter ist.«

»Gut.« Sie grinste. »Unsere Theorie vom schwarzen Schaf war also richtig.«

»Wird uns trotzdem keine Lorbeeren einbringen«, entgegnete Amanda. »Aber jetzt kommt das Beste: Juice meinte, Hank Bennett sei eine Woche vor Lucys Verschwinden zu ihm gekommen.«

»Oh Mann«, brummte Evelyn. »Der Kerl steigt lieber auf einen Baum und lügt, anstatt sich auf den Boden zu stellen und die Wahrheit zu sagen.« Sie nahm den Stift vom Schreibtisch und stand auf, um das Puzzle an der Wand zu ergänzen.

»Traf seine Schwester eine Woche vor ihrem Verschwinden«, sagte sie und schrieb die Worte unter Hank Bennetts Namen.

»Was hat Juice sonst noch gesagt?«

»Hank Bennett habe ihn aufgefordert, Kitty kein Heroin mehr zu geben.«

»Du meinst Lucy?«

»Nein, ich meine Kitty.«

Evelyn drehte sich um. »Warum verlangt Hank Bennett von Juice, *Kitty* kein Heroin mehr zu geben?«

Amanda imitierte Sergeant Hodge: »Das ist eine gute Frage.«

Mit einem Stöhnen drehte Evelyn sich wieder zu dem Puzzle um. »Vielleicht hat Andrew Treadwell Hank Bennett geschickt, um sie von dem Stoff loszukriegen«, spekulierte sie.

»Vielleicht.« Doch Amanda merkte, dass sie nicht überzeugt war. »Okay, versuchen wir's mal so: Trey Callahan von der Union Mission sagte, Kitty wäre anders gewesen als die anderen Mädchen. Sie kam offensichtlich aus der Oberschicht. Man musste sicher nicht allzu lange herumstochern, um herauszufinden, aus welcher Familie sie stammte. Vielleicht hat Juice versucht, Treadwell zu erpressen, und Treadwell schickte Hank Bennett, um die Drecksarbeit zu erledigen.« Sie überflog ihre

Notizen. »Juice sagte selbst, Bennett habe ihm Geld angeboten, damit er Kitty kein H mehr gibt.«

Evelyn seufzte schwer. »Bennett ging also zu Juice, um ihn wegen Kitty zu schmieren, aber dann sah er, dass seine Schwester dort war?«

»Juice meinte, Bennett habe Lucy damals nicht gesehen, aber wer weiß. Die lügen doch alle.«

»Ja, das tun sie.« Evelyn beugte sich vornüber und studierte das gelbe Blatt mit dem Zeitstrahl. »Wir müssen das hier auf den neuesten Stand bringen. Ruf mir die Daten zu.«

»Danke, dass du den schwierigen Teil übernimmst.« Amanda blätterte in ihren Notizen, während Evelyn mit erhobenem Stift dastand. »Okay. Der Brief für Lucy Bennett kommt in die Union Mission. Das haben sowohl Trey Callahan als auch Juice bestätigt.«

Evelyn griff nach einem unbeschriebenen Blatt blauen Bastelpapiers, heftete es an die Wand und schrieb »BRIEF« in die Mitte. »Wusste Juice, was darin stand?«

»Dass ihr Bruder sie sehen wolle. Dass er sie vermisse. Juice hielt es für einen Haufen Blödsinn.«

»Sieh mich nur an – ich stimme einem Luden zu.«

»Wenige Tage später taucht Hank Bennett in der Mission auf und spricht mit Trey Callahan«, fuhr Amanda fort. »Und vermutlich geht er kurz darauf zu Juice an seine Straßenecke. Er sieht Kitty und sagt Juice, dass er sie freilassen soll. Er fragt ihn nicht nach seiner eigenen Schwester.« Sie blickte auf ihre Notizen. »Juice hat extra betont, er habe Bennett gesagt, er brauche nur ein paar Minuten zu warten, Lucy sei gleich zurück. Aber Bennett hat nicht gewartet.«

»Das heißt, als er Kitty sah, war Lucy für unseren Junganwalt mit einem Mal nicht mehr wichtig«, mutmaßte Evelyn.

»Offensichtlich«, pflichtete Amanda ihr bei. »Zwei Wochen später ist Lucy verschwunden. Und ungefähr eine Woche danach ist auch Kitty weg. Danach verschwindet Mary …«

Amanda blickte von ihrem Notizbuch auf. »Drei Mädchen in drei Monaten. Warum?«

»Sag's mir, damit ich aufhören kann zu schreiben.« Evelyn schüttelte sich einen Krampf aus der Hand, bevor sie die letzten Daten einfügte. Dann trat sie einen Schritt zurück und studierte den zeitlichen Ablauf. »Ich habe das Gefühl, wir haben irgendwas übersehen.«

»Okay ...« Amanda stand auf. Auf und ab zu gehen half ihr manchmal beim Nachdenken. »Stellen wir es uns so vor: Bennett hat versucht, mit seiner Schwester Kontakt aufzunehmen. Sein Vater war gestorben. Seine Mutter wollte ihre Tochter sehen, wollte sie wissen lassen, was passiert war. Hank geht also auf die Straße und sucht Lucy, nur findet er Kitty ...«

»Okay.«

»Bennett sagte, er hätte Lucy den Brief im August geschickt. Er erinnere sich so genau daran, weil er eben seinen Juraabschluss gemacht hatte und sein Vater kurz zuvor gestorben war. Später sagte er uns, er sei Juniorpartner bei Treadwell-Price.«

»Oh, oh, oh.« Evelyn griff erneut zu ihrem Stift und schrieb die ungefähren Daten nieder. »Bennett sieht Kitty als Hure auf der Straße und erschleicht sich dadurch einen Job bei Treadwell-Price?« Sie grinste. »Es ist eine Spitzenkanzlei. Dort ein Job, und man hat fürs Leben ausgesorgt. Ich kann mir gut vorstellen, dass dieser Betrüger die Tragödie seiner Schwester zu seinem eigenen Vorteil ausgenutzt hat.«

»Richtig.«

Evelyn ließ sich auf ihren Schreibtischstuhl fallen. »Aber was hat das alles mit Jane Delray zu tun? Und warum hat Bennett bei der Identifikation gelogen? Was hat er davon, wenn Lucy tot ist? Oh!« Sie stach aufgeregt mit dem Stift in die Luft. »Eine Versicherung! Ich habe es aus dem falschen Blickwinkel betrachtet. Natürlich gibt es für Lucy keine Police. Bennett hat es uns selber gesagt – sein Vater ist tot und die Mutter so gut wie, wodurch das Vermögen und sämtliche Policen, die auf die Eltern ausgestellt waren, an die Kinder übergehen.« Sie richtete sich auf. »Vielleicht wollte Bennett Lucy treffen, um sie zu überreden, auf ihre Ansprüche zu verzichten. So etwas ist im vergangenen Jahr bei einem von Bills Kunden passiert. Der alte Mann war total neben der Spur. Seine Kinder brachten ihn dazu, ihnen alles zu überschreiben.«

»Zumindest wäre Hank Bennett zu so etwas in der Lage.«

»Und außerdem – was wäre die Alternative?«, fragte Evelyn. »Dass Bennett Jane Delray umgebracht hat? Wir haben ihn erst vor zwei Tagen gesehen. Seine Hände waren völlig in Ordnung. Keine Risse oder Abschürfungen, aber genau die bekommt man, wenn man jemanden angreift.«

Amanda dachte an die Haut unter Jane Delrays Fingernägeln. »Sie hat ihren Angreifer blutig gekratzt. Man sollte doch annehmen, dass er Spuren auf dem Handrücken oder am Hals oder im Gesicht hätte.«

»Außer sie hat ihn am Arm gekratzt. Oder an der Brust. Er trug einen dreiteiligen Anzug. Wer weiß, was er darunter versteckt?« Evelyn atmete geräuschvoll aus. »Ich kann mir trotzdem nicht vorstellen, dass Hank Bennett eine Prostituierte stranguliert und sie dann in Techwood Homes vom Dach stößt. Du?«

Amanda hatte keine Ahnung, wozu dieser Mann fähig war.

»Ich habe kein gutes Gefühl bei ihm.«

»Ich auch nicht.«

Sie starrten die Wand an. Amanda ließ den Blick wandern, blieb immer wieder bei diversen Namen hängen. »Juice hat mir gesagt, Kitty hätte ihre Wohnung an diese anderen Mädchen untervermietet.«

»Schätze, sie hatte den Unternehmergeist ihres Vaters geerbt.«

»Der nächste logische Schritt wäre, Andrew Treadwell und Hank Bennett zu verhören.«

»Genauso gut könnten wir aber auch mit den Armen wedeln und zum Mond fliegen.«

»Wir sollten noch einmal zu Trey Callahan in die Union Mission gehen. Juice meinte, er sei ein guter Freund des Kerls, der die Suppenküche leitet.«

Evelyn stand vor Überraschung der Mund offen. »Hab nur ich den Eindruck, oder belügt uns wirklich jeder Einzelne von denen?«

»Sie belügen sogar die Männer. Kein Mensch sagt dir die Wahrheit, wenn du eine Marke hast.«

»Schätze, wir sollten Betty Friedan mitteilen, dass wir der Gleichberechtigung ein ganzes Stück näher gekommen sind.«

Amanda grinste.

»Und wir sollten mit dem Kerl von der Suppenküche reden.«

»Wir wissen immer noch nicht, wer Butchs Informant ist. Irgendjemand in Techwood identifizierte Jane Delray als Lucy Bennett ...«

Evelyn holte ein leeres Blatt Papier aus der Schreibtischschublade. »Okay, gleich als Erstes morgen früh: Union Mission, dann die Suppenküche, dann nach Techwood, um die Fotos der Mädchen herumzuzeigen. Meinst du, wir könnten ein Foto von Hank Bennett dazupacken?« Sie klopfte mit dem Stift auf den Schreibtisch. »Ich kenne ein Mädchen im Führerscheinbüro. Ich wette, dass wir so an sein Bild kommen.« Amanda sah ihre Freundin an. Sie legte die gleiche Mischung aus Aufregung und Zielgerichtetheit an den Tag, die auch Amanda selbst schon die ganze Woche verspürt hatte. Irgendetwas an der Arbeit an diesem Fall ließ sie vergessen, dass sie auch Gefahren mit sich brachte. »Heute haben mich gleich zwei Leute davor gewarnt, an diesem Fall weiterzuarbeiten.«

»Landry?«

»Dann waren es insgesamt drei ... Holly Scott und Deena Coolidge. Sie meinten beide, ich wäre verrückt.«

Evelyn biss sich auf die Unterlippe. Sie musste nicht eigens aussprechen, dass die Frauen recht hatten.

»Wollen wir also wirklich weitermachen?«, fragte Amanda.

Statt einer Antwort sah Evelyn sie nur an. Sie wussten beide, dass sie aufhören sollten. Sie wussten beide, was auf dem Spiel stand. Nicht nur ihr Arbeitsplatz. Ihr Leben. Ihre Zukunft. Wenn sie aus dem Polizeidienst entlassen würden, würde niemand sie wieder einstellen. Sie wären Ausgestoßene.

»Girls!«, rief Bill Mitchell. »Das Essen steht auf dem Tisch.«

Evelyn stand auf. Sie nahm Amandas Hand und drückte sie.

»Tu so, als wär's wunderbar, egal, wie's ist.«

Amanda wusste nicht, ob Evelyn Bills Essen meinte oder den Schlamassel, in den sie sich gerade hineinritten. So oder so musste sie diese Frau einfach bewundern, als sie ihr in den Flur hinaus folgte. Evelyn war entweder der optimistischste Mensch, den die Welt je hervorgebracht hatte, oder der verblendetste.

»Ladys.« Kenny stand mit einer Platte in der Hand neben der Hi-Fi-Anlage. »Worauf habt ihr Lust?«

Evelyn lächelte Amanda kurz zu, ging dann in die Küche und ließ sie mit der Frage allein.

»Lynyrd Skynyrd?«, schlug Kenny vor. »Die Allman Brothers? Clapton?«

Amanda beschloss, es am besten schnell hinter sich zu bringen. »Ich muss leider gestehen, dass ich Sinatra lieber mag.«

»Ach, wirklich? Ich hab ihn letztes Jahr im Madison Square Garden gesehen.« Kenny lächelte angesichts ihrer sichtlichen Überraschung. »Bin extra nach New York geflogen, um die Show zu sehen. Ich saß in der dritten Reihe. Er kam in den Ring wie ein Champion und fing an zu schmettern. Stundenlang.« Kenny blätterte in der Plattensammlung. »Da ist er ja! Ich hab Bill die Platte vor sechs Monaten geliehen. Ich glaube nicht, dass er sie sich überhaupt jemals angehört hat.« Kenny zeigte ihr die Plattenhülle. *The Main Event-Live.*

»Das Essen wird kalt«, rief Bill.

Amanda wartete, bis Kenny die Platte aufgelegt hatte. Leise drang die Ouvertüre aus den Lautsprechern. Dann bot Kenny ihr den Arm an und führte sie ins Esszimmer. Evelyn saß auf dem Schoß ihres Mannes. Er tätschelte ihr den Hintern. Sie küsste ihn, bevor sie aufstand. »Amanda, der Wein ist wunderbar.« Sie nahm einen kräftigen Schluck aus ihrem Glas. »Das wäre doch nicht nötig gewesen.«

»Freut mich, dass er trinkbar ist. Ich hatte das Gefühl, der Mann im Laden wollte mich übers Ohr hauen.«

»Ich bin mir sicher, Sie sind eine exzellente Weinkennerin.« Kenny rückte ihren Stuhl zurecht. Amanda setzte sich und ließ ihre Handtasche zu Boden gleiten. Kennys Hand berührte kurz ihre Schulter, bevor er sich seinem Bruder gegenübersetzte.

Amanda hielt sich das Weinglas vor den Mund, bevor sie konzentriert ausatmete.

»Was habt ihr Mädchen denn getrieben?«, fragte Bill. »Muss ich Angst haben, dass ihr das Haus mit Bastelpapier tapeziert?«

»Vielleicht.« Evelyn hob eine Augenbraue und nippte wieder an ihrem Wein. »Wir haben da einen Fall, der uns beide den Job kosten könnte.«

»Dann hätte ich ja mehr Zeit mit meinem Mädchen!«, rief Bill. Er wirkte nicht sonderlich besorgt, als er ihr ein trockenes Stück Braten auf den Teller legte. »Wart ihr denn nur vorlaut, oder habt ihr echte Schwierigkeiten gemacht?« Er spießte auch eine Scheibe für Amanda auf. »Oder beides?«

»Es könnte sein, dass wir einen Schwarzen aus dem Gefängnis holen«, erklärte Evelyn.

Kenny lachte. »Ihr macht euch wirklich Freunde, wohin ihr auch geht!«

»Im Ernst.« Evelyn leerte ihr Glas in einem Zug. »Dieser spezielle Gentleman heißt Juice.«

»Wie der Footballspieler?« Bill füllte Amandas Glas auf und goss Evelyn ein neues ein. »Hat achtundsechzig siebzehnhundert Yards geschafft.«

»Siebzehnhundertneun«, verbesserte Kenny ihn. »Allein im Rose Bowl gegen Ohio State hunderteinundsiebzig.«

»Auf Football!« Bill hob sein Glas.

»Hört, hört.« Kenny schloss sich ihm an. Dann stießen sie alle miteinander an. Amanda spürte, wie sich Wärme in ihrem Körper ausbreitete. Sie hatte überhaupt nicht bemerkt, wie verkrampft sie gewesen war, bis der Wein ihr endlich ein bisschen Entspannung bescherte.

»Der Nicht-Football-Juice scheint sich in Amanda verguckt zu haben.« Evelyn zwinkerte ihr über den Tisch hinweg zu.

»Meint, sie sei eine gut aussehende Frau.«

»Ein überaus scharfsinniger Mann.« Jetzt zwinkerte auch Kenny Amanda zu. Sie nahm einen großen Schluck und versuchte, ihre Verlegenheit zu verbergen.

»Er ist ein Zuhälter«, führte Evelyn aus. »Wir haben ihn letzte Woche in Techwood Homes getroffen.« Amanda spürte einen Stich im Herzen, doch Evelyn redete weiter. »Er schickt weiße Frauen auf den Strich.«

»Das sind mir die Liebsten.« Bill goss Amanda nach. Sie hatte gar nicht bemerkt, dass sie das erste Glas bereits ausgetrunken hatte. Amanda sah auf das Essen auf ihrem Teller hinab. Das Gemüse war offensichtlich tiefgefroren gewesen. Das Fleisch war strohtrocken. Sogar das Brötchen war am Rand verbrannt.

»Diese Prostituierte, Jane …« Evelyn verdrehte die Augen.

»Ihre Wohnung war nicht gerade das, was man ordentlich nennen würde. Was hast du gleich wieder gesagt, Amanda? Ich seh mich mal nach alten Ausgaben von *Good Housekeeping* um?«

Die Männer lachten, und Evelyn erzählte weiter. »Mit ihr zu reden war der Horror.«

Amanda nippte an ihrem Glas und drückte es sich dann an die Brust, während sie Evelyn zuhörte, wie sie von der Wohnung in Techwood und der vorlauten Hure berichtete. Sie alle lachten, als sie Jane Delrays Schlampenakzent imitierte. Wie Evelyn die Geschichte erzählte, klang sie eher lustig als beängstigend. Es hätte genauso gut eine Episode aus einer Seifenoper sein können, in der zwei mutige Mädchen ihre Nasen in Dinge steckten, die sie nichts angingen, aber mit Scharfsinn und Witz davonkamen.

»Und am Ende dann ein bühnenreifer Abgang«, sagte Amanda.

Sie alle lachten, doch Evelyns Grinsen war nicht ganz echt. Sie zupfte wieder an ihren Haaren.

Bill streckte den Arm aus und schlug ihr liebevoll die Hand weg. »Du kriegst noch eine Glatze!«

»Ist es dir eigentlich schwergefallen, dir die Haare abschneiden zu lassen?«, fragte Amanda.

Evelyn zuckte mit den Schultern. Ganz offensichtlich war es ihr schwergefallen, aber sie sagte: »Nach Zeke hatte ich nicht mehr die Zeit dafür.«

Der Wein schürte Amandas Mut, und sie fragte Bill: »Hatten Sie was dagegen?«

Er nahm Evelyns Hand. »Wenn es mein Mädchen glücklich macht.«

»Ich habe mindestens eine Stunde geweint.« Evelyn lachte, aber es kam nicht von Herzen.

»Ich glaube, es waren eher sechs«, sagte Bill. »Aber mir gefällt's.«

»Es ist sehr schick«, bemerkte Kenny. »Aber lang ist auch schön.«

Amanda strich sich über den Hinterkopf. Sie war noch schlimmer als Evelyn.

»Warum tragen Sie sie nicht offen?« Die Frage kam von Kenny. Amanda war zugleich überrascht und verlegen. Außerdem war sie gefährlich nahe dran, betrunken zu sein, und das war wohl der Grund, warum sie der Bitte nachkam.

Amanda zählte still die Haarnadeln, während sie sie herauszog. Fünf, sechs, sieben. Insgesamt waren es acht, und dazu kam das Haarspray, das ihre Finger klebrig machte, als sie die Haare nach unten strich. Sie reichten ihr bis zur Mitte des Rückens. Amanda schnitt die Spitzen nur einmal im Jahr. Offen trug sie ihr Haar nur im Winter und auch nur nachts, wenn sie allein war.

»Das sieht wirklich hübsch aus«, seufzte Evelyn.

Amanda trank ihr Glas aus. Sie fühlte sich schon ganz benommen. Sie sollte wenigstens ein Brötchen essen, um dem Alkohol zumindest ein bisschen was entgegenzusetzen, aber sie wollte das Geräusch ihrer Kiefer beim Kauen nicht hören. Es war still im Esszimmer, nur von der Platte kam Sinatras Stimme zu ihnen herüber. »Autumn in New York.«

Bill griff erneut zur Flasche und schenkte ihnen nach. Amanda wollte ihr Glas mit der Hand abdecken, aber sie war zu träge, um sich zu bewegen.

Dann klingelte in der Küche das Telefon. Evelyn zuckte zusammen. »Meine Güte, wer kann das denn so spät noch sein?« Amanda wollte nicht mit den beiden Männern allein bleiben. Sie folgte ihr in die Küche.

»Mitchell.«

Amanda strich sich die Haare nach hinten und fasste sie oben am Kopf zusammen. Dann steckte sie die Nadeln wieder hinein. Ihre Bewegungen waren ungelenk. Zu viel Wein. Zu viel Aufmerksamkeit.

»Wo?«, fragte Evelyn. Sie zog das lange Telefonkabel durchs Zimmer und holte Stift und Papier aus der Schublade. »Sag das noch mal.« Sie notierte sich etwas. »Und wann genau war das?« Sie ermunterte den Anrufer weiterzureden. Schließlich sagte sie: »Wir sind gleich da.«

»Gleich wo?«, fragte Amanda. Sie stützte sich mit einer Hand an der Anrichte ab. Der Wein war ihr definitiv zu Kopf gestiegen. »Wer war das?«

»Deena Coolidge.« Evelyn faltete das Papier zusammen.

»Sie haben noch eine Leiche gefunden.«

Amanda spürte, wie sie schlagartig wieder nüchtern wurde.

»Wer ist es?«

»Das wissen sie noch nicht. Blond, schlank, hübsch.«

»Kommt mir bekannt vor.«

»Sie wurde in Techwood Homes gefunden.« Evelyn stieß die Tür zum Esszimmer auf. »Tut uns leid, Jungs, wir müssen noch mal weg.«

Bill grinste. »Ihr wollt euch ja nur vor dem Geschirrspülen drücken.«

»Das mache ich morgen früh.«

Sie wechselten einen Blick, und Amanda erkannte, dass Bill Mitchell nicht so naiv war, wie sie anfangs gedacht hatte. Er durchschaute die lustigen Anekdoten seiner Frau genauso wie Amanda.

Er hob sein Glas. »Ich warte auf dich, Liebling.«

Evelyn schnappte sich Amandas Handtasche, bevor die Tür zuschwang. »Ich bin stockbesoffen«, murmelte sie. »Ich hoffe, ich fahre uns nicht in den Graben.«

»Lass mich fahren.« Amanda folgte ihr zur Küchentür hinaus.

Anstatt zum Auto ging Evelyn zum Schuppen hinüber. Die Männer hatten ihn in der Zwischenzeit fertig gebaut, nur der Anstrich fehlte noch. Evelyn tastete am Türsturz entlang und fand den Schlüssel. Sie zog an einer Kette, um das Licht anzuschalten. Auf dem Boden war ein Safe festgeschraubt. Evelyn musste die Ziffernkombination drei Mal eingeben, bevor er sich öffnen ließ. »Ich glaube, wir beide haben die ganze Flasche alleine getrunken.«

»Warum hat Deena dich angerufen?«

»Ich habe sie gebeten, mir Bescheid zu sagen, falls sich irgendwas Neues ergibt.« Evelyn nahm ihren Revolver aus dem Safe. Sie sah nach, ob noch Munition im Zylinder war, und ließ die Trommel dann wieder einrasten. Dann griff sie noch nach dem Schnellladering und schloss die Safetür. »Gehen wir.«

»Glaubst du, wir brauchen den?«

Evelyn steckte den Revolver in ihre Handtasche. »Ohne ihn geh ich nirgends mehr hin.« Sie hielt sich am Regal fest, als sie sich aufrichtete, und schloss kurz die Augen, um sich zu konzentrieren. »Wahrscheinlich verwarnen sie uns beide wegen Fahrens unter Alkoholeinfluss.«

»Da wären wir nicht die Ersten.«

Evelyn schaltete das Licht aus und schloss die Tür. Um einen klaren Kopf zu bekommen, atmete Amanda tief durch, während sie zum Auto gingen.

»Du weißt, das bedeutet, dass Juice es nicht getan hat«, sagte Evelyn.

»Haben wir das je geglaubt?«

»Nein, aber jetzt wissen sie es auch.«

Amanda stieg ins Auto. Sie warf die Handtasche auf den Rücksitz, während sie auf Evelyn wartete. Die Fahrt nach Techwood würde nicht lange dauern, vor allem nicht abends um acht. Auf den Straßen herrschte kaum noch Verkehr. Die Einzigen, die sich nach Einbruch der Dunkelheit noch in Atlanta herumtrieben, waren diejenigen, die dort nichts zu suchen hatten. Was angesichts von Amandas alkoholisiertem Zustand nicht allzu schlecht war. Wenn sie unabsichtlich einen Fußgänger anführe, würde sich wahrscheinlich niemand darum scheren.

Die Ampel blinkte bereits gelb, als sie die Piedmont Road hinauffuhren. Amanda nahm die steile Kurve in die Fourteenth Street und bremste kurz an der blinkenden Ampel, bevor sie links in die Peachtree einbog, dann rechts in die North, und dann folgten sie erneut der Route, die sie in der vergangenen Woche schon einmal gewählt hatten: an Varsity vorbei über die Interstate, links in den Techwood Drive und dann geradeaus mitten hinein in die Sozialsiedlungshölle.

Mehrere Streifenwagen versperrten ihnen den Weg zu ihrem gewohnten Bankett. Amanda parkte hinter einem vertrauten Plymouth Fury. Im Vorbeigehen warf sie einen schnellen Blick hinein. Zerknüllte Zigarettenpackungen. Eine halb leere Flasche Johnny Walker. Zerdrückte Bierdosen. Sie folgte Evelyn zu den Gebäuden. Wieder stand Rick Landry mitten im Hof. Er hatte die Hände in die Hüften gestemmt. Sein Gesicht war verzerrt vor Wut, als er Amanda und Evelyn erkannte.

»Was muss ich eigentlich tun? Es euch Schlampen einprügeln?« Er sah aus, als wäre er durchaus bereit dazu, aber Deena Coolidge hielt ihn davon ab.

»Seid ihr alle so weit?«

Landry funkelte sie böse an. »Hier hat keiner nach einer Niggertussi gerufen, Schätzchen.«

Sie streckte die Brust vor. »Schieb deinen Arsch aus meinem Blickfeld, sonst verpfeif ich dich bei Reggie.«

Landry versuchte, sie niederzustarren, doch Deena, die mindestens einen Kopf kleiner war als er, ließ sich nicht einschüchtern. Schließlich gab Landry nach, doch nicht, ohne im Weggehen zu murmeln: »Fotzen.«

»Fragt ihr euch vielleicht, was er und Butch hier zu suchen haben, obwohl sie beide zur Tagschicht eingeteilt sind?«, bemerkte Deena. »Ich frage mich das nämlich schon.«

Amanda sah Evelyn an, die nickte. Es war wirklich merkwürdig.

»Pete ist hinten bei der Leiche«, erklärte Deena, »aber vorher habe ich noch jemanden für euch, mit dem ihr reden solltet.«

Schweigend folgten ihr die beiden in das Gebäude. In der Eingangshalle drängten sich Frauen und Kinder in Bademänteln und Pyjamas. Die Gesichter wirkten wachsam und verängstigt. Sie hatten sich vermutlich bereits für die Nacht zurechtgemacht, als die Polizeiautos aufgetaucht waren. Sie hatten ihre Türen offen stehen lassen. Das Blinklicht der Streifenwagen fiel in ihre Wohnungen. Amanda war sich nur zu bewusst, dass sie und Evelyn die einzigen Weißen waren, als Deena sie tiefer ins Gebäude führte.

Es gab nur eine einzige Wohnung, deren Tür verschlossen war. Deena klopfte an, und sie warteten, bis eine Kette abgenommen und Sperrriegel gelöst wurden. Die Frau, die ihnen öffnete, trug einen schwarzen Rock und eine schwarze Jacke.

Ihre Bluse war gestärkt. Auf dem Kopf hatte sie einen hübschen schwarzen Hut mit einem kurzen Schleier, der ihr bis an die Augenbrauen reichte.

»Sie haben sich wirklich zurechtgemacht wie für die Kirche?«, fragte Deena. »Ich hab Ihnen doch gesagt, diese Mädchen wollen sich nur mit Ihnen unterhalten. Sie werden Sie nicht ins Gefängnis stecken.«

Die Frau blickte zu Boden. Ihre Anwesenheit schüchterte sie ein, das war offensichtlich. Auch als sie einen Schritt zurück machte, damit sie eintreten konnten, sah man ihr deutlich an, dass sie unter enormem Druck stand. Amanda schämte sich dafür, als sie die Wohnung betrat.

»Warum machen Sie uns nicht einen Tee, meine Liebe«, schlug Deena vor.

Die Frau nickte wortlos und verzog sich ins Nebenzimmer. Deena deutete auf die Couch, die hellgelb und absolut makellos war. Ein einzelner Sessel, dem ein kleiner Fernseher gegenüberstand, war mit einer gerüschten Bordüre und einem Kissen verziert. Auf dem Tisch lagen Zeitschriften in einem ordentlichen Stapel. Der Läufer auf dem Boden war sauber. Fotos von Martin Luther King und Jack Kennedy hingen einander gegenüber an den Wänden. In den Ecken keine Spur von Spinnweben. Nicht einmal der Gestank des Gebäudes hatte es geschafft, hier einzudringen.

Dennoch ließen weder Evelyn noch Amanda sich nieder. Sie waren sich der Umgebung zu stark bewusst. So sauber die Wohnung dieser Frau auch war, war sie doch umgeben von Unrat. Genauso gut konnte man eine saubere Decke durch eine Schlammpfütze ziehen und darauf wetten, dass sie sauber blieb.

In der Küche hörte man einen Kessel sprudeln.

Deenas Stimme klang bestimmt. »Wenn sie zurückkommt, solltet ihr auf euren weißen Ärschen sitzen.«

Deena wählte den Fernsehsessel. Evelyn setzte sich widerwillig auf die Couch. Amanda setzte sich zu ihr und hielt ihre Handtasche auf dem Schoß fest umklammert. Beide saßen sie am Polsterrand – nicht etwa aus Angst davor, sich zu beschmutzen, sondern weil sie im Dienst waren. In den Jahren, in denen sie ihre Ausrüstungsgürtel an der Taille getragen hatten, hatten sie verlernt, sich bequem hinzusetzen.

»Wer hat die Leiche gemeldet?«, fragte Amanda.

Deena nickte zur Küche. »Miss Lula. Sie wohnt hier, seit dies hier ein gemischtes Viertel wurde. Sie wurde von Buttermilk hierher umgesiedelt.«

»Warum glaubt sie, dass wir sie verhaften wollen?«

»Weil Sie weiß sind und eine Marke haben.«

»Das hat doch noch nie irgendjemanden beeindruckt«, murmelte Evelyn.

Miss Lula kam zurück. Sie hatte den Hut abgenommen. Jetzt kam ihr dichtes weißes Haar zum Vorschein. Das Porzellangeschirr auf dem Tablett klapperte, als sie es ins Wohnzimmer trug. Amanda stand intuitiv auf, um ihr zu helfen. Das Tablett war schwer. Sie stellte es auf den Couchtisch. Deena überließ der alten Frau den Fernsehsessel – ein raffinierter Trick. Sie strich sich die Rückseite ihrer Hose sorgfältig glatt, wahrscheinlich tastete sie dabei nach Insekten. Hinter ihr krabbelte eine Küchenschabe über die Wand. Deena schüttelte sich.

»Möchten die Damen vielleicht ein paar Plätzchen?«, fragte Miss Lula. Sie klang unerwartet gebildet. Man meinte beinahe, den gleichen leichten britischen Akzent hören zu können wie bei Lena Horne.

»Nein, vielen Dank«, sagte Evelyn. »Wir haben gerade zu Abend gegessen.« Sie griff zur Teekanne. »Darf ich?«

Miss Lula nickte. Amanda sah zu, wie Evelyn vier Tassen füllte. Es war die merkwürdigste Situation, die sie je erlebt hatte. Amanda war noch nie in einem schwarzen Haushalt zu Gast gewesen. Wenn sie normalerweise zu Schwarzen kam, wollte sie nur schnell hinein und ebenso schnell wieder hinaus. Sie fühlte sich wie in einem Carol-Burnett-Sketch, der eher sozialkritisch als witzig sein wollte.

»Miss Lula war Lehrerin an der Schwarzen Schule hinter Benson«, erklärte Deena.

Amanda nahm den Faden auf. »Meine Mutter war auch Lehrerin. An einer Grundschule.«

»Das war auch mein Bereich«, ergriff Miss Lula das Wort.

Sie nahm die Tasse, die Evelyn ihr anbot. Ihre Hände sahen alt aus, die Gelenke geschwollen. Sie hatten eine leicht aschfahle Färbung. Sie spitzte die Lippen und blies über den Tassenrand.

Evelyn reichte auch Deena eine Tasse, dann Amanda.

»Danke.« Amanda spürte die Hitze durch das Porzellan, dennoch trank sie den brühheißen Tee, weil sie hoffte, dass er etwas gegen den Wein ausrichten würde.

Sie sah hinauf zu den Fotos von Kennedy und King und staunte noch einmal über die ordentliche Wohnung, die Miss Lula ihr Zuhause nannte.

Als Amanda noch bei der Streife gewesen war, hatten ein paar der Männer sich immer wieder den Spaß erlaubt, diese alten Leute zu terrorisieren. Sie waren auf der Straße mit ihren Streifenwagen von hinten an sie herangefahren und hatten den Motor absichtlich fehlzünden lassen. Einkaufstüten wurden fallen gelassen. Arme wurden in die Luft gerissen. Die meisten warfen sich zu Boden. Die Fehlzündung klang jedes Mal wie ein Schuss.

»Also«, sagte Deena. »Miss Lula, könnten Sie den beiden erzählen, was Sie mir erzählt haben?«

Die Frau schlug die Augen nieder. Sie war offensichtlich bekümmert. »Ich hab im Hinterhof einen Tumult gehört.«

Amanda sah, dass die Fenster zum Hof des Wohnkomplexes hinausgingen – zu demselben Hof, auf dem man drei Tage zuvor Jane Delray gefunden hatte.

»Ich guckte aus dem Fenster und sah das Mädchen dort liegen. Sie war offensichtlich tot.« Sie schüttelte den Kopf.

»Furchtbarer Anblick! Wie sehr sie auch sündigen, so etwas haben sie nicht verdient.«

»War sonst noch jemand dort draußen?«, fragte Evelyn.

»Nicht, soweit ich das sehen konnte.«

»Wissen Sie, was für ein Lärm das war? Der Sie aus dem Fenster schauen ließ?«

»Vielleicht die Hintertür, die aufgestoßen wurde?« Sie war sich nicht sicher, nickte aber leicht, als sei dies die einzige Erklärung, die einleuchtend klang.

»Haben Sie in letzter Zeit irgendwelche Fremden hier gesehen?«, fragte Amanda.

»Nicht mehr als sonst. Die meisten dieser Mädchen haben abends Besuch. Sie kommen meist durch die Hintertür.«

Das klang einleuchtend. Keiner der Männer wollte gesehen werden. »Kannten Sie das Mädchen, das Sie dort draußen gesehen haben?«, hakte Amanda nach.

»Sie wohnte im obersten Stockwerk. Ich kenne ihren Namen nicht. Aber ich habe von Anfang an gesagt, man hätte ihnen nie erlauben dürfen, hier einzuziehen.«

»Weil sie Prostituierte sind«, erklärte Deena, »nicht weil sie weiß sind.«

»Sie betrieben ihr Gewerbe in dieser Wohnung«, fuhr Miss Lula fort. »Das widerspricht den Vorschriften des Wohnungsamts.«

Evelyn stellte ihre Tasse ab. »Haben Sie je einen ihrer Kunden gesehen?«

»Gelegentlich. Wie gesagt, sie benutzten meistens die Hintertür. Vor allem die weißen.«

»Sie hatten weiße und schwarze Kunden?«

»Oft einen nach dem anderen.«

Sie dachten stumm über diese Aussage nach, dann fragte Evelyn: »Wie viele Frauen wohnten dort oben?«

»Zuerst war es nur die junge. Sie stellte sich als Kitty vor. Sie machte sogar einen recht netten Eindruck. Schenkte ein paar Kindern Süßigkeiten, was in Ordnung war – bis wir merkten, was sie dort oben trieb.«

»Und dann?«, fragte Amanda.

»Und dann zog eine andere Frau ein. Das war vor gut eineinhalb Jahren. Ebenfalls eine Weiße. Sie sah Kitty sehr ähnlich. Den Namen habe ich nie erfahren. Ihre Besucher waren nicht so diskret ...«

»War das die Frau, die Sie heute Abend durch Ihr Fenster gesehen haben? Oder Kitty?«

»Nein, eine dritte. Kitty habe ich schon eine ganze Weile nicht mehr gesehen und die zweite ebenso wenig. Diese Mädchen sind sehr unbeständig.« Sie hielt kurz inne und fügte dann hinzu: »Der Herr stehe ihnen bei. Es ist ein steiniger Weg, den sie gewählt haben.«

Amanda erinnerte sich an die Führerscheine in ihrer Handtasche. Sie zog den Reißverschluss auf und holte sie heraus.

»Erkennen Sie eins dieser Mädchen?«

Die Frau nahm die Papiere entgegen. Ihre Lesebrille lag ordentlich zusammengeklappt auf dem Beistelltisch auf einer offensichtlich viel gelesenen Bibel. Die drei sahen zu, wie sie die Brille aufklappte und aufsetzte. Sorgfältig studierte sie die Führerscheine, schenkte jedem Mädchen ihre ungeteilte Aufmerksamkeit. »Diese hier«, sagte sie schließlich und hob Kathryn Treadwells Führerschein in die Höhe. »Das ist Kitty, aber ich nehme an, das wissen Sie bereits wegen ihres Namens.«

»Es deutet einiges darauf hin«, sagte Amanda, »dass Kitty die Wohnung an andere Mädchen vermietete.«

»Ja, das klingt einleuchtend.«

»Haben Sie je mit ihr gesprochen?«

»Einmal. Sie schien eine sehr hohe Meinung von sich zu haben. Anscheinend hat ihr Vater beste politische Beziehungen.«

»Hat sie Ihnen das gesagt?«, fragte Evelyn. »Kitty hat Ihnen gesagt, wer ihr Vater war?«

»Nicht wörtlich, aber ja. Sie hat durchblicken lassen, dass sie eigentlich nicht hierhergehöre. Aber ist das nicht bei uns allen so?«

Amanda konnte diese Frage nicht beantworten. »Kommen die anderen Mädchen Ihnen bekannt vor?«

Die Frau sah sich die Führerscheine noch einmal an. Dann hielt sie den von Jane Delray in die Höhe. »Die Sorte Mann war bei dieser hier anders. Sie war wahrscheinlich nicht so wählerisch wie …« Dann zückte sie Mary Halstons Führerschein. »Diese hier hatte viele Stammkunden. Ich würde sie allerdings nicht unbedingt als Gentlemen bezeichnen. Sie ist die junge Frau dort unten im Hof.« Sie las den Namen laut vor. »Donna Mary Halston. Ein wirklich hübscher Name – wenn man bedenkt, was sie getan hat …«

Amanda hörte, wie Evelyn tief einatmete. Sie dachten beide an die gleiche Frage. Amanda stellte sie schließlich. »Sie sagten, Mary hatte Stammkunden?«

»Ja, das stimmt.«

»Haben Sie je einen Weißen gesehen, ungefähr eins achtzig groß, sandfarbenes Haar, lange Koteletten, in einem maßgeschneiderten Anzug, wahrscheinlich in einem Blauton?«

Miss Lula warf Deena einen Blick zu. Als sie Amanda die Führerscheine zurückgab, war ihr Gesicht ausdruckslos. »Darüber muss ich erst nachdenken. Ich melde mich morgen bei Ihnen.«

Amanda runzelte die Stirn. Entweder ließ die Wirkung des Weins nach, oder der Tee hatte endlich die Oberhand gewonnen. Miss Lulas Wohnung lag am Ende des Korridors, mindestens zehn Meter vom Treppenhaus entfernt und von der Hintertür noch weiter. Wenn die alte Frau nicht den ganzen Tag im Hinterhof saß, konnte sie das Kommen und Gehen der Mädchen und ihrer Kunden unmöglich mitbekommen haben.

Amanda öffnete den Mund, um etwas zu sagen, aber Deena kam ihr zuvor. »Miss Lula«, sagte sie, »vielen Dank, dass Sie sich Zeit für uns genommen haben. Sie haben meine Nummer. Melden Sie sich wegen dieser Frage bei mir.« Sie stellte ihre Untertasse aufs Tablett. Als Evelyn und Amanda sich nicht rührten, nahm sie auch deren Tassen und stellte sie neben ihre. »Wir finden selbst raus.« Es fehlte nur noch, dass sie in die Hände geklatscht hätte, um sie zum Gehen zu bewegen. Amanda ging voraus, die Handtasche wieder an die Brust gedrückt. Sie wollte sich gerade umdrehen, um sich zu verabschieden, doch Deena schob sie zu Tür hinaus.

Der Korridor war leer, trotzdem flüsterte Amanda. »Wie konnte sie …«

»Geben Sie ihr bis morgen Zeit«, sagte Deena. »Sie wird herausfinden, ob Ihr geheimnisvoller Mann hier war oder nicht.«

»Aber wie konnte sie …«

»Sie ist die Bienenkönigin«, erklärte Deena und führte sie den Gang entlang. Sie blieb nicht stehen, bis sie den Ausgang erreicht hatten. Sie standen genau an der Stelle, wo Rick Landry zuvor Evelyn bedroht hatte. »Was Miss Lula berichtet hat, ist nicht das, was sie selbst gesehen hat. Es ist das, was sie von anderen gehört hat.«

»Aber sie hat uns nicht …«

»Regel Nummer eins im Getto: Die älteste Schachtel – die schon am längsten hier wohnt – hat hier das Sagen.«

»Aha«, sagte Evelyn. »Ich hab mich schon gefragt, warum sie eine Schrotflinte unter der Couch hatte.«

»Was?«, fragte Amanda.

»Und das Ding war ganz bestimmt geladen.« Deena stieß die Tür auf.

Der Tatort war mit gelbem Absperrband markiert. Hier hinten gab es keine Lampen – zumindest keine, die funktionierten. Die Birnen an den Straßenlaternen waren kaputt, wahrscheinlich mit Steinen ausgeschossen. Sechs Streifenbeamte kümmerten sich um das Problem. Sie standen in einem Kreis um die Leiche herum und erhellten den Bereich mit ihren Kel-Lites, die sie auf den Schultern abstützten.

Der Hinterhof war so trist wie der Vorplatz. Unzählige nackte Kinderfüße hatten den roten Lehm festgetrampelt. Hier hinten gab es keine Blumen. Kein Gras. Ein einzelner Baum ließ seine schwachen Äste hängen. Pete Hanson versperrte ihnen mit seinem ausladenden Körper den Blick. Neben ihm kauerte ein junger Mann etwa von seiner Größe, aber nur dem halben Umfang. Wie Pete trug auch der Mann einen weißen Laborkittel. Er tippte ihm auf die Schulter und nickte zu den Frauen hinüber.

Pete stand auf. Er sah grimmig aus. »Detectives, ich bin froh, dass Sie hier sind, wobei ich das angesichts der Umstände mit Vorbehalt sage.« Er machte eine Geste zu dem jungen Mann hinüber. »Das ist einer meiner Schüler, Dr. Ned Taylor.«

Taylor nickte ihnen ernst zu. Trotz des schwachen Lichts nahm Amanda seine grünliche Gesichtsfarbe wahr. Er sah aus, als müsste er sich gleich übergeben. Evelyn sah nicht viel besser aus.

»Pete, warum bringst du Miss Wagner nicht auf den neuesten Stand?«, schlug Deena vor.

Amanda nahm an, dass sie stolz sein sollte auf ihre Unempfindlichkeit, aber allmählich fühlte es sich an wie eins der vielen Geheimnisse, die sie besser für sich behielt.

»Ich sehe mir in der Zwischenzeit die Wohnung an«, verkündete Evelyn. »Vielleicht haben Butch und Rick ja irgendetwas übersehen.«

Deena räusperte sich. »Darauf würde ich meinen nächsten Gehaltsscheck wetten.«

»Hier entlang, meine Liebe.« Pete fasste Amanda am Ellbogen und führte sie zu der toten Frau. Die sechs Beamten mit ihren Taschenlampen sahen sichtlich verwirrt aus, als Amanda neben sie trat, doch keiner von ihnen stellte eine Frage, wahrscheinlich aus Respekt vor Pete.

»Wenn ich bitten darf.« Pete stützte sich auf ein Knie und half dann Amanda, sich neben ihm niederzulassen. Sie strich ihren Rock nach unten, damit ihre Knie nicht über das Erdreich scheuerten. Ihre Schuhe würden leiden. Sie war nicht gerade für diesen Anlass angezogen.

»Sagen Sie mir, was Sie sehen«, forderte Pete sie auf.

Das Opfer lag mit dem Gesicht nach unten vor ihr. Das lange blonde Haar fiel über Schultern und Rücken. Sie trug einen schwarzen Minirock und ein rotes T-Shirt. Ihre Hand lag wenige Zentimeter neben dem Gesicht auf dem Boden. Die Fingernägel waren leuchtend rot lackiert.

»Wie bei dem anderen Opfer«, stellte Amanda fest. »Alle zehn Fingernägel professionell maniküt.«

»Korrekt.« Pete hob die glatten blonden Haare der Frau an. »Quetschungen am Hals – ich vermute allerdings, dass das Zungenbein nicht gebrochen ist.«

»Sie wurde also nicht erwürgt.«

»Ich glaube, mit ihr ist noch was ganz anderes passiert.« Er schob das T-Shirt hoch. An der Flanke der Frau war eine Linie kleiner Verletzungen zu erkennen, fast wie eine aufgerissene Naht. »Diese Risse verlaufen über die gesamte Körperlänge.«

Amanda erkannte das Muster auch am Bein des Mädchens. Anfangs hatte sie es für eine Ziernaht im Strumpf gehalten. Auch an den Außenseiten der Arme zeigten sich diese Spuren. Es sah aus, als hätte jemand eine Naht aufgerissen, die die Vorder- mit der Rückseite des Körpers verband.

»Was … Wer … würde so etwas tun?«, fragte sie.

»Zwei sehr gute Fragen. Leider lautet die Antwort auf beide, dass ich keine Ahnung habe.«

Was Amanda nun sagte, war weniger eine Frage als ein laut ausgesprochener Gedanke: »Sie haben Deena gebeten, uns anzurufen und hierherzubestellen.«

»Ja. Wegen der maniküten Fingernägel. Der ähnlichen Leichenfundsituation. Ich dachte, da ist noch mehr, aber bei weiterer Betrachtung …« Er wollte gerade den Minirock hochschieben, zögerte dann aber. »Ich muss Sie warnen. Selbst ich habe mich erschrocken. So etwas habe ich seit Jahren nicht mehr gesehen.«

Amanda schüttelte den Kopf. »Was meinen Sie?«

Erst da schob er den Rock hoch. Zwischen den Beinen des Mädchens steckte eine Stricknadel.

Diesmal brauchte Amanda keinen Ratschlag. Ganz automatisch atmete sie tief durch, füllte die Lungenflügel und ließ die Luft dann ganz langsam wieder hinaus.

Pete schüttelte den Kopf. »Es gibt absolut keinen Grund mehr, warum ein Mädchen so etwas tun müsste.«

»Da ist kein Blut«, bemerkte Amanda.

Pete kauerte sich auf die Hacken. »Nein, kein Blut …«

»Man würde doch Blut erwarten, oder? Von der Stricknadel?«

»Ja.« Pete spreizte die Beine. Einer der Beamten trat einen Schritt zurück. Er wäre beinahe über einen abgebrochenen Ast gestolpert. Einige von ihnen kicherten, doch der Mann fand sein Gleichgewicht sofort wieder. Er richtete den Strahl seiner Taschenlampe auf die Beine des Opfers.

Teigig weiße Schenkel. Kein Blut, nirgends.

»Sind Fingerabdrücke auf der Stricknadel?«

Trotz der Umstände lächelte Pete ihr zu. »Nein, nichts. Sie wurden abgewischt.«

»Dann hat sie es nicht selbst getan.«

»Unwahrscheinlich. Sie wurde gewaschen. Und dann hat irgendjemand sie hierhergebracht.«

»Dieselbe Stelle, an der unser anderes Opfer gefunden wurde.«

»Nicht ganz, aber ziemlich nahe dran.« Er deutete zu einer Stelle ein paar Meter entfernt. »Lucy Bennett wurde dort drüben gefunden.«

Amanda blickte zu dem Gebäude hinauf. Miss Lulas Wohnung lag am anderen Ende. Von ihrem Fenster aus konnte sie den Baum nicht sehen. Und auf keinen Fall konnte sie gesehen haben, wo Lucy Bennett gefunden worden war. Deena hatte recht gehabt. Da war noch eine andere Person – oder andere Personen –, die alles mit angesehen hatten, aber Angst hatten, darüber zu sprechen.

»Ned«, rief Pete. »Nehmen Sie ihre Füße, ich nehme die Schultern.«

Der junge Arzt tat wie geheißen. Behutsam drehten sie das Opfer auf den Rücken.

Amanda betrachtete das Gesicht des Mädchens. Ihre Verletzungen waren schier unbegreiflich. Die Lider waren zerfetzt. Die Lippen waren zerrissen. Dennoch war sie noch immer erkennbar. Amanda öffnete ihre Handtasche, suchte den Führerschein heraus und gab ihn Pete.

»Donna Mary Halston«, las er vor. »Wohnte sie hier?« Er sah zu dem Gebäude hinüber. »Ich nehme mal an, im obersten Stock. Genau wie Lucy Bennett.«

Amanda suchte Lucy Bennets Führerschein heraus, übergab ihn Pete und wartete.

»Mhmm.« Er betrachtete das Foto eingehend. Offensichtlich hatte er sich die Anwesenheit der sechs Streifenbeamten ins Gedächtnis gerufen, bevor er an Amanda gewandt sagte: »Dieses Mädchen ist mir nicht bekannt.«

Daraufhin reichte Amanda ihm Jane Delrays Führerschein. Er betrachtete auch dieses Foto eingehend. Dann stieß er einen tiefen Seufzer aus, der fast wie ein Ächzen klang. »Ja, die erkenne ich wieder.« Er gab Amanda beide Führerscheine zurück. »Und jetzt?«

Sie schüttelte den Kopf. Es war gut, bei der Frage der Identitäten Petes Unterstützung zu haben, aber viel ändern würde es nicht.

Die Hintertür ging auf. Evelyn schüttelte den Kopf. »In der Wohnung ist nichts. Es herrscht noch immer ein heilloses Durcheinander, aber ich glaube nicht, dass irgendjemand …« Sie hielt mitten im Satz inne. Amanda folgte ihrem Blick zu der Stricknadel. Evelyn schlug sich die Hand vor den Mund, doch statt sich abzuwenden, starrte sie den Baum hinauf. Dann wieder zu dem Mädchen.

»Was ist?«, fragte Amanda. Irgendetwas stimmte nicht. Sie stemmte sich vom Boden auf und ging zu Evelyn hinüber. Es war genauso wie bei ihrem Bastelpapierpuzzle. Manchmal brauchte man nur einen neuen Blickwinkel.

Ein Ast war abgebrochen. Ein Mädchen lag am Boden. Ein Kind war abgetrieben worden.

»O mein Gott …« Amanda traf die Erkenntnis wie ein Blitz. »Ophelia!«

19. KAPITEL

Gegenwart
SUZANNA FORD

Die Dunkelheit. Die Kälte. Das Geräusch.

Luft, die irgendwo hindurchrauschte. Wie ein Auto, das durch einen Tunnel jagte.

Sie hielt es nicht mehr aus. Ihr Körper schmerzte. Ihr Mund war trocken. Ihr Magen war so leer, dass es sich anfühlte, als würde Säure ein Loch in ihren Bauch fressen.

Meth.

Das war es, das sie hierhergebracht hatte. In diesen Abgrund. Sie war zu tief gefallen. Sie hatte sich selbst in die Gosse manövriert. Sie hatte sich selbst hierhergebracht.

»Lieber Jesus«, betete sie. *»Wenn Du mich hier herausholst, werde ich jeden Tag zu Dir beten. Ich werde Deinen Namen preisen ...«*

Die Klaustrophobie. Die vollkommene Dunkelheit. Das Nichtwissen. Die Angst vor dem Ersticken.

Vor langer Zeit, als sie noch eine Familie gewesen waren, war ihr Vater mit ihnen allen nach Wales gereist. Dort gab es ein Bergwerk. So etwas Altertümliches. Man hatte einen Helm tragen müssen, wenn man die Stollen betreten wollte. Sie waren niedrig gewesen, weil die Leute früher nicht so groß gewesen waren. Sie waren eng gewesen, weil die meisten Arbeiter Kinder gewesen waren.

Suzanna war in einem der Stollen etwa sieben Meter weit gegangen, als sie plötzlich durchgedreht hatte. Sie hatte in der

Öffnung noch das Sonnenlicht sehen können, aber als sie zum Eingang zurückgerannt war, hätte sie sich beinahe in die Hose gemacht.

Genau so fühlte sie sich jetzt auch. Gefangen. Hoffnungslos.

»Ich werde Dich lobpreisen. Ich werde Dein Wort verkünden. Ich werde mich vor Dir erniedrigen ...«

Ihre Arme bewegten sich nicht. Ihre Beine bewegten sich nicht. Sie konnte die Augen nicht öffnen. Sie konnte den Mund nicht öffnen.

»Meth wird nie mehr meine Lippen, meine Nase, meine Lunge berühren, wenn Gott mir hilft.«

Allmählich hatte das Zittern eingesetzt und wanderte durch ihren Körper, ließ die Muskeln zucken. Die Finger ballten sich zu Fäusten. Sie spannte die Schultern an, biss sich auf die Zähne, kniff den Hintern zusammen. Die Fäden rissen an ihr. Der Schmerz war unerträglich. Heiße Nadeln stachen in gereizte Nerven. Nicht mehr lange, und das Herz würde ihr in der Brust explodieren.

Sie konnte sich losreißen. Sie war stärker als diese Fäden. Sie konnte sich losreißen.

Suzanna versuchte es. Versuchte es mit aller Kraft. Aber der Schmerz gewann immer wieder.

Sie konnte die Haut einfach nicht zum Reißen bringen. Sie konnte auch den Faden nicht zum Reißen bringen.

Sie konnte nur hier liegen. Und um Erlösung beten.

»Lieber Jesus ...«

20. KAPITEL

Gegenwart
DIENSTAG

Will schrak aus dem Schlaf hoch. Sein Hals knackste, als er ihn zur Seite drehte. Er war zu Hause, saß auf seiner Couch. Betty lag neben ihm auf dem Rücken, die Beine in die Luft gestreckt, die Schnauze zur Tür. Will sah sich um, suchte nach Faith. Sie hatte ihn von der Leichenhalle nach Hause gefahren. Sie hatte ihm ein Glas Wasser gebracht, und jetzt war es nach der Uhr auf dem Receiver fast zwei Stunden später.

Er horchte. Das Haus war still. Faith war gegangen. Will wusste nicht, was er davon halten sollte. Sollte er erleichtert sein? Sollte er sich fragen, wohin sie gegangen war? Für diesen Teil seines Lebens gab es kein Handbuch. Keine Anweisungen, denen er folgen konnte, um die Teile wieder zu einem Ganzen zusammenzufügen.

Er schloss die Augen und versuchte, wieder einzuschlafen. Er wollte erst in einem Jahr wieder aufwachen. Er wollte erst wieder aufwachen, wenn alles vorbei war.

Nur konnte er seine Augen nicht geschlossen halten. Sooft er es probierte, starrte er nach kurzer Zeit schon wieder die Decke an. War es so auch für seine Mutter gewesen? Nach dem Autopsiebericht waren ihre Augen nicht immer zugenäht gewesen. Manchmal waren die Lider auch an der Stirnhaut befestigt gewesen. Der Medical Examiner hatte behauptet, dass Wills Vater in diesen Zeiten in der Nähe gewesen sein musste. Er hatte die

Augen mit einer Pipette beträufelt, damit sie nicht austrockneten.

Dr. Edward Taylor. Das war der Name des Medical Examiner gewesen. Der Mann war vor fünfzehn Jahren bei einem Autounfall gestorben. Er war der erste Ermittler, den Will versucht hatte aufzuspüren. Die erste Sackgasse. Das erste Mal, dass Will so etwas wie Erleichterung verspürt hatte, weil niemand da war, der ihm erklären würde, was genau mit seiner Mutter passiert war.

»Hey.« Faith kam aus seinem Gästezimmer. Erst jetzt sah er, dass dort Licht brannte. All seine Bücher waren dort. All seine CDs. Die Automagazine, die er im Lauf der Jahre gesammelt hatte. Alben aus einer anderen Zeit. Wahrscheinlich hatte Faith weniger als zehn Sekunden gebraucht, um herauszufinden, was am wenigsten dorthin passte. Jetzt hielt sie die Bücher in der Hand. *Neue Feministische Hegemonie. Angewandte Statistische Methoden: Theorie und Anwendung. Eine Verteidigung der Frauenrechte.*

»Sie können jetzt nach Hause fahren«, sagte er.

»Ich lasse Sie nicht alleine.« Sie legte die Lehrbücher seiner Mutter auf den Tisch und setzte sich in den Sessel. Auf dem Tisch lag noch die Akte. Will hatte sie heute Morgen dorthin gelegt. Wahrscheinlich hatte Faith alles durchgeblättert, während er geschlafen hatte. Er hätte verärgert sein sollen, weil sie bei ihm herumgeschnüffelt hatte, aber in ihm war einfach nichts mehr. Er fühlte sich jeder Empfindung beraubt. Er hatte gespürt, wie es passierte, als er Sara in der Leichenhalle gesehen hatte. Sein erster Impuls war gewesen, vor ihr auf die Knie zu gehen und zu weinen. Ihr alles zu sagen. Sie um Verständnis zu bitten.

Und dann – nichts mehr.

Es war, als wäre ein Stöpsel gezogen worden. Jedes Gefühl war aus ihm herausgeflossen.

Der Rest blitzte in seinem Hirn auf wie in einer Filmvorschau, die alles preisgab: das geschundene Mädchen. Die lackierten Fingernägel. Die zerrissene Haut. Wie Sara der Atem gestockt hatte, als er ihr – und allen – gesagt hatte, dass sein Vater die Schuld daran trage.

Sara war eine sprachgewandte Frau, manchmal unverblümt und normalerweise keine, die mit ihrer Meinung hinterm Berg hielt. Doch darauf hatte sie nichts erwidert. Nach beinahe zwei Wochen ihres Zusammenlebens und diesem ständig fragenden Blick in ihren Augen hatte sie keine Fragen gehabt, die sie ihm hatte stellen wollen. Nichts, das sie hatte erfahren wollen. Sie hatte alles überdeutlich vor sich gehabt. Amanda hatte wegen der Autopsie recht behalten. Will hätte nicht dort sein sollen. Es war gewesen, als würde er dabei zusehen, wie seine eigene Mutter untersucht, bearbeitet, archiviert würde.

Und Angie hatte wegen Sara recht behalten. Es war einfach zu viel für sie.

Warum hatte er auch nur eine Sekunde lang geglaubt, dass Angie sich täuschte? Warum hatte er geglaubt, Sara wäre anders?

In der Leichenhalle hatte Will einfach nur dagestanden, wie erstarrt in Zeit und Raum. Hatte Sara angesehen. Hatte darauf gewartet, dass sie irgendetwas sagte. Darauf gewartet, dass sie schrie oder kreischte oder sonst irgendetwas tat. Er wäre wahrscheinlich immer noch dort, wenn Amanda Faith nicht befohlen hätte, ihn nach Hause zu bringen. Und auch da hatte Faith Will am Arm packen und ihn mit Gewalt aus dem Saal zerren müssen.

Großaufnahme von Sara. Das Gesicht blass. Ein Kopfschütteln. Ausblendung.

Ende.

»Will?«

Er sah zu ihr hoch.

»Wie sind Sie zum GBI gekommen?«

Er wägte die Frage ab, versuchte zu verstehen, worauf sie hinauswollte. »Ich wurde angeworben.«

»Wie?«

»Amanda kam in mein College.«

Faith nickte knapp, und er merkte, dass sie einem Gedankengang nachhing, der ihm verschlossen blieb. »Was war mit Ihrer Bewerbung?«

Will rieb sich die Augen. Von der Aktion im Keller des Kinderheims spürte er immer noch weißen Grus in den Augen.

»Die Überprüfung Ihres Backgrounds. Der ganze Papierkram.«

Sie wusste über seine Legasthenie Bescheid. Sie wusste aber auch, dass er sich sehr wohl helfen konnte. »Es waren vorwiegend mündliche Prüfungen. Den Rest durfte ich mit nach Hause nehmen. Wie bei Ihnen, nicht wahr?«

Faith reckte das Kinn. Und schließlich sagte sie: »Ja.« Wills Hand ruhte auf Bettys Brust. Er spürte ihren Herzschlag an seiner Handfläche. Sie seufzte. Ihre Zunge glitt aus dem Maul.

»Warum hat der Reporter von der *AJC* Amanda angerufen?«, fragte er.

Faith zuckte mit den Schultern. »Machen Sie sich deswegen keine Sorgen. Ich habe dafür gesorgt, dass die Geschichte nicht öffentlich wird.«

Will war so blind gewesen. Amanda hatte ihm die Information heute Morgen gegeben, aber er war zu erschöpft gewesen, um sie zu verarbeiten. »Meine Akte ist versiegelt. Es ist für einen Reporter – oder sonst irgendjemanden – unmöglich herauszufinden, wer mein Vater ist. Wenigstens nicht auf legalem Wege.« Er sah Faith an. »Und selbst wenn es irgendjemand herausgefunden hätte, warum ruft derjenige Amanda an? Warum nicht mich? Meine Nummer steht im Telefonbuch. Meine Adresse ebenfalls.«

Faith kaute auf der Unterlippe. Eigentlich wäre jetzt sie an der Reihe. Sie wusste etwas, das Will nicht wusste, aber sie hatte nicht vor, es ihm zu sagen.

Will drehte sich in ihre Richtung. »Ich will, dass Sie in das Hotel gehen. Er ist auf Bewährung frei. Er hat keinen Rechtsanspruch auf Privatsphäre.«

Faith musste nicht fragen, wessen Hotelzimmer Will meinte. »Und was soll ich dort tun?«

Will ballte die Fäuste. Die Schnitte in seiner Haut platzten wieder auf. »Ich will, dass Sie sein Zimmer durchsuchen. Ich will, dass Sie ihn verhören und ihm im Nacken sitzen, bis er es nicht mehr aushält.«

Faith starrte ihn ein paar Sekunden lang an. »Sie wissen, dass ich das nicht tun kann.«

»Warum nicht?«

»Weil wir den Fall aufbauen müssen und dabei keine Klage wegen Belästigung und Nötigung riskieren dürfen.«

»Mir ist der Fall egal. Machen Sie ihn so fertig, dass er das Hotel verlässt, nur um von Ihnen wegzukommen.«

»Und dann?«

Sie wusste, was dann passieren würde. Will würde ihn auf offener Straße erschießen wie einen tollwütigen Hund.

»Das kann ich nicht tun«, sagte sie.

»Ich kann mir die Baupläne des Hotels besorgen. Ich kann übers Gericht gehen. Ich finde einen Weg dort hinein, und …«

»Das klingt nach einer klasse Art, eine Papierspur zu hinterlassen.«

Will war auch die Papierspur egal. »Wie viele Männer observieren das Hotel?«

»Fünfmal so viele, wie jetzt vor Ihrem Haus sitzen.«

Will trat ans Fenster und schob die Jalousien zur Seite. Ein Auto der Polizei von Atlanta blockierte seine Einfahrt. Auf der Straße stand ein Zivilfahrzeug. Will schlug mit der Hand gegen die Jalousie. Betty kläffte und sprang von der Couch.

Er ging zur Rückseite des Hauses und öffnete die Küchentür. In der Gartenlaube, die Will letzten Sommer gebaut hatte, saß ein Mann. Beige-blaue GBI-Kluft. Glock an der Hüfte. Die Füße ruhten auf dem Geländer. Er winkte, als Will die Tür zuknallte.

»Das kann sie nicht machen«, sagte Will. »Sie kann nicht mein Haus bewachen lassen, als wäre ich ein Krimineller.«

»Warum haben Sie mir nie von ihm erzählt?«, fragte Faith.

Will ging im Zimmer auf und ab. Sein Körper war mit einem Mal randvoll mit Adrenalin. »Damit ich noch ein Exemplar in Ihrer Serienmördersammlung werde?«

»Glauben Sie wirklich, ich würde aus Ihrem Leben ein Spiel machen?«

»Wo ist meine Waffe?« Seine Schlüssel lagen auf dem Schreibtisch. Sein Handy. Die Glock fehlte. »Haben Sie meine Waffe genommen?«

Faith antwortete ihm nicht, aber ihm fiel auf, dass auch sie ihr Gürtelholster nicht trug. Sie hatte ihre Waffe im Auto eingeschlossen. Sie hatte wohl Angst gehabt, dass er sie ihr wegnehmen könnte.

Will kamen mehrere Gedanken in den Sinn. Ein Loch in die Wand schlagen. Seinen Schreibtisch umwerfen. Das Fenster von Faiths Auto einschlagen. Mit einem Baseballschläger zu dem Arschloch in seiner Laube hinübergehen. Doch letztendlich konnte Will einfach nur dastehen. Es war genau wie schon in der Leichenhalle. Er war einfach zu erschöpft. Zu überwältigt. Kam sich manipuliert vor.

»Gehen Sie, Faith. Ich brauche Sie nicht als Aufpasserin. Ich will Sie nicht hier haben.«

»So ein Pech.«

»Gehen Sie nach Hause. Gehen Sie nach Hause zu Ihrem blöden Kind, und hören Sie auf, sich in meine Sachen einzumischen.«

»Wenn Sie glauben, dass ich mich verziehe, nur weil Sie mir gegenüber das Arschloch spielen, dann kennen Sie mich aber schlecht.« Sie lehnte sich in ihrem Sessel zurück und verschränkte die Arme vor der Brust. »Sara hat in den Haaren des Mädchens Sperma gefunden.«

Will wartete darauf, dass sie fortfuhr.

»Es reichte für einen Gentest. Sobald das Ergebnis ins System eingespielt ist, können wir es mit dem Ihres Vaters abgleichen.«

»Das dauert Wochen.«

»Vier Tage«, entgegnete sie. »Es steht zuoberst auf Dr. Coolidges Liste.«

»Dann verhaften Sie ihn. Sie können ihn vierundzwanzig Stunden festhalten.«

»Was nur nach sich zöge, dass er eine Kaution hinterlegt und verschwindet, noch ehe wir ihn wieder aufgreifen können.« Ihre Stimme hatte den nervigen Klang von jemandem, der versuchte, vernünftig zu sein. »Das APD hat fünf Leute auf das Hotel angesetzt und Amanda wahrscheinlich noch zehn weitere. Er kann nicht mal zum Scheißen gehen, ohne dass wir es mitbekommen.«

»Ich will dabei sein, wenn Sie ihn verhaften.«

»Sie wissen, dass Amanda das nicht erlauben wird.«

»Wenn Sie ihn verhören.« Will konnte nicht anders. Er fing an zu betteln. »Bitte, lassen Sie mich ihn sehen. Bitte. Ich muss ihn sehen. Ich muss ihm in die Augen schauen. Ich will sein Gesicht sehen, wenn er erkennt, dass ich davongekommen bin. Dass er nicht gewonnen hat.«

Faith legte sich die Hand auf die Brust. »Ich schwöre zu Gott, Will. Ich schwöre Ihnen beim Leben meiner Kinder, dass ich alles in meiner Macht Stehende tun werde, um dafür zu sorgen, dass das passiert.«

»Das reicht nicht«, sagte Will. Er wollte seinem Vater nicht nur in die Augen sehen. Er wollte ihn schlagen. Er wollte ihm die Zähne austreten. Ihm den Schwanz abschneiden. Seinen Mund und seine Augen und seine Nase zunähen und auf ihn einprügeln, bis er an seiner eigenen Kotze erstickte. »Das reicht nicht.«

»Ich weiß«, sagte Faith. »Es wird nie genug sein, aber es muss reichen.«

Es klopfte an der Tür. Will wusste nicht, wen er erwarten sollte, als Faith die Tür öffnete. Amanda. Angie. Irgendeinen Polizisten, der ihm sagte, dass sein Vater wieder zugeschlagen hatte.

Jeden, nur nicht die Person, die tatsächlich hereinkam.

»Alles okay?«, fragte Sara.

Faith nickte und nahm ihre Tasche vom Boden. Zu Will sagte sie: »Ich ruf Sie an, sobald ich was Neues erfahre. Versprochen.«

Sara schloss hinter ihr die Tür. Das Haar fiel ihr in weichen Locken auf die Schultern. Sie trug ein eng anliegendes schwarzes Kleid. Will hatte sie schon früher elegant angezogen gesehen, aber so noch nie. Die spitzen Schuhe hatten extrem hohe Absätze und einen schwarzen Leopardenaufdruck. Sie bewirkten etwas an ihren Waden, das ihm die Hose eng werden ließ.

»Hi.«

Will schluckte. In seiner Kehle schmeckte er noch immer den Staub.

Sara ging um die Couch herum und setzte sich. Sie zog die Schuhe aus und klemmte sich die Füße unter den Hintern.

»Setz dich.«

Will setzte sich neben sie. Betty hockte zwischen ihnen, sprang dann aber auf den Boden. Ihre Krallen klackerten, als sie in die Küche lief.

Sara nahm seine Hand. Offensichtlich hatte sie die Schnitte und Blasen bemerkt, sie sagte jedoch nichts. Will konnte sie nicht ansehen. Sie war so schön, dass es schier wehtat. Stattdessen starrte er auf den Couchtisch hinab. Die Akte seiner Mutter. Ihre Bücher.

»Ich schätze, Amanda hat dir alles erzählt.«

»Nein, das hat sie nicht.«

Das überraschte Will nicht sonderlich. Amanda liebte es, ihn zu quälen. Er deutete zu den Sachen seiner Mutter. »Wenn du willst ...« Will brach ab, weil ihm die Stimme versagte. »Es ist alles da. Lies es.«

Sara sah auf die Akte hinunter. »Ich will es nicht lesen.« Will schüttelte den Kopf. Er verstand nicht, was sie meinte.

»Du erzählst es mir, wenn du so weit bist.«

»Es wäre einfacher, wenn ...«

Sie hob die Hand und berührte sein Gesicht. Ihre Finger strichen über seine Wange. Sie rutschte näher an ihn heran. Er spürte die Hitze ihres Körpers, als sie sich an ihn schmiegte. Will legte ihr die Hand aufs Bein, spürte die straffen Muskeln ihrer Schenkel. Da war die Enge wieder. Er küsste sie. Sara nahm sein Gesicht in beide Hände, als sie den Kuss erwiderte. Sie setzte sich rittlings auf ihn. Ihre Haare fielen ihm übers Gesicht. Er spürte ihren Atem auf seinem Nacken.

Leider war das auch schon alles, was er spürte.

»Willst du, dass ich …«

»Nein.« Er zog sie wieder hoch. »Es tut mir leid. Ich bin …« Sie legte ihm die Finger an die Lippen. »Weißt du, was ich wirklich tun will?« Sie stieg von ihm hinunter, blieb aber ganz nah bei ihm. »Ich will mir einen Film ansehen, in dem Roboter aufeinander einprügeln. Oder Sachen explodieren. Vorzugsweise weil die Roboter aufeinander einprügeln.« Sie griff zur Fernbedienung und schaltete den Fernseher ein. Sie zappte zum Motorsportkanal. »Oh, sieh mal. Das ist noch besser.«

Will hatte sich noch nie in seinem Leben so elend gefühlt. Wenn Faith ihm nicht die Glock abgenommen hätte, hätte er sich in den Kopf geschossen. »Sara, es ist nicht …«

»Pschsch.« Sara nahm seinen Arm und legte ihn sich um die Schultern, dann legte sie den Kopf an seine Brust und eine Hand auf sein Bein. Betty kam zurück. Sie sprang auf Wills Schoß und machte es sich bequem.

Er starrte den Fernseher an. Eine Dokumentation über den Ferrari Enzo. Ein Italiener höhlte an einer Drehbank einen Aluminiumblock aus. Nichts, was der Sprecher sagte, blieb in Wills Kopf. Er spürte nur noch, dass ihm die Lider schwer wurden. Er atmete tief aus.

Endlich blieben seine Augen geschlossen.

Als Will diesmal aufwachte, war er nicht allein. Sara lag vor ihm auf der Couch. Ihr Rücken schmiegte sich an seinen Körper.

Ihre Haare kitzelten sein Gesicht. Das Zimmer war dunkel bis auf den Schein des Fernsehers. Der Ton war abgestellt. Es lief ein Monstertruck-Rennen. Der Receiver zeigte zwölf Minuten nach Mitternacht.

Wieder war ein Tag vergangen. Eine neue Nacht angebrochen. Im Kalender des Lebens seines Vaters war eine neue Seite aufgeschlagen worden.

Will konnte die Gedanken nicht länger verdrängen, die ihm in den Sinn kamen. Er fragte sich, ob Faith immer noch seine Glock hatte. Er fragte sich, ob der Streifenwagen noch immer seine Einfahrt blockierte und das Arschloch noch in seiner Laube saß.

Im Waffensafe, der in eine Ecke des Kleiderschranks geschraubt war, lag noch eine Sig Sauer. Sein Colt AR-15 lag zerlegt daneben. In einer Plastikschachtel verwahrte er Munition für beide Waffen. Will setzte das Gewehr in Gedanken zusammen – Magazin, Verriegelung, Abzugsbügel. 55-Grain-Winchester-Vollmantelgeschosse.

Nein. Die Sig wäre besser. Näher dran. Mündung an den Kopf. Finger am Abzug. Will würde das Entsetzen in den Augen seines Vaters sehen, dann den glasigen, leeren Blick eines toten Mannes.

Sara bewegte sich. Ihre Hand wanderte zu seinem Gesicht. Ihre Fingernägel kratzten über seine Wange. Sie seufzte zufrieden.

Und einfach so spürte Will, wie seine Wut verrauchte. Es war wieder genauso wie in der Leichenhalle, nur fühlte er sich jetzt nicht mehr leer, sondern voll. Ruhe überkam ihn. Die Klammer um seine Brust öffnete sich.

Sara rückte näher an ihn heran. Mit der Hand zog sie ihn enger an sich. Wills Körper war jetzt deutlich empfänglicher. Er drückte ihr den Mund auf den Nacken. Die feinen Haare dort richteten sich auf. Er spürte, wie sie unter seiner Zunge eine Gänsehaut bekam.

Sara drehte sich zu ihm um. Sie lächelte schläfrig. »Hey.«

»Hey.«

»Ich hatte gehofft, dass du es bist.«

Er küsste sie auf den Mund. Sie drehte sich zu ihm um. Noch immer lächelte sie. Will spürte die Wölbung ihrer Lippen auf seinem Mund. Ihre Haare lagen verstrubbelt unter ihrem Kopf. Er bewegte sich und spürte einen scharfen Schmerz im Oberschenkel. Das war kein Muskel. Es war Angies Ring. Er hatte ihn noch immer in der Hosentasche.

Sara missverstand seine Reaktion als Neuauflage seines früheren Problems. »Lass uns ein Spiel spielen«, sagte sie.

Doch Will brauchte kein Spiel. Er musste lediglich Angie aus dem Kopf bekommen, aber ausgerechnet darüber wollte er im Augenblick lieber nicht reden.

Sie streckte die Hand aus. »Ich bin Sara.«

»Ich weiß.«

»Nein.« Sie hielt ihm noch immer die Hand hin. »Ich bin Sara Linton.«

Und offensichtlich war Will ein Trottel. Er schüttelte ihre Hand. »Will Trent.«

»Womit verdienen Sie Ihren Lebensunterhalt, Will Trent?«

»Ich bin ein …« Er suchte nach einer passenden Antwort. »Ich bin Monstertruck-Fahrer.«

Sie warf einen Blick auf den Fernsehbildschirm und lachte. »Sehr kreativ.«

»Und was sind Sie?«

»Stripperin.« Sie lachte wieder, als wäre sie über sich selbst schockiert. »Aber ich mache das nur, um mein Studium zu finanzieren.«

Wenn Wills blöder Ehering nicht in seiner Hosentasche gewesen wäre, hätte er Sara auffordern können, ihre Hand hineinzustecken, um sich Geld für eine Sondervorführung zu nehmen. Stattdessen musste er sich zufriedengeben mit der Bemerkung: »Das ist sehr löblich.« Er legte sich auf die Seite, um seine Hand zu befreien. »Was studieren Sie?«

»Ähm …« Sie grinste. »Monstertruck-Mechanik.«

Er strich ihr mit dem Finger zwischen den Brüsten entlang. Das Kleid war tief ausgeschnitten und so geschnitten, dass es sich leicht öffnen ließ. Will ahnte, dass sie es eigens für ihn angezogen hatte. Genau wie sie die Haare offen trug. Genauso wie sie ihre Füße in ein paar High Heels gequetscht hatte, die ihr wahrscheinlich die Zehen brechen würden.

Genau wie sie bei der Autopsie dabei gewesen war. Genau wie sie jetzt hier war.

»Um ehrlich zu sein: Ich bin gar kein Monstertruck-Fahrer.«

»Nein?« Ihr stockte der Atem, als er an ihrem Bauch entlangstrich. »Was sind Sie denn?«

»Ich bin ein Exsträfling.«

»Oh, das gefällt mir«, sagte sie. »Juwelendieb oder Bankräuber?«

»Eine Bagatelle. Vier Jahre auf Bewährung.«

Sie hörte auf zu lachen. Sie verstand nicht, warum er nicht mehr mitspielte.

Will atmete tief ein und wieder aus. Jetzt war er am Zug. Zurück konnte er nicht mehr. »Ich wurde verhaftet wegen Ladendiebstahls.« Er musste sich räuspern, damit er die Worte herausbrachte. »Als ich achtzehn war.«

Sie legte ihre Hand über seine.

»Ich war schon zu alt für das Betreuungssystem.« Mrs. Flannigan war in jenem Sommer gestorben. Der Neue, der die Leitung des Heims übernommen hatte, hatte Will hundert Dollar und eine Karte mit der Wegbeschreibung zum Obdachlosenheim in die Hand gedrückt. »Ich landete bei der Mission in der Innenstadt. Einige der Kerle dort waren ganz in Ordnung. Die meisten waren älter und …« Er beendete den Satz nicht. »Ich lebte auf der Straße …« Wieder ließ er die Stimme verklingen. »Meistens hing ich am Eisenwarenladen an der Highland rum. Dort kamen jeden Morgen Bauunternehmer vorbei, um Tagelöhner aufzusammeln.«

Sie strich ihm mit dem Daumen über den Handrücken.

»Hast du dort gelernt, Sachen zu reparieren?«

»Ja.« Er hatte noch nie darüber nachgedacht, aber es stimmte. »Ich verdiente ordentliches Geld, wusste aber nicht damit umzugehen. Ich hätte es für eine Wohnung beiseitelegen sollen. Stattdessen habe ich es für Süßigkeiten und einen Walkman und Kassetten ausgegeben.« Will hatte noch nie zuvor Geld in der Tasche gehabt. Als er jünger gewesen war, hatte es so etwas wie Sozialhilfe nicht gegeben. »Ich schlief an der Peachtree, wo früher die Bibliothek war. Diese Bande älterer Jungs überfiel mich. Sie schlugen mich einfach nieder. Brachen mir die Nase und ein paar Finger. Nahmen alles mit, was ich bei mir hatte. Schätze, ich hatte Glück, dass sie nicht mehr taten.«

Sara verstärkte den Griff um seine Hand.

»Ich konnte nicht mehr arbeiten. Meine Sachen waren zu schmutzig. Ich konnte mich nirgendwo waschen. Ich versuchte zu betteln, aber die Leute hatten Angst vor mir. Womöglich sah ich wirklich aus wie ein Junkie.« Dann sagte er zu Sara: »Aber ich war keiner. Ich hab nie Drogen genommen. Hab nie irgendwas dergleichen getan.«

Sie nickte.

»Aber ich war hungrig. Ich hatte die ganze Zeit Magenschmerzen. Mir war schon ganz schwindlig davon. Und schlecht. Ich hatte Angst einzuschlafen. Angst, dass man mich noch einmal überfallen könnte. Ich ging in diese Vierundzwanzig-Stunden-Drogerie, die früher an der Ponce de Leon lag … neben dem Kino?«

Sara nickte.

»Ich ging einfach rein und nahm Packungen aus den Regalen. Little Debbies. Moon Pies. Was immer da stand. Ich riss die Packungen mit den Zähnen auf und stopfte mir alles in den Mund.« Er schluckte, weil seine Kehle sich wund anfühlte. »Sie riefen die Polizei.«

»Du wurdest verhaftet?«

»Sie versuchten es.« Er spürte, wie ihm Scham die Kehle hinaufstieg. »Ich fing an, die Fäuste zu schwingen, wollte irgendwas treffen. Sie stoppten mich ziemlich schnell.«

Sara strich ihm mit dem Finger die Haare aus dem Gesicht.

»Sie legten mir Handschellen an. Brachten mich ins Gefängnis. Und dann …« Er schüttelte den Kopf. »Dann kam meine Sozialarbeiterin. Ich hatte sie seit sechs oder sieben Monaten nicht mehr gesehen. Sie sagte, sie habe nach mir gesucht.«

»Warum?«

»Weil Mrs. Flannigan mir ein bisschen Geld hinterlassen habe.« Will erinnerte sich noch immer an den Schock, als er davon erfahren hatte. »Ich durfte es nur fürs College verwenden. Und deshalb …« Er zuckte mit den Schultern. »Ich ging auf das erstbeste College, das mich aufnahm. Lebte im Wohnheim. Aß in der Cafeteria. Arbeitete stundenweise auf dem Campus. Und dann wurde ich vom GBI rekrutiert. Das war's.« Sara war still, musste das alles offensichtlich erst verarbeiten. »Warum hat man dich mit der Vorstrafe überhaupt genommen?«

»Die Richterin sagte, sie werde meinen Eintrag löschen, wenn ich das College abschließe.« Zum Glück hatte die Frau nichts über seine Noten gesagt. »Ich hab meinen Abschluss gemacht, und sie hat den Eintrag gelöscht.«

Sara schwieg wieder.

»Ich weiß, das ist übel.« Er lachte über die Ironie. »Schätze, alles in allem ist dies das Schlimmste, was du je über mich gehört hast.«

»Du hattest Glück, dass du verhaftet wurdest.«

»Wahrscheinlich.«

»Und ich hatte Glück, dass du es ins GBI geschafft hast, denn sonst hätte ich dich nie kennengelernt.«

»Es tut mir leid, Sara. Es tut mir leid, dass ich dich mit alldem belastet habe. Ich will nicht …« Er merkte, dass ihm die Worte ausgingen. »Ich will nicht, dass du Angst vor mir hast. Ich will nicht, dass du glaubst, ich wäre so wie er.«

»Natürlich bist du das nicht.« Sie umfasste seine Hand.

»Weißt du denn nicht, dass ich großen Respekt vor dir habe?«
Will starrte sie fassungslos an.

»Was du alles durchgemacht hast … Was du ertragen hast …
Der Mann, zu dem du geworden bist …« Sie legte seine Hand
auf ihre Brust. »Du hast dich entschieden, ein guter Mensch zu
werden. Du hast dich entschieden, anderen Menschen zu helfen.
Es wäre sehr viel einfacher gewesen, den falschen Weg einzu-
schlagen, aber du hast dich bei jedem Schritt für das Richtige
entschieden.«

»Nicht immer.«

»Oft genug«, sagte sie. »So oft, dass ich, wenn ich dich ansehe,
nur daran denken kann, wie gut du bist. Wie sehr ich dich in
meinem Leben will – und brauche.«

Im Schein des Fernsehers waren ihre Augen hellgrün. Will
konnte nicht glauben, dass sie noch immer neben ihm lag. Noch
immer mit ihm zusammen sein wollte. Angie hatte sich getäuscht. An Sara war kein Falsch. Keine Gemeinheit. Keine Ge-
hässigkeit.

Wenn er wirklich ein Mann wäre, hätte er Sara die Sache mit
Angie erzählt. Er hätte es ihr gebeichtet und hinter sich gelassen.
Stattdessen küsste Will sie. Er küsste sie auf die Lider, die Nase,
den Mund. Ihre Zungen berührten sich. Will legte sich auf sie.
Sara schlang ihre Beine um ihn. Sie küsste ihn leidenschaftlicher.
Will spürte das Schuldbewusstsein von sich abfallen – zu schnell.
In diesem Moment konnte er nur noch an sein Verlangen denken, an seinen Drang, in ihr zu sein. Annähernd mit Verzweiflung fing er an, sie auszuziehen. Sara half ihm dabei – doch es
ging ihm nicht schnell genug, und er zerriss ihr Kleid. Darunter
trug sie einen schwarzen Spitzen-BH, der sich leicht öffnen ließ.
Will küsste ihre Brüste, benutzte Zunge und Zähne, bis ihr ein
tiefes Stöhnen über die Lippen kam. Er ließ die Zunge nach unten wandern, biss und küsste die weiche Haut. Sara keuchte auf,
als er ihr den Slip auszog und ihr die Beine auseinanderdrückte.

Sie schmeckte wie Honig und Kupfermünzen. Ihr Schenkel rieb an seinem Gesicht. Ihre Fingernägel gruben sich in seine Kopfhaut. Sie zog ihn wieder zu sich hoch und küsste ihn noch einmal auf den Mund. Saugte seine Zunge ein. Machte Dinge mit ihrem Mund, die ihn erzittern ließen. Dann drang Will in sie ein. Sie stöhnte wieder. Sie packte seinen Rücken. Will zwang sich zu einem langsamen Rhythmus. Bei jedem Stoß nahm Sara ihn tiefer in sich auf.

Ihre Lippen berührten sein Ohr. »Mein Liebster«, hauchte sie. »Mein Liebster.«

21. KAPITEL

15. Juli 1975
LUCY BENNETT

Die Wehen setzten bei Sonnenaufgang ein. Er hatte ihr die Augen aufgeschnitten, aber nicht den Mund. Lucy spürte, wie der Faden an ihren Lippen zerrte, als sie vor Schmerz ächzte.

Ihre Arme und Beine waren gespreizt, sie lag exakt auf der Mitte der Matratze. Mit der rechten Schulter hatte sie sich bereits losgerissen. Nur ein paar Zentimeter, aber es reichte. Der Schock, sich wieder bewegen zu können, hatte anfangs den Schmerz gedämpft. Jetzt pochte ihr Fleisch. Blut lief ihr über den Arm und die Brust, sammelte sich unter dem Schulterblatt.

Die nächste Wehe näherte sich. Langsam, langsam, langsam, und dann spürte sie, wie ihre Lippen auseinanderrissen, als sie vor Schmerz schrie.

»Still«, zischte jemand.

Die Kleine im Nachbarzimmer. Sie hatte gesprochen.

Der Boden knarzte unter ihren Füßen, als sie an die verschlossene Tür trat.

»Sei still«, wiederholte sie.

Die andere hatte gelernt. Sie war gefügig geworden. Sie war folgsam geworden. Sie redete mit dem Mann. Betete mit ihm.

Schrie und zuckte und stöhnte mit ihm. Mit der Stimme eines Kindes schlug sie ihm Dinge vor, an die Lucy noch nicht einmal gedacht hatte.

Und dafür ließ er sie manchmal von der Leine. Jetzt gerade zum Beispiel.

Sie redete. Bewegte sich. Ging herum.

Sie könnte jederzeit fliehen. Rennen, um Hilfe zu holen. Zur Polizei oder ihrer Familie oder wohin auch immer laufen. Aber sie tat es nicht. Das andere Mädchen war eine wahrhafte Patty Hearst. Lucys Ersatz.

22. KAPITEL

15. Juli 1975

Amanda saß in einer hinteren Nische des Majestic Diner an der Ponce de Leon. Nachdem sie am Vorabend Techwood verlassen hatte, war sie zu aufgedreht gewesen, um einzuschlafen. Nicht einmal Mary Wollstonecraft hatte sie dazu bringen können. Sie hatte sich im Bett hin und her gewälzt. Bilder des Bastelpapierpuzzles schienen ihr in die Netzhaut eingebrannt zu sein. Im Geiste hatte sie neue Details hinzugefügt: Hank Bennett – Lügner. Trey Callahan – Lügner.

Und Ophelia? Was hatte Ophelia damit zu tun?

Die Kellnerin kam, um Amandas Kaffeebecher nachzufüllen. Sie sah auf die Uhr. Evelyn war bereits fünfzehn Minuten zu spät, und das bereitete ihr Kopfzerbrechen. Amanda hatte noch nie erlebt, dass Evelyn sich verspätete. Sie hatte vom Münzfernsprecher des Restaurants im Model-City-Revier angerufen, doch dort hatte sich niemand gemeldet. Amandas Appell war schon seit fast einer halben Stunde vorbei. Sie war heute Vanessa zugewiesen worden, was beiden gut gepasst hatte. Vanessa hatte beschlossen, sich einen Einkaufstag zu gönnen. Ihre Kreditkarte brannte ihr ein Loch in die Brieftasche.

Die Tür ging auf, und Evelyn stürzte herein. »Tut mir leid«, rief sie. »Aber ich hatte gerade einen äußerst merkwürdigen Anruf von Hodge.«

»Von meinem Hodge?«

Evelyn bedeutete der Kellnerin, die ihre Bestellung aufnehmen wollte, wieder zu gehen. »Er hat mich in Zone eins rufen lassen.«

»Hat dich irgendjemand gesehen?«

»Nein, das Revier war leer. Da waren nur Hodge und ich und die offene Tür.« Sie lehnte sich zurück. Sie war offensichtlich verwirrt. »Er wollte, dass ich ihm alles erzähle, was wir gestern getan haben.«

Amanda spürte Panik in sich aufsteigen.

»Ist schon okay. Er war nicht sauer. Zumindest glaube ich nicht, dass er war. Aber wer weiß das schon bei diesem Mann? Du hast absolut recht, er ist wirklich undurchschaubar. Das nervt.«

»Hat er irgendwas gesagt?«

»Nichts. Keine Fragen. Keine Bemerkungen. Er nickte einfach nur und sagte, ich solle weiter meinen Job machen.«

»Das Gleiche hat er zu mir gestern auch gesagt. Ich solle meinen Job machen.« Dann fragte sie: »Glaubst du, er hat unsere Geschichten abgeglichen?«

»Könnte sein.«

»Hast du irgendwas für dich behalten?«

»Na ja, ich habe Deenas Namen ausgelassen. Und Miss Lula. Ich will nicht, dass die beiden Schwierigkeiten bekommen.«

»Hast du ihm von Ophelia erzählt?«

»Nein«, gab sie zu. »Ich hab ihm nur gesagt, wir wollen uns Trey Callahan noch mal vornehmen, aber nicht, warum. Luther Hodge scheint mir nicht gerade ein glühender Verehrer von William Shakespeare zu sein.«

»Ich kenne mich selbst auch nicht besonders gut aus, Evelyn. Vielleicht ziehen wir voreilige Schlüsse. Trey Callahan zitiert eine Zeile aus *Hamlet*, und dann sehen wir beide gestern Abend das Opfer und füllen die Leerstellen aus. Irgendwie riecht all das zu sehr nach Zufall.«

»Gibt es wirklich so etwas wie Zufälle in der Polizeiarbeit?«

Das konnte Amanda ihr nicht beantworten. »Glaubst du, dass Hodge uns Schwierigkeiten machen wird?«

»Wer weiß das schon?« Sie hob in einer Geste der Ratlosigkeit die Hände. »Wir sollen zur Mission gehen. Während ich das Ganze mit Hodge noch einmal durchgekaut habe, sind mir ein paar Dinge durch den Kopf gegangen.«

Amanda rutschte aus der Nische. Sie legte für den Kaffee zwei Vierteldollar und ein großzügiges Trinkgeld auf den Tisch. »Zum Beispiel?«

»Zum Beispiel alles.« Evelyn wartete, bis sie draußen waren, und sprach dann erst weiter. »Die Sache mit Hank Bennett. Ich glaube, du hast recht. Er ist eine Schlange, und er hat die Information, die er über Kitty Treadwell herausgefunden hatte, dazu genutzt, um bei ihrem Vater einen Job zu bekommen.«

Sie stiegen in Amandas Auto. »Aber woher hätte Bennett von der Verwandtschaft wissen können?«

»Ihr Name stand an der Wohnungstür«, gab Evelyn zu bedenken. »Und abgesehen davon prahlte sie ja mit ihrem Vater. Miss Lula wusste, dass sie Beziehungen in die Politik hatte. Juice wusste es ebenfalls – er erwähnte sogar eine Schwester, die die gute Tochter gewesen sei. Es war auf der Straße ganz bestimmt ein offenes Geheimnis.«

»Aber nicht weiter oben auf der gesellschaftlichen Leiter«, vermutete Amanda. »Andrew Treadwell ist ein Absolvent der University of Georgia. Wenn ich mich recht erinnere, habe ich das in der Zeitung gelesen.«

Evelyn grinste. »Und Hank Bennett trug einen Klassenring der UGA.«

»Georgia Bulldogs, Jahrgang 1974.« Wieder einmal bog Amanda auf die Ponce de Leon ein. »Sie könnten sich also durchaus bei einem bunten Abend oder sonst irgendeinem gesellschaftlichen Ereignis kennengelernt haben. Diese Verbindungsjungs stecken doch alle unter einer Decke.« Bei der Sitte hatte sie schon einige von der Sorte verhört. Sie logen alle wie gedruckt.

»Was ist denn da los?« Evelyn zeigte zur Union Mission hinüber. Ein Streifenwagen blockierte die Einfahrt.

»Keine Ahnung.« Amanda fuhr auf den Bürgersteig und stieg aus. Vom Sehen kannte sie den Uniformierten, der aus dem Gebäude kam, seinen Namen allerdings nicht. Doch er kannte offensichtlich sowohl Amanda als auch Evelyn. Auf dem Weg zu seinem Wagen beschleunigte er seine Schritte.

»Entschuldigung«, rief Amanda – zu spät. Der Mann war bereits eingestiegen. Gummi quietschte auf Asphalt, als er davonraste.

»Es ist doch immer das Gleiche«, sagte Evelyn. Sie wirkte nicht sehr eingeschüchtert, als sie auf den Eingang der Mission zuging. Trey Callahan fanden sie nicht, aber einen pummeligen, älteren Mann mit Priesterkragen. Er kehrte Glasscherben auf dem Boden zusammen. Das vordere Fenster war kaputt. Inmitten der Scherben lag ein Ziegelstein.

»Ja, bitte?«, fragte er.

Evelyn übernahm das Wort. »Wir kommen vom Atlanta Police Department. Wir suchen nach Trey Callahan.«

Der Mann schien verwirrt. »Ich auch.«

Amanda merkte, dass sie offensichtlich etwas verpasst hatte. »Ist Callahan nicht da?«

»Was glauben Sie, wer für diesen Saustall hier verantwortlich ist?« Er deutete auf die Scherben. »Trey hätte gestern Nacht hier sein sollen. Weil er nicht da war, hat eins der Mädchen einen Ziegelstein durchs Fenster geworfen.« Er stützte sich auf den Besen. »Tut mir leid, aber ich hab noch nie mit der Polizei zu tun gehabt. Seid ihr Mädchen Sekretärinnen? Der Beamte, der eben losgefahren ist, meinte, er benötige eine getippte Aussage?«

Amanda unterdrückte ein Stöhnen. Der Beamte hatte ihn offensichtlich an der Nase herumgeführt. »Wir sind keine Sekretärinnen. Wir sind Zivil…«

»Detectives«, warf Evelyn ein und klang dabei sehr selbstsicher. »Und wir tippen keine Aussagen ab. Wie ist Ihr Name, Sir?«

»Father Bailey. Ich arbeite in der Suppenküche unten an der Straße.«

Er entsprach nicht der Beschreibung, die sie erhalten hatten. Der Priester war nur ein paar Zentimeter größer als Amanda. »Sind Sie der Einzige, der in der Suppenküche arbeitet?«

»Nein, ich habe noch einen Kollegen, der kocht. Manchmal helfe ich beim Putzen, aber meine Hauptaufgabe ist der spirituelle Beistand.« Er sah auf die Uhr an der Wand. »Ich bin schon spät dran, wenn Sie also …«

Evelyn fiel ihm ins Wort. »Wenn Sie in der Suppenküche arbeiten, warum sind Sie dann hier?«

»Ich sollte mich heute Morgen mit Trey treffen. Wir sprechen uns einmal pro Monat ab, reden über die Mädchen – wer von ihnen in Schwierigkeiten stecken könnte, nach wem wir Ausschau halten sollten …«

»Und Sie sind gekommen und haben das kaputte Fenster gesehen?«

»Und einen Saal voller Mädchen, die den Vormittag verschlafen haben, obwohl sie gar nicht mehr im Gebäude sein dürften.« Er deutete nach hinten. »Treys Büro wurde durchwühlt. Wahrscheinlich von einem der Mädchen.«

»Hat eine von ihnen irgendwas gesehen?«

»Ich will ja nicht herzlos sein, aber keine von ihnen ist besonders hilfsbereit – außer es springt was für sie raus.«

Amanda hatte eine Idee. »Was ist mit Callahans Freundin? Sie macht eine Ausbildung zur Krankenschwester am Georgia Baptist.«

Er sah sie einen Augenblick an. »Ja, dort hab ich auch schon angerufen. Eileen Sapperson. Sie ist zu ihrer letzten Schicht ebenfalls nicht erschienen.«

»Hat das Krankenhaus ihre private Telefonnummer?«

»Sie hat zu Hause kein Telefon.«

»Was dagegen, wenn wir …« Amanda deutete zu Callahans Büro. Der Priester zuckte mit den Schultern und kehrte weiter die Scherben zusammen, als sie zum Büro hinübergingen. Es war offensichtlich durchsucht worden, aber Amanda war sich nicht sicher, ob von einem Junkie auf der Suche nach Geld oder von einem Mann, der vorgehabt hatte, aus der Stadt zu verschwinden. Treys persönliche Habe war weg. Kein gerahmtes Foto mehr von seinem Hund und seiner Freundin. Keine Slinky-Spirale. Keine Funk-Poster. Kein Transistorradio. Im Aschenbecher lagen ein paar bis zum letzten Stummel gerauchte Joints. Die Schubladen standen offen. Und vor allem war der Stapel Schreibmaschinenpapier verschwunden.

Das fiel auch Evelyn auf. »Wo ist sein Manuskript?«

»Ich kann mir nicht vorstellen, dass eine Hure was anderes damit macht, als sich den Hintern abzuwischen.«

»Callahan hat sich verdrückt, und zwar über Nacht. Und anscheinend hat er auch seine Freundin mitgenommen.«

»In derselben Nacht, als Mary Halston tot in Techwood lag.«

»Zufall?«

Amanda war unschlüssig.

»Gehen wir in die Suppenküche und reden mit dem Typen dort.«

»Wir sollten den Priester wenigstens nach seinem Namen fragen.« Sie gingen wieder nach vorne, doch der Priester war verschwunden.

»Hallo?«, rief Evelyn, obwohl sie den ganzen Saal überblicken konnte. Amanda folgte ihr nach draußen. Der Bürgersteig war leer. Niemand war mehr auf dem Parkplatz. Sie sahen hinter dem Gebäude nach. »Na, wenigstens hat er uns nicht angelogen.«

»Soweit wir das wissen.« Amanda ging zu ihrem Plymouth hinüber. Im Inneren kochte die Luft bereits. Sie drehte den Schlüssel in der Zündung um. »Ich hab wirklich keine Lust mehr, andauernd in diesem Auto zu sitzen.«

»Columbo sieht man eigentlich nie irgendwohin fahren.«

»Ich schätze, Ironside zählt nicht.«

»Möchte mal wissen, was die in Techwood Homes von einem Krüppel in einem Brotlaster halten würden.«

Amanda fuhr auf die Straße. »Pepper Anderson taucht wie durch Zauberhand überall dort auf, wo sie sein muss.«

»In einer Woche ist sie Schwester im Krankenhaus, und in der nächsten fährt sie ein Rennboot. Dann ist sie Go-go-Girl, dann Stewardess. Hey …«

»Sei still!«

Evelyn kicherte und legte den Arm auf den Fensterschacht. Sie schwiegen beide, während Amanda die wenigen Blocks bis zur Juniper Street weiterfuhr.

»Links oder rechts?«, fragte sie.

»Such's dir aus.«

Amanda nahm die linke Seite. Sie fuhr langsam, sah sich jedes Gebäude genau an, während Evelyn die rechte Seite übernahm.

Sie waren schon fast an der Pine Street, als Evelyn sagte: »Das muss es sein.«

Das Haus war heruntergekommen. Außer einem großen Holzkreuz, das in dem kleinen Rasenstück davor steckte, deutete nichts darauf hin, dass es sich bei dem Gebäude um eine Kirche handelte. Das Kreuz war schwarz lackiert. Irgendjemand hatte Nägel in die Stellen gehämmert, wo sich Jesu Hände und Füße befunden haben müssten. Rote Lackspritzer deuteten sein Leiden an.

»Was für ein Dreckloch«, murmelte Evelyn.

Sie hatte recht. Die Backsteinfassade bröckelte. Im Beton waren lange vertikale Risse zu erkennen. Graffiti zierte die Treppe, die aus unvermauerten, übereinandergeschichteten Waschbetonblöcken bestand. Zwei der vier Erdgeschossfenster waren mit Brettern vernagelt, die Fenster darüber schienen jedoch intakt zu sein.

Sie stiegen aus und gingen auf das Gebäude zu. Amanda spürte den Luftzug eines Autos, das auf der Straße vorbeifuhr –

ein APD-Streifenwagen. Das Blaulicht blinkte einmal grüßend, doch der Beamte fuhr weiter.

Die Vordertür stand offen. Amanda roch Kräuter und Gewürze, kaum dass sie über die Schwelle getreten war. Reihen von Picknicktischen füllten den Hauptraum. Darauf standen Teller und Schüsseln. Servietten und Löffel lagen schon bereit.

»Keine scharfen Gegenstände«, bemerkte Evelyn.

»Ist wahrscheinlich vernünftig.« Amanda hob die Stimme. »Hallo?«

»Einen Augenblick«, rief jemand von hinten. Sie hörten Töpfe klappern. Schwere Schritte auf dem Boden. Ein Mann kam aus der Küche. Unerwartet plötzlich wurde Amanda von Angst gepackt. Auf der Academy hatten sie gelernt, dass die durchschnittliche Tür zwei Meter zehn hoch war und achtzig Zentimeter breit – ein guter Maßstab, um Größe und Gewicht einer Person zu schätzen. Der Mann füllte die Tür zur Küche beinahe vollständig aus. Seine Schultern waren fast so breit wie der Türstock. Sein Kopf berührte fast den Sturz. Er lächelte. Ein unterer Schneidezahn stand schief. Er hatte volle Lippen und mandelförmige Augen. »Kann ich den Beamtinnen helfen?«

Kurz standen beide wie erstarrt da. Amanda griff in ihre Handtasche und zog ihre Marke heraus. Sie zeigte sie dem Mann, obwohl der bereits wusste, dass sie Polizistinnen waren. Trotzdem wollte Amanda es aussprechen. »Ich bin Detective Wagner. Das ist Detective Mitchell.«

»Bitte.« Er deutete zu einem Tisch. »Setzen Sie sich.«

Er wartete höflich, bis sie sich niedergelassen hatten, und nahm dann auf der Bank gegenüber Platz. Wieder konnte Amanda nicht anders, als einen Vergleich anzustellen. Der Mann war fast so breit wie sie beide zusammen. Allein der Anblick seiner über dem Tisch gefalteten Hände war bedrohlich. Wahrscheinlich hätte er ihnen problemlos die Hände um den Hals schlingen können.

Evelyn zog ihr Notizbuch heraus. »Wie heißen Sie, Sir?«

»James Ulster.«

»Kennen Sie Trey Callahan?«

Er seufzte. Seine Stimme war so tief, dass es wie ein Knurren klang. »Geht es um das Geld, das er gestohlen hat?«

»Er hat Geld gestohlen?«, echote Amanda.

»Father Bailey kümmert sich mehr um die Öffentlichkeitsarbeit als ich«, erklärte Ulster. »Einer der Spender im Verwaltungsrat hat bemerkt, dass Geld fehlte. Wir wollten Trey gleich heute Morgen ins Gebet nehmen. Ich schätze, er hatte andere Pläne.«

Amanda erinnerte sich an den Anruf, den Callahan gestern erhalten hatte, als sie in seinem Büro gewesen waren. Er hatte gesagt, ein Spender sei in der Leitung. »Ist der Verwaltungsrat sich denn sicher, dass es Trey war, der das Geld unterschlagen hat?«

»Ich fürchte, ja.« Ulster stützte die Hände links und rechts von sich auf die Bank. Er saß leicht vornübergebeugt da, wahrscheinlich war dies seine übliche Haltung. Ein so großer Mann war es vermutlich gewöhnt, dass die Leute sich von ihm eingeschüchtert fühlten. Doch wenn man bedachte, dass er eine Suppenküche für die Geknechteten Atlantas führte, war seine Größe wohl eher von Vorteil.

»Haben Sie eine Ahnung, wo Callahan hingegangen sein könnte?«, fragte Amanda.

Ulster schüttelte den Kopf. »Ich glaube, er hat eine Verlobte.«

Als Nächstes würde sie zum Georgia Baptist fahren müssen, aber Amanda war sich sicher, dass dies eine Sackgasse sein würde. »Sind Sie mit Mr. Callahan befreundet?«

»Hat er das gesagt?«

»Er hat gesagt, Sie wären Freunde«, log Amanda. »Stimmt das denn nicht?«

»Wir haben theologische Fragen diskutiert. Wir haben uns über eine Menge verschiedener Dinge unterhalten.«

»Auch über Shakespeare?«, fragte Amanda. Es war nur ein Schuss ins Blaue, aber es funktionierte.

»Manchmal«, gab Ulster zu. »Im siebzehnten Jahrhundert schrieben viele Autoren in einer Art verschlüsselten Sprache. Es war eine Zeit, in der Umstürzler nicht gerade gern gesehen waren.«

»Wie in *Hamlet*?«, fragte Evelyn.

»Es ist nicht das beste Beispiel dafür – aber ja.«

»Was ist mit Ophelia?«

Ulsters Ton wurde schärfer. »Ophelia war eine Lügnerin und eine Hure.«

Amanda spürte, wie sich Evelyn neben ihr versteifte. »Sie scheinen sich Ihrer Sache sehr sicher zu sein.«

»Es tut mir leid, aber ich finde dieses Thema ermüdend. Trey war besessen von dieser Geschichte. Man konnte sich kaum je mit ihm unterhalten, ohne dass er irgendeine obskure Zeile daraus zitierte.«

Das schien zu stimmen. »Wissen Sie, warum?«

»Dass er ein besonderes Interesse für gefallene Frauen hat, ist ja kein Geheimnis. Rettung. Erlösung. Ich bin mir sicher, dass auch Sie schon in den Genuss einer seiner Vorträge darüber gekommen sind, wie all diese Mädchen gerettet werden können. Er ist in dieser Hinsicht ziemlich hartnäckig und nimmt es persönlich, wenn sie versagen.« Er schüttelte den Kopf. »Und natürlich versagen sie. Sie versagen andauernd. Es liegt in ihrer Natur.«

»Haben Sie je gesehen, dass Trey sich den Mädchen gegenüber unangemessen verhalten hätte?«, fragte Evelyn.

»Ich war nicht oft in der Mission. Mein Arbeitsplatz ist hier. Es würde mich allerdings nicht überraschen, wenn er sich bedient hätte … Er hat das Geld einer gemeinnützigen Organisation gestohlen. Warum sollte er da vor der Ausbeutung gefallener Frauen Halt machen?«

»Haben Sie ihn je wütend erlebt?«

»Nicht mit eigenen Augen, aber ich habe gehört, dass er ziemlich aufbrausend sein kann. Einige der Mädchen meinten, er könne sogar gewalttätig werden.«

Amanda sah auf Evelyns Notizbuch hinunter. Sie schrieb nichts, rein gar nichts auf. Vielleicht hatte sie den gleichen Verdacht wie Amanda. Vermutlich war Trey Callahan den ganzen Tag lang völlig zugedröhnt. Es war schwer vorstellbar, dass er überhaupt zu Wut fähig war, geschweige denn sie herausließ. Aber natürlich hatten sie ihn auch nicht als Dieb eingeschätzt.

»Trey Callahan schrieb an einem Buch«, hob Evelyn an.

»Ja.« Ulster dehnte das Wort. »Sein Meisterwerk ... Es war nicht sehr gut.«

»Sie haben es gelesen?«

»Ein paar Seiten. Callahan war eher für den Job geeignet, den er hatte, als für den Job, den er wollte.« Er lächelte sie schief an. »Viele Menschen würden schneller Frieden finden, wenn sie die Pläne akzeptierten, die der Herr für sie hat.«

Amanda hatte den Eindruck, dass das direkt an sie beide gerichtet war.

Evelyn ging es anscheinend genauso. Sie klang barsch, als sie fragte: »Was genau machen Sie hier, Mr. Ulster?«

»Na ja, es ist doch offensichtlich, dass wir Menschen mit Nahrung versorgen. Frühstück um sechs Uhr morgens. Mittagessen ab zwölf. Aber Sie werden feststellen, dass sich die Tische weit vor diesen Zeiten füllen.«

»Das sind Ihre einzigen Mahlzeiten?«

»Nein, wir bieten auch Abendessen an. Es beginnt um fünf und ist pünktlich um sieben zu Ende.«

»Und dann gehen die Leute?«

»Die meisten. Einige bleiben den ganzen Abend. Oben haben wir zwanzig Betten und eine Dusche, aber das heiße Wasser kommt nicht zuverlässig. Natürlich nur für Frauen.« Er richtete sich auf. »Soll ich es Ihnen zeigen?«

»Nicht nötig.« Amanda wollte nicht im Obergeschoss mit diesem Mann gefangen sein. »Bleiben Sie auch nachts hier?«

»Nein, das ist nicht notwendig. Father Baileys Pfarrei ist nur ein paar Blocks entfernt. Er kommt um elf vorbei, um sie einzuschließen, und lässt sie dann jeden Morgen um sechs wieder raus.«

»Wie lange arbeiten Sie schon hier?«, fragte Amanda.

Er dachte einen Augenblick nach. »Im Herbst werden es zwei Jahre.«

»Was haben Sie davor gemacht?«

»Ich war Vorarbeiter auf dem Rangierbahnhof.«

Evelyn deutete im Saal herum. »Verzeihen Sie mir die Vermutung, aber ich kann mir nicht vorstellen, dass die Bezahlung hier gleichwertig ist.«

»Nein, das ist sie nicht, und selbst das bisschen, das ich verdiene, versuche ich zurückzugeben.«

»Sie bekommen keine Bezahlung für …« Evelyn rechnete schnell nach. »Dreizehn Stunden Arbeit pro Tag?«

»Wie gesagt, ich nehme mir, was ich brauche. Aber es sind eher sechzehn Stunden pro Tag. Sieben Tage in der Woche.« Er breitete die Hände aus und zuckte mit den Schultern. »Wozu brauche ich irdische Reichtümer, wenn ich Belohnung im Himmel finde?«

Evelyn rutschte unruhig auf der Bank hin und her. Sie fühlte sich genauso unbehaglich wie Amanda. »Kennen Sie eine Prostituierte namens Kitty Treadwell?«

»Nein.« Er starrte sie ausdruckslos an. »Nicht, soweit ich mich erinnere, aber wir haben hier viele Prostituierte.«

Amanda zog den Reißverschluss ihrer Handtasche auf und holte den Führerschein heraus. Sie zeigte ihm Kittys Foto.

Ulster griff nach dem Dokument. Er bemühte sich, dabei ihre Hand nicht zu berühren. Er betrachtete das Bild, ließ den Blick dann zu Namen und Adresse wandern. Seine Lippen bewegten sich stumm, als würde er sich die Informationen vorlesen. Schließlich sagte er: »Auf dem Foto sieht sie deutlich gesünder aus. Ich schätze, das war, bevor sie dem Teufel der Sucht erlag.«

»Dann kannten Sie Kitty also doch«, hakte Evelyn nach.

»Ja.«

»Wann haben Sie sie zum letzten Mal gesehen?«

»Vor einem Monat? Vielleicht ist es auch ein bisschen länger her.«

Das ergab keinen Sinn. Amanda legte ihm erst Lucy Bennetts Führerschein und dann auch noch den von Mary Halston vor. »Was ist mit diesen Mädchen?«

Er beugte sich über den Tisch und betrachtete erst das eine, dann das andere Dokument. Wieder bewegte er beim Lesen stumm die Lippen. Amanda lauschte seinem Atem. Ein regelmäßiges Aus und Ein. Sie konnte ihm oben auf den Kopf sehen. In seinen hellbraunen Haaren entdeckte sie Schuppen.

»Ja.« Er hob den Kopf. »Dieses Mädchen hier. Sie war ein paarmal hier, aber sie ging lieber in die Mission. Ich vermute, weil sie mit Trey was laufen hatte.« Er zeigte auf Mary Halston, das Mordopfer der vergangenen Nacht. »Bei diesem Mädchen hier …« – er zeigte auf Lucy – »bin ich mir nicht sicher. Sie sehen einander sehr ähnlich. Sie sind beide offensichtlich drogenabhängig. Das ist die Geißel unserer Generation.«

Evelyn wollte es genau wissen. »Sie haben Lucy Bennett und Mary Halston wiedererkannt, weil beide diese Suppenküche besucht haben?«

»Ich denke schon.«

Jetzt machte sich Evelyn wieder Notizen. »Und Mary war eine von Treys Lieblingen?«

»Das stimmt.«

»Wann haben Sie Lucy oder Mary zum letzten Mal gesehen?«

»Vor ein paar Wochen? Vor einem Monat vielleicht.« Er sah sich die Fotos noch einmal an. »Auf diesen Fotos sehen beide sehr gesund aus.« Er hob wieder den Kopf und blickte zuerst zu Evelyn, dann zu Amanda. »Sie sind Polizeibeamtinnen, also gehe ich davon aus, dass Sie mit den Verheerungen vertraut sind, die der Missbrauch von Drogen mit sich bringt. Diese Mädchen … Diese armen Mädchen!« Er schüttelte traurig den Kopf. »Drogen sind Gift, und ich weiß nicht, warum unser Herr es so eingerichtet hat, aber es gibt bestimmte Charaktere, die dieser Versuchung erliegen. Sie zittern vor der Droge, doch zittern sollten sie eigentlich vor dem Herrn.« Seine Stimme hallte durch den Saal. Amanda konnte sich gut vorstellen, wie er von der Kanzel schwadronierte.

»Es gibt da einen Zuhälter, der sich Juice nennt«, sagte sie.

»Ich kenne diesen Sünder.«

»Er sagte, dass Sie manchmal den Mädchen Predigten halten, wenn sie arbeiten.«

»Ich verrichte das Werk Gottes, wie gefährlich es auch sein mag.«

Amanda konnte sich nicht vorstellen, dass er viel zu befürchten hatte. Kein Mensch mit gesundem Menschenverstand würde einem so großen Mann wie James Ulster in einer dunklen Gasse begegnen wollen. »Waren Sie je in Techwood Homes?«

»Schon oft«, antwortete er. »Ich bringe Suppe zu den Leuten, die nicht mehr aus ihrer Wohnung kommen. Techwood Montag und Freitag. Grady Homes Dienstag und Donnerstag. Eine andere Küche beliefert Perry Homes, Washington Heights …«

»Vielen Dank«, unterbrach ihn Evelyn. »Aber uns geht es nur um Techwood.«

»Ich habe gehört, dass dort schreckliche Dinge geschehen sind.« Er faltete die Hände. »Es peinigt die Seele, wenn man sieht, wie diese Menschen leben. Letztendlich schütteln wir doch alle ab den Drang des Ird'schen.«

Amanda blieb beinahe das Herz stehen. »Trey Callahan benutzte bei unserer Unterhaltung dasselbe Zitat. Es ist von Shakespeare.«

»Tatsächlich?«, fragte er. »Vielleicht habe ich mir seine Art zu sprechen angewöhnt. Wie gesagt, er redete andauernd über dieses Thema.«

»Können Sie sich an ein Mädchen namens Jane Delray erinnern?«

»Nein. Steckt sie in Schwierigkeiten?«

»Was ist mit Hank Bennett? Sind Sie ihm je begegnet?« Evelyn wartete, aber Ulster schüttelte den Kopf. »Er hat ungefähr Ihre Haarfarbe. Etwa eins achtzig groß. Sehr gut gekleidet.«

»Nein, Schwester, ich fürchte, ich kenne ihn nicht.«

Das Funkgerät in Evelyns Handtasche klickte. Ein gedämpftes Rufen war zu hören, gefolgt von einer Reihe weiterer Klicks. Evelyn griff in die Tasche, um den Ton leiser zu stellen, ließ es dann aber sein, als ihr Name aus dem Lautsprecher drang.

»Mitchell?« Amanda erkannte Butch Bonnies Stimme.

»Entschuldigen Sie«, sagte sie und holte das Funkgerät heraus. »Mitchell, zehn-vier.«

»Zwanzig-fünf Ihr Standort. Sofort!«

Wieder kamen Klicks aus dem Funkgerät – und kollektives Gelächter als Reaktion. Und dann befahl Butch ihnen, ihn vor der Tür zu treffen.

»Danke, dass Sie mit uns gesprochen haben«, sagte Evelyn.

»Ich hoffe, Sie haben nichts dagegen, dass wir Sie noch mal anrufen, wenn wir weitere Fragen haben?«

»Natürlich nicht. Soll ich Ihnen meine Telefonnummer geben?«

Der Stift verschwand beinahe in Ulsters Hand. Er hielt ihn in der Faust, nicht zwischen Zeigefinger und Daumen, um die sieben Ziffern aufzuschreiben. Darüber schrieb er sehr leserlich seinen Namen. Es war eher die Schrift eines Erstklässlers. Beim letzten Buchstaben stach die Minenspitze durchs Blatt.

»Danke sehr«, sagte Evelyn. Mit sichtlichem Unbehagen nahm sie den Stift wieder entgegen. Sie steckte die Kappe auf und klappte das Notizbuch zu. Ulster stand auf, als sie es taten. Er gab ihnen die Hand. Sie alle schwitzten, aber Ulsters Hand war besonders feucht. Er umfasste ihre Hände vorsichtig und zart, Amanda erinnerte es allerdings nur von Neuem daran, dass er ihnen die Knochen brechen könnte, wenn er es wollte. Evelyn atmete flach, als sie zur Tür gingen. »Mein Gott«, flüsterte sie. So erleichtert sie beide waren, von Ulster wegzukommen –

Butch Bonnies Anblick hätte sie beinahe wieder hineingejagt. Er kochte vor Wut.

»Was zum Teufel treibt ihr beiden hier?« Er packte Evelyn am Arm und zerrte sie die Waschbetonstufen hinunter.

»Lass …«, rief Amanda.

»Schnauze!« Er stieß sie gegen die Wand. Seine Faust holte aus, stoppte aber kurz vor ihrem Gesicht. »Wie oft muss ich es euch noch sagen?«, bellte er. »Euch beiden!« Er trat einen Schritt zurück. Seine Füße schlurften über den Bürgersteig.

»Oh Mann …«

Amanda drückte sich die Hand an die Brust. Sie spürte, wie ihr Herz gegen den Brustkorb hämmerte. Und dann sah sie, dass Evelyn gestürzt war. Sie lief zu ihr hin, um ihr aufzuhelfen.

»Nein …« Evelyn stand alleine auf. Und rammte Butch beide Hände in die Brust.

»Was zum …« Er taumelte zurück.

Sie stieß ihn noch einmal. Und noch einmal, bis er an der Wand stand. »Wenn du mich noch einmal anfasst, schieße ich dir ins Gesicht. Hast du mich verstanden?«

Butch sah aus wie vom Blitz getroffen. »Was zum Teufel ist denn in dich gefahren?«

Evelyn lief auf und ab wie ein wildes Tier im Käfig. »Ich hab die Schnauze gestrichen voll von euch Arschlöchern!«

»Von *mir*?« Butch zog seine Zigaretten heraus. »Und was ist mit euch Schlampen? Wie oft muss man euch noch sagen, dass ihr die Finger von dem Fall lassen sollt?« Er schob einen Finger in die Zigarettenschachtel. »Ich hab versucht, nett zu sein. Ich hab versucht, euch im Guten zu warnen. Und dann höre ich, dass ihr bei meinem Informanten herumschnüffelt. Probleme macht. Der nette Kerl funktioniert bei euch offenbar nicht.«

»Wer ist dein Informant?«

»Das geht euch verdammt noch mal nichts an.«

Evelyn schlug ihm die Zigaretten aus der Hand. Sie war so wütend, dass ihr das Sprechen schwerfiel. »Du weißt, dass die tote Frau Jane Delray ist.«

Er starrte an ihr vorbei. »Ich weiß überhaupt nichts.«

»Wer hat dir gesagt, du sollst behaupten, dass es Lucy Bennett wäre?«

»Mir sagt keiner was.«

Evelyn gab nicht auf. »Juice hat Lucy Bennett nicht umgebracht.«

»Sei lieber vorsichtig, wenn du nach einem Schwarzen im Gefängnis schmachtest.« Er warf ihr einen herablassenden Blick zu und hob seine Marlboro auf. »Gott, Ev. Warum führst du dich auf wie eine Kampflesbe?« Er sah Hilfe suchend zu Amanda. »Komm, Wag. Rede du dieser Annie Oakley hier gut zu.«

Amanda schmeckte Galle in ihrer Kehle. Sie spuckte ihm das schmutzigste Wort entgegen, das ihr einfiel. »Arschloch.« Er bellte ein überraschtes Lachen. »Sag du nicht Arschloch zu mir.« Er suchte in seiner Tasche nach dem Feuerzeug. »Wollt ihr wissen, wer am Arsch ist?« Er zündete sich eine Zigarette an. »Du bist am Arsch …« – er nickte Amanda zu –, »weil du gestern ins Gefängnis gegangen bist. Und du …« – er deutete auf Evelyn –, »weil du sie zu alldem angestiftet hast.«

»Angestiftet zu was?«, fragte Amanda. »Sie ist nicht meine Aufseherin.«

Zischend blies er Rauch aus. »Ihre beide werdet morgen versetzt. Ich hoffe, ihr habt immer noch eure weißen Handschuhe daheim. Für den Zebrastreifendienst.«

»Ich hoffe, sie hängen dir ein Verfahren wegen sexueller Diskriminierung an«, blaffte Evelyn zurück. »Dir und Landry.«

Rauch dampfte aus seinen Nasenlöchern. »Ihr blöden Weiber werft die ganze Zeit damit herum, aber wisst ihr was? Keine Einzige von euch hat es bisher gewagt. Aber schreit nur weiter Zeter und Mordio, während ihr den Verkehr regelt.« Er drehte sich um und winkte ihnen im Gehen über die Schulter zu.

Evelyn stand nur da, starrte ihm nach und ballte die Fäuste. Im ersten Augenblick dachte Amanda, sie würde Butch hinterherrennen und ihm auf den Rücken springen. Amanda wusste nicht, was sie tun sollte, wenn das passierte. Ihre Fingernägel waren kurz, aber kräftig. Wahrscheinlich könnte sie ihm die Augen auskratzen. Und wenn das nicht funktionierte, würde sie ihm alles abbeißen, was sie zwischen die Zähne bekam.

»Ich hab ein für alle Mal die Nase voll.« Evelyn wanderte wieder auf und ab. »Ich hab keine Lust mehr, mir diesen Blödsinn anhören zu müssen. Ich hab keine Lust mehr, dass die Leute immer glauben, ich bin nur irgendeine verdammte Sekretärin.« Sie packte ihre Handtasche. »Warum hab ich ihn eigentlich nicht erschossen? Gott, ich hätte ihn erschießen sollen.«

»Wir können es immer noch tun.« Noch nie in ihrem Leben war Amanda zu etwas so bereit gewesen. »Wir laufen ihm nach und tun's jetzt gleich.«

Evelyn hängte sich die Tasche über die Schulter. Sie verschränkte die Arme. »Ich gehe nicht ins Gefängnis für dieses …« Sie hielt inne. »Wie hast du ihn genannt? Arschloch?« Sie lachte auf. »Ich wusste gar nicht, dass so etwas zu deinem Wortschatz gehört!«

Amanda hatte nicht gemerkt, dass auch sie die Fäuste geballt hatte. Jetzt dehnte sie die Finger. »Schätze, das passiert, wenn man mit Luden und Huren zu tun hat.«

»Zebrastreifen …« Evelyn spuckte das Wort förmlich aus.

»Es ist Sommer. Da können wir uns mit all den dämlichen Kindern herumschlagen, die es während des Schuljahrs nicht geschafft haben.«

Amanda öffnete die Autotür. »Lass uns zum Georgia Baptist fahren und nachsehen, ob wir Trey Callahans Verlobte finden.«

»Machst du Witze? Du hast doch gehört, was Butch gesagt hat.«

»Das ist morgen. Jetzt sollten wir uns um das Heute kümmern.«

Evelyn ging zur Beifahrerseite hinüber. »Und was dann, Scarlett O'Hara?«

»Und dann fahren wir nach Techwood und fragen Miss Lula, ob sie jemanden gefunden hat, der sich daran erinnert, Hank Bennett gesehen zu haben.« Amanda drehte den Zündschlüssel. »Und wir fragen sie, ob sie einen Riesen gesehen hat, der Suppe ausliefert.«

Evelyn umklammerte die Handtasche auf ihrem Schoß.

»Ulster hat zugegeben, dass er häufig in Techwood ist. Montags und freitags. An den Tagen, an denen unsere Opfer aufgetaucht sind.«

»Er hat uns angelogen.« Amanda fuhr auf die Straße. »Wie konnte er Trey Callahans Manuskript lesen, wenn er kaum einen Namen auf einem Führerschein lesen kann?«

»Das ist dir also auch aufgefallen«, sagte Evelyn. »Aber er klang nicht, als wäre er zurückgeblieben.«

»Vielleicht ist er einfach nur ein schlechter Leser.«

»Butch sagte, wir hätten mit seinem Informanten gesprochen. Glaubst du, dass es Ulster ist? Father Bailey? Ich frage mich, wohin dieses Frettchen verduftet ist. Die Mädchen über Nacht einzuschließen! Das ist ja fast wie im Gefängnis. Hast du so was schon mal gehört?«

»Ulster schien ziemlich versessen darauf, Trey Callahan verdächtig erscheinen zu lassen. Dieses Ophelia-Zitat. Und die Geschichte, dass er aufbrausend gewesen sein soll.«

»Das hast du auch gespürt?« Evelyn stützte den Ellbogen auf den Fensterschacht. »Ich weiß, wir sind alle Christen, aber wie Ulster damit umgeht, gefällt mir nicht. So als wäre er dadurch besser als alle anderen, findest du nicht auch?«

Amanda wusste nur eins sicher. »Ich glaube, James Ulster ist der furchteinflößendste Mensch, der mir je begegnet ist. Er hat etwas Böses an sich.«

»Genau«, pflichtete Evelyn ihr bei. »Hast du gesehen, wie groß seine Hände sind?«

Amanda spürte, wie ihr ein Schauer über den Rücken lief.

»Irgendjemand weiter oben arbeitet gegen uns.«

»Ich weiß«, murmelte Amanda.

»Butch hat Beziehungen, aber nicht hoch genug, um uns versetzen zu lassen. Es muss jemand sein, der wusste, dass du gestern im Gefängnis mit Juice gesprochen hast. Der davon erfahren hat, dass wir mit Ulster gesprochen haben. Und mit Father Bailey. Und mit Trey Callahan. Oder vielleicht habe ich etwas aufgewirbelt, als ich die TSAs durchgesehen habe.« Sie biss sich auf die Unterlippe. »Was wir auch getan haben, es hat irgendjemanden so verärgert, dass man uns von der Straße holt und als Schülerlotsen abstellt.«

»Ich weiß«, wiederholte Amanda. Sie wartete darauf, dass Evelyn mehr sagte, aber die Frau war vermutlich zum selben Schluss gekommen wie Amanda. Duke Wagner war noch nicht offiziell wieder in Uniform, aber er zog bereits die Fäden.

Amanda sah auf die Uhr. Acht Uhr fünfzehn am Abend. Die Dunkelheit brachte keine Erlösung von der Sommerhitze. Wenn überhaupt, dann gab sie der Feuchtigkeit einen Grund hervorzutreten und sich aufzuspielen. Amanda fühlte sich, als würde ihr Schweiß schwitzen. Moskitos schwirrten ihr um den Kopf, als sie vor der Telefonzelle an der Kreuzung Juniper und Pine stand. Sie ließ die Tür offen stehen, damit das Licht nicht ansprang. Die Münze fühlte sich schmierig zwischen ihren Fingern an. Amanda warf sie in den Schlitz und wählte dann ganz langsam die Nummer ihres Vaters.

Sie hatte Dukes Haus vor fünfzehn Minuten verlassen. Sie hatte ihm das Abendessen gekocht. Sie hatte nur mit halbem Ohr hingehört, als er über die Nachrichten des Tages gesprochen und ihr dann den neuesten Stand in seinem Fall dargestellt hatte. Es war nur noch eine Frage der Zeit, bis Duke wieder in Uniform war. Nur eine Frage der Zeit, bis Amanda wieder unter seiner Fuchtel stand. Sie hatte nur genickt – genickt, während sie ihm beim Essen zusah, genickt, während sie das Geschirr spülte. Eine überwältigende Traurigkeit hatte sie erfasst. Sooft sie den Mund geöffnet hatte, um etwas zu sagen, hatte sie ihn wieder geschlossen, weil sie Angst gehabt hatte, weinen zu müssen.

Duke nahm nach dem ersten Läuten ab. Seine Stimme klang heiser, wahrscheinlich von zu vielen Zigaretten nach dem Abendessen. »Hallo?«

»Daddy, ich bin's.«

»Bist du zu Hause?«

»Nein, Daddy.«

Er wartete und fragte dann: »Ist dein Auto liegen geblieben?«

»Nein, Sir.«

Sie hörte seinen Sessel knarzen. »Was ist los? Ich weiß, dass dich irgendwas beschäftigt. Du hast den ganzen Abend geschmollt.«

Amanda sah ihr Spiegelbild im Chrom des Münzfernsprechers. Sie war fünfundzwanzig Jahre alt. Sie hatte letztes Wochenende zum ersten Mal eine Tote berührt. Sie hatte sich gestern Vormittag mit einem Zuhälter ein Blickduell geliefert. Sie war am Vorabend bei der Untersuchung eines toten Mädchens behilflich gewesen. Sie hatte sich in aller Öffentlichkeit gegen Butch Bonnie zur Wehr gesetzt. Eigentlich sollte sie in der Lage sein, mit ihrem Vater offen zu sprechen.

»Warum hast du mich zum Lotsendienst versetzen lassen?«

»Was?« Er schien ehrlich überrascht zu sein. »Ich habe dich nicht versetzen lassen. Wer zum Teufel hat dich versetzt?« Sie hörte Papier rascheln, einen Kugelschreiber klicken. »Gib mir den Namen des Trottels. Ich rede mit ihm über eine Versetzung.«

»Du warst es nicht?«

»Warum sollte ich dich aus meiner Einheit versetzen lassen, wenn ich in weniger als einem Monat wieder da bin?«

Er hatte recht. Und mehr noch: Wenn Duke sich über jemanden ärgerte, sagte er es demjenigen im Allgemeinen ins Gesicht. »Ich bin ab morgen im Lotsendienst.« Sie hatte bereits in der

Zentrale angerufen, um es sich bestätigen zu lassen. »Zusammen mit Evelyn Mitchell.«

»Mitchell?« Sein Tonfall veränderte sich. »Was hast du immer noch mit dieser Schlampe zu schaffen? Ich hab dir doch gesagt, du sollst dich von ihr fernhalten.«

»Ich weiß, dass du das gesagt hast, aber wir arbeiten gemeinsam an einem Fall.«

Er brummte. »Was für ein Fall?«

»Zwei Mädchen wurden ermordet.« Dann fügte sie hinzu: »Weiße Mädchen. In Techwood Homes.«

»Huren, nehme ich an?«

»Ja, das waren sie.«

Er schwieg, dachte offensichtlich einen Augenblick nach.

»Hat das was mit dem Schwarzen zu tun, dem man vorwirft, ein weißes Mädchen umgebracht zu haben?«

»Ja, Sir.«

Sie hörte das Klicken seines Feuerzeugs, das Ausatmen. »Ist das der Grund, warum du gestern Vormittag im Gefängnis warst?«

Amanda hatte einen Kloß im Hals, sodass sie kaum schlucken konnte. Sie sah ihr Leben vor ihren Augen verschwimmen. Ihre Wohnung. Ihre Arbeit. Ihre Freiheit.

»Ich hab gehört, du hast diesen Arsch niedergestarrt. Hast dich mit ihm in einem Zimmer einschließen lassen.«

So wie Duke es aussprach, war es auch Amanda klar, wie verrückt sie sich verhalten hatte. Wie dumm. Sie hatte Glück gehabt, dass sie mit dem Leben davongekommen war.

»Hattest du Angst?«

Sie wusste, dass er eine Lüge durchschauen würde. »Eine Heidenangst.«

»Aber du hast sie ihm nicht gezeigt.«

»Nein, Sir.«

Sie hörte ihn an seiner Zigarette ziehen. »Ich nehme mal an, es wird heute Abend spät werden bei dir.«

»Ich ...« Amanda wusste nicht, was sie sagen sollte. Sie blickte die Straße hinab. Der Mond war beinahe voll. Das schwarze Kreuz warf einen Schatten über den Bürgersteig vor der Suppenküche. »Wir observieren einen möglichen Verdächtigen.«

»Wir?«

Sie ließ die Frage unbeantwortet.

»Welche Beweise hast du?«

»Keine«, gab sie zu, »nur ...« Sie suchte nach einer besseren Erklärung, doch sie hatte nur einen Ausdruck dafür: »Weibliche Intuition.«

»Nenn es nicht so«, befahl er ihr. »Nenn es Bauchgefühl. Denn du spürst es im Bauch, nicht zwischen den Beinen.«

»Okay ...« Mehr fiel ihr nicht ein.

Er hustete ein paarmal. »Es ist doch Rick Landrys Fall, in dem du da herumstocherst, nicht wahr?«

»Ja, Sir.«

»Dieser Trottel findet doch nicht mal sein eigenes Arschloch.« Aus seinem Kichern wurde ein scharfes Husten. »Wenn es ein langer Abend wird, brauchst du deinen Schlaf. Ich mache mir das Frühstück morgen selber.«

Sie hörte ein Klicken. Amanda starrte den Hörer an, als könnte die Sprechmuschel ihr erklären, was soeben geschehen war. Sie blickte erst auf, als zwei Scheinwerfer aufblitzten. Evelyns Falcon roch nach Bonbons und billigem Wein. Sie lächelte, als Amanda sich neben sie auf den Beifahrersitz setzte. »Alles in Ordnung?«

»Ich bin nur verwirrt.« Sie erzählte Evelyn von dem Telefonat mit ihrem Vater.

»Na ja.« Evelyn klang zurückhaltend. »Glaubst du, er sagt die Wahrheit?«

»Ja.« Duke mochte vieles sein, aber ein Lügner war er nicht.

»Dann muss er die Wahrheit sagen.«

Amanda wusste, dass Evelyn Duke niemals über den Weg trauen würde, und sie konnte verstehen, warum. In Evelyns

Augen war er aus dem gleichen Holz geschnitzt wie Rick Landry und Butch Bonnie. Und vielleicht war er das ja tatsächlich, aber er war auch immer noch Amandas Vater.

Evelyn warf einen Blick über die Straße zur Suppenküche.

»Ist Ulster überhaupt da drin?«

»Er räumt auf.« Zuvor war Amanda daran vorbeigegangen und hatte gesehen, wie Ulster einen großen Topf vom Tisch gewuchtet hatte. Er hatte mit dem Rücken zu ihr dagestanden, trotzdem hatte sie ihre Schritte beschleunigt. »Hinter dem Gebäude steht ein grüner Transporter. Ich habe das Kennzeichen durchgegeben – er ist auf die Kirche angemeldet. Auf dem Vordersitz liegen ein paar religiöse Schriften, auf dem Armaturenbrett eine Bibel. Hinten liegen Holzkisten und ein Haufen Seile. Ich schätze, er verwendet sie, um die Kochtöpfe festzuzurren.«

»Essen an die Bedürftigen verteilen ... klingt ganz nach einem Serienmörder.«

»Aber du kannst dir doch bestimmt einen vorstellen?« Evelyn hatte keine Lust auf Witzeleien. »Als ich hierherkam, bin ich mir vorgekommen, als würde ich zu meiner eigenen Beerdigung fahren.« Sie verschränkte die Arme vor der Brust. »Unser letzter Tag im Job oder zumindest in unserem eigentlichen Job. Den Job, den wir tun wollen. Ich glaube nicht, dass mir meine Lotsenuniform noch passt. Ich dachte, das Ding hätte ausgedient.«

Amanda wollte nicht darüber reden. »Hast du im Georgia Baptist angerufen?«

»Callahans Verlobte heißt Eileen Sapperson. Sie kam heute Morgen nicht zur Arbeit. Keine private Telefonnummer. Keine Adresse. Noch ein Fall von Houdini.«

»Und noch eine Sackgasse«, schloss Amanda. Miss Lula hatte in Techwood niemanden finden können, der sich erinnerte, einen Mann gesehen zu haben, auf den Hank Bennetts Beschreibung gepasst hätte, und während viele den riesenhaften Mr. Ulster kannten, hatte niemand je mitbekommen, dass er Schwierigkeiten gemacht hätte. Es war nicht leicht, sich mit

Menschen zu überwerfen, denen man eine warme Mahlzeit bescherte.

»James Ulster ist jeden Montag und Freitag in Techwood«, erinnerte Evelyn ihre Partnerin. »Genau die Tage, an denen die Opfer gefunden wurden.«

»Er geht dort so oft aus und ein, dass niemand ihn beachtet«, gab Amanda zu bedenken. »Aber immerhin kannte er Kitty. Er wusste genug über Mary Halston, um sagen zu können, dass Trey was mit ihr laufen hatte. Und wahrscheinlich kannte er Lucy Bennett ebenfalls.«

»Er ist der Einzige, der behauptet, dass die Mädchen vor Kurzem noch am Leben waren. Jane Delray, Hank Bennett, Trey Callahan, Juice – sie alle haben angegeben, die Mädchen seien seit ungefähr einem Jahr verschwunden.«

»Vielleicht ist Ulster ja Butchs Informant. Er hätte behaupten können, Lucy Bennett wäre tot, damit ihr Bruder aufhört, nach ihr zu suchen.«

»Suchte er wirklich nach ihr?«, fragte Evelyn. »Soweit wir wissen, hörte er auf, sie zu suchen, als er Kitty fand. Und nichts von alldem erklärt, warum Hodge uns überhaupt dorthin schickte. Oder wer uns versetzen ließ, wenn es nicht dein Vater war. Es erklärt rein gar nichts.«

Amanda ertrug den Gedanken nicht, das alles noch einmal durchzugehen. Wie oft sie auch darüber sprachen, das Bastelpapierpuzzle würde sich nicht lösen lassen. Evelyn hatte eine Familie, zu der sie zurückmusste, und Amanda ihr Studium. Ein größerer Aufsatz stand ihr bevor. Man hatte ihnen diesen Fall nie wirklich zugewiesen, und ab morgen würde ihre Autorität nicht größer sein als die, die heranwachsende, kreischende Schüler ihnen zugestanden.

»Ich habe mir überlegt ...« Evelyn zögerte. »Was würde passieren, wenn ich wirklich einen Prozess wegen sexueller Diskriminierung anstrengte?« Sie legte die Hand aufs Steuerrad. »Was würden sie tun? Das Gesetz ist auf meiner Seite. Butch hat recht:

Wir können nicht andauernd damit drohen, ohne es irgendwann durchzuziehen. Die bloße Drohung zieht nicht mehr.«

»Du würdest nie mehr befördert werden. Sie würden dich in den Flughafen stecken, was sogar noch ein bisschen demütigender wäre als der Lotsendienst.« Doch letztlich hatte Amanda das Bedürfnis, hinzuzufügen: »Aber ich würde für dich aussagen. Ich habe gesehen, was Rick getan hat. Und Butch. Sie hatten kein Recht dazu.«

»Ach, Mandy, du bist wirklich eine gute Freundin.« Sie griff nach Amandas Hand. »Du hast diese letzten zwei Wochen für mich erträglich gemacht.«

»Du hast mich noch nie Mandy genannt.«

»Eigentlich bist du für mich auch keine Mandy.«

Amanda fühlte sich auch nicht mehr so. Ging eine Mandy ins Gefängnis und brachte einen Zuhälter zum Reden?

Wehrte sich eine Mandy gegen brutale Machos und rief ihnen Schimpfwörter hinterher?

»Weißt du, ich hatte eine solche Angst vor dir, als Hodge uns zu diesem Einsatz schickte.«

Amanda brauchte nicht zu fragen, warum. Wenn sie in dieser Woche etwas gelernt hatte, dann, dass der Name Wagner nicht dem Vorteil entsprach, von dem sie immer ausgegangen war.

»Aber du warst wirklich prima. Wenn bei der Sache irgendetwas Gutes herauskam, dann unsere Freundschaft.«

Amanda hatte schon den ganzen Abend mit den Tränen zu kämpfen. Sie brachte kein Wort heraus.

»Ich habe nicht viele Freunde. Eigentlich gar keine.«

»Es fällt mir schwer, das zu glauben.«

»Oh, früher hatte ich viele.« Sie wickelte sich eine Haarlocke um den Finger. »Bill und ich gingen jedes Wochenende zu Partys. Zu zwei oder drei. Manchmal sogar zu vier.« Sie seufzte lange. »Als ich zur Polizei ging, hielten das zunächst alle für einen Witz, aber dann sahen sie, dass ich die Flinte nicht ins Korn werfen würde, und plötzlich gab es nichts mehr, worüber wir reden konnten. Ich wollte keine Rezepte mehr austauschen oder Wohltätigkeitsbasare organisieren. Niemand konnte verstehen, warum ich einen Männerjob verrichten wollte. Du solltest meine Schwiegermutter zu dem Thema hören.« Sie lachte wehmütig. »Diese Arbeit verändert einen. Sie verändert dein Denken, deine Sicht auf die Welt. Es ist mir egal, was die Jungs sagen. Wir *sind* Polizistinnen. Wir leben und atmen es, genau wie sie.«

»Butch und Landry sieht man im Augenblick nicht mehr hier draußen.«

»Nein, die sind wahrscheinlich zu Hause bei ihren Familien.« Amanda hatte da ihre Zweifel. »Eher bei ihren Geliebten.«

»Hey, da ist er!«

Ulster schloss die Vordertür ab. Die Dunkelheit tat ihm keinen Gefallen. Er war ein Riese von einem Mann. Amanda konnte sich nicht vorstellen, dass irgendjemand sich mit derart nackter Kraft anlegen wollte.

Er warf einen Blick über die Straße. Amanda und Evelyn duckten sich, aber Ulster schien den roten Kombi gar nicht zu bemerken, und selbst wenn er es tat, machte er sich keine Gedanken darüber. Anscheinend war das Auto mit all dem Kinderspielzeug auf der Ladefläche und den in den Teppich getretenen Wachsmalkreiden die perfekte Tarnung.

»Er kommt«, flüsterte Evelyn.

Der grüne Transporter fuhr auf die Juniper. Sie blieben in Deckung, als er an ihnen vorüberfuhr. Dann startete Evelyn den Wagen. Der Motor stotterte einmal, dann lief er rund. Sie kontrollierte, ob die Scheinwerfer wirklich aus waren, schlug das Lenkrad ein und fädelte sich geschickt in den Verkehr ein.

»Du machst das immer besser«, sagte Amanda.

»Auf zum letzten Akt.«

Auf der Juniper gab es keine Straßenlaternen, doch der Mond stand so hoch, dass man in seinem Lichtschein fahren konnte, und wo Evelyn nichts sehen konnte, rollte sie vorsichtig im Leerlauf voran.

Ulster bog links auf die Piedmont Avenue ein. Er fuhr tief nach Bedford Pine hinein. Der Gestank von Buttermilk Bottom füllte das Auto, aber sie hielten die Fenster offen.

»Wo fährt er hin?«

Amanda schüttelte den Kopf. Sie hatte keine Ahnung.

Der Transporter bremste erst in letzter Minute und bog dann scharf auf die Ralph McGill ab. »Schneid rüber zur Courtland!«, sagte Amanda.

Evelyn musste kurz zurückstoßen, um abbiegen zu können. »Glaubst du, er hat uns entdeckt?«

»Ich weiß es nicht.« Ihre Scheinwerfer waren noch immer aus. Der Fahrgastraum war dunkel. »Vielleicht ist er einfach nur vorsichtig.«

»Warum sollte er vorsichtig sein?« Evelyn hielt den Atem an. Jetzt war der grüne Transporter wieder vor ihnen. »Da ist er.« Sie folgten dem Transporter die Courtland hinauf. Die Straße verlief schnurgerade. Evelyn hielt mindestens hundert Meter Abstand. Als der Van auf die Pine abbog, erhellten die Lichter des Crawford Hospital das Wageninnere. Sie sahen Ulsters unverkennbare Gestalt. Evelyn bremste und spähte die Straße entlang, bevor sie ebenfalls abbog, um ihm zu folgen. Die Lichter der Schnellstraße erschwerten ihr das Fahren. Er bog auf die Spring Street ab.

»Evelyn«, sagte Amanda.

»Ich weiß.« Sie folgte ihm die North Avenue hoch. Vorbei am Varsity. Über die Schnellstraße. Er fuhr nach Techwood.

»Schnapp dir mein Funkgerät.«

Amanda griff nach Evelyns Tasche auf dem Rücksitz. Der Revolver lag kalt in ihrer Hand. Sie hielt ihn Evelyn hin, die eine Hand am Lenkrad behielt, während sie ihn sich unter den Schenkel steckte.

Amanda schaltete das Funkgerät an. »Zentrale.« Keine Antwort.

»Zentrale, hier Einheit sechzehn. Over.«

Das Funkgerät klickte. »Einheit dreiundzwanzig an Einheit sechzehn«, sagte eine Männerstimme. »Braucht ihr Mädchen Unterstützung?«

Amanda hielt das Funkgerät immer fester umklammert. Sie hatte die Zentrale gerufen, nicht irgendeinen Hinterwäldler auf Streife.

»Verstanden, sechzehn?«, fragte der Mann. »Wo ist euer Standort?«

Mit zusammengebissenen Zähnen zischte Amanda: »Techwood Homes.«

»Bitte wiederholen.«

Amanda wiederholte den Namen überdeutlich. »Tech. Wood. Homes.«

»Verstanden. Perry Homes.«

»Oh Mann«, seufzte Evelyn. »Er hält das für einen Witz.«

Amanda packte das Funkgerät, so fest sie nur konnte. Am liebsten hätte sie es dem Mann über den Schädel geschlagen.

Sie legte ihren Finger über den Knopf, konnte sich aber nicht dazu überwinden, ihn wirklich zu drücken.

»Amanda«, murmelte Evelyn. Es klang wie eine Warnung. Der grüne Transporter vor ihnen bremste nicht etwa ab, um in den Techwood Drive abzubiegen. Er fuhr geradeaus weiter, mitten hinein ins Herz des Gettos.

»Das ist nicht gut«, sagte Evelyn. »Er hat keinen Grund, hier zu sein.«

Amanda machte sich nicht die Mühe, ihr zuzustimmen. Sie waren in einem Teil der Stadt, die keiner – ob Schwarzer, Weißer oder Krimineller – nach Einbruch der Dunkelheit freiwillig betrat.

Wieder bog der Transporter ab. Evelyn bremste und schob sich langsam in die Kurve, um zu verhindern, dass sie sich plötzlich auf dem Präsentierteller wiederfanden.

Direkt vor ihnen sahen sie die Hecklichter des Transporters schwach aufleuchten. Ulster wusste offensichtlich genau, wohin er wollte. Er war bedächtig, aber zielstrebig unterwegs.

Wieder versuchte Amanda es mit dem Funkgerät. »Zentrale, sechzehn auf der Cherry in nördlicher Richtung.«

Der Mann in Einheit dreiundzwanzig antwortete: »Wie war das, sechzehn? Du willst mir 'nen Sherry spendieren?«

Dann kam ein Klicken, die Verbindung wurde gestört. Die Zentrale ging dazwischen. »Zehn-vierunddreißig, alle Einheiten. Sechzehn, wiederholen Sie Ihr zehn-zwanzig.«

»Das ist Rachel Foster«, rief Evelyn. Die Frauen in der Zentrale waren die Einzigen, die den Unsinn unterbinden konnten. Sie schnappte sich das Funkgerät. »Sechzehn auf der Cherry in Richtung Norden. Möglicher dreißig-vier bei einem grünen Dodge-Transporter. Kennzeichen aus Georgia …« Sie kniff die Augen zusammen, um das Schild entziffern zu können. »Charlie, Victor, William, acht-acht-acht.«

»Bestätigen Sie zehn-zwanzig, Einheit sechzehn?«

Amanda übernahm das Funkgerät, damit Evelyn wieder beide Hände ans Lenkrad legen konnte. »Bestätige Cheryl Street, Zentrale. In nördlicher Richtung.«

»Soll das ein Witz sein?«, fragte Rachel kurz angebunden. Sie kannte die Stadt besser als die meisten Beamten, die dort Dienst taten. »Sechzehn?«

Im Auto war es jetzt mucksmäuschenstill. Sie starrten beide den grünen Transporter an, der immer weiter ins Getto hineinfuhr. Lockte Ulster sie in eine Falle?

»Sechzehn?«, wiederholte Rachel.

»Bestätige Cherry in nördlicher Richtung.«

Statisches Rauschen füllte die Sekunden. Dann wieder Rachels Stimme: »Geben Sie mir fünf Minuten. Bleiben Sie, wo Sie sind. Ich wiederhole: Bleiben Sie dort.«

Amanda legte sich das Funkgerät in den Schoß. Evelyn fuhr weiter.

»Warum hast du den Transporter als möglicherweise gestohlen gemeldet?«, fragte Amanda.

»Was wir jetzt absolut nicht brauchen können, ist dieser

Cowboy in Einheit dreiundzwanzig, der mit Blaulicht und Sirene dahergerast kommt.«

»Vielleicht wäre das gar nicht so schlecht ...« Amanda war noch nie in diesem Teil der Stadt gewesen. Und sie bezweifelte, dass überhaupt je eine weiße Frau hier gewesen war. Es gab keine Straßenschilder. In den Häusern am Straßenrand brannten keine Lichter. Sogar der Mond schien hier weniger Licht abzugeben.

Der Transporter bog wieder links ab. Irgendwie fühlte sich die Luft zu dick an. Amanda atmete schwer durch den Mund. Zu beiden Seiten der Straße standen Schrottkarossen. Wenn Evelyn Ulster weiter verfolgte, wäre der Kombi für sie keine Tarnung mehr. Letztendlich war das aber auch nicht mehr nötig. Die Bremslichter des Transporters leuchteten auf, als er vor einem Haus mit Schindelfassade anhielt. Wie in den anderen Häusern brannte auch hier kein Licht. In diesem Teil der Stadt war Strom ein Luxus.

»Stehen die alle leer?«, fragte Evelyn. Einige der Gebäude entlang der Straße waren vernagelt, andere so baufällig, dass die Dächer schon eingeknickt waren.

»Kann ich nicht sagen.«

Sie blieben beide im Auto sitzen. Keine von ihnen schien zu wissen, was sie tun sollten. Sie würden kaum die Tür eintreten und mit gezückter Waffe hinter Ulster herstürmen können.

»Allmählich sollte sich Rachel zurückmelden«, murmelte Amanda.

Evelyn behielt beide Hände am Lenkrad. Beide starrten Ulsters Haus an. In einem der hinteren Zimmer ging Licht an. Es warf einen weißen Streifen über die Schnauze des grünen Transporters in der Einfahrt.

Evelyns Stimme war jetzt kaum mehr als ein Flüstern.

»Würdest du mich für einen Feigling halten, wenn ich sagte, wir sollten Einheit dreiundzwanzig dazurufen?«

Amanda hatte soeben darüber nachgedacht, wie sie am besten genau diese Frage stellen sollte. »Er könnte bei Ulster anklopfen und ihm erklären, dass der Transporter als gestohlen gemeldet wurde.«

»Und ihn bitten, sich im Haus umsehen zu dürfen.«

Und einen Schuss ins Gesicht abkriegen. Oder in die Brust. Einen Faustschlag. Einen Messerstich. Oder einfach verprügelt werden.

»Los«, sagte Evelyn.

Amanda drückte auf den Sprechknopf des Funkgeräts.

»Dreiundzwanzig?« Es war nur statisches Rauschen zu hören. Sogar die Klicks waren verschwunden. »Zentrale?«

»Scheiße«, fluchte Evelyn. »Wahrscheinlich sind wir in einem Funkloch.« Die gab es überall in der Stadt. Evelyn legte den Rückwärtsgang ein. »Im letzten Block funktionierte es noch. Wir könnten ...«

Ein Schrei zerriss die Luft. Er war animalisch, Furcht einflößend. Tief in Amandas Innerem krampfte sich etwas zusammen. Sie brach in kalten Schweiß aus. Jeder Muskel in ihrem Körper spannte sich an. Das Geräusch löste einen primitiven Fluchtinstinkt bei ihr aus.

»Mein Gott«, keuchte Evelyn. »War das ein Tier?«

Der Schrei gellte noch immer in Amandas Ohren. In ihrem ganzen Leben hatte sie noch nie etwas so Entsetzliches gehört.

Plötzlich erwachte das Funkgerät wieder zum Leben.

»Sechzehn? Hier dreiundzwanzig. Habt ihr Bräute noch mal über mein Angebot nachgedacht?«

»Dem Himmel sei Dank«, flüsterte Evelyn. Sie drückte auf den Knopf, kam aber nicht dazu, zu sprechen.

Der zweite Schrei war wie ein Messer, das direkt in Amandas Herz gerammt wurde. Es war der verzweifelte Schrei einer Frau, die um Hilfe flehte.

Das Funkgerät knisterte. »Sechzehn, was zum Teufel war das?«

Amandas Tasche stand auf dem Boden. Sie griff hinein und holte ihren Revolver heraus. Dann packte sie den Türgriff.

Evelyns Fuß rutschte von der Bremse. »Was hast du vor?«

»Halt das Auto an!« Es rollte langsam rückwärts. »Halt das Auto an, verdammt!«

»Amanda, du kannst nicht …« Die Frau schrie noch einmal. Amanda stieß die Tür auf. Beim Aussteigen stolperte sie und knallte mit dem Knie auf den Asphalt. Ihre Strumpfhose zerriss. Doch sie war nicht mehr aufzuhalten. Wollte sich nicht mehr aufhalten lassen. Wollte sich nicht mehr zurückhalten.

»Ruf dreiundzwanzig. Ruf jeden her, den du erreichst.« Evelyn flehte sie an, sie solle warten, aber Amanda hatte bereits die Schuhe abgestreift und fing an zu rennen.

Die Frau schrie wieder. Sie war im Haus. In Ulsters Haus. Amanda presste ihre Finger fest um den Revolvergriff, als sie mit pumpenden Armen die Straße entlanglief. Sie bekam einen Tunnelblick. Sie rutschte aus, als sie in Ulsters Einfahrt einbog. Ihre Strumpfhose rutschte unter den Fußballen zusammen. Sie verfiel in einen langsameren Laufschritt. Blieb dann stehen. Die Vordertür war verschlossen. Das einzige Licht kam aus dem hinteren Teil des Hauses.

Amanda versuchte, ruhiger zu atmen, öffnete weit den Mund und sog die Luft in tiefen Zügen ein. Sie drückte sich am Transporter vorbei – tief geduckt, obwohl niemand da war, der sie hätte sehen können. Sie richtete den Revolver nach vorne, mit dem Finger am Abzug, wie man es ihr beigebracht hatte. Sie würde jeden erschießen, der ihr in die Quere kam.

Wieder ein Schrei. Diesmal nicht mehr so laut, aber umso verzweifelter. Verängstigter.

Amanda machte sich auf alles gefasst, als sie sich dem offenen Fenster näherte. Das Licht drang zwischen zwei schweren schwarzen Gardinenbahnen hervor. Sie hörte die Frau bei jedem Atemzug stöhnen, fast maunzen. Vorsichtig spähte Amanda durch den Spalt im Vorhang. Sie sah ein altes Waschgestell. Ein Spülbecken. Ein Bett. Die Frau. Sie hatte sich aufrecht hingesetzt. Blonde, rotfleckige Haare. Ausgezehrt bis auf den mächtigen Bauch. Die Haut an Armen und Schultern eine einzige blutige Masse. Ihre Lippen und die Augenlider zerfetzt. Blut bedeckte jeden Quadratzentimeter ihrer Haut – ihr Gesicht, ihre Kehle, ihre Brust.

Im selben Moment, da das Mädchen zu einem weiteren Schrei anhob, hörte Amanda hinter sich ein Geräusch.

Einen Schuh, der über Beton schabte.

Amanda fuhr halb herum, aber von hinten packte sie bereits eine große Hand.

23. KAPITEL

15. Juli 1975
LUCY BENNETT

Ihre Schultern waren frei, aber das war ihr egal. Ihre Arme waren frei, aber das war ihr egal.

Ihre Taille, ihre Hüften – frei zum ersten Mal seit über einem Jahr.

Aber es war ihr egal.

Sie hatte nur noch ein einziges Gefühl in sich.

Es gab nichts anderes mehr als das Baby, das ihr Körper geboren hatte. Den wunderschönen kleinen Jungen. Zehn Finger. Zehn Zehen. Perfekte blonde Haare. Perfekter kleiner Mund.

Lucy strich mit dem Finger über seine Lippen. Die erste Frau, die ihn berührte. Die erste Frau, die ihm ihr Herz öffnete und die pure Freude in sich aufnahm, die dieses kleine Wesen aussandte.

Sie wischte ihm Speichel von Nase und Mund. Dann legte sie ihm sanft die Hand auf die Brust und spürte sein schlagendes Herz. Flatter, flatter, wie ein Schmetterling. Er war wunderschön. So winzig. Wie hatte etwas so Perfektes in ihr heranwachsen können? Wie hatte etwas so Süßes aus etwas so Verderbtem entstehen können?

»Du wirst sterben.«

Lucy spürte, wie sich ihre Sinne schärften.

Patty Hearst.

Das neue Mädchen. Die Frau aus dem anderen Zimmer. Sie stand in der Tür und zögerte einzutreten. Sie war angezogen. Er ließ sie Kleidung tragen. Er ließ sie herumgehen. Er ließ sie alles tun, außer in Lucys Zimmer zu gehen. Auch jetzt, da sie beide alleine waren, traten ihre Füße nicht über die Schwelle.

»Du wirst sterben«, wiederholte die Frau.

Dann hörten sie beide Geräusche vor dem Fenster. Schreie. Schüsse. Er würde gewinnen. Er gewann immer.

Das Baby krähte und strampelte mit den Beinen.

Lucy blickte auf ihr Kind hinab. Ihr perfektes Baby. Ihre Erlösung. Ihre Errettung. Das einzige Gute, das sie besaß.

Sie versuchte, sich auf sein wunderschönes Gesicht zu konzentrieren, darauf, wie das Licht zwischen ihren beiden Körpern hin und her flimmerte.

Sonst war nichts mehr wichtig. Nicht der Schmerz. Nicht der Gestank. Nicht der keuchende Atem, der aus ihrem Mund kam.

Nicht das Pfeifen der Luft an der langen Klinge entlang, die in ihrer Brust steckte.

24. KAPITEL

Gegenwart
MITTWOCH

Sara wachte vom Geruch von Bettys heißem Atem auf. Der Hund lag zusammengerollt vor ihr auf der Couch, die Schnauze nur Zentimeter von ihrem Gesicht entfernt. Sie packte ihn wie ein Bäcker, der einen Brotteig bearbeitete. Bettys Halsband klimperte. Sie gähnte.

Wills Sachen lagen auf dem Boden, aber er selbst war nicht im Zimmer. Sara fuhr sich mit der Hand übers Gesicht. Berührte ihren Mund, wo Will sie berührt hatte. Strich sich über die Kehle. Ihre Lippen fühlten sich von seinen Küssen wund an. Ihre Haut kribbelte, wenn sie nur an ihn dachte.

Es war um sie geschehen. Vielleicht war es an dem Tag passiert, als Will in der Küche ihrer Mutter Geschirr gespült hatte. Oder an dem Tag nach der Arbeit, als Sara am Boden zerstört gewesen war, bis er sanft ihre Hand gestreichelt hatte. Oder vergangene Nacht, als er sie so intensiv angesehen hatte, dass sie sich vorgekommen war, als würde sich alles in ihr für ihn öffnen.

Gleichgültig, wann es passiert war, jetzt war die Option zur Tatsache geworden. Sara hatte sich zutiefst und ernsthaft in Will Trent verliebt. Ab jetzt gab es keinen Weg zurück mehr. Kein Leugnen. Ihr Herz hatte sich entschieden, während ihr Verstand noch nach Ausflüchten gesucht hatte. Sie hatte es in dem Augenblick gewusst, als sie ihn letzte Nacht angesehen hatte. Sara würde alles tun, um ihn zu halten. Seine Geheimnisse akzeptieren. Sein Schweigen tolerieren. Sich mit seiner schrecklichen Frau abfinden.

Ihm helfen, seinen Vater in die Todeszelle zu schicken.

Pete Hanson würde bereits tot sein, wenn der Fall vor Gericht kam. Sara würde in den Zeugenstand gerufen werden. Es würde um ein Kapitalverbrechen gehen. Das Mädchen war entführt und ermordet worden, und dies entsprach Georgias Anforderungen für die Todesstrafe.

Wills Vater hatte Ashleigh Jordan zwar penibel gereinigt. Aber der Mann hatte dreißig Jahre lang im Gefängnis gesessen. Das Fernsehen und die im Gefängnis umgehenden Gerüchte über die wissenschaftlichen Entwicklungen hatten ihm ganz bestimmt Einblicke gegeben in den forensischen Fortschritt, der außerhalb seines Zellenblocks vonstattengegangen war. Aber es war höchst unwahrscheinlich, dass er je von Haarverlängerungen gehört hatte. Was ironisch war, wenn man seine Vorliebe für Nadel und Faden betrachtete.

Das Einsetzen dieser Haarverlängerungen dauerte Stunden. Straffe, dünne Flechtzöpfe oder Strähnen wurden in einem dichten Halbkreis um den Hinterkopf gelegt. Dann nähte man mit Nadel und Faden Strähnen neuen, volleren Haars ein. Dann kamen immer neue Zopfreihen hinzu – abhängig davon, wie viel Geld und Zeit die Frau zu investieren bereit war. Billig war das nicht. Die natürlichen Haare wuchsen irgendwann aus. Die Verwebung musste alle paar Wochen nachgezogen werden. Und jedes Mal wurden weitere Strähnen angenäht. Einfaches Shampoonieren konnte die winzigen Furchen und Spalten zwischen dem alten und dem neuen Haar nicht völlig auswaschen.

Und genau dort hatte Sara Spermaspuren entdeckt – winzige getrocknete Partikel, die sich in den Nähten verfangen hatten. Irgendwann würde sie die Jury durch ihre Entdeckung führen müssen, die Webtechnik beschreiben und warum die Proteine in der Samenflüssigkeit unter Schwarzlicht fluoreszierten.

Und dann würde der Richter das Urteil sprechen und die Hinrichtung durch eine Giftspritze anordnen.

Sara seufzte. Sie sah auf die Uhr. Halb sieben am Morgen. Um sieben sollte sie eigentlich bei der Arbeit sein. Sie griff nach Wills Hemd und knöpfte es zu, während sie in die Küche ging.

Er stand am Herd und machte Pfannkuchen. Er lächelte.

»Hungrig?«

»Sehr.« Sara küsste ihn auf den Nacken. Seine Haut war warm. Sie verkniff es sich, die Arme um ihn zu schlingen und ihm ihre Liebe zu gestehen. Wills Leben war im Augenblick schon kompliziert genug, auch ohne dass Sara ihn unter Druck setzte. Wenn sie ihm jetzt sagte, dass sie ihn liebte, würde er sich verpflichtet fühlen, das Gleiche zu erwidern.

»Tut mir leid, dass ich keinen Kaffee hierhabe.«

Sara setzte sich an den Tisch. Will trank keinen Kaffee. Ihr Hirn war noch nicht vollends wach, trotzdem merkte sie, dass irgendetwas nicht stimmte. Will hatte sich bereits für die Arbeit angezogen. Er trug einen marineblauen Anzug mit Krawatte. Sein Sakko hing über dem Küchenstuhl. Sein Haar war gekämmt. Er war frisch rasiert. Er wirkte glücklich, was nicht so ungewöhnlich war, aber er wirkte beinahe zu glücklich. Zu aufgedreht. Er konnte nicht stillstehen. Sein Fuß tippte in einem fort vor dem Herd auf den Boden. Als er den Pfannkuchen auf einen Teller gleiten ließ, trommelten seine Finger auf der Arbeitsplatte.

Sara kannte dieses Verhalten. Es zeigte sich immer dann, wenn der Betreffende sich zu etwas durchgerungen hatte. Wenn der Druck weg war. Wenn eine Entscheidung getroffen war. Die Richtung gesetzt. Wenn man bereit war, irgendetwas hinter sich zu bringen.

»Ma'am.« Er stellte ihr den Teller hin.

In diesem Augenblick roch sie es – Öl und Kordit. An seinen Händen. Auf der Tischplatte.

»Danke.« Sara stand auf. Sie wusch sich am Spülbecken die Hände. Jetzt da sie wach war und wieder klar denken konnte, vernahm sie den Geruch noch stärker. Will hatte hinter sich sauber gemacht – aber nicht gründlich genug. Sie trocknete sich die Hände an einem Papiertaschentuch ab. Als sie den Unterschrank mit dem Abfalleimer öffnete, sah sie die schmutzigen Putzlumpen.

Sara schloss die Schranktür wieder. Sie war mit Waffen aufgewachsen. Sie kannte den Geruch von Reinigungsöl. Sie wusste, dass Will in seinem Safe eine Ersatzwaffe aufbewahrte. Und sie wusste, wie ein Mann aussah, der einen Entschluss gefasst hatte.

Sie drehte sich um.

Will saß am Tisch, die Gabel in der Hand. Sein Teller triefte vor Sirup. Er hatte den Mund voll Pfannkuchen. »Ich hab deine Sporttasche aus dem Auto geholt.« Mit der Gabel deutete er auf den Beutel am Boden. »Tut mir leid, dass ich dein Kleid zerrissen habe.«

Sie lehnte sich gegen das Spülbecken. »Arbeitest du heute am Flughafen?«

Er nickte. »Kann ich mir vielleicht dein Auto ausleihen? Meins spinnt gerade.«

»Klar.« Man würde in der Umgebung des Hotels nach Wills Wagen Ausschau halten. Saras BMW wäre in diesem Teil der Stadt verhältnismäßig unauffällig.

»Danke.« Er schob sich noch eine Gabel voll Pfannkuchen in den Mund.

»Melden wir uns heute einfach krank.«

Er kaute langsamer und sah ihr in die Augen.

»Ich will, dass wir zusammen wegfahren«, sagte sie. »Mein Cousin hat ein Haus am Golf, wo wir wohnen könnten. Lass uns einfach verschwinden. Raus aus der Stadt.«

Er schluckte. »Klingt gut.«

»Wir könnten die Hunde mitnehmen und jeden Morgen am Strand spazieren gehen.« Sie schlang die Arme um sich. »Und dann könnten wir wieder ins Bett gehen. Wir könnten uns was zu essen kochen. Und dann wieder zurück ins Bett gehen.«

Er grinste gezwungen. »Das klingt wirklich gut.«

»Dann tun wir es doch. Jetzt sofort.«

»In Ordnung«, sagte er. »Ich setz dich bei dir ab und erledige noch schnell ein paar Sachen.«

Sara brach das Spielchen ab. »Ich lasse es nicht zu, dass du es tust.«

Will lehnte sich zurück. Die nervöse Energie war verschwunden. Sie sah, wie sie langsam aus seinem Körper wich. Jetzt waren da nur noch der Kummer und die Sorge, die ihr am Tag zuvor schier das Herz gebrochen hatten.

»Will …«

Er räusperte sich. Es wurde ein Husten daraus. Sein Kehlkopf zuckte, als er die Tränen hinunterschluckte. »Sie war doch nur eine Studentin.«

Sara biss sich auf die Lippe.

»Sie ging irgendeines Tages zu einer Vorlesung, und er sah sie und schnappte sie sich, und das war's dann. Ihr Leben war vorbei.« Er legte die Gabel weg. »Du weißt, was ihr angetan wurde. Du hast es bei dem anderen Mädchen gesehen. Es ist genau das Gleiche.«

Wills Handy klingelte. Er fischte es aus der Tasche. »Habt ihr ihn verhaftet?« Die Bestürzung in seinem Gesicht war Sara Antwort genug. »Wo?« Er hörte noch ein paar Sekunden zu und legte dann auf. »Faith wartet in der Einfahrt.«

»Was ist passiert?« Noch während sie es sagte, wusste sie, dass es zwecklos war. Man hatte eine weitere Leiche gefunden. Noch ein Leben war vernichtet worden. Wills Vater hatte erneut getötet.

Will stand auf. Er schnappte sich die Jacke von der Stuhllehne. Er sah sie nicht an. Sie konnte seine Gedanken praktisch hören: Er hätte es hinter sich bringen sollen. Er hätte in dem Augenblick, da er gehört hatte, dass sein Vater wieder auf freiem Fuß war, seine Waffe nehmen und zum Hotel fahren sollen.

»Amanda will, dass du mitkommst.«

Sara wollte keine Belastung sein. Amanda hatte sie schon einmal in diese Sache hineingezogen. »Willst du mich denn auch dabeihaben?«

»Amanda will es.«

»Amanda ist mir egal. Ich will, was für dich das Beste ist. Das Einfachste für dich.«

Er blieb in der Tür stehen, die Hände links und rechts an die Türpfosten gelegt. Er schien zu etwas Tiefgründigem anheben zu wollen, doch dann bückte er sich lediglich und hob ihre Sporttasche auf. »Beeil dich. Ich warte draußen.«

25. KAPITEL

15. Juli 1975

James Ulster hatte Amanda am Hals gepackt. Sie fühlte sich wie ein Kätzchen, das man im Nacken anhob. Ihre Arme wurden schlaff. Ihre Zehen lösten sich vom Boden.

Da erst erinnerte sie sich wieder an den Revolver in ihrer Hand.

Sie schlang den Arm um ihre Taille und feuerte ab. Einmal. Zweimal. Ein drittes Mal. Sein Körper zuckte, doch sein Griff wurde nur noch fester. Sie drückte noch einmal ab. Das Mündungsfeuer versengte Amanda die Seite. Die Waffe wurde ihr aus der Hand gerissen. Ulster ächzte. Die Mündung war so heiß, dass sie ihm die Hand verbrannte. Klappernd fiel die Waffe zu Boden.

Amanda sank auf die Knie und tastete blind nach ihr. Ulster riss sie am Arm wieder hoch. Es fühlte sich an, als würde ein Knochen brechen. Wieder verloren ihre Füße den Kontakt zur Erde. Sie knallte mit dem Rücken gegen die Hauswand. Ihr blieb die Luft weg. Sie strampelte und kratzte ihn, als Ulster die Hand um ihre Kehle schlang. Sie grub ihre Fingernägel tief in seine Haut. Sein Gesicht war wutverzerrt. Ihr wurde schwindlig. Sie bekam nicht mehr ausreichend Luft, um ihre Lunge zu füllen.

»Loslassen!«, schrie Evelyn. Sie schob ihr Kel-Lite unter ihren Revolver und hielt beides auf Ulster gerichtet. »Sofort!«

Ulster hörte nicht auf sie. Er verstärkte den Griff um Amandas Kehle.

Da drückte Evelyn ab. Ulsters Griff lockerte sich. Evelyn schoss noch einmal. Die Kugel traf sein Bein. Er ließ Amanda los. Sein Arm blutete. Seine Seite blutete. Doch er ging immer noch nicht zu Boden.

»Keine Bewegung!«, befahl Evelyn. Doch Ulster gehorchte schon wieder nicht. Stattdessen stürzte er direkt auf Evelyn zu. Sie drückte noch einmal ab, doch der Schuss ging ins Leere. Er schlug ihr die Waffe aus der Hand. Dann holte er mit der Faust aus. Evelyn wich zurück, aber nicht schnell genug. Seine Fingerknöchel streiften sie am Kinn, und Evelyn sackte auf der Einfahrt zusammen.

»Nein!«, schrie Amanda. Sie sprang ihm auf den Rücken und bohrte ihm die Fingernägel in die Augen. Doch anstatt blindlings herumzuwirbeln, fiel Ulster auf die Knie und rollte sich auf den Rücken. Sein Gewicht lastete schwer auf Amanda, zu schwer. Die Luft wich aus ihrer Brust. Dennoch schlang sie ihm einen Arm um den Nacken und drückte ihm den anderen gegen die Kehle. Der Würgegriff. Sie hatte ihn schon häufiger gesehen. Es sah zwar leicht aus, aber niemand konnte sich wirklich dagegen erwehren.

Niemand verfügte über hundert Kilo geballte Muskelkraft, um sich aus diesem Griff zu befreien. Doch Ulster zog Amandas Arme so mühelos auseinander, wie ein Kind eine Schleife öffnete. Sie fiel nach hinten, und ihr Kopf krachte auf den Asphalt.

Sie trat aus und kreischte. Doch ihre Tritte waren wirkungslos. Er drückte sie problemlos auf den Boden, fixierte ihre Arme an der Seite und drückte mit seinem Körpergewicht ihr Steißbein in den Boden. Blut durchtränkte Ulsters Hemdenbrust, tropfte ihm aus dem Mund. »Bereue, Schwester!« Er drückte sie noch fester nieder, presste ihr alle Luft aus dem Körper. »Bereue vor mir deine Sünden!«

»Ja«, hauchte Amanda, »ja.«

»Vater unser ...«

Sie wehrte sich, schnappte nach Luft.

»Vater unser«, wiederholte er und drückte zu.

Ihre Rippen bogen sich in ihren Magen. Irgendetwas in ihr riss. Sie konnte nicht mehr kämpfen. Sie konnte lediglich hinaufsehen in seine kalten, seelenlosen Augen.

»Vater unser«, sagte er zum dritten Mal. Amanda keuchte: »Vater ...«

»Der Du bist im Himmel ...«

»Der Du bist ...« Sie hatte nicht mehr genug Luft zum Sprechen.

»Der Du bist im Himmel.«

»Der ...« Sie schob sich gegen ihn, aber sein Gewicht war schier erdrückend. »Bitte«, keuchte sie. »Bitte ...«

Ulster hob sich gerade so weit, dass sie Luft holen konnte.

»Der du bist ...«

»Der ...«, setzte sie an. »Der Du bist ...«

Sie spürte, wie ihre Arme sich wie aus eigenem Antrieb bewegten. Ulster bremste sie zunächst und ließ sich wieder auf sie sinken, doch dann begriff er. Vorsichtig rutschte er ein kleines Stück nach hinten. Amanda zog ihren Arm hervor, spürte ihre Haut über die innere Naht seiner Hose gleiten. Dann zog sie auch den anderen Arm hervor und faltete die Hände. Die Finger verschränkt. Die Handflächen aufeinander. Die Daumen gestreckt.

Ulster starrte sie konzentriert an. Er trug ein schmales Lächeln auf den Lippen. Er bewegte sich langsam vor und zurück, sein Becken rieb sich an ihrem. Es fühlte sich an, als würde gleich ihr Hüftknochen brechen. Er beugte sich über sie, wollte sie sehen, den Schmerz auf ihrem Gesicht genießen.

»Vater unser ...«, flüsterte sie.

»So ist's gut.« Langsam, als würde er ein Kind unterrichten.

»Der Du bist im Himmel.«

»Der Du bist im Himmel.« Wieder hielt sie inne, um Luft zu holen.

»Geheiligt werde …«

Die Worte strömten aus ihrem Mund. »Geheiligt werde Dein Name.«

»Dein Reich komme.« Er beugte sich tiefer, starrte ihr ins Gesicht. »Dein Reich komme …«

»Dein …«

Amanda beendete das Gebet nicht.

Stattdessen jagte sie ihm die verschränkten Hände, so fest sie konnte, in die Kehle. Ihre Knöchel krachten in Knorpel und Knochen. Seine Kehle gab nach. Irgendetwas knackte. Es hörte sich an wie ein brechender Ast.

Das Zungenbein. So wie Pete es ihr gezeigt hatte.

Mit der Wucht einer Dampframme fiel Ulster auf sie nieder. Amanda versuchte verzweifelt, ihn abzuschütteln. Er stöhnte, rührte sich aber nicht. Er war zu schwer, sie konnte ihn nicht zur Seite schieben. Sie musste unter ihm herauskriechen. Sein Gewicht erstickte sie. Sie zwang sich, nicht ohnmächtig zu werden. Sich nicht zu übergeben. Nicht aufzugeben.

Amandas Hände suchten nach Halt. Sie drückte die Fersen in den Boden. Es war ein anstrengendes, zähes Bemühen. Das Herz schlug ihr bis zum Hals. Sie schmeckte Galle in der Kehle. Doch dann schaffte sie mit einem letzten Aufbäumen, sich zu befreien.

Evelyn war noch immer k. o. Ihr Revolver lag in ihrer offenen Hand. Das Kel-Lite war zur Seite gerollt.

Amanda griff nach der Waffe, doch da packte Ulster sie am Fußgelenk und riss sie zurück. Amanda trat aus, so fest sie konnte. Sie spürte, wie seine Nase unter ihrem Absatz brach. Er ließ los. Amanda krabbelte vorwärts, versuchte, auf die Knie zu kommen, doch er packte sie von Neuem. Seine Arme schlangen sich um ihre Taille. Amanda riss den Kopf nach hinten, hoffte, seine gebrochene Nase zu treffen. Er strauchelte kurz, was ihr die Zeit gab, sich umzudrehen, zu zielen und ihm den Ellbogen direkt ins weiche Fleisch seiner Kehle zu jagen.

Das laute Krachen klang wie ein Flintenschuss.

Ulster hob die Hände an den Hals. Luft pfiff ihm in den Mund. Amanda schlug noch einmal mit dem Ellbogen zu. Noch ein Krachen. Sie tat es noch einmal. Ulster kippte zur Seite. Er drehte sich auf den Rücken, rang keuchend nach Luft. Amanda rappelte sich auf. Ihre Arme schmerzten. Ihr Herz hämmerte. Ihre Brust tat weh. Alles tat weh.

Sie schaffte es, sich aufrecht hinzustellen, hielt sich aber an dem Transporter fest, um nicht erneut zu fallen.

Ulster gab ein gurgelndes Geräusch von sich. Blut lief ihm aus Mund und Nase.

Amanda drückte ihm den nackten Fuß auf die Kehle. Die Empfindung war genau so, wie Pete sie beschrieben hatte: Bläschen, die unter ihrer Fußsohle zerplatzten. Sie verlagerte ihr Gewicht vor und zurück, sah, wie Ulsters Augen sich vor Entsetzen weiteten, und fragte sich, ob ihre das Gleiche getan hatten, als er das Leben aus ihr herausgepresst hatte.

»Mandy«, murmelte Evelyn. Sie setzte sich auf. Ihre Lippe war aufgeplatzt. Sie hob sich die Hand vors Gesicht. Ihr Kiefer war so geschwollen, dass man die Beule trotz der Finger sah, die sie darübergelegt hatte.

»Hey!« Ein Streifenbeamter kam um den Transporter herumgelaufen. Er blieb abrupt stehen, als er die Szene vor sich sah. »Ach du heilige Scheiße!« Er hatte die Waffe gezogen, doch dann ließ er die Hand wieder sinken. »Was habt ihr Schlampen denn hier angestellt?«

»Amanda.« Evelyns Stimme war belegt, als würde ihr das Sprechen Schmerzen bereiten. »Das Mädchen.«

26. KAPITEL

Gegenwart
MITTWOCH

Übertragungswagen und Reporter wimmelten wie Ameisen auf dem Parkplatz vor dem Four Seasons. Das Gebäude war nicht nur ein Hotel. Teure Anwälte und Vermögensberater nutzten die Büros in den oberen Stockwerken für Besprechungen. Die Hoteletagen selbst waren brechend voll mit Berühmtheiten. Rapsänger. Fernsehstars. Publicitysüchtige Sternchen.

Das Polizeiabsperrband verlief um den Marmorbrunnen an der Fourteenth Street herum. Irgendjemand bemerkte, dass Faith den Blinker setzte, und schon stürmten die Reporter herbei. Will konnte ihre Fragen durch das geschlossene Fenster hören. Was ist passiert? Warum sind Sie hier? Können Sie uns sagen, wer das Opfer ist?

Sie würden die Details noch früh genug erfahren. In einem Nobelhotel war ein Mädchen getötet worden, und der Mörder lief frei herum. Es gab nicht eine einzige Institution in der Stadt, die dieses Verbrechen nicht berühren würde – vom Büro des Bürgermeisters bis hin zum Fremdenverkehrsbüro.

Will hatte schon erlebt, wie derlei Geschichten außer Kontrolle gerieten. Jedes pikante Detail würde diskutiert und analysiert werden. Gerüchte würden ins System eingespeist und als Fakten wieder ausgespuckt werden. Man würde die offensichtlichen Fragen stellen: Wer war sein Opfer? Warum wurde er überhaupt wieder freigelassen? Man würde die Sunshine Laws wieder ins Gespräch bringen – Gesetze, die die Beteiligung des Wahlvolks an politischen Entscheidungen regelten. Akten würden kopiert und schleunigst weitergeschickt werden, und Sam Lawson, Faiths Ex, der bei der Zeitung arbeitete, würde wahrscheinlich noch vor dem Abend einen Auftritt bei CNN haben.

»Scheiße«, murmelte Faith und steuerte ihren Mini bis direkt vor die Absperrung. Das Auto schwankte, als die Reporter sich um die besten Positionen rangelten. Sie zeigte dem diensthabenden Beamten ihre Marke.

»Der BMW auch«, sagte Faith zu ihm und deutete auf Saras Auto, das hinter ihr stehen geblieben war.

Der Polizist machte sich eine Notiz auf seinem Klemmbrett und schob sich dann durch die Menge, um die Absperrung anzuheben.

Ein Reporter klopfte an Faiths Fenster. Sie murmelte: »Arschloch«, und dann ließ sie den Wagen langsam vorwärtsrollen. Während der Fahrt hatte sie nicht viel gesagt. Will wusste nicht, ob sie so schweigsam gewesen war, weil sie nicht gewusst hatte, was sie hätte sagen sollen, oder ob Amanda mal wieder ihr übliches Katz-und-Maus-Spiel spielte.

Noch eine Leiche. Die gleiche Vorgehensweise. Sein Vater unauffindbar. Das neue Opfer war eine Prostituierte. Da war sich Will absolut sicher. Das war das Muster seines Vaters. Zuerst eine Studentin, dann eine Stricherin. Die erste schaffte er beiseite, sobald er eine andere hatte, die ihren Platz einnehmen konnte.

Will drehte sich nach Sara um. Der BMW folgte ihnen durch die Absperrung. Seine Sig Sauer lag noch immer unter ihrem Vordersitz. Dieses Mal würde sie ihn nicht aufhalten. Amanda könnte Will mit fünfzig Wachen umstellen, er würde sich trotzdem die Waffe schnappen, seinen Vater aufspüren und ihm eine Kugel in den Kopf jagen.

Genau wie er es schon letzte Nacht hätte tun sollen. Heute Morgen. Vergangene Woche.

So viele verpasste Gelegenheiten. Sein Vater hatte zwei Monate lang in diesem Hotel gewohnt, und er hatte es irgendwie geschafft, ein und aus zu gehen, ohne dass irgendjemand etwas bemerkt hätte. Er hatte es geschafft, zwei Mädchen zu entführen. Er hatte es geschafft, eine in Techwood abzulegen und eine andere in seinem Hotelzimmer zu ermorden – und all das, während die Polizei, der Sicherheitsdienst des Hotels und verdeckte Ermittler angeblich jede seiner Bewegungen überwacht hatten.

Wenn dieser Mistkerl ihnen durchs Netz gehen konnte, dann konnte Will es ebenfalls. Schließlich war er der Sohn seines Vaters.

Faith parkte hinter Amandas SUV und zog die Handbremse. Will stieg aus. Saras BMW hielt hinter zwei Streifenwagen des APD. Vor Ort waren ebenso viele Polizisten wie Reporter. Will schob sich an zwei Uniformierten vorbei, um Sara die Tür zu öffnen. Kameras blitzten, als sie ausstieg. Unsicher verschränkte sie die Arme. Sie trug Leggins und sein Hemd – nicht gerade Dienstkleidung. Will ergriff die Gelegenheit und beugte sich hinter ihr in den Wagen, um die Waffe unter dem Sitz hervorzuholen.

Nur war die Waffe nicht mehr da. Als er aufblickte, starrte Sara ihn an.

»Dr. Linton«, sagte Amanda. »Vielen Dank, dass Sie mitgekommen sind.«

Sara schlug die Autotür zu und verriegelte sie mit der Fernbedienung, die sie sich in die Brusttasche steckte. »Ist Pete schon unterwegs?«

»Nein. Er ist heute Vormittag bei Gericht.« Amanda bedeutete ihnen, ihr ins Gebäude zu folgen. »Ich bin Ihnen sehr dankbar, dass Sie es so kurzfristig einrichten konnten. Es wäre für uns alle von Vorteil, wenn wir die Leiche so schnell wie möglich wegbringen lassen könnten.«

Ein Streifenbeamter öffnete eine Seitentür. Mit einem Zischen veränderte sich der Luftdruck. Will war noch nie zuvor in diesem Hotel gewesen. Die Eingangshalle war opulent bis zum Exzess. Die Oberflächen waren verkleidet mit Marmor in den unterschiedlichsten Farben. Eine große Treppe dominierte den Saal und trennte ihn in zwei Hälften. Die Stufen waren mit Teppich ausgelegt. Die Handläufe waren aus poliertem Messing. Der Lüster, der von der Decke hing, sah aus, als wäre eine Kristallfabrik explodiert.

Das Umfeld wäre wirklich beeindruckend gewesen, wenn es in der Lobby nicht obendrein gewimmelt hätte von Ermittlern jeder Art und Behörde. Zivilbeamte. Uniformierte. Special Agents des GBI. Sogar ein paar Frauen von der Sitte waren da, deren goldene Dienstmarken an ihrer schäbigen Kleidung unpassend wirkten.

»Der Sicherheitsdienst beschafft sich die Überwachungsbänder der letzten vierundzwanzig Stunden«, sagte Amanda zu Faith. »Hoffentlich geben sie ein bisschen Gas.«

Faith nickte und wandte sich zur Rezeption.

»Haben Sie das Opfer schon identifiziert?«, fragte Sara.

»Ja.« Amanda winkte Jamal Hodge zu sich. »Detective, könnten Sie den Saal räumen lassen bis auf das absolute Minimum Ihrer Truppe?«

»Natürlich, Ma'am.« Er ging zu seinen Leuten hinüber und hob die Arme, um ihre Aufmerksamkeit zu erregen. Will blendete den Mann aus. Stattdessen musterte er Amanda. Sie schob sich die Armschlinge zurecht, während sie einem Wachmann des Hotels Anweisungen gab.

»Was geht hier vor?«, fragte Sara.

Will antwortete nicht. Er ließ den Blick durch die Lobby wandern, versuchte, einen ranghohen APD-Beamten zu finden. Kein Leo Donnelly. Kein Mike Geary, verantwortlicher Captain dieser Zone.

»Amanda hat den Fall übernommen«, murmelte er, als es ihm dämmerte. Doch das ergab keinen Sinn. Was das Atlanta Police Department betraf, hatte die tote Prostituierte nichts zu tun mit der entführten Studentin. Er wandte sich an Amanda: »Was ist passiert?«

Sie deutete zu dem Wachmann. Er trug einen teuer aussehenden anthrazitfarbenen Anzug, aber das Funkgerät in seiner Hand verriet ihn. »Das ist Bob McGuire, Chef der Hotelsicherheit. Er hat uns gerufen.«

Will gab dem Mann die Hand. McGuire war zu jung, um ein Polizist im Ruhestand zu sein, aber er wirkte verhältnismäßig gefasst, wenn man darüber nachdachte, was ihm hier gerade widerfuhr. Er geleitete sie zum Aufzug. »Ich habe heute Morgen einen Anruf aus der Küche bekommen. Das Mädchen vom Zimmerservice hatte Bescheid gesagt, dass er auf ihr Klopfen nicht reagiert habe.«

»Er hatte sich sonst immer genau an einen strikten Tagesablauf gehalten«, erklärte Amanda.

Die Fahrstuhltür ging auf. Will trat beiseite, um Sara und Amanda den Vortritt zu lassen.

»Er wohnt seit zwei Monaten hier«, fuhr McGuire fort, zog seine Schlüsselkarte über das Kontrollpanel und drückte auf den Knopf für den neunzehnten Stock. »Sein Tagesablauf war immer der gleiche. Zimmerservice um sechs Uhr früh, dann Fitnessraum, dann zurück auf sein Zimmer. Mittags dann wieder Zimmerservice.« Er steckte die Hände in die Hosentaschen. »Ein oder zwei Mal pro Woche aß er in unserem Restaurant oder an der Bar zu Abend. Sonst bestellte er um sechs Uhr erneut den Zimmerservice. Danach hörten wir nichts mehr von ihm bis um sechs am nächsten Morgen.«

»Er hält sich an seinen Tagesablauf im Gefängnis«, bemerkte Amanda.

Will sah sich in der Aufzugskabine um. Eine Überwachungskamera hing in einer Ecke. »Wie lange beobachten Sie ihn schon?«

»Offiziell?«, fragte McGuire. »Erst seit ein paar Tagen.« Zu Amanda sagte er: »Ihre Leute haben die Hauptarbeit übernommen, aber auch meine haben ihren Beitrag geleistet.«

»Und inoffiziell?«, fragte Will.

»Seit er eingecheckt hat. Er ist ein merkwürdiger Typ. Körperlich ziemlich abschreckend. Er hat nie irgendwas Auffälliges getan, aber er bereitete den Leuten Unbehagen. Und ehrlich gesagt – die Präsidentensuite für tausend Dollar pro Nacht! Normalerweise versuchen wir herauszufinden, wer unsere höhergestellten Gäste sind. Ich habe mich ein bisschen umgehört und bin zu dem Schluss gekommen, dass wir ihn im Auge behalten sollten.«

»Hat irgendjemand mit ihm gesprochen? Oder näheren Kontakt mit ihm gehabt?«, fragte Amanda.

»Wie gesagt, er war angsteinflößend. Das Hotelpersonal mied ihn, wenn möglich. Die Zimmermädchen ließen wir nie allein hinauf.«

»Was ist mit anderen Gästen?«

»Keiner hat je irgendetwas erwähnt.«

»Wie bezahlte er das Zimmer?«, fragte Will. Der Mann war im Gefängnis gewesen. Eine Kreditkarte hatte er mit Sicherheit nicht.

»Seine Bank hat alles für ihn arrangiert«, erklärte McGuire.

»Es gibt eine Bürgschaft über hunderttausend Dollar für das Zimmer.«

Eine Glocke ertönte. Die Türen gingen auf.

Will trat beiseite und folgte dann den anderen aus dem Aufzug. Sara sah ihm einen Augenblick in die Augen. Er nickte ihr zu. Sie ging vor.

»Auf dieser Etage gibt es noch fünf weitere Suiten«, führte McGuire aus. »Die Präsidentensuite liegt am Ende des Korridors. Sie ist knapp zweihundert Quadratmeter groß.«

Am Ende des Korridors standen drei uniformierte APD-Beamte. Sie waren über fünfzehn Meter von ihnen entfernt. Über ihren Köpfen leuchtete das rote Licht für den Notausgang. Die Suite lag dem Treppenhaus direkt gegenüber.

McGuire führte sie den Gang entlang. »Drei der Suiten sind

belegt. Entertainer, die hier in der Stadt Konzerte geben. Wir haben es so eingerichtet, dass sie in unserem Schwesteranwesen unterkommen. Ich kann Ihnen ihre Daten geben, aber ...«

»Ich verschwende lieber keine Zeit mit Anwaltsgesprächen«, fiel Amanda ihm ins Wort.

Will spürte einen Schmerz im Unterkiefer, der seinen Hals entlangwanderte. Seine Schultern verspannten sich. Trotz Hintergrundmusik hörte er seinen eigenen Atem. Der dicke Teppich war weich unter seinen Sohlen. Die Wände waren dunkelbraun gestrichen, was dem langen Gang etwas Tunnelartiges gab. In regelmäßigen Abständen hingen Lüster von der Decke. Neben einer geschlossenen Tür stand ein Wagen des Zimmerservices. Keine Nummern auf den Türen. Die Suiten waren vermutlich drei oder vier Zimmer groß. In einem Film gäbe es darin auch noch eine Jacuzzi-Wanne und Bäder, die so groß waren wie Wills gesamtes Haus.

Sie würde nicht in der Wanne liegen. Sie würde nicht im Bad liegen. Sie würde auf der Matratze liegen. Sie würde darauf fixiert sein wie das Versuchsobjekt in einem wissenschaftlichen Experiment.

Noch ein Opfer. Noch eine Frau, deren Leben vorüber war wegen eines Mannes, dessen DNS sich auch in Wills Genen befand.

Er hatte noch nie in einer Hotelsuite übernachtet. Er war noch nie an einem Strand entlanggelaufen. Er war noch nie geflogen. Er hatte nie ein Schulzeugnis nach Hause gebracht und eine Mutter lächeln gesehen. Der Tonaschenbecher, den er im Kindergarten geformt hatte, war einer von sechzehn gewesen, die Mrs. Flannigan am Muttertag bekommen hatte. Die Geschenke unter dem Weihnachtsbaum im Kinderheim waren stets beschriftet gewesen mit »Für ein Mädchen« oder »Für einen Jungen«. Am Abend seiner Abschlussfeier an der Highschool hatte er inmitten einer Menge jubelnder Familien gestanden und nur Fremde gesehen.

Kurz vor den Uniformierten blieb Amanda stehen. »Dr. Linton, vielleicht könnten Sie einen Augenblick draußen bleiben?«

Sie nickte, doch Will fragte nach: »Warum?«

Amanda starrte ihn an. Sie sah noch schlimmer aus als am Tag zuvor. Sie hatte dunkle Ringe unter den Augen. Ihr Lippenstift war verschmiert.

»Gut, meinetwegen.« Dieses eine Mal gab Amanda nach.

Die Uniformierten schien ihr Auftrag zu langweilen. Sie hatten die Daumen in ihre schweren Ausrüstungsgürtel gehakt und standen breitbeinig da, damit ihr Rückgrat unter der Last der Gerätschaften nicht einknickte.

»Mimi«, sagte Amanda zu einer von ihnen. »Wie geht's Tante Pam?«

»Sie verabscheut ihr Rentnerdasein.« Sie nickte zu dem Zimmer hinüber. »Es ist niemand rein oder raus.«

Amanda wartete, bis McGuire die Tür mit seiner Schlüsselkarte geöffnet hatte. Das grüne Licht blinkte auf. Ein Klicken war zu hören. Dann hielt er ihnen die Tür auf. Sara und Amanda traten ein, Will folgte ihnen.

»Ich bin draußen, wenn Sie mich brauchen«, sagte McGuire. Am Türstock war eine Metallsperre befestigt. Er klappte sie vor, damit die Tür nicht zufiel, und zog sich zurück.

»Also«, sagte Amanda.

Sie standen in der Diele, die sich zu einem Zimmer öffnete, das größer war als das Haus, in dem Will wohnte. Die Vorhänge waren aufgezogen. Sonnenlicht strömte herein. Die Ecksuite bot einen Panoramablick auf Midtown. Das Equitable-Gebäude. Georgia Power. Das Westin-Hotel.

Und Techwood in der Ferne.

Zwei Sofas und vier Sessel waren vor einem 42-Zoll-Flachbildfernseher gruppiert. Es gab einen DVD-Player. Eine Stereoanlage. Eine Küchenzeile. Eine Bar mit eigenem Spülbecken. Ein Esszimmer mit zehn Sitzplätzen. Einen großen Schreibtisch mit einem Aeron-Sessel davor. Eine Toilette mit Wandtelefon.

Das Toilettenpapier war zu einer Rose gefaltet, der Wasserhahn ein vergoldeter Schwan, der den Schnabel öffnete und das Wasser herausspie, wenn man an seinen Flügeln drehte.

»Hier entlang«, sagte Amanda. Die Tür zum Schlafzimmer war halb zugezogen. Sie stieß sie mit dem Fuß auf.

Will atmete durch den Mund. Er erwartete den vertrauten metallischen Geruch von Blut. Er erwartete ein dünnes blondes Mädchen mit leeren Augen und perfekt manikürten Fingernägeln.

Wen er stattdessen vor sich sah, war sein Vater.

Will versagten die Knie. Sara versuchte, ihn zu halten, aber er war zu schwer. Er fiel gegen die Tür. Totenstille legte sich über ihn. Amanda bewegte den Mund. Sara versuchte, ihm etwas zu sagen, aber seine Ohren funktionierten nicht mehr. Seine Lunge funktionierte nicht mehr. Seine Sicht verzerrte sich. Alles nahm eine rote Tönung an, als würde er durch einen Blutschleier sehen.

Der Teppich war rot. Die Vorhänge. Die Sonne, die durchs Fenster fiel – alles war rot.

Bis auf seinen Vater.

Er lag auf dem Bett. Auf dem Rücken. Die Hände auf der Brust gefaltet.

Er war im Schlaf gestorben.

Will brüllte vor Zorn. Er trat gegen die Tür, dass der Knauf in die Wand krachte. Er packte die Stehlampe und warf sie durchs Zimmer. Irgendjemand versuchte, ihn aufzuhalten. McGuire. Will schlug ihm mit der Faust ins Gesicht. Und dann sackte er zusammen, als ihm jemand einen Schlagstock in die Kniekehlen jagte. Zwei Polizisten standen über ihm. Drei. Wills Gesicht wurde in den Teppich gedrückt. Eine kräftige Hand hielt es dort fest, während sein Arm nach hinten gedreht wurde. Eine Handschelle schloss sich um sein Gelenk.

»Wagen Sie es nicht!«, schrie Sara. »Aufhören!«

Ihre Worte waren wie ein Schlag ins Gesicht. Will kam wieder zu Sinnen. Ihm wurde bewusst, was er gerade getan hatte. Dass er vollkommen die Kontrolle über sich selbst verloren hatte.

Und dass Sara es mit angesehen hatte.

»Officers!« Amanda klang streng. »Lassen Sie ihn los! Sofort!«

Will hörte auf, sich zu wehren. Er spürte, dass der Druck nachließ. Die Beamtin beugte sich zu ihm hinunter, sodass Will ihr Gesicht sehen konnte. Mimi. »Sind wir wieder okay?«, fragte sie.

Will nickte.

Der Schlüssel klickte in der Handschelle. Sein Arm war wieder frei. Langsam stiegen sie alle von ihm herunter. Doch Will blieb am Boden liegen. Langsam drehte er den Kopf. Er drückte die Handflächen in den Teppich. Er stemmte sich auf die Hacken. Er atmete hektisch. Das Blut pochte ihm in den Ohren.

»Arschloch.« McGuire hielt sich die Hand an die Nase. Blut sickerte zwischen den Fingern hindurch.

»Mr. McGuire«, sagte Amanda, »wenn Sie uns jetzt bitte entschuldigen würden.«

Der Mann sah aus, als würde er Will lieber die Zähne eintreten.

»Ich hole Ihnen etwas Eis«, bot Mimi an, fasste McGuire am Ellbogen und führte ihn aus dem Zimmer. Die beiden anderen Uniformierten folgten ihnen hinaus.

»Nun ja.« Amanda stieß einen langen Seufzer aus. »Dr. Linton, können Sie den Todeszeitpunkt einschätzen?«

Sara rührte sich nicht. Sie sah Will an. Sie war nicht wütend. Sie war nicht angewidert. Ihr Körper zitterte leicht. Er spürte, dass sie ihm helfen wollte. Sich danach sehnte, ihm zu helfen. Dass sie ihn mit aller Unmissverständlichkeit liebte.

Will stemmte sich vom Boden hoch und stand auf. Er strich sein Jackett glatt.

»Er wurde zum letzten Mal gegen sieben Uhr gestern Abend gesehen«, erklärte Amanda. »Er rief den Zimmerservice, um sein Tablett abräumen zu lassen, dann hängte er die Frühstückskarte an die Tür.«

Zimmerservice. Penthouse-Suite. Friedlich im Schlaf gestorben.

»Dr. Linton?«, sagte Amanda. »Der Todeszeitpunkt wäre sehr hilfreich.«

Sara schüttelte den Kopf, noch ehe Amanda zu Ende gesprochen hatte. »Ich habe nicht die entsprechende Ausrüstung dabei. Und bewegen kann ich die Leiche erst, wenn sie fotografiert wurde. Ich habe nicht einmal Gummihandschuhe dabei.«

Amanda zog den Reißverschluss ihrer Handtasche auf. »Der Thermostat war auf zwanzig Grad gestellt, als das erste Team eintraf.« Sie reichte Sara ein Paar Gummihandschuhe. »Ich bin mir sicher, Sie können uns ein bisschen was erzählen.«

Sara sah wieder zu Will. Sie wartete offensichtlich auf seine Zustimmung. Er nickte, und sie nahm die Handschuhe entgegen. Ihr Gesicht veränderte sich, als sie zum Bett schritt. Er hatte das schon ein paarmal miterlebt. Sie war gut in ihrem Job. Gut darin, ihre Person von dem zu trennen, was sie tun musste.

Will hatte genügend Voruntersuchungen miterlebt, um zu wissen, was sie dachte. Sie registrierte die Position der Leiche – er lag ausgestreckt auf dem Rücken auf der Matratze. Sie registrierte, dass Laken und Bettdecke ordentlich zusammengefaltet am Fußende des Betts lagen. Sie registrierte, dass das Opfer ein langärmeliges weißes T-Shirt und weiße Boxershorts trug.

Und dass neben ihm auf dem Nachttisch ein Maniküreset aus schwarzem Samt lag.

Die Utensilien lagen ordentlich aufgereiht daneben: ein Nagelknipser, eine Schere, ein Nagelpolierer, drei Arten von Metallfeilen, eine Sandblattfeile, ein transparentes Glasröhrchen mit den weißen, halbmondförmigen Abschnitten seiner Fingernägel.

Will hatte den Mann nie persönlich getroffen. Sein Registerfoto hatte verquollene Züge voll dunkler Quetschungen offenbart. Monate nach seiner Verhaftung hatte ein Zeitungsfotograf es geschafft, eine verschwommene Aufnahme von ihm in Ketten zu schießen, als er das Gerichtsgebäude verlassen hatte. Das waren die einzigen Fotos, die Will je gesehen hatte. Seine Akte hatte keinerlei Informationen über seine Herkunft geliefert. Kein Mensch wusste, woher er stammte. Es hatten sich keine Freunde gemeldet. Keine Eltern. Keine Nachbarn, die behaupteten, dass er immer ganz normal gewirkt hätte.

Was heute die *AJC* war, waren damals noch zwei Zeitungen gewesen – das *Atlanta Journal* und die *Atlanta Constitution*. Beide Zeitungen hatten über das Gerichtsverfahren berichtet. Zu einem Prozess war es nie gekommen. Sein Vater hatte sich zu den Anklagepunkten Entführung, Folter, Vergewaltigung und Mord schuldig bekannt. Da das Oberste Gericht die Todesstrafe für widerrechtlich erklärt hatte, war das einzige Angebot, das der Staatsanwalt als Gegenleistung dafür machen konnte, dass er den Fall in einem Prozess nicht mit Beweisen unterfüttern musste, eine lebenslängliche Strafe mit der Option auf Bewährung gewesen. Dass jeder davon ausgegangen war, dass diese Option nie Wirklichkeit werden würde, hatte sich von selbst verstanden.

Will vermutete deshalb, dass sein Vater alles in allem Glück gehabt hatte. Glück, dass er der Todesstrafe entgangen war. Glück, dass der Bewährungsausschuss ihn letztendlich doch entlassen hatte. Glück, dass er eines natürlichen Todes gestorben war.

Glück, dass er noch ein letztes Mal hatte töten können. Sara begann ihre Untersuchung beim Gesicht. Dort setzte die Leichenstarre immer als Erstes ein. Sie prüfte die Beweglichkeit des Unterkiefers, drückte den Finger auf die geschlossenen Lider und auf den Mund. Dann untersuchte sie die Finger, bewegte das Handgelenk. Die Nägel glänzten im Sonnenlicht. Sie waren kurz geschnitten. Die Nagelhaut an seinem Daumen hatte vor seinem Tod noch geblutet.

»Ich vermute – und es ist wirklich nur eine Vermutung«, sagte Sara, »dass er irgendwann in den letzten sechs Stunden gestorben ist.«

Amanda gab sich nicht damit zufrieden. »Können Sie irgendetwas über die Todesursache sagen?«

»Nein. Es könnte ein Herzanfall gewesen sein. Es könnte aber auch genauso gut Zyanid gewesen sein. Das weiß ich erst, wenn ich ihn auf dem Tisch habe.«

»Aber sicher gibt es doch sonst noch etwas, das Sie über ihn sagen können?«

Sara war sichtlich verärgert über die Frage. Dennoch antwortete sie: »Er ist Mitte bis Ende sechzig. Er ist gut genährt, in gutem Allgemeinzustand. Sein Muskeltonus ist bemerkenswert, sogar noch in der Starre. Seine Zähne sind falsch, offensichtlich Gefängnisqualität. Allem Anschein nach hat er eine Narbe auf der Brust. Sie können sie im V-Ausschnitt seines Unterhemds sehen. Sie sieht aus wie von einer OP.«

»Er hatte vor ein paar Jahren einen Herzinfarkt.« Amanda runzelte die Stirn. »Leider haben sie es geschafft, ihn zu retten.«

»Das könnte die Luftröhrennarbe an seiner Kehle erklären.« Sie deutete auf das Metallarmband auf seinem Handgelenk. »Er ist Diabetiker. Vor dem Fotografieren werde ich seine Kleidung nicht entfernen, aber ich vermute, wir werden Einstichspuren auf Unterbauch und Beinen finden.« Sie zog die Handschuhe aus. »Sonst noch was?«

Faith war in der Tür aufgetaucht. »Ich hab noch was.« Sie hielt eine CD-ROM in die Luft. Sie sah an Will vorbei, was ihm signalisierte, dass die Identität des Opfers keine Überraschung für sie war. Sie war eine bessere Lügnerin, als er vermutet hätte. Oder vielleicht auch nicht. Wenigstens verstand er jetzt, warum sie auf der Fahrt so schweigsam gewesen war.

»Wir können sie uns im anderen Zimmer ansehen«, sagte Amanda.

Die drei standen wartend im Halbkreis, während Faith den DVD-Player einschaltete und die CD-ROM einlegte. Amanda stand zwischen Will und Sara. Sie holte ihr Blackberry aus der Handtasche. Will glaubte zuerst, sie wollte ihre E-Mails lesen, aber er konnte ihr problemlos über die Schulter sehen. Das Display war gesplittert, aber er erkannte doch, dass sie die Nachrichten aufgerufen hatte.

Amanda las die Schlagzeile laut vor. »Kürzlich begnadigter Verbrecher stirbt in Hotelzimmer in Midtown.«

»Sie haben auf irgendeinen Prominenten gehofft.« Faith nahm die Fernbedienung zur Hand. »Idioten!«

»Die Story ist noch nicht durch.« Amanda scrollte den Artikel hinunter. »Anscheinend hat irgendein Hotelangestellter ihnen den Tipp gegeben, dass sich in den letzten Tagen verstärkt Polizei im Hotel aufgehalten hat.« Zu Will sagte sie: »Das ist der Grund, warum wir versuchen, uns hier Freunde zu schaffen.«

»Los geht's.« Faith richtete die Fernbedienung auf den DVD-Player. Die Überwachungskamera zeigte einen leeren Hotelaufzug. Will erkannte das Fliesenmuster auf dem Boden der Kabine. Faith spielte die Aufnahme im Schnelldurchlauf weiter und sagte: »Entschuldigung, aber es gibt keine Zeitstrukturierung.«

Das Licht auf der Bedientafel des Aufzugs blinkte, was bedeutete, dass der Aufzug nach unten in die Lobby fuhr. Faith stoppte die Aufnahme, als die Tür aufging. Eine Frau stieg in den Aufzug. Sie war dünn und groß, hatte langes blondes Haar und trug einen weißen Schlapphut auf dem Kopf. Die Hutkrempe bedeckte fast ihr ganzes Gesicht. Nur ihr Kinn war zu sehen, bevor sie sich umdrehte. »Eine Nutte«, sagte Faith. »Der Sicherheitsdienst kennt ihren Namen nicht, aber sie war schon öfter hier. Sie haben den Hut wiedererkannt.« Will betrachtete die Zeitangabe. 22:14:12. Zu der Zeit hatte er auf der Couch mit Sara geschlafen.

»Sie ist im Besitz einer Schlüsselkarte«, stellte Amanda fest, als auf dem Bildschirm die Frau eine Karte über das Kontrollpanel zog, genau wie McGuire es zuvor getan hatte. Sie drückte den Knopf für den neunzehnten Stock. Die Tür schloss sich. Die Frau stand mit dem Gesicht zur Tür, sodass die Kamera nur die

Oberseite ihres Huts erfasste. Die Türverkleidung bestand aus massivem Holz. Kein Spiegelbild irgendwo.

»Konnten die Kameras in der Lobby ihr Gesicht erfassen?«, fragte Amanda.

»Nein«, antwortete Faith. »Sie ist ein Profi. Sie weiß, wo sich die Kameras befinden.« Die Frau stieg aus dem Fahrstuhl, und die Tür schloss sich hinter ihr. Jetzt war die Kabine wieder leer.

»Sie blieb eine halbe Stunde oben und fuhr dann wieder hinunter. Ich habe bei der Sitte nachgefragt. Ihnen zufolge ist das in etwa die übliche Zeit.«

»Sie hatte Glück, mit dem Leben davongekommen zu sein«, sagte Amanda.

Erneut stoppte Faith die Aufnahme. Die Aufzugtür ging auf. Die Frau stieg genauso wieder ein, wie sie zuvor ausgestiegen war, den Kopf gesenkt, das Gesicht unter dem Hut verborgen. Ihr Finger drückte auf den Knopf. Wieder stand sie mit dem Gesicht zur Tür da, doch diesmal hob sie die Hand und rückte sich den Hut zurecht.

»Vorher waren ihre Fingernägel nicht lackiert«, stellte Will fest.

»Sehr richtig«, bestätigte Faith. »Ich habe es mir vier Mal angesehen, bevor ich hochkam.«

Will starrte die Hände der Frau an. Die Nägel waren leuchtend knallrot lackiert. »Neben dem Bett steht kein Nagellack. Nur ein Maniküreset.«

»Hat sie ihn vielleicht selber mitgebracht?«, schlug Faith vor.

»Nicht besonders wahrscheinlich«, erwiderte Amanda. »Er hatte gern die Kontrolle über alles.«

»Ich sehe mich mal in dem anderen Zimmer um«, bot Sara an.

»Der Sicherheitsdienst meinte, dass das Mädchen schon öfter im Hotel gewesen sei«, sagte Amanda. »Ich will, dass Sie jede Aufnahme durchsehen, die Sie bekommen können. Irgendwo muss ihr Gesicht doch zu sehen sein.«

Faith verließ das Zimmer.

Amanda zog einen weiteren Handschuh aus ihrer Handtasche, streifte ihn jedoch nicht über, sondern legte ihn nur als Schutz über die Griffe, als sie die Schubladen des Schreibtischs aufzog. Stifte. Papier. Aber kein leuchtend roter Nagellack.

»Dazu muss man nicht zu zweit sein«, murmelte sie über die Schulter in Wills Richtung.

Will trat an die Küchenzeile. Auf der Arbeitsfläche lagen zwei Schlüsselkarten. Die eine war einfarbig schwarz, auf der anderen war die Abbildung eines Crosstrainers zu sehen, wahrscheinlich die Karte fürs Fitnessstudio. Ein Stapel druckfrischer Geldscheine lag daneben. Will berührte die Scheine nicht. Etwa fünfhundert Dollar, wie er vermutete. Lauter Zwanziger.

»Was gefunden?«, fragte Amanda.

Will umrundete die Bar. Rührstäbchen. Ein Mixbecher. Eine Bibel mit einem Umschlag zwischen den Seiten. Das Buch war alt. Der Ledereinband war an den Kanten angestoßen, der Karton darunter kam bereits zum Vorschein. »Ich brauche Ihren Handschuh.«

»Was denn?« Statt ihm den Handschuh zu überreichen, wischte sie sich die Hand an ihrem Rock ab. Dann zog sie selbst den Handschuh über, nahm die Bibel zur Hand und schlug sie auf.

Der Umschlag, der flach darin lag, befand sich offenbar schon eine ganze Weile dort. Das Papier war alt. Das runde Logo in der Ecke war ausgebleicht. Die getippte Adresse war mit der Zeit grau geworden.

Amanda wollte die Bibel schon wieder schließen, doch Will hielt sie davon ab.

Er beugte sich über den Umschlag und kniff die Augen zusammen, um die Adresse lesen zu können. Will hatte den Namen seines Vaters oft genug gesehen, um die Wörter zu entziffern. Atlanta Jail war ihm ebenso geläufig. Er hatte einen der Begriffe oder beide in fast jedem Bericht benutzt, den er je geschrieben hatte. Der Poststempel war verblasst, aber das Datum immer noch gut lesbar: 15. August 1975. »Der Brief wurde einen Monat nach meiner Geburt abgeschickt.«

»Sieht so aus.«

»Er ist von einer Anwaltskanzlei.« Er erkannte Justitia mit der Waage auf dem Logo.

»Herman Centrello«, las sie vor.

Der Strafverteidiger seines Vaters. Der Mann war der reinste Scharfschütze gewesen – und der Grund, warum sie hier waren. Es war die Drohung mit den überragenden Fähigkeiten Centrellos vor Gericht gewesen, die den Staatsanwalt von Atlanta dazu bewogen hatte, die lebenslange Strafe mit Option auf Begnadigung vorzuschlagen.

»Machen Sie ihn auf«, sagte Will.

In fünfzehn Jahren hatte Will nur ein einziges Mal erlebt, dass Amandas Fassung Risse bekommen hatte, und auch damals war es eher ein Haarriss gewesen. Jetzt zeigte sie für den Bruchteil einer Sekunde so etwas wie Angst. Und dann war dieses Gefühl ebenso schnell wieder verschwunden.

Der Umschlag klebte im Falz. Sie musste ihn umblättern wie eine Buchseite. Der Leim an der Umschlaglasche war längst eingetrocknet. Mit Daumen und Zeigefinger drückte sie den Umschlag auf. Will spähte hinein.

Kein Brief. Keine Notiz. Nur blasse Tinte, wo ein paar Worte abgefärbt hatten.

»Offensichtlich nichts weiter als ein Lesezeichen«, sagte Amanda.

»Warum hat er ihn dann die ganzen Jahre aufbewahrt?«

»Dort ist auch nichts.« Sara war zurückgekommen. »Kein Nagellack im Bad, keiner im Schlafzimmer. Aber ich habe sein Diabetesset gefunden. Seine Spritzen liegen in einem Entsorgungsbehälter aus Plastik. Wir müssen ihn im Labor öffnen lassen, aber soweit ich es sehen konnte, steckt nichts darin, das dort nicht hingehört.«

»Danke, Dr. Linton.« Amanda schlug die Bibel zu. Wieder zog sie ihr Blackberry heraus. »Will?«

Sie führte nicht weiter aus, was sie von ihm wollte, also wandte er sich wieder der Bar zu. Mit der Schuhspitze öffnete er die unteren Türen. Gläser. Zwei Eiskübel. Die Minibar war unverschlossen. Will benutzte wieder die Schuhspitze. Der Kühlschrank war voller Röhrchen mit Insulin, ansonsten war er leer. Er ließ die Tür wieder zufallen.

Auf den Regalen hinter der Bar standen mindestens zwei Dutzend Schnapsflaschen. Will erhaschte einen Blick auf sein Spiegelbild in der Rückwand, doch er sah sich nicht an, wollte nicht in dieses verdammte Loch fallen, sich selbst mit seinem Vater zu vergleichen. Stattdessen studierte er die farbigen Etiketten, die bernstein- und goldfarbenen Flüssigkeiten.

So bemerkte er auch, dass eine der Flaschen leicht schräg stand. Irgendetwas lag darunter. »Heben Sie mal diese Flasche hoch.«

Sie fragte ihn nicht, warum, sondern nahm die Flasche vom Regal. »Ein Schlüssel.«

»Ist der für die Minibar?«, fragte Sara.

Will kontrollierte das Schloss am Kühlschrank. »Nein. Dafür ist er zu groß.«

Vorsichtig hob Amanda den Schlüssel an den Rändern an. Der Schlüsselgriff war stufig gefräst, nicht rund oder quadratisch. In das Metall war eine Nummer gestanzt.

»Ein Schloss der Firma Schlage«, stellte Will fest.

Amanda klang verwirrt. »Ich habe keine Ahnung, was das bedeutet.«

»Das ist ein aufbruchsicheres Riegelschloss.« Will ging in den Gang hinaus. Die Polizisten waren verschwunden, aber McGuire war immer noch da. Er drückte sich einen Eisbeutel auf die Nase.

»Tut mir leid«, sagte Will.

McGuires kurzes Nicken war kein Zeichen des Verzeihens.

»Welche Tür in diesem Hotel kann nur mit einem richtigen Metallschlüssel geöffnet werden?«, fragte Will.

Betont langsam ließ McGuire den Eisbeutel sinken und zog Blut hoch. »Die Schlüsselkarten ...«

Amanda unterbrach ihn, indem sie den Schlüssel in die Höhe hielt. »Der gehört zu einem Schlage-Riegelschloss. Aufbruchsicher. Welche Tür in Ihrem Hotel lässt sich damit öffnen?«

McGuire war nicht dumm. Er hatte sich im Nu wieder im Griff. »Die einzigen Schlösser dieser Art sind im zweiten Untergeschoss.«

»Was ist dort unten?«, fragte Amanda.

»Die Generatoren. Die Hotelmechanik. Die Aufzugsschächte.«

Amanda eilte zu den Aufzügen hinüber. Im Vorbeigehen sagte sie zu McGuire: »Funken Sie Ihr Team an. Wir treffen uns unten.«

McGuire lief ihr nach. »Die Gästeaufzüge gehen nur bis in die Lobby. Man muss im Serviceaufzug in den zweiten Stock fahren und dann die Treppe des Notausgangs hinter dem Wellnessbereich benutzen.«

Amanda drückte auf den Knopf. »Was befindet sich sonst noch auf dieser Etage?«

»Die Behandlungsräume. Ein Nagelstudio. Der Pool.« Die Tür ging auf. Er ließ Amanda den Vortritt. »Die Treppe zum zweiten Untergeschoss ist hinter dem Fitnessstudio.«

27. KAPITEL

15. Juli 1975

»Amanda«, wiederholte Evelyn.

Amanda starrte auf Ulster hinab. Sie stemmte noch immer den Fuß auf seinen Hals. Mit dem geringsten Druck würde sie ihm die Luftröhre zerquetschen.

»Amanda«, wiederholte Evelyn. »Das Mädchen!« Das Mädchen.

Amanda trat zurück. Zu dem Streifenbeamten sagte sie: »Übernehmen Sie!« Der Mann zog seine Handschellen heraus. Als er mit seinem Schultermikrofon die Zentrale alarmierte, klang er so verängstigt, wie Amanda zehn Minuten zuvor gewesen war.

Mittlerweile jedoch hatte sie keine Angst mehr. Die stählerne Härte war zurück. Die Wut. Der Zorn. Sie ging aufs Haus zu.

»Warte!« Evelyn legte Amanda die Hand auf den Arm. Die untere Hälfte ihres Gesichts war geschwollen. Offensichtlich tat ihr das Sprechen weh, deshalb flüsterte sie: »Da könnte noch jemand anderes drin sein.«

Kein anderes Mädchen. Ein anderer Mörder.

Amanda sah ihren Revolver auf dem Boden liegen. Der Holzgriff war gesprungen. Sie klappte den Zylinder heraus. Eine Kugel. Sie warf Evelyn einen Blick zu, die ihre Waffe ebenfalls kontrollierte und dann vier Finger hob. Insgesamt hatten sie noch fünf Kugeln. Mehr nicht.

Doch mehr brauchten sie auch nicht.

Die Haustür war unverschlossen. Amanda griff in den Flur und knipste das Licht an. Eine nackte Birne hing in einer alten Fassung von der Decke. Die Grundfläche des Hauses entsprach einem lang gezogenen Rechteck. Es war einstöckig, die Haustür gab den Blick auf die Rückwand preis. Im vorderen Bereich standen zwei Sessel. Auf einem lag aufgeschlagen eine Bibel, auf dem Boden daneben eine silberfarbene Schüssel mit Wasser. Unwillkürlich musste sie an die Ostergottesdienste in der Kirche denken. Frauen brachten Schüsseln mit Wasser und wuschen den Männern die Füße. Seit ihrem zehnten Lebensjahr hatte sie an jedem einzelnen Osterfest Dukes Füße gewaschen.

Das entfernte Jaulen einer Sirene durchbrach die Stille. Nein, nicht das Jaulen einer einzelnen Sirene. Es waren zwei. Drei. Mehr, als sie unterscheiden konnten.

Evelyn trat neben Amanda, und gemeinsam gingen sie den Gang entlang. Die Küche lag jetzt direkt vor ihnen. Rechts gingen zwei Türen ab. Links eine. Alle waren geschlossen.

Evelyn deutete zur ersten Tür. Sie umfasste den Revolver fester. Mit einem Nicken gab sie Amanda zu verstehen, dass sie bereit war.

Sie postierten sich links und rechts der Tür. Amanda griff nach dem Knauf und drehte ihn. Dann stieß sie die Tür auf. Mit einer schnellen Bewegung griff sie hinein und schaltete das Licht an. Eine Stehlampe sprang an. Mitten im Zimmer stand ein Metallbett. Die Matratze war von Flecken übersät. Von abgerissenen Nähten standen Reste von Fäden in die Höhe. Ein Waschtisch. Ein Spülbecken. Ein Stuhl. Ein Nachtschränkchen.

Auf dem Nachtschränkchen lag ein Nagelknipser. Eine Nagelhautzange. Nagelpolierer. Eine Sandblattfeile. Eine Pinzette. Ein roter Max-Factor-Nagellack mit spitz zulaufender weißer Schraubkappe. Ein Glasröhrchen mit halbmondförmig abgeschnittenen Fingernägeln.

Jane Delray. Mary Halston. Kitty Treadwell. Lucy Bennett.

Dreckige Zimmer. Bröckelnder Putz. Nackte Glühbirnen an der Decke. Tierkot auf dem Boden. Der Geruch von Blut und Terror.

In diesem Haus hatte er sie eingesperrt.

Evelyn zischte leise, um Amandas Aufmerksamkeit zu erregen. Sie nickte zur nächsten Tür. Aus dem Augenwinkel sah Amanda, dass der Streifenbeamte durch die Haustür kam, doch sie wartete nicht auf ihn. Sie brauchten seine Hilfe nicht mehr.

Wieder standen sie links und rechts der Tür. Amanda drehte den Knauf. In diesem Zimmer brannte das Licht bereits. Waschtisch. Spülbecken. Maniküreset. Roter Nagellack. Noch ein Glasröhrchen mit abgeschnittenen Fingernägeln.

Das Mädchen lehnte schlaff am Kopfende des Bettes. Blut lief ihr in einem stetigen Strom über den Bauch. An ihrem Mund hatten sich rosa Bläschen gebildet. Ihre Hand umklammerte ein großes Messer, das in ihrer Brust steckte.

»Halt!« Amanda machte einen Satz vorwärts und sank neben dem Bett auf die Knie. Sie legte ihre Hand über die des Mädchens. »Nicht herausziehen!«

Evelyn schrie dem Streifenbeamten zu: »Rufen Sie einen Krankenwagen! Sie lebt noch!«

Ein schmatzendes Geräusch entrang sich der Kehle des Mädchens. Luft zischte über Amandas Handrücken. Die Klinge war nach links geneigt, hatte den Lungenflügel durchstoßen, möglicherweise auch das Herz. Das Messer war riesig. Eines, das Jäger benutzten, um ihre Beute zu häuten.

»Ha…«, keuchte das Mädchen. Ihr Körper zitterte. Reste von Fäden ragten aus den Löchern um ihre zerfetzten Lippen. »Ha…«

»Alles in Ordnung«, tröstete Amanda sie und versuchte, das Messer zu fixieren, während sie die Finger des Mädchens davon löste.

»Hat sie einen Anfall?«, fragte Evelyn.

»Ich weiß es nicht.« Amanda schaffte es, die Hand des Mädchens von dem Messergriff zu lösen. Sie hielt ihn mit ihrer Hand fest und schickte ein Stoßgebet zum Himmel, dass der Krankenwagen bald einträfe. »Alles wird gut«, sagte sie zu dem Mädchen. »Halt nur noch ein bisschen durch.«

Das Mädchen versuchte zu blinzeln. An ihren Brauen hingen Fetzen ihrer Augenlider. Sie hob leicht den Arm und bewegte die Finger, als versuchte sie, zur offenen Tür zu deuten.

»Schon gut, Kleines.« Amanda spürte, wie ihr Tränen übers Gesicht liefen. »Wir holen dich hier raus. Er wird dir nicht mehr wehtun.«

Sie presste ein Geräusch hervor – irgendetwas zwischen einem Atemzug und einem Wort.

»Wir holen dich hier raus …« Wieder das Geräusch.

»Was ist?«, fragte Amanda.

»La…« Das Mädchen atmete flach. »Laa… vvvvh…«

»Lover?«, fragte Amanda. »Love? *Liebe?*«

Sie nickte mit zitterndem Kopf. »Er …«

Dann hörte sie auf zu atmen. Ihr Körper erschlaffte, als das Leben aus ihr wich. Amanda konnte sie nicht mehr aufrecht halten. Sanft ließ sie das Mädchen aufs Bett zurückgleiten. Ihre Augen nahmen einen leeren Blick an. Amanda hatte noch nie jemanden sterben sehen. Es wurde kalt im Zimmer. Ein Luftzug ließ sie bis ins Mark frösteln. Es war, als hinge kurz ein Schatten über ihnen, der sich jedoch sofort wieder verzog.

Evelyn ging in die Knie. »Lucy Bennett«, flüsterte sie.

»Lucy Bennett«, wiederholte Amanda.

Sie betrachteten das Mädchen. Das Gesicht. Den Oberkörper. Die Arme und Beine. Man konnte das Grauen des vergangenen Jahres förmlich an ihrem Körper ablesen.

»Wie konnte sie ihn nur lieben?«, fragte Amanda. »Wie konnte …«

Evelyn wischte sich mit dem Handrücken Tränen weg. »Ich weiß es nicht.«

Amanda sah dem toten Mädchen in die Augen. Vor wenigen Minuten hatte sie es noch durchs Fenster gesehen. Das Bild blitzte jetzt in Amandas Kopf auf wie eine Szene aus einem Horrorfilm. Das Mädchen auf dem Bett. Die Hand an der Brust. Es war das Messer, das sie festgehalten hatte. Das wurde Amanda jetzt klar.

Der Lärm der Sirenen wurde lauter.

»Haus ist sauber.« Der Streifenbeamte kam von hinten auf sie zu. »Warum haben Sie ...« Dann sah er die Leiche. Er schlug sich die Hand vor dem Mund und rannte würgend aus dem Zimmer.

»Wenigstens waren wir für sie da«, sagte Evelyn leise. Auf der Straße quietschten Reifen. Blaulichter blinkten.

»Vielleicht haben wir ihr ... ich weiß nicht ... ein wenig Trost spenden können?«

»Um sie zu retten, kamen wir allerdings zu spät«, wandte Amanda ein.

»Wir haben sie gefunden«, widersprach Evelyn. »Wenigstens haben wir sie gefunden. Wenigstens war sie in den letzten Minuten ihres Lebens frei.«

»Das ist nicht genug.«

»Nein«, sagte Evelyn. »Es ist nie genug.«

Die Sirenen verstummten, als die Streifenwagen vor dem Haus anhielten. Draußen hörten sie Stimmen, heisere Stimmen, die Befehle bellten, das übliche Palaver von Männern, die jetzt die Führung übernahmen.

Doch da war noch etwas anderes.

Evelyn hatte es offensichtlich auch gehört.

Trotzdem fragte Amanda: »Was war das für ein Geräusch?«

28. KAPITEL

Gegenwart
SUZANNA FORD

Endlich wusste sie, was das für ein Geräusch war. Die auf- und abfahrenden Aufzüge. Sie hörte die Luft rauschen wie einen vorüberrasenden Zug – rauf und runter, rauf und runter –, als die Ärztin die Fäden mit einer Büroschere durchschnitt.

»Es wird alles wieder gut«, sagte die Frau. Offensichtlich hatte sie hier das Sagen. Sie war die Erste gewesen, die zu Suzanna gekommen war. Die Einzige, die keine Angst gehabt hatte vor dem, was sie vor sich gesehen hatte. Die anderen hielten sich weiter im Hintergrund. Sie konnte ihr Atmen hören, wie Dampf, der aus einem Bügeleisen zischt. Und dann befahl die Ärztin einem der Männer, einen Krankenwagen zu rufen. Einem anderen, eine Flasche Wasser zu holen. Einem dritten, eine Decke zu besorgen. Wieder einem anderen, nach einer Schere zu suchen. Sie gehorchten, ohne auch nur eine Sekunde zu zögern, und Suzanna spürte die Geister ihrer Anwesenheit noch, als sie ihre Schuhe schon nicht mehr über den Boden poltern hörte.

»Du bist jetzt in Sicherheit«, sagte die Ärztin. Sie legte Suzanna die Hand an die Wange. Sie war hübsch. Ihre grünen Augen waren das Erste, was Suzanna hatte sehen können. Über die Klingen der Schere hinweg hatten sie auf sie herabgeblickt, während die Frau vorsichtig die Nähte durchtrennt hatte. Sie hatte Suzanna die Augen mit der Hand bedeckt, damit das Licht sie nicht blendete. Als sie Suzanna die Lippen geöffnet hatte, war sie dabei so behutsam vorgegangen, dass Suzanna kaum das Metall auf der Haut gespürt hatte.

»Sieh mich an! Es wird alles wieder gut«, sagte die Frau. Ihre Stimme war ganz ruhig. Sie strahlte eine solch verdammte Sicherheit aus, dass Suzanna ihr glaubte.

Und dann sah sie den Mann. Hochgewachsen. Lauernd. Er sah anders aus. Jünger. Aber es war derselbe Kerl. Das Monster.

Suzanna fing an zu schreien. Ihr Mund war weit aufgerissen. Die Kehle schmerzte. Die Lunge bebte. Sie schrie, so laut sie konnte. Der Lärm ließ nicht nach. Sie schrie, auch noch nachdem der Mann längst gegangen war. Sie schrie gegen die tröstende Stimme der Ärztin an. Sie schrie, als die Sanitäter kamen. Sie hörte nicht mehr auf zu schreien, bis die Ärztin ihr eine Nadel in den Arm steckte.

Die Droge rauschte durch ihren Körper. Augenblickliche Erleichterung.

Ihr Hirn beruhigte sich. Das Herz schlug allmählich langsamer. Sie konnte wieder atmen. Wieder schmecken. Wieder sehen. Es gab keinen Teil von ihr, der es nicht spürte. Ihre Hände, ihre Finger, ihre Zehen – alles kribbelte.

Befreiung. Erlösung. Vergessen. Und Zanna war wieder verliebt.

29. KAPITEL

Gegenwart
MITTWOCH

Sinatra säuselte leise aus den Lautsprechern in Amandas Lexus, doch Will hatte nur Suzanna Fords Schreie im Ohr.

Er war von Erleichterung überwältigt gewesen, das Mädchen lebend zu finden. Am liebsten hätte er geweint, als Sara das Mädchen befreite. Sein Vater hatte ihr wehgetan. Er hatte versucht, sie zu vernichten. Aber Will hatte ihm Einhalt geboten. Er hatte gewonnen. Letztendlich hatte er den alten Mann geschlagen.

Und dann hatte sie Will nur kurz angeschaut und James Ulster wieder lebendig werden sehen.

Er stützte den Kopf auf und starrte auf die Straße hinaus. Sie waren auf der Peachtree Road und steckten im Stau vor einem der vielen Einkaufszentren fest.

Amanda stellte das Radio leiser. Sinatras Stimme wurde noch weicher. Dann legte sie die Hand wieder ans Lenkrad. Die andere ruhte in der Schlinge, die ihr um Schulter und Bauch geschnallt war. »Dieses Wochenende soll es kalt werden.«

Sie klang heiser, wahrscheinlich weil sie die letzten zwanzig Minuten ununterbrochen telefoniert hatte. Der Sicherheitsdienst des Hotels. Das Atlanta Police Department. Ihre eigenen Agenten vom GBI. Alle mussten sich den Vorwurf gefallen lassen, übersehen zu haben, dass Ulsters morgendliche Besuche im Fitnessraum nur ein Vorwand gewesen waren, um sich Zugang zu der Treppe zu verschaffen, die ins zweite Untergeschoss führte. Wie oft war er dort hinuntergegangen, um sie zu foltern? Wie viele Gelegenheiten, ihm Einhalt zu gebieten, hatten sie verpasst?

Das Mädchen war eine Woche lang festgehalten worden. Sie war dehydriert. Verstümmelt. Gott weiß, was sonst noch.

»Aber was weiß schon der Wetterbericht. Der hat ja noch nie gestimmt.«

Will schwieg.

Als sie an ihrer Wohnung vorbeifuhren, beschleunigte Amanda. Der Regal-Park-Gebäudekomplex war hübsch, aber er verblasste im Vergleich mit seinen Nachbarn. Sie durchquerten den Finger-Bowl-Distrikt von Buckhead. Habersham Road, Rivers Drive, Peachtree Battle – die Immobilien in dieser Gegend waren mindestens zwei Millionen wert, wenn nicht sogar wesentlich mehr. Die teuersten Immobilien der Stadt. Die Postleitzahl gehörte zu den zehn reichsten des ganzen Landes.

»Wir könnten wirklich ein bisschen Regen vertragen.« Will warf einen Blick in den Seitenspiegel, als sie sich dem Herzen Buckheads näherten. Ein APD-Streifenwagen folgte ihnen. Amanda hatte Will nicht gesagt, warum, und Will konnte sich nicht überwinden, sie danach zu fragen. Er atmete flach. Seine Handflächen waren feucht. Er hatte keine Erklärung für seine Gefühle, wusste nur tief in seiner Seele, dass irgendetwas Schlimmes passieren würde.

Amanda bremste. Hupen blökten, als sie vorschriftswidrig auf die West Paces Ferry Road abbog. Sie öffnete kurz die Lippen, aber nur, um Luft zu holen.

Er erwartete, dass sie noch irgendwas über das Wetter sagen würde, aber ihr Mund schloss sich wieder, und sie hielt den Blick auf die Straße gerichtet.

Will starrte wieder zum Fenster hinaus. Ihm wurde beinahe schlecht vor Angst. Sie hatte ihn heute schon einmal überrascht, und es war grausam gewesen. Der Schock hatte ihn fast umgebracht. Was hatte sie noch vor?

Amanda deutete zu einem Haus im Stil der Sechzigerjahre. Falsche Tara-Säulen zierten die Front. *The Governor's Mansion,* das Stadthaus des Gouverneurs. »Ein paar Monate vor Ihrer Geburt fegte hier ein Tornado durch. Riss das Dach ab und pflügte quer durch Perry Homes.«

Will ging nicht darauf ein. »Was passiert mit seiner Leiche?«

Sie fragte nicht, wessen Leiche er meinte. »Niemand wird Anspruch darauf erheben. Man wird ihn in einem Armengrab beisetzen.«

»Er hatte Geld.«

»Wollen Sie es haben?«

»Nein.« Von seinem Vater wollte er überhaupt nichts haben. Will würde lieber wieder auf der Straße leben, als auch nur einen einzigen Cent des Blutgelds seines Vaters anzunehmen.

Amanda bremste wieder, um noch einmal abzubiegen. Schließlich stellte Will die Frage: »Wohin fahren wir?«

Sie blinkte. »Wissen Sie das noch nicht?«

Er sah hinauf auf das Straßenschild. Das X in der Mitte verriet es ihm. Tuxedo Road. Sie waren im reichsten Teil des reichsten Teils der Stadt. Zwei Millionen Dollar würden hier gerade einmal für die Grundsteuer eines Anwesens reichen.

»Wirklich nicht?«, fragte sie. Will schüttelte den Kopf.

Sie bog ab. Das Auto rollte noch ein paar Meter weiter.

»Ihre Jugendakte ist versiegelt.«

»Ich weiß.«

»Sie tragen nicht den Namen Ihres Vaters.«

»Auch nicht den meiner Mutter.« Will lockerte seine Krawatte. Er bekam nicht ausreichend Luft. »Dieser Reporter von der *AJC* … Faiths Ex. Er hat Sie angerufen …«

»Weil ich den einstigen Fall bearbeitet habe.« Amanda sah ihn an. »Ich bin diejenige, die Ihren Vater ins Gefängnis gebracht hat.«

»Nein, sind Sie nicht. Butch Bonnie und …«

»Rick Landry.« Sie bremste vor einer engen Kurve. »Sie waren die zuständigen Detectives im Morddezernat. Ich war damals bei der sogenannten Vagina, wie sie es so schön ausdrückten. Wann immer es um eine Vagina ging, war es mein Fall.« Sie warf ihm einen kurzen Blick zu, um seine Reaktion zu sehen. »Evelyn und ich haben damals die ganze Arbeit gemacht, und Butch und Rick Landry haben die Lorbeeren dafür eingeheimst. Seien Sie nicht so schockiert. So was kam häufiger vor. Und ich wage zu behaupten, dass es immer noch passiert.« Will konnte nichts darauf erwidern, selbst wenn er es gewollt hätte. Es stürzte einfach zu viel auf ihn ein. Zu viele Informationen. Stattdessen starrte er die Paläste an, die vor dem Wagenfenster vorüberzogen. Schlösser. Mausoleen. Schließlich brachte er heraus: »Warum haben Sie es mir nie gesagt?«

»Weil es nicht wichtig war. Es war nur ein Fall. Ich habe im Lauf der Jahre viele Fälle bearbeitet. Ich weiß nicht, ob es Ihnen schon mal aufgefallen ist, aber ich mache diesen Job schon ziemlich lange.«

Er öffnete den obersten Kragenknopf. »Sie hätten es mir sagen müssen.«

Dieses eine Mal war sie ehrlich. »Ich hätte Ihnen wahrscheinlich vieles sagen müssen.«

Wieder wurde das Auto langsamer. Sie setzte den Blinker und bog in eine lange Einfahrt ein. Ein Haus im Tudorstil erstreckte sich über die Länge eines Footballfelds. Es stand auf der Anhöhe eines ebenso gigantischen, sanft geschwungenen grünen Rasens. Die Fläche war schachbrettartig gemustert. Um die riesigen Eichen wuchsen Azaleen und Taglilien.

»Wer wohnt hier?«

Amanda ignorierte seine Frage und fuhr bis dicht vor das geschlossene Tor. Die Schneckenverzierungen waren glänzend schwarz lackiert und passten zu dem Zaun aus Backstein und Schmiedeeisen, der das Anwesen umgab. Sie drückte auf den Knopf einer Gegensprechanlage.

Eine volle Minute verging, bis eine Frauenstimme ertönte. »Ja?«

»Amanda Wagner hier.«

Rauschen drang aus dem Lautsprecher, dann ein längeres Summen. Das Tor schwang langsam auf.

Als sie die geschwungene Zufahrt hinauffuhr, murmelte Amanda: »Nicht übel, die Bude.«

»Wer wohnt hier?«

»Erkennen Sie es wirklich nicht wieder?«

Will schüttelte den Kopf. Aber das Haus hatte tatsächlich etwas Vertrautes. Der sanft abfallende grüne Hügel – kopfüber hinunterpurzeln, bis die Hose grünfleckig war.

Die Auffahrt wand sich in einem sanften Bogen zum Haus empor. Amanda fuhr auf den kreisrunden Vorplatz. In der Mitte stand ein großer Brunnen. Wasser plätscherte über eine steinerne Pflanzvase. Amanda parkte den Lexus parallel zu dem schweren hölzernen Portal. Es war riesig – mindestens vier Meter hoch –, fügte sich aber in die Dimension des gesamten Gebäudes harmonisch ein.

Will warf einen Blick über die Schulter. Der Streifenwagen hing dreißig Meter zurück, er stand im Leerlauf am Ende der Auffahrt. Aus dem Auspuff quoll eine Abgaswolke.

Wieder rückte sich Amanda die Schlinge zurecht. »Hemd zuknöpfen und Krawatte richten!« Sie wartete, bis er es getan hatte, und stieg dann aus.

Wills Schuhe knirschten über den feinen Kies. Wasser plätscherte in dem Brunnen. Er blickte von der Anhöhe nach unten. War er diesen Hügel wirklich schon mal hinuntergerollt? Seine Erinnerung lieferte nur Fragmente. Und zwar keine glücklichen.

»Gehen wir.« Amanda hielt ihre Handtasche am Schulterriemen, als sie die Vordertreppe hinaufstieg. Die Tür ging auf, noch ehe sie läuten konnte.

Eine ältere Frau stand im Schatten der Tür. Sie war eine typische Buckhead Betty – extrem dünn, so wie alle reichen Frauen, und mit einem straffen Gesicht, das offensichtlich geliftet war. Das Make-up war dick aufgetragen, die Haare steif von zu viel

Haarspray. Sie trug einen roten Rock, Strumpfhosen und High Heels. Ihre weiße Seidenbluse hatte winzige Perlenknöpfe am Handgelenk. Eine rote Strickjacke hing über ihren schmalen Schultern.

Sie hielt sich nicht lange mit Formalitäten auf. »Er erwartet Sie in seinem Büro.«

Das Foyer war fast so groß wie im Four Seasons. Auch hier eine breite Treppe. Auch hier eine Halle, die über zwei Stockwerke ging. Dunkle Holzbalken unterteilten die weiß verputzte Decke. Ein schmiedeeiserner Lüster. Massives Mobiliar. Orientteppiche in dunklen Blau- und Burgundertönen.

»Hier entlang«, sagte die Frau und führte sie einen Gang entlang, der die gesamte Breite des Hauses einzunehmen schien. Ihre Schritte hallten auf den Schieferplatten wider. Will konnte nicht anders – er musste einfach in jedes Zimmer spähen, an dem sie vorüberkamen. Ein Esszimmer mit einem großen Mahagonitisch. Das zerbrechliche Porzellan, das im vorderen Salon an den Wänden hing. Das Spielzimmer mit dem Billardtisch, den er nie hatte berühren dürfen.

Schließlich blieben sie vor einer geschlossenen Tür stehen. Die Frau klopfte an und öffnete gleichzeitig die Tür. »Sie sind jetzt hier.«

»Sie?« Henry Bennett stand von seinem Schreibtisch auf. Er war makellos gekleidet, der blaue Anzug maßgeschneidert. Er öffnete den Mund, schloss ihn jedoch gleich wieder. Dann schüttelte er den Kopf, als müsste er einen Schleier von den Augen schütteln.

Will hätte beinahe das Gleiche getan. Er hatte seinen Onkel seit mehr als dreißig Jahren nicht mehr gesehen. Henry hatte gerade sein Jurastudium absolviert, als Lucy ermordet worden war. Er hatte versucht, eine Verbindung zu dem einzigen Kind seiner Schwester aufzubauen, aber nach dem Gesetz durfte ein unverheirateter Mann kein Kleinkind adoptieren. Als Will sechs wurde, hatte Henry bereits das Interesse an ihm verloren – und es war genau das Alter gewesen, in dem auch niemand sonst ihn mehr wollte.

Bis jetzt.

Er hatte keine Ahnung, was er sagen sollte.

Henry offensichtlich auch nicht. »Was zum …« Er war sichtlich verärgert. Sein Mund zuckte verächtlich, als er Amanda fragte: »Was für ein Spielchen treiben Sie?«

Wieder spürte Will kalten Schweiß auf seiner Haut. Er blickte zu Boden, wäre am liebsten darin versunken. Falls Amanda geglaubt hatte, dass dies eine glückliche Heimkehr werden würde, hatte sie sich schwer getäuscht.

»Wilbur?«, fragte Henry.

»Hank«, ging Amanda dazwischen. »Ich muss Ihnen ein paar Fragen stellen.«

»Ich heiße Henry«, korrigierte er sie. Offensichtlich mochte er keine Überraschungen, und ebenso offensichtlich mochte er auch Amanda nicht. Er sah sie nicht einmal an.

Will räusperte sich. »Tut mir leid«, sagte er zu seinem Onkel, »dass wir einfach so aufgetaucht sind.«

Henry starrte ihn an. Will hatte das Gefühl, das alles schon einmal erlebt zu haben. Henry hatte die Gesichtszüge seiner Mutter. Er hatte ihren Mund. Er hatte ihre hohen Wangenknochen. Und er kannte all ihre Geheimnisse, all die Geschichten über ihre Kindheit, ihre Eltern, ihr Leben. Will selbst besaß nichts weiter als eine dünne Akte, die ihm lediglich offenbarte, dass seine Mutter brutal ermordet worden war.

»Also«, stammelte Buckhead Betty. »Das ist jetzt wirklich peinlich.« Sie streckte Will die Hand entgegen. »Ich bin Elizabeth Bennett. Wie bei Jane Austen, nur ein bisschen älter.« Ihr Lächeln war so bemüht wie der Scherz. »Ich schätze, ich bin … deine Tante.«

Will wusste nicht, wie er reagieren sollte, also gab er ihr die Hand. »Will Trent.«

Sie hob eine Augenbraue, als würde der Name sie überraschen.

»Wie lange sind Sie schon verheiratet?«, fragte Amanda.

»Mit Henry?« Sie lachte. »Zu lange! Liebling, wir sind unhöflich. Die zwei sind unsere Gäste …«

Irgendetwas passierte zwischen den beiden – ein stummer, privater Austausch, den lange verheiratete Paare im Lauf der Jahre entwickelten.

»Du hast recht.« Henry wies auf zwei Stühle vor seinem Schreibtisch. »Setz dich, Junge. Einen Drink? Ich zumindest brauche jetzt einen.«

»Nein, danke«, sagte Amanda und setzte sich auf die Couch statt vor den Schreibtisch. Wie üblich verharrte sie auf der vorderen Kante des Polsters, ohne sich anzulehnen. Das Leder war alt. Es knarzte unter ihrem Gewicht.

»Wilbur?«, fragte Henry. Er stand vor einem gut gefüllten Barwagen.

»Nein, vielen Dank.« Will setzte sich neben Amanda auf die Couch. Sie war so niedrig, dass er die Ellbogen problemlos auf die Knie stützen konnte. Er musste sich zusammennehmen, damit seine Beine nicht zitterten. Er war so nervös, als hätte er etwas ausgefressen.

Henry schnippte einen Eiswürfel in ein Glas, nahm eine Flasche Scotch zur Hand und schraubte den Deckel ab.

Elizabeth setzte sich in den Ledersessel neben der Couch. Wie Amanda saß sie mit geradem Rücken auf der Kante. Sie öffnete ein silbernes Kästchen auf dem Beistelltisch und nahm eine Zigarette und ein Feuerzeug heraus. Will konnte sich nicht daran erinnern, wann er das letzte Mal mit einem Raucher zu tun gehabt hatte. Das Haus war so groß, dass es den Geruch offenbar absorbierte, und doch stieg ihm das stechende Aroma brennenden Tabaks in die Nase, als die Frau die Zigarette anzündete.

»Okay.« Henry zog sich einen der Stühle vom Schreibtisch heran. »Ich nehme an, du bist aus einem bestimmten Grund hier. Geht's um Geld? Ich muss dich warnen. Meine Mittel sind im Augenblick alle gebunden.«

Lieber hätte Will ein Messer in der Brust gehabt. »Ich will dein Geld nicht.«

»James Ulster ist tot«, sagte Amanda unvermittelt.

Henry spitzte die Lippen. Er wurde sehr still. »Ich habe gehört, dass er freigekommen sein soll.«

»Vor zwei Monaten«, bestätigte Amanda.

Henry lehnte sich zurück. Er schlug die Beine übereinander. Sein Glas ruhte auf seiner Handfläche. Mit der anderen Hand strich er sich den Sakkoärmel glatt. »Will, ich weiß, dass Ulster dein Vater war. All diese schrecklichen Taten ... Kommst du damit zurecht?«

»Ja, Sir.« Will musste seine Krawatte wieder lockern. Es war stickig im Raum. Am liebsten wäre er einfach gegangen, vor allem, als plötzlich wieder Stille herrschte. Ein peinliches Schweigen entstand.

Elizabeth nahm einen tiefen Zug von ihrer Zigarette. Sie hatte ein amüsiertes Lächeln auf den Lippen, als genösse sie die Verlegenheit der anderen.

»Nun ja«, sagte Henry. »Wie gesagt, dein Vater war ein schlechter Mensch. Ich denke, wir sind alle erleichtert über sein Hinscheiden.«

Will nickte. »Ja, Sir.«

Elizabeth klopfte die Zigarette im Aschenbecher ab. »Wie lebst du inzwischen, junger Mann? Hast du Kinder?«

Will spürte ein Kribbeln im linken Arm. Er fragte sich, ob er einen Herzanfall bekam. »Es geht mir gut.«

»Was ist mit Ihnen, Hank?«, fragte Amanda. »Ich weiß noch, wie man Sie zum Partner machte. Drei Jahre nach der Uni und im Eiltempo an die Spitze der Kanzlei. Der alte Treadwell hat Sie sehr gefördert.«

Henry trank seinen Scotch aus. Er stellte das Glas auf den Tisch. »Ich bin mittlerweile im Ruhestand.«

Amanda wandte sich an Elizabeth. »Es muss wunderbar sein, ihn zu Hause zu haben.«

Sie hielt sich die Zigarette an die Lippen. »Ich genieße jeden Augenblick.«

Noch ein stummer Austausch, diesmal zwischen Amanda und Elizabeth Bennett.

Will hob die Hand, um den Kragenknopf wieder zu öffnen. Amanda berührte seinen Ellbogen, um ihn davon abzuhalten.

Elizabeth zog an ihrer Zigarette. Irgendwo tickte eine Uhr. Das Wasser des Brunnens auf dem Vorplatz rauschte hörbar.

»Also.« Henry trommelte mit den Fingern auf sein Knie.

»Wilbur.« Seine Finger verharrten. Er blickte auf seine Hand hinab. »Sonst noch was? Ich wollte eigentlich gerade in den Club gehen.«

»Wie alt wäre Lucy jetzt?«, fragte Amanda.

Henry starrte weiter seine Hand an. »Dreiundfünfzig?«

»Sechsundfünfzig«, korrigierte Will ihn.

Henry streckte das übergeschlagene Bein. Er griff in seine Hosentasche und holte einen Nagelknipser heraus. »Ich habe erst unlängst an deine Mutter gedacht.« Er stellte den Knipserhebel auf. »Schätze, die Nachricht von Ulsters Freilassung hat mich darauf gebracht.«

Will spürte, wie ihm die Brust immer enger wurde.

»Lucy hatte diese Freundin … kein hübsches Mädchen, aber sehr bescheiden.« Henry hielt sich den Knipser an den Daumennagel und drückte den Hebel nach unten. »Ich wage zu behaupten, dass Lucy ein schlechtes Vorbild für sie war. Aber das gehört eigentlich nicht hierher.« Er legte das abgeschnittene Stück Fingernagel neben dem Aschenbecher auf den Tisch und wandte sich dem nächsten Finger zu. »Wie auch immer, damals in den Sommerferien hörte ich sie oft in Lucys Zimmer kichern und Platten auflegen. Eines Tages ging ich hinein, um zu sehen, was sie dort trieben, und da tanzten sie vor dem Spiegel und sangen in ihre Haarbürsten.« Er legte den zweiten Nagel neben den ersten. »Ist das nicht absurd?« Will sah zu, wie er seinen Mittelfinger bearbeitete. Henry verzog das Gesicht, als er zu tief knipste. Trotzdem schaffte er es, die Nagelspitze in einem Stück abzutrennen. Er legte den hellen Halbmond neben die anderen. Als er wieder aufsah, schien er überrascht zu sein, dass sie ihn beobachteten.

»Schätze, das ist keine sehr interessante Anekdote. Ich hatte nur angenommen, dass du etwas über deine Mutter erfahren willst.«

»Erinnern Sie sich noch an Evelyn Mitchell?«, fragte Amanda. Er knurrte, als er den Namen vernahm. »Vage.«

»Wissen Sie, Evelyn war fest entschlossen, die Spur von Ulsters Geld zu verfolgen.« Zu Will sagte sie: »Das war vor dem Kokainboom in Miami, als die Regierung anfing, von den Banken die Offenlegung der größten Konten zu fordern.«

Henry steckte den Knipser wieder in seine Tasche. »Was soll das?«

Sie hob ihre Tasche vom Boden auf. Die Tasche war riesig. Amanda schulterte die ganze Welt. »Ulster hatte in einem Slum gelebt. Trotzdem hatte er genug Geld, um den besten Verteidiger im ganzen Südosten zu engagieren. Das warf einige Fragen auf. Wenigstens bei einigen von uns.«

Henrys Ton wurde arrogant. »Ich weiß immer noch nicht, was das mit mir zu tun haben soll.«

»Ulster hatte ein Sparkonto bei der C&S. Wir kannten dort damals ein Mädchen. Sie sagte uns, er besitze keine zwanzig Dollar mehr. Davon hat er den Anwalt ganz sicher nicht bezahlt.«

»Er hatte Grundbesitz«, hielt Henry dagegen.

»Ja, ein Haus in Techwood, das er 1995 für vier Millionen Dollar verkaufte.« Sie zog den Reißverschluss ihrer Tasche auf. »Er war der letzte Privateigentümer in der ganzen Gegend. Ich bin mir sicher, die Stadt war froh, als er ihr Angebot endlich akzeptierte.«

Henry klang verärgert. »Viele Leute haben mit den Olympischen Spielen Geld gemacht.«

»Ulster mit Gewissheit.« Amanda zog einen Gummihandschuh aus ihrer Tasche. Wie immer wischte sie sich die Handfläche am Rock ab. Mit dem Arm in der Schlinge fiel es ihr schwer, die Finger in das Latex zu stecken, aber sie schaffte es. Dann griff sie erneut in die Tasche und holte die Bibel von Wills Vater heraus.

Hank lachte, als sie das Buch auf den Beistelltisch legte.

»Sollen wir jetzt für Ulsters Seele beten?«

Amanda schlug die Bibel auf. »Hier ist Ihr Fehler, Hank.« Er musterte den Umschlag. Dann zuckte er mit der Schulter. »Und?«

»Der Umschlag ist an James Ulster im Atlanta Jail adressiert.« Sie deutete auf den Namen. »Und dieses Logo hier ist das von Treadwell-Price. Von Ihrer Kanzlei.«

Will war längst darüber hinaus, sich von Amandas Lügen überraschen zu lassen. Vor weniger als einer Stunde hatte sie ihm noch gesagt, der Brief stammte vom Verteidiger seines Vaters.

»Na und?« Henry zuckte wieder mit der Schulter. »Da ist nichts drin.«

»Wirklich nicht?«

»Nein, nichts.« Er schien sich sehr sicher zu sein. »Offensichtlich habe ich ihm mal einen Brief geschrieben, um mit ihm abzurechnen. Der Mann hat meine Schwester ermordet. Das Gegenteil können Sie nicht beweisen.«

»Ich kann beweisen, was für ein faules Schwein Sie sind.«

Er warf ihr einen scharfen Blick zu. »Wie kommen Sie …«

»Sie haben diesen Umschlag Ihrer Sekretärin zum Abtippen gegeben.«

Er warf seiner Frau einen Blick zu, aber Elizabeth starrte Amanda nur an. Sie lächelte immer noch, inzwischen aber ohne jede Herzlichkeit.

»Sehen Sie Ihren Namen über dem Logo von Treadwell-Price?« Sie drehte die Bibel so, dass Henry den Umschlag lesen konnte. »Das macht man so, wenn man Geschäftskorrespondenz verschickt. Das lernt man in der Sekretärinnenschule.«

»Meine Sekretärin ist vor zwei Jahren gestorben.«

»Das tut mir sehr leid.« Sie drehte die Bibel wieder zu sich.

»Das war so eine Sache mit diesen alten Schreibmaschinen – aber das dürften Sie nicht wissen: Die Walzen waren verhältnismäßig schwer. Wenn man nicht vorsichtig war, konnte man sich darunter die Finger einquetschen.«

Mit den Fingerspitzen schob Henry die abgeschnittenen Fingernägel auf der Tischplatte herum. »Ich frage Sie noch einmal, worauf Sie hinauswollen.«

»Auf Folgendes: Man musste den Umschlag exakt positionieren, damit die Adresse nicht schief stand. Dazu musste man mitunter den Umschlag zwischen den Walzen hin und her schieben. Es ist fast wie bei einer alten Druckerpresse, bei der man an einer Schraube drehen muss, um die Farbe aufs Papier zu bringen. Benutzen Sie noch immer einen Füllfederhalter?«

Henry erstarrte. Jetzt schien er endlich zu begreifen.

»Die Tinte war noch nicht trocken, als Sie den Scheck in den Umschlag steckten.« Amanda zog den Umschlag behutsam auf. »Wie auch immer, als Ihre Sekretärin ihn zwischen die Rollen steckte, drückte sich die Tinte von dem Scheck bis auf die Innenseite des Umschlags durch. Die Innenseite dieses Umschlags.« Sie lächelte. »Ihr Name. Ihre Unterschrift. Der Betrag, den Sie zugunsten von Herman Centrello angewiesen haben – desjenigen Strafverteidigers, der für den Mörder Ihrer Schwester arbeiten sollte.«

Henry nahm den Nagelknipser wieder zur Hand. »Das ist ja wohl kaum ein rauchender Colt.«

»Er hat ihn die ganze Zeit aufgehoben«, sagte Amanda. »Aber so war Ulster nun mal, nicht wahr?«

»Woher soll ich wissen, wie …«

»Das Geld war ihm egal. Es war nur Mittel zum Zweck. Er lebte, um andere Menschen zu beherrschen. Ich wette, sooft er seine Bibel öffnete, dachte er daran, dass nur ein Wort zum richtigen Informanten – ein Anruf beim richtigen Anwalt – Ihre ganze Welt auf den Kopf stellen könnte.«

»Sie haben keinen Beweis dafür, dass …«

»Sie haben die Umschlaglasche abgeleckt, um den Brief zuzukleben, oder nicht, Hank? Ich kann mir nicht vorstellen, dass Sie Ihre Sekretärin das für sich haben erledigen lassen. Sie hätte sich womöglich darüber gewundert, dass Sie einen so beträchtlichen Scheck an eine andere Anwaltskanzlei schickten, damit die sich um den Mann kümmerte, der für den Mord an Ihrer Schwester weggesperrt werden sollte.« Sie lächelte. »Es muss Sie maßlos geärgert haben, dass Sie den Umschlag selbst ablecken mussten. Wie oft ist Ihnen das im Lauf der Jahre passiert?«

Henry sah erst ängstlich, dann wütend aus. »Sie brauchen für einen Abgleich meine DNS. Die haben Sie nicht.«

»Nicht?« Amanda beugte sich vor. »Wurden Sie je gekratzt, Hank? Hat Jane Sie am Arm oder an der Brust gekratzt, als Sie sie strangulierten?«

Er stand so schnell auf, dass der Stuhl umkippte. »Ich will, dass Sie auf der Stelle gehen. Wilbur, es tut mir leid, dass du dich auf diesen …« – er suchte nach dem richtigen Wort – »*Wahnsinn* eingelassen hast.«

Will knöpfte seinen Kragen auf. Er war in diesem Zimmer fast erstickt.

Amanda zog den Handschuh aus. »Sie haben mit Ulster eine Abmachung getroffen, oder etwa nicht, Hank? Er bekam, was er wollte. Und Sie bekamen, was Sie wollten.«

»Ich rufe jetzt die Polizei.« Er ging zu seinem Schreibtisch und legte die Hand auf den Hörer. »Aus Respekt vor Wilbur gebe ich Ihnen hiermit eine letzte Chance zu gehen.«

»In Ordnung.« Amanda ließ sich beim Aufstehen Zeit. Sie schob sich ihre Schlinge zurecht. Sie hängte sich die Handtasche über die Schulter. Aber sie ging nicht direkt zur Tür. Sie blieb neben Henrys leerem Stuhl stehen und klaubte die abgeschnittenen Fingernägel vom Tisch.

»Was soll das?«, fuhr Henry auf.

»Ich hab mir immerzu über Jane den Kopf zerbrochen. Sie wurde nicht getötet wie die anderen Mädchen. Sie hatte nicht die gleichen Verletzungen am Körper. Sie wurde stranguliert und verprügelt. Sie haben versucht, es wie einen Selbstmord aussehen zu lassen, aber Sie waren zu dumm, um zu begreifen, dass wir den Unterschied erkennen würden.«

Henry starrte nur auf die Fingernägel in Amandas Hand.

»Jane hatte jedem, der ihr zuhörte, von den verschwundenen Mädchen erzählt. Also haben Sie Treadwells Namen benutzt, um auf dem Revier ein paar Strippen zu ziehen. Sie dachten, Jane hätte bestimmt Angst vor der Polizei.«

»Ich habe keine Ahnung, wovon Sie sprechen.«

»Sie haben die Frauen noch nie verstanden, nicht wahr, Hank? Sie haben damit nur erreicht, dass Jane wütend wurde und umso mehr redete.« Amanda öffnete die Hand. Die Fingernägel fielen auf den Teppich.

Henry wäre beinahe über den Schreibtisch gesprungen. In letzter Sekunde hielt er sich zurück. »Heb die auf«, befahl er seiner Frau. »Sofort.«

Elizabeth schien sich ihre Antwort gut zu überlegen. »Ach, ich glaube nicht, Henry. Nicht heute.«

»Wir reden später darüber.« Dann tippte er wütend Ziffern ins Telefon. »Ich rufe jetzt die Polizei.«

»Sie steht bereits vor der Tür«, sagte Amanda. »Der Umschlag genügt, um Sie verhaften zu lassen. Ich kenne im Labor ein Mädchen, das ganz versessen darauf ist, Ihre DNS in die Finger zu bekommen.«

»Ich habe Ihnen doch gesagt, Sie sollen gehen.« Henry legte den Hörer auf die Gabel, nahm ihn dann aber sogleich wieder auf. Anstelle von drei Ziffern tippte er zehn. Er rief seinen Anwalt an.

»Du bist anders als er, das weißt du hoffentlich?«

Elizabeth sprach weder mit Amanda noch mit Henry. Sie sprach mit Will. »Du hast eine Freundlichkeit an dir«, fuhr sie fort. »James war Furcht einflößend. Er musste gar nichts sagen, sich nicht bewegen, nicht einmal atmen. In seiner Gegenwart war es, als würde man in die Hölle blicken.«

Will starrte die hässliche Kontur ihres Mundes an.

»Er behauptete, er wolle sie retten. Schon komisch, dass keine von ihnen die Einlösung dieses Versprechens erlebt hat.« Sie nahm einen tiefen Zug von ihrer Zigarette. »Lucy hat er wenigstens eine Chance gegeben. Eine Chance, etwas Gutes zu tun, etwas Reines in die Welt zu bringen.«

»Was soll das heißen?«, fragte Will leise.

»Mädchen sind unwichtig. Sie sind noch nie wichtig gewesen.« Ihr roter Lippenstift war in die tiefen Fältchen um ihren Mund gesickert. »Aber du … So ein hübscher Junge. Du wurdest vor James gerettet. Vor seiner Brutalität gerettet. Seinem Wahnsinn. Du warst unsere Erlösung. Ich hoffe, du bist all dem gerecht geworden.«

Will sah, wie sie wieder ihre Zigarette im Aschenbecher abstreifte. Ihre Nägel waren lang und in einem flammenden Rot lackiert, das zu ihrem Rock und der Strickjacke passte.

»Sie haben zusammengearbeitet, nicht wahr?«, fragte Amanda.

»Nicht so, wie Sie denken«, antwortete sie. »Natürlich hatte Hank auch seinen Spaß, aber Ihnen ist doch sicher aufgefallen, dass er sich nicht gern die Hände schmutzig macht.«

»Sei still«, befahl Henry. »Auf der Stelle!«

Ohne ihn zu beachten, sagte sie zu Will: »Er wollte dich nicht, aber er wollte auch nicht, dass jemand anderes sich deiner annahm.« Sie hielt inne. »Das tut mir sehr leid. Wirklich sehr, sehr leid.«

»Ich warne dich, Elizabeth.« Henry klang angespannt. Sein Gesicht war schweißnass.

Doch sie ignorierte ihren Mann weiterhin und sah stattdessen Will mit einem Lächeln an, das man nur mit böse beschreiben konnte. »Er holte dich aus dem Kinderheim und brachte dich für ein, zwei Tage hierher. Ich konnte dich unten spielen hören – sofern ein Kind denn spielen kann, wenn es nichts berühren darf. Manchmal hörte ich dich lachen. Du bist so gern den Hügel hinuntergerollt. Damit konntest du dich stundenlang beschäftigen. Runter und wieder rauf, und dabei hast du die ganze Zeit gelacht. Als ich anfing, eine gewisse Verbundenheit mit dir zu spüren, brachte Henry dich wieder weg, und ich war wieder allein.«

»Ich kann mich nicht …« Will musste abbrechen, um Luft zu schnappen. »Ich erinnere mich nicht an Sie.«

Sie hielt sich die Zigarette an die Lippen. Der Filter war rot verschmiert. »Wie denn auch? Ich habe dich nur ein einziges Mal gesehen.« Sie lachte leise auf. »Bei den anderen Gelegenheiten war ich verhindert.«

Eine Frauenstimme klang blechern aus dem Hörer in Henrys Hand. Er stand da, hielt ihn sich vom Ohr weg und starrte seine Frau an.

»Es hätte genauso gut mich treffen können«, sagte Elizabeth. »Ich hätte ebenso gut deine Mutter sein können. Ich hätte …«

»Halten Sie den Mund, Kitty«, zischte Amanda.

Sie blies den Rauch aus. Er stieg ihr in die dünnen blonden Haare. »Hab ich mit dir geredet, Schlampe?«

30. KAPITEL

15. Juli 1975
MITTWOCH

Da war eindeutig ein Geräusch. Ein Schlagen. Ein Klopfen. Amanda war sich nicht sicher. Das Haus war voller Männer, die in schweren Schuhen herumtrampelten und Befehle bellten. Die Dachbodenleiter wurde heruntergezogen. Jemand sah oben nach. Sie konnten den Schein eines Kel-Lite durch die Dielen des Holzbodens sehen.

Amanda stürzte in den Gang hinaus. »Mund halten!«, schrie sie. »Ihr haltet jetzt einfach den Mund!«

Die Männer starrten sie an und wussten nicht, was sie davon halten sollten.

Wieder hörte Amanda das Geräusch. Es kam aus der Küche. Evelyn drängte sich durch die Menge, versuchte, in den hinteren Teil des Hauses zu kommen.

»Hey!«, beschwerte sich einer von ihnen.

Amanda folgte ihr in die Küche.

Die Schränke waren aus Metall. Die Arbeitsfläche aus wei-ßem Laminat zierte ein goldenes Wirbelmuster. Die Geräte stammten aus den Dreißigerjahren. Statt einer Deckenlampe hing genau wie in den anderen Zimmern nur eine nackte Glüh-birne von der Decke.

»Hörst du das?« Evelyn hatte kaum den Unterkiefer bewegt. Die Schwellung war inzwischen dunkelrot angelaufen und brei-tete sich über ihre gesamte untere Gesichtshälfte aus.

Amanda schloss die Augen und horchte. Da war kein Schlagen. Kein Klopfen. Nichts. Schließlich schüttelte sie den Kopf. Evelyn seufzte.

Und die Männer waren dabei, die Geduld zu verlieren. Sie fingen an, leise miteinander zu sprechen, wurden aber sofort lauter, als neue Kollegen eintrafen. Die Haustür stand weit offen. Amanda konnte auf die Straße hinaussehen. Ein Krankenwagen fuhr vor. Der Sanitäter sprang hinten heraus und lief auf das Haus zu. Ein Streifenbeamter hielt ihn auf und deutete zur Einfahrt.

James Ulster lebte noch. Sie konnte ihn durch das offene Fenster stöhnen hören.

»Dachboden ist sauber«, rief eine Stimme. »Holt mich wieder runter.«

»Du hast es auch gehört, oder?«, fragte Evelyn.

»Ja.« Amanda lehnte an der Küchenzeile. Sie standen beide reglos da und strengten die Ohren an. Und dann hörten sie das Geräusch wieder. Das Rascheln von Papier. Ein Klopfen. Es kam aus dem Unterschrank unter der Spüle.

Evelyn hielt noch immer ihre Waffe in der Hand. Sie richtete sie auf den Schrank. Amanda legte die Hand um den Griff. Stumm formte sie mit den Lippen: »Eins … zwei … drei!«, dann öffnete sie die Tür.

Es sprang niemand heraus. Es pfiffen keine Kugeln. Evelyn schüttelte den Kopf. »Nichts.«

Amanda durchsuchte den Schrank. Er sah ähnlich aus wie ihr eigener. Auf einer Seite standen die üblichen Putzmittel: Bleiche, ein paar Lumpen, Möbelpolitur. Auf der anderen Seite stand ein großer Küchenmülleimer. Er klemmte unter dem Waschbecken, war fast zu groß für den beengten Raum.

Amanda wollte eben die Tür wieder schließen, als der Mülleimer sich bewegte.

»O mein Gott«, flüsterte Evelyn und hielt sich die Hand an die Brust. »Eine Ratte?«

Sie schauten beide in den Gang. Jetzt waren mindestens dreißig Männer im Haus.

»Ich habe eine Heidenangst vor Ratten«, flüsterte sie.

Auch Amanda war nicht gerade verrückt nach ihnen, aber sie wollte nicht alles, was sie an diesem Abend geschafft hatten, ungeschehen machen, indem sie einen der Männer um Hilfe baten.

Der Mülleimer bewegte sich wieder. Sie hörte ein Geräusch, das sich anhörte wie ein Motor, bei dem im Leerlauf Gas gegeben wurde.

»O Gott.« Evelyn legte ihre Waffe auf die Arbeitsfläche. Sie kniete sich hin und versuchte, den Mülleimer herauszuziehen. »Hilf mir!«

Amanda packte den Deckel des Plastikeimers und riss daran, so fest sie nur konnte. Er löste sich, und sie sah zwei Augen, die zu ihr aufblickten.

Mandelförmig. Blau. Lider so dünn wie Papiertücher.

Das Baby blinzelte. Seine Oberlippe bildete ein perfektes Dreieck, als der Kleine Amanda anlächelte. Sie spürte einen Stich im Herzen, als würde das Kind an einem unsichtbaren Faden zwischen ihnen beiden ziehen. Seine winzigen Hände. Die winzigen und doch speckigen Zehen.

»O Gott«, flüsterte Evelyn wieder. Sie schob die Finger zwischen Mülleimer und Schrank und versuchte, das schwarze Plastik aufzubiegen.

Amanda griff in den Eimer. Sie legte dem Jungen die Hand ans Gesicht. Seine Wange war warm. Er drehte den Kopf, schmiegte sich an ihre Hand. Sein Händchen schnellte in die Höhe. Er streckte die Füße hinauf. Die Sohlen wölbten sich, als würden sie gegen einen unsichtbaren Ball drücken. Er war so unheimlich klein. Und so perfekt. So wunderschön.

»Ich hab's.« Mit einem letzten Ruck riss Evelyn den Eimer heraus. Sie hob das Baby heraus und drückte es sich an die Brust. »Kleines Lämmchen«, murmelte sie und drückte ihm die Lippen auf den Kopf. »Armes kleines Lämmchen.«

Unvermittelt spürte Amanda einen Stich der Eifersucht. Tränen traten ihr in die Augen, ließen ihre Sicht verschwimmen. Blendeten sie.

Und dann kam die Wut.

Von all den Abscheulichkeiten, die Amanda in der letzten Woche mit angesehen hatte, war dies die schlimmste. Wie hatte das passieren können? Wer hatte dieses Kind weggeworfen?

»Amanda?« Es war Deena Coolidge. Sie trug ein blaues Tuch um den Hals und einen weißen Laborkittel. »Ev? Was ist los? Seid ihr zwei okay?«

Amandas nackte Füße klatschten über den Boden, als sie aus der Küche eilte. An der Haustür rannte sie bereits. Ulster wurde gerade in den Krankenwagen verladen. Sie stürzte auf die Straße und stieß den Sanitäter zur Seite.

Ulster war auf die Trage geschnallt. Seine Handgelenke waren mit Handschellen an den Metallrahmen gefesselt. An seiner Flanke klebte ein blutiger Verband, am Bein ein weiterer. Ein Arm war mit Gaze umwickelt. Seine Kehle war so rot wie Evelyns Unterkiefer.

»Wir müssen einen Luftröhrenschnitt machen«, rief der Sanitäter. »Er bekommt nicht genug Luft.«

»Wir haben ihn gefunden«, schrie Amanda Ulster an. »Wir haben dich besiegt. *Ich* habe dich besiegt.«

Ulsters feuchte Lippen verzogen sich zu einem selbstgefälligen Grinsen. Er konnte kaum atmen, aber er lachte sie aus.

»Amanda Wagner. Evelyn Mitchell. Deena Coolidge. Cindy Murray. Pam Canale. Holly Scott. Merk dir diese Namen. Erinnere dich für alle Zeit an die Namen der Frauen, die dich zur Strecke gebracht haben.«

Luft pfiff aus Ulsters Mund, und doch zitterte er vor Lachen, nicht vor Angst. Sie hatte den Blick in seinen Augen schon unzählige Male gesehen – bei ihrem Vater, bei Bonnie, bei Landry, bei Bubba Keller. Er amüsierte sich. Er machte sich über sie lustig.

Fein, Püppchen. Dann zeig mal, was du kannst.

Amanda stellte sich ans Fußende der Trage, damit sie so drohend vor Ulster aufragte, wie er es zuvor bei ihr getan hatte.

»Du wirst ihn niemals zu Gesicht bekommen.« Er blinzelte, als ihm ihre Spucke ins Auge flog. »Er wird dich niemals kennenlernen. Ich schwöre bei Gott, er wird nie erfahren, was du getan hast.«

Ulsters Grinsen verschwand nicht. Er machte einen tiefen Atemzug, dann noch einen. Seine Stimme war nur ein ersticktes Keuchen. »Wir werden sehen.«

31. KAPITEL

23. Juli 1975
EINE WOCHE SPÄTER

Amanda lächelte, als sie auf den Parkplatz des Reviers in Zone eins fuhr. Vor einem Monat hätte sie noch gelacht, wenn jemand zu ihr gesagt hätte, dass sie froh sein würde, wieder hier zu sein. Eine Woche Lotsendienst war ihr eine harte Lektion gewesen.

Sie fuhr auf eine der entfernteren Parklücken am hinteren Ende des Hofes. Der Motor pulsierte, als sie ihn abstellte. Amanda sah auf die Uhr. Evelyn hatte sich verspätet. Amanda sollte drinnen auf sie warten, aber sie betrachtete dies als ihre triumphale Rückkehr. Dass sie fünf Tage in einer Wolluniform in der mörderischen Hitze hatte aushalten müssen, während faule Kinder die Straßen entlanggestapft waren, hatte die Tatsache nicht ungeschehen gemacht, dass sie einen Mörder gefasst hatten.

Amanda zog den Reißverschluss ihrer Handtasche auf und holte den letzten Bericht heraus, den sie je für Butch Bonnie getippt haben würde. Sie hatte es nicht aus Freundlichkeit getan. Sie hatte es getan, weil sie sicherstellen wollte, dass er in allen Details stimmte.

Wilbur Trent. Amanda hatte dem Baby einen Namen gegeben, weil es sonst niemand hatte tun wollen. Hank Bennett hatte den Namen seiner Familie nicht besudeln wollen. Vielleicht hatte er aber auch die rechtliche Verwicklung gefürchtet, weil Lucy nun einen Erben hatte. Evelyn hatte recht gehabt, was die Versicherungspolicen anging. Da Hank Bennetts Eltern tot waren und seine Schwester ermordet worden war, war er zum einzigen Nutznießer ihrer Hinterlassenschaften geworden. Er hatte die Asche seine Schwester in einem Armengrab beisetzen lassen und das Nachlassgericht als Millionär verlassen.

So war es also Amanda zugefallen, Wilbur seine erste Decke und sein erstes, unfassbar kleines Hemdchen zu kaufen. Ihn im Kinderheim abzugeben war das Schwierigste gewesen, was Amanda in ihrem Leben je getan hatte. Schwieriger, als James Ulster entgegenzutreten. Schwieriger als der Tod ihrer eigenen Mutter.

Sie würde ihr Versprechen an Ulster halten. Das Kind würde nie erfahren, dass sein Vater ein Monster war. Es würde nie erfahren, dass seine Mutter ein Junkie und eine Hure gewesen war.

Amanda hatte zuvor noch nie einen fiktionalen Text verfasst. Sie war nervös gewesen wegen der Details, die sie in Butchs Bericht hatte einfügen müssen – die Geschichten, die sie sich über Lucy Bennetts Leben vor der Entführung zurechtgelegt hatte.

Der Junge würde es nie erfahren. Aus all diesem Elend musste doch etwas Gutes entstehen.

»Was gibt's Neues?« Evelyn stand neben ihrem Auto. Sie trug eine braune Hose und eine orangekarierte Bluse. Ihr Unterkiefer hatte sich inzwischen gelb verfärbt. Noch immer überzog die Schwellung die gesamte untere Hälfte ihres Gesichts.

»Warum bist du angezogen wie ein Mann?«, fragte Amanda.

»Wenn wir wieder in der Stadt herumrennen müssen, habe ich nicht vor, mir eine weitere gute Strumpfhose zu ruinieren.«

»Ich habe nicht vor, viel herumzurennen.« Amanda steckte den Bericht zurück in ihre Handtasche und zog den Reißverschluss zu. Sie wollte nicht, dass Evelyn das Bewerbungsformular sah, das Amanda vom Georgia Bureau of Investigation angefordert hatte. Ihr Vater hatte seinen alten Job zurück. Am Monatsende würde Captain Duke Wagner die Zone eins wieder leiten.

Evelyn runzelte mitfühlend die Stirn, als Amanda ausstieg.

»Bist du heute Morgen wieder beim Kinderheim vorbeigefahren?«

Amanda antwortete nicht. »Ich muss mir die Hände waschen.«

Evelyn folgte ihr zur Rückseite des Plaza Theater.

»Ich hab das gesagt, damit du mich alleine lässt.«

Evelyn hielt ihr die Hintertür auf, und die anstößige Tonspur von »Vixen Volleyball« drang zu ihnen heraus. Die beiden Männer in der Lobby schienen mehr als überrascht, sie zu sehen. »Eure Ehefrauen lassen schön grüßen«, sagte sie und ging zu den Toiletten hinüber.

Amanda folgte ihr kopfschüttelnd. »Wenn du so weitermachst, fangen wir uns eines Tages eine Kugel ein.«

Evelyn nahm die Unterhaltung von zuvor wieder auf. »Süße, du kannst nicht jeden Tag nach ihm schauen. Babys müssen eine enge Beziehung zu einem Menschen aufbauen. Du willst nicht, dass er sich an dich dranhängt.«

Amanda drehte den Wasserhahn auf. Sie sah auf ihre Hände hinab, während sie sie wusch. Ausgerechnet das wünschte sie sich von Wilbur, aber sie konnte sich nicht dazu überwinden, es zuzugeben. Es war hoffnungslos. Sie war fünfundzwanzig und alleinstehend. Der Staat würde ihr nie erlauben, ihn zu adoptieren. Und wahrscheinlich war das sogar richtig so.

»Hast du von Pete den Objektträger mit der Haut bekommen?«, fragte Evelyn.

Sie benässte sich das Gesicht mit kaltem Wasser. Der zugeklebte Umschlag steckte in ihrer Tasche. »Ich weiß immer noch nicht, was das bringen soll.«

»Pete hat recht, was die Wissenschaft angeht. Im Augenblick nutzt es uns noch nichts, aber eines Tages wird es vielleicht wichtig sein.« Und dann fügte sie hinzu: »Du willst doch nicht, dass es in der Asservatenkammer verloren geht? Nach fünf Jahren wird so was normalerweise weggeworfen.« Amanda drehte den Hahn wieder zu. »Wenn wir die Todesstrafe noch hätten, wäre das alles unwichtig.«

»Amen.« Evelyn holte ihre Puderdose aus der Handtasche.

»Wo willst du den Umschlag aufbewahren?«

»Ich habe keine Ahnung.« Ohne Dukes Unterschrift konnte sie noch nicht einmal in eine Bank spazieren und ein Schließfach eröffnen. »Wie wär's mit deinem Waffenschrank?«

»Die Probe sollte in der Nähe des Babys bleiben. Sag Edna, sie soll es irgendwo verstecken.« Sie lächelte. »Aber sieh zu, dass sie es nicht in der Speisekammer einschließt.«

Amanda lachte. Edna Flannigan hatte einen gewissen Ruf in der Kinderbetreuung, aber sie war eine gute Frau, der die Kleinen wirklich am Herzen lagen. Sie war sofort in Wilbur vernarrt gewesen, das hatte Amanda gemerkt. Er war ein Junge, der leicht zu lieben war.

»Kann ich eins deiner Lehrbücher haben?«

Evelyn hielt beim Nasepudern inne. »Warum?«

»Edna meinte, wir könnten etwas vorbeibringen, damit der Junge irgendwas in Händen halten kann, wenn er größer wird. Ich dachte, wir könnten …«

Evelyn wusste über die Geschichte von Lucy Bennett, der Einserstudentin, Bescheid. Sie hatte Amanda geholfen, die Geschichte zu ersinnen, hatte Interna aus der Georgia Tech beigesteuert, damit die Lügen plausibler klangen. »Wenn ich dir eins meiner Statistikbücher überlasse, hörst du dann auf, Trübsal zu blasen?«

»Ich blase nicht Trübsal …«

Evelyn klappte ihre Puderdose zu. »Wir müssen über unseren nächsten Fall reden.«

»Was für ein Fall?«

»Die TSA. Wir sollten uns die Morde ansehen.«

»Hast du vergessen, dass Landry derjenige war, der uns den Lotsendienst aufgebrummt hat?« Duke hatte dies mit zwei Anrufen herausgefunden. Landry war ein Saufkumpan des

Commanders, der die Versetzung unterzeichnet hatte. Es war weniger eine Verschwörung gewesen als ein männliches Chauvinistenschwein, das es nicht ertrug, wenn Frauen versuchten, ihm im Job ebenbürtig zu sein. »Wir sollten uns nicht schon wieder zu seiner Zielscheibe machen.«

»Vor diesem Wichtigtuer habe ich keine Angst.« Sie zupfte sich die Haare zurecht. »Wir haben ein Leben gerettet, Amanda.«

»Wir haben drei, vielleicht vier verloren.« Gott allein wusste, wo Kitty Treadwell war. Wahrscheinlich irgendwo auf der städtischen Müllhalde verbuddelt. Ihrem Vater war es allerdings gleichgültig. Andrew Treadwell weigerte sich, ihre Anrufe zu erwidern, geschweige denn zuzugeben, dass er noch eine zweite Tochter hatte. »Und wir sind beide nicht ungeschoren davongekommen.«

»Aber jetzt kennen wir Leute. Wir haben Quellen. Wir haben ein Netzwerk. Wir können Fälle bearbeiten genau wie die Jungs – vielleicht sogar noch besser.«

Amanda starrte sie unverwandt an. Das Ächzen und Stöhnen des Pornofilms im Hintergrund schien die Lächerlichkeit ihrer Aussage noch zu verstärken. »Gibt es eigentlich irgendwas, dem du nichts Positives abgewinnen kannst?«

»Hitler. Dem Hunger in der Welt. Rothaarigen – ich traue ihnen einfach nicht über den Weg.« Evelyn kontrollierte noch einmal ihr Make-up. Amanda tat es ihr gleich und runzelte die Stirn über das, was sie sah. Evelyn war nicht die Einzige, die Spuren davongetragen hatte. Amanda trug von Ulsters würgenden Händen noch immer dunkle Flecken um den Hals. Ihre Rippen waren immer noch berührungsempfindlich. Die Schnitte an Handflächen und Fußsohlen verschorften gerade eben.

Evelyn warf ihr im Spiegel einen Blick zu. Kriegsverletzungen.

Sie lächelten beide, als sie die Toilette verließen.

»Habe ich dir von diesem Green Beret in North Carolina erzählt, der seine ganze Familie umgebracht hat?«, fragte Evelyn.

»Ja.« Amanda hob die Hand, um sie davon abzuhalten.

»Zwei Mal schon. Ich würde lieber wieder über den Fall reden, als die Details dieser Geschichte noch mal zu hören, vielen Dank.«

Die Lobby war leer. Evelyn blieb stehen. Sie stemmte die Hände in die Hüften. »Weißt du, dass mir diese Versicherungspolicen immer noch Kopfzerbrechen bereiten?«

Hank Bennett. Sie konnte die Geschichte einfach nicht auf sich beruhen lassen. »Bennett hat auf der Suche nach Lucy die Mission besucht. Er war doch sicher auch in der Suppenküche und hat dort James Ulster kennengelernt.«

»Vielleicht haben sie sich kennengelernt, aber daraus zu schließen, dass sie zusammengearbeitet hätten ...« Amanda schüttelte den Kopf. »Warum? Zu welchem Zweck?«

»Bennett schafft seine Schwester aus dem Weg, damit sie das Geld seiner Eltern nicht erben kann. Er nimmt sich Kitty Treadwells an – und ihres Geldes gleichermaßen. Du weißt doch, dass da was sein muss.«

»Du glaubst, dass Hank Bennett Kitty irgendwo versteckt hält?« Das war keine Frage. Es war auch ihr selbst schon die ganze Woche im Kopf herumgegangen. »Aber wozu?«

»Um Andrew Treadwell zu erpressen.« Sie hatte ein Grinsen auf dem Gesicht. »Denk an meine Worte. Eines Tages wird Hank Bennett diese Kanzlei leiten.«

Amanda seufzte. Sie fragte sich, ob Evelyns Zeitschriften schuld waren an diesen verrückten Verschwörungstheorien.

»Kitty Treadwell liegt irgendwo tief in der Erde verbuddelt. Ulster hat sie verschleppt, um sie zu töten, nicht um sie zu resozialisieren.«

»Irgendjemand hat das Baby in den Mülleimer gelegt.« Amanda wusste nicht, was sie darauf erwidern sollte. Ein Teil von Lucys Körper war noch immer an der Matratze festgenäht gewesen, als sie sie gefunden hatten. Pete Hanson hatte ihnen kein exaktes Fenster für die Zeit zwischen Wilburs Geburt und

Lucys Tod geben können. Sie konnten nur annehmen, dass das Mädchen zwischenzeitlich irgendwann einmal frei gewesen sein musste und das Baby selbst versteckt hatte. Und dann war Ulster gekommen und hatte sie wieder angenäht?

»Ich habe einfach nur das Gefühl, dass wir irgendwas übersehen haben«, sagte Evelyn.

Amanda wollte kein Öl ins Feuer gießen, aber auch sie hatte das gleiche ungute Gefühl. »Wer sonst hätte ihm noch helfen können?«, fragte sie. »Trey Callahan wurde mit seiner Verlobten in Biloxi gefasst.« Der Mann behauptete, er habe das Geld der Mission nur gestohlen, um sein Buch im Selbstverlag herausbringen zu können. »Offensichtlich hat Ulster versucht, mit diesem Ophelia-Geschwafel den Verdacht auf Callahan zu lenken. Glaubst du nicht auch, wenn es noch einen zweiten Mörder gäbe, dann hätte Ulster den Verdacht auf diesen Mann gelenkt?«

»Wie wär's mit dieser Frage: Woher kam das Geld?« Herman Centrello. Evelyn war fest entschlossen herauszufinden, wie James Ulster sich den besten Strafverteidiger des ganzen Südostens leisten konnte.

Amanda schüttelte den Kopf. »Was hat das schon zu bedeuten? Kein Anwalt dieser Welt wird ihn aus dieser Geschichte raushauen. Ulster wurde auf frischer Tat ertappt. Seine blutigen Fingerabdrücke sind auf dem Messer.«

»Er wird sich bei den anderen Mädchen herausreden. Wir haben nichts, um ihn mit Jane oder Mary in Verbindung zu bringen. Und wir haben keine Leiche von Kitty – falls sie überhaupt irgendwo da draußen ist. Ulster könnte irgendwann auf Bewährung freikommen. Deshalb musst du diesen Objektträger unbedingt gut aufbewahren. Vielleicht ist die Wissenschaft bis dahin so weit.«

»Er wird dann Mitte sechzig sein. Zu alt, um noch allein herumzulaufen, geschweige denn, noch irgendjemandem etwas anzutun.«

Evelyn stieß die Hintertür auf. »Und wir sind dann Omas in Rente, leben mit unseren Männern in Florida und wundern uns, warum die Kinder nie anrufen.«

Amanda wollte dieses Bild gerne festhalten. Sie wollte an diesem Abend darüber nachdenken, wenn sie versuchte einzuschlafen, aber nur den herablassenden Blick aus Ulsters Augen vor sich sah. Er hatte sie ausgelacht. Er hatte irgendwas zurückgehalten, und er wusste, dass ihm das Macht über alle anderen gab.

»Hat Kenny dich mittlerweile angerufen?«

Statt zu antworten, errötete Amanda. Sie schob ihre Handtasche auf der Schulter zurecht, während sie zum Revier gingen. Vor dem Eingang herrschte Unruhe. Zwei Streifenbeamten rangelten mit einem Säufer. Er hatte bereits einen Turban, weil er sich schon einmal einer Verhaftung widersetzt hatte. Seine Hände gestikulierten wild, als er am Kragen nach hinten gerissen wurde.

»Und hierher wollten wir zurückkommen …«, sagte Amanda.

»Scheiße, wir kommen zu spät zum Appell!« Evelyn sah auf die Uhr.

So viel zu ihrer triumphalen Rückkehr. Luther Hodge würde sie wahrscheinlich für die ganze Woche zum Schreibtischdienst verdonnern. Amanda verabscheute den Papierkram, aber wenigstens hätte sie Evelyn an ihrer Seite, sodass sie sich gegenseitig bedauern konnten. Vielleicht könnten sie sich ein paar dieser Fälle von vermissten schwarzen Mädchen ansehen. Es konnte nicht schaden, noch ein Puzzle aus Bastelpapier zu basteln.

»Hey!« Der Säufer wehrte sich noch immer, als sie zum Reviereingang eilten. Einer der Beamten schlug ihm aufs Ohr. Sein Kopf baumelte hin und her wie in einer Schlinge.

Der Bereitschaftssaal war wie üblich verräuchert und schmuddelig. Er sah aus wie immer: Tischreihen quer durch den Saal, die Weißen auf der einen Seite, die Schwarzen auf der anderen. Die Männer vorne, die Frauen hinten. Hodge stand am Podium. Für den Morgenappell hatten sich alle hingesetzt.

Aber aus irgendeinem Grund standen sie jetzt auf.

Zuerst waren es nur ein paar weiße Detectives, dann folgten allmählich die schwarzen. Die Welle rollte träge durch den Saal und endete bei Vanessa Livingston, die wie üblich in der letzten Reihe saß. Sie zeigte ihnen beiden den hochgereckten Daumen. Und grinste stolz.

Evelyn schien im ersten Augenblick verblüfft, doch dann ging sie hoch erhobenen Hauptes durch den Saal. Amanda folgte ihr und versuchte, es ihr gleichzutun. Die Männer machten ihnen Platz. Niemand sagte etwas. Niemand pfiff. Niemand machte eine abfällige Bemerkung. Einige von ihnen nickten anerkennend. Rick Landry war der Einzige, der sitzen geblieben war, doch neben ihm stand Butch Bonnie, der einen gewissen widerwilligen Respekt in den Augen zu haben schien.

Der Augenblick war ruiniert, als der Säufer in den Saal stolperte. Er rappelte sich vom Boden auf und schrie: »Ich zeig euch an, ihr Arschlöcher!«

Die Spannung war jetzt fast greifbar. Der Säufer riss die Augen auf, als er erkannte, dass er in einem Saal voller Polizisten gelandet war. Nervös sah er Amanda an, dann Evelyn. »Oh … 'tschuldigen Sie meine Ausdrucksweise, Ladys.«

»Scheiße.« Butch nahm den Zahnstocher aus dem Mund.

»Das sind keine Ladys, Kumpel. Das sind Polizistinnen.«

Ein kollektives Seufzen ging durch den Saal. Erste Witze wurden laut. Der Säufer wurde wieder zur Tür hinausgeschubst. Hodge klopfte auf das Podium, um für Ruhe zu sorgen.

Amanda versuchte verzweifelt, das Lächeln auf ihren Lippen zu unterdrücken, als sie in den hinteren Teil des Saals ging. Sie spürte Evelyn hinter sich und wusste, dass sie das Gleiche dachte.

Endlich wurden sie für voll genommen.

32. KAPITEL

Gegenwart
MITTWOCH

Will saß auf einer Holzbank auf der Kuppe des grünen Hügels. Er stützte die Ellbogen auf die Knie. Er sah zur Straße hinab, als der Streifenwagen aus der Auffahrt in die Straße einbog. Sein Vater ein Mörder. Sein Onkel ein Mörder. Ein doppeltes Vermächtnis.

Schritte knirschten über den Kies der Zufahrt. Amanda legte ihm die Hand auf die Schulter, doch nur, um sich beim Hinsetzen abzustützen.

Sie starrten beide auf die leere Straße hinab. Aus Sekunden wurden Minuten. Will hörte nur ein Rauschen in den Ohren. Ein Summen, das es ihm unmöglich machte, sich auf einen Gedanken zu konzentrieren.

Amanda seufzte schwer. »Das wird Evelyn mir für alle Zeiten vorhalten. Sie hat immer daran geglaubt, dass noch mehr dahintersteckte.«

»Wird sie gegen ihn aussagen?«

»Kitty?« Amanda zuckte mit ihrer gesunden Schulter. »Ich bezweifle es. Wenn sie hätte reden wollen, hätte sie es schon vor Jahren tun können. Ich habe den Eindruck, dass sie immer noch zu stark unter Henrys Kontrolle steht.« Sie lachte betrübt auf. »Du hast es weit gebracht, Baby.«

Will konnte nicht so tun, als könnte er das Ganze ebenso einfach wegstecken. Er konnte die Tragödie nicht mit einem trockenen Spruch abtun, wie Amanda es eben getan hatte.

»Sagen Sie mir, was passiert ist. Die Wahrheit.«

Amanda starrte auf den vorderen Rasen hinab – diese riesige grüne Fläche, die größer und besser gepflegt war als die meisten öffentlichen Parkanlagen. Offensichtlich brauchte sie Zeit, um ihre Gedanken zu sammeln. Aufrichtigkeit war für Amanda Wagner kein natürliches Verhalten. Will merkte, dass es sie anstrengte.

»Sie wissen, dass es zwei Opfer gab«, sagte sie schließlich. »Ihre Mutter und Jane Delray.«

»Richtig.« Will hatte den Hinweis in der Akte seines Vaters gefunden. Es hatte nicht genug Beweise gegeben, um James Ulster mit dem Mord an Jane Delray in Verbindung zu bringen, aber man nahm allgemein an, dass er auch diese Tat zu verantworten hatte. »Das war sein Muster: Er verschleppte zwei und entschied sich später erst, welche von ihnen er behalten wollte.«

»Es gab noch zwei andere Mädchen: Mary Halston und Kitty Treadwell.« Will rang mit den Händen.

»Ihre Mutter und Mary Halston zeigten die gleichen Verletzungen. Die Nähte. Die Einstichspuren. Jane war anders. Sie war nicht entführt worden. Ihr Tod geschah im Affekt. Sie wurde erst stranguliert und dann vom Dach geworfen, damit es nach Selbstmord aussah.«

»Henry …«

»Ich war mir nicht sicher, bis ich diesen Scheck sah. Was ich gesagt habe, war die Wahrheit. Es hat Evelyn keine Ruhe gelassen, dass Ulster sich einen so teuren Anwalt leisten konnte. Und ehrlich gesagt – mir auch nicht. Ulster war nie an materiellen Dingen interessiert gewesen. Seine Besessenheit war die Kontrolle, und ich nehme an, indem er Hank dazu brachte, ihm diesen Scheck ins Gefängnis zu schicken, übte er auch eine gewisse Kontrolle auf ihn aus.«

»Henry wird sich aus der Sache mit dem Umschlag herausreden. Sie wissen, dass der Scheck allein nicht ausreicht.«

»Henrys DNS wird zu einem Beweisstück aus Jane Delrays Fall passen. In dem Augenblick, als ich erfuhr, dass Ihr Vater wieder auf freiem Fuß war, habe ich eine Kollegin im Beweismittelarchiv angerufen. Es ist ein Wunder, dass die Beweismittelkette noch intakt ist, sonst würden wir das Material nie verwenden können.«

»Und was ist das für ein Beweisstück?«

»Genau, was ich dort drinnen behauptet habe. Jane hatte ihren Angreifer gekratzt. Die Hautspuren werden zu Henrys DNS auf dem Umschlag passen.«

»Sind Sie sich da ganz sicher?«

»Sie nicht?«

Will hatte das Gesicht seines Onkels gesehen. Er war sich sicher.

»Was ist mit Kitty?«

»Da kann ich nur Vermutungen anstellen. Ulster brachte sie vom Heroin weg, und Hank kettete sie an sich, um Geld aus Treadwell herauszupressen.« Sie nickte zum Haus hinüber. »Kein schlechter Plan, wie man sieht.«

Will betrachtete das Haus. Herrenhaus war nicht annähernd der richtige Ausdruck dafür. Museum vielleicht. Gefängnis.

»Wollen Sie sonst noch etwas wissen?«

Will hatte ein ganzes Leben voller Fragen. »Warum lassen Sie mich immer so leiden?«

»Weil das auch für mich schwierig ist, Will.«

Daran hatte er noch gar nicht gedacht. Trotz allen Geredes wusste Will doch, dass jener Fall Amanda sehr nahegegangen war. Ihr erster Fall. Ihr erster Mord. Jetzt versuchte sie, so zu tun, als hätte das alles nichts zu bedeuten, aber allein dass sie beide jetzt hier saßen, strafte diese Haltung Lügen.

Nach einer Weile sagte Amanda: »Hank hasst Frauen. Ich kann mir vorstellen, dass er Lucy für ihre Unabhängigkeit verabscheut hat. Für ihren freien Geist. Dafür, dass sie ihre eigenen Entscheidungen traf. Sie wollte studieren. Als Frau alleine in

Atlanta! Hank glaubte, Frauen sollten sich mit ihrer Stellung zufriedengeben. Das dachten damals die meisten Männer. Nicht alle, aber ...« Sie hob wieder die Schulter. »Sie sollten wissen, dass Ihre Mutter ein guter Mensch war. Sie war klug und unabhängig, und sie liebte Sie.«

Ein Kabellaster fuhr die Straße entlang. Will hörte das Rauschen der Reifen auf dem Asphalt. Er fragte sich, wie es sich wohl anfühlte, in einem solchen Palast zu leben und den Rest der Welt an sich vorbeiziehen zu sehen.

»Alle, die ich an der Uni befragt habe, mochten sie.« Will schüttelte den Kopf. Er hatte genug gehört.

»Sie war lustig und freundlich. Sie war wirklich beliebt. Ihre Lehrer waren am Boden zerstört, als sie hörten, was ihr zugestoßen war.«

Er versuchte, die Glasscherben in seiner Kehle hinunterzuschlucken.

»Ich war bei ihr, als sie starb.« Amanda hielt wieder inne.

»Ihre letzten Worte waren Ihnen gewidmet, Will. Sie sagte, dass sie Sie liebe. Sie konnte nicht loslassen, ehe sie sich sicher war, dass wir sie gehört und verstanden hatten, dass sie Sie mit jeder Faser ihres Körpers liebte.«

Will drückte sich die Fingerkuppen auf die Augen. Vor Amanda wollte er nicht weinen. Denn von diesem Augenblick an gäbe es kein Zurück mehr.

»Sie versteckte Sie im Mülleimer, um Sie vor Ihrem Vater zu schützen.« Amanda machte eine Pause. »Evelyn war dabei. Wir haben Sie gemeinsam gefunden. Ich glaube, ich war in meinem ganzen Leben noch nie so wütend. Weder davor noch danach.«

Will schluckte noch einmal. Er räusperte sich, um sprechen zu können. »Edna Flannigan. Sie kannten sie.«

»Viele meiner Fälle führten mich ins Kinderheim.« Wieder schob Amanda die Schlinge zurecht. »Es hatte mir niemand erzählt, dass sie gestorben war. Als ich das herausfand ...« Sie sah

Will direkt in die Augen. »Glauben Sie mir, ihr Nachfolger wurde für sein Verhalten schwer bestraft.«

Will konnte nicht anders, als die Vorstellung zu genießen, dass Amanda den Mann vernichtet hatte, der ihn auf die Straße geworfen hatte. »Was war in dem Keller? Was haben Sie dort gesucht?«

Sie starrte wieder auf den Rasen hinab und ließ dann ein langes Seufzen hören. »Ich frage mich, ob wir das je herausfinden werden.«

Will dachte an die Kratzer in der Kohlerutsche. Er hatte angenommen, sie wären von einem Tier verursacht worden, aber jetzt wusste er, dass es wahrscheinlich eine von Amandas alten Freundinnen gewesen war. »Während wir im Krankenhaus waren, war jemand noch mal dort.«

»Wirklich?« Amanda spielte die Überraschte.

Will versuchte, sie wissen zu lassen, dass er kein kompletter Idiot war. Unmöglich, dass ein Objektträger dreißig Jahre Polizeigewahrsam überstand. »Ein archiviertes Beweisstück.«

»Ein archiviertes Beweisstück?« Sie hatte ein Grinsen auf den Lippen, das ihn wütend machte, und er wusste, dass sie wieder in den Heuchelmodus geschaltet hatte, noch ehe sie den Mund aufmachte. »Nie davon gehört.«

»Cindy Murray«, fuhr er fort. Wills Sachbearbeiterin – die Frau, die ihm geholfen hatte, von der Straße weg und aufs College zu kommen.

»Murray?« Amanda dehnte den Namen und schüttelte schließlich den Kopf. »Sagt mir gar nichts.«

»Captain Scott im Gefängnis …«

Sie kicherte. »Erinnern Sie mich daran, dass ich Ihnen mal Geschichten aus dem alten Gefängnis erzähle. Es war furchtbar, bevor Holly dort aufräumte.«

»Rachel Foster.« Amanda rief die Bundesrichterin noch immer an, wenn sie einen richterlichen Beschluss brauchte. »Ich weiß, dass Sie mit ihr befreundet sind.«

»Rachel und ich haben gemeinsam bei der Polizei angefangen. Sie arbeitete nachts in der Telefonzentrale, damit sie tagsüber Jura studieren konnte.«

»Sie löschte mein Vorstrafenregister, als ich den College-abschluss machte.«

»Rachel ist ein gutes Mädchen«, war alles, was Amanda dazu sagte.

Jetzt konnte Will sich nicht mehr beherrschen. Irgendein Riss musste doch zu finden sein. »Ich habe Sie nie wieder bei einer Anwerbeaktion fürs GBI erlebt. In fünfzehn Jahren nicht ein einziges Mal. Da war immer nur diese eine – bei der Sie mich rekrutiert haben.«

»Na ja.« Erneut schob sie die Schlinge zurecht. »Diese Aktionen machen wirklich niemandem Spaß. Man redet mit fünfzig Leuten, und die Hälfte davon sind Analphabeten.« Sie grinste ihn an. »Wobei das nichts Schlimmes ist.«

»Habe ich das von ihm?« Er konnte sie nicht ansehen. Aber Amanda wusste über seine Legasthenie Bescheid. »Mein Problem?«

»Nein.« Sie sagte das mit aller Überzeugung. »Sie haben seine Bibel gesehen. Er hat andauernd darin gelesen.«

»Dieses Mädchen … Suzanna Ford. Sie sah …«

»Sie hat einen großen Mann gesehen. Das ist auch schon alles. Sie sind nicht wie er, Will. Ich habe mit ihm gesprochen. Ich habe ihm in die Augen gesehen. Sie haben keinen Funken Ihres Vaters in sich. Da ist einzig und allein Lucy. Alles an Ihnen kommt von Ihrer Mutter. Wenigstens das müssen Sie mir glauben.«

Will stützte die Unterarme auf die Oberschenkel und faltete die Hände. Das Gras unter seinen Füßen war saftig und grün. Seine Mutter wäre jetzt sechsundfünfzig Jahre alt. Vielleicht wäre sie Akademikerin. Ihre Lehrbücher sahen vielbenutzt aus. Wörter, ganze Passagen darin waren unterstrichen worden. Die Seitenränder waren mit Anmerkungen versehen. Sie hätte Ingenieurin oder Mathematikerin oder feministische Soziologin werden können.

Er hatte so viele Stunden mit Angie über die Was-wäre-wenns geredet. Was wäre, wenn Lucy überlebt hätte? Was wäre, wenn Angies Mom keine Überdosis genommen hätte? Was wäre, wenn sie nicht in einem Heim aufgewachsen wären? Was wäre, wenn sie sich nie kennengelernt hätten?

Aber seine Mutter war gestorben, und Angies Mutter war gestorben, auch wenn ihr Tod noch länger gedauert hatte. Sie waren beide im Heim aufgewachsen. Seit fast drei Jahrzehnten waren sie miteinander verbunden. Ihre Wut wirkte wie ein Magnet zwischen ihnen. Manchmal zog sie sie zueinander. Manchmal stieß sie sie voneinander weg.

Will hatte gesehen, was aus einem wurde, wenn man sich zu lange an den Groll klammerte. Er hatte es in Kitty Treadwells ausgemergeltem Körper erkannt. Hatte es in der arroganten Haltung seines Onkels Henry gesehen. Und manchmal, wenn sie glaubte, dass keiner hinsah, sah er es auch in Amandas Augen aufblitzen.

Will wollte nicht so leben. Er konnte nicht zulassen, dass die ersten achtzehn Jahre seines Lebens die kommenden fünfzig ruinierten.

Er griff in seine Hosentasche. Sein Ehering lag kalt in seinen Fingern. Er hielt ihn Amanda hin. »Ich will, dass Sie ihn nehmen.«

»Oh.« Sie spielte die Verlegene. »Das kommt jetzt aber ziemlich unvermittelt. Und der Altersunterschied …«

Er versuchte, den Ring zurückzunehmen, aber sie umklammerte seine Hand.

Amanda Wagner war keine herzliche Frau. Sie hatte Will kaum je mit Zuneigung berührt. Sie boxte ihn auf den Arm. Sie schlug ihm auf die Schulter. Einmal hatte sie sogar das Sicherheitsblech einer Nagelpistole angehoben und überrascht getan, als ein Nagel durch den Hautlappen zwischen seinem Daumen und Zeigefinger gedrungen war.

Doch jetzt hielt sie seine Hand fest. Ihre Finger waren klein, ihr Handgelenk unglaublich schmal. Sie hatte Klarlack auf den Nägeln. Altersflecken sprenkelten ihren Handrücken. Sie drückte ihre Schulter an seine. Sanft erwiderte Will den Druck. Kurz verstärkte sie den Griff, dann ließ sie seine Hand wieder los.

»Sie sind ein guter Junge, Wilbur.«

Will fürchtete, dass seine Stimme brechen würde, wenn er jetzt etwas sagte. Unter anderen Umständen hätte er jetzt einen Scherz gemacht über kleine Mädchen, die weinten, aber jeder diesbezügliche Spruch wäre eine Beleidigung gewesen für die Frau, die jetzt neben ihm saß.

»Wir sollten gehen, bevor Kitty den Wasserschlauch auf uns richtet.« Amanda steckte den Ring in ihre Handtasche und stand von der Bank auf. Anstatt sich die Tasche über die Schulter zu hängen, behielt sie sie in der Hand.

»Soll ich sie vielleicht nehmen?«, bot Will an.

»Um Himmels willen, ich bin doch keine Invalidin!« Sie hängte sie sich über die Schulter, wie um es ihm zu beweisen.

»Knöpfen Sie Ihren Kragen zu! Sie sind doch nicht in einem Stall aufgewachsen! Und glauben Sie nicht, dass Sie die letzte Unterhaltung zum Thema Haare hinter sich hätten.«

Will knöpfte sich den Kragen zu, als er mit ihr zum Auto ging.

Kitty Treadwell stand an der offenen Haustür und beobachtete sie. In ihrem Mundwinkel hing eine Zigarette. Der Rauch stieg ihr in die Augen. »Ich habe die Grundsteuer beglichen.« Amanda hatte bereits die Hand nach dem Türgriff ausgestreckt, hielt dann jedoch inne.

Kitty kam die Stufen herunter. Kurz vor dem Auto blieb sie stehen. »Für das Haus in Techwood. Es hat Henry rasend gemacht, als James es verkaufte.«

»Vier Millionen Dollar«, sagte Amanda.

»Geld ist die einzige Sprache, die Henry versteht.« Kitty nahm die Zigarette aus dem Mund. »Ich denke mal, Wilbur wird es erben.«

»Er will es nicht«, sagte Amanda.

»Nein.« Kitty lächelte Will an. Ihm lief es kalt über den Rücken. »Sie sind ein besserer Mensch geworden, als wir alle es je waren. Wie um alles in der Welt konnte das passieren?«

Will konnte ihr nicht antworten. Er konnte es nicht einmal ertragen, sie anzusehen.

»Hat Hank Ulster in der Suppenküche kennengelernt?«, fragte Amanda.

Widerstrebend wandte Elizabeth sich ihr zu. »Er hat nach Lucy gesucht. Er hat sicherstellen wollen, dass sie keinen Anspruch auf das Erbe erheben würde. Den beiden muss es so vorgekommen sein, als hätte der Himmel ihre Verbindung gestiftet.« Sie hielt sich die Zigarette wieder an die Lippen. »Sie trafen eine Abmachung. Hank überließ ihm Lucy. Als Gegenleistung holte Ulster mich vom Stoff runter. Seine Methoden kann ich allerdings nicht empfehlen.« Sie lächelte, als wäre dies alles ein Witz. »Ich schätze, James hielt Lucy für einen guten Deal. Ein gefallener Engel ohne Eltern oder Familie, die Scherereien machen würden.« Sie blies Rauch aus. »Und außerdem brachte ihm Mary nichts mehr.«

»Warum hat er sie getötet?«

»Mary?« Kitty zuckte mit den Schultern. »Sie hat sich einfach nicht unterworfen. Und eine Schwangerschaft bewirkt so was. Zumindest wirkt das von außen so. Eigentlich ganz empfehlenswert, aber man sieht ja, wohin sie das gebracht hat.«

»Und Jane?«

»Ach, wegen Jane stritten sie sich die ganze Zeit. Henry wollte sie aus dem Weg haben. Sie wollte einfach nicht den Mund halten. Sie erzählte jedem, der es hören wollte, von Lucy, von Mary und von mir. Schätze, ich hatte Glück, dass ich nicht endete wie sie. Immerhin prahlte ich andauernd mit dem Namen meines Vaters.« Sie lachte, verfiel in ein Husten.

»Als hätte sich im Getto irgendjemand einen Dreck darum geschert, wer mein Vater war.«

»Sie stritten sich über Jane?«, wiederholte Amanda.

»James war es egal, mit wem die kleine Schlampe sich unterhielt. Er betrachtete das alles von oben herab, was wenig überraschend ist. Schließlich tat er das Werk des Herrn … Er war kein gedungener Mörder. Er behauptete immer, Gott werde ihn schützen.«

Amanda zählte eins und eins zusammen. »Sie wurden zusammen mit Lucy in dem Haus festgehalten.«

»Ja. Ich war die ganze Zeit dort.« Sie schien darauf zu warten, dass Amanda noch eine Frage stellte.

Doch Amanda sagte nichts.

»Wie auch immer.« Kitty aschte auf die Zufahrt. »Letztendlich habe ich mich mit meinem Vater versöhnt.« Sie lachte bitter auf. »Noch mehr Geld auf Henrys Konten. Wie heißt der Spruch? Gott schließt keine Tür, ohne zuerst sämtliche Fenster vernagelt zu haben.«

»Wenn Sie aussagen, kann ich …«

»Im Grunde können Sie gar nichts tun. Das wissen wir beide.«

»Sie können ihn verlassen. Sie können ihn jetzt sofort verlassen.«

»Warum sollte ich das tun?« Sie klang ernsthaft überrascht.

»Er ist mein Mann. Ich liebe ihn.«

Ihr selbstverständlicher Ton war schockierender als alles, was Will an diesem Tag gehört hatte. Sie schien wirklich eine Reaktion herausfordern zu wollen.

»Wie können Sie … nach allem, was er getan hat?«, fragte Amanda.

Kitty stieß eine lange Rauchfahne aus. »Sie wissen doch, wie es mit Männern ist.« Sie schnippte die Zigarette auf den Rasen. »Manchmal muss eine Frau Verbotenes tun.«

33. KAPITEL

Gegenwart
EINE WOCHE SPÄTER

Er hatte Saras Windhunde grässlich verzogen. Er hatte angefangen, ihnen Käse zu fressen zu geben, was Sara auf die harte Tour hatte herausfinden müssen. Und offensichtlich lief das immer noch so. Sie waren wie besessen. Kaum erkannten sie Wills Straße wieder, zerrten sie an den Leinen wie Huskys auf dem Klondike Trail. Wenn sie dann seine Einfahrt erreichten, fühlten Saras Arme sich an, als hätten sie sie ihr aus den Gelenken gerissen.

Sie nahm die Leinen in eine Hand und suchte mit der anderen in ihrer Tasche nach Wills Schlüssel. Zum Glück bog der Porsche in diesem Augenblick direkt hinter ihr in die Einfahrt ein. Will winkte ihr zu, als er an ihr vorbeirollte. Die Hunde sprangen an dem Auto hoch.

»Wen haben wir denn da?«, säuselte Will. Er streichelte den Hunden über Kopf und Rücken. »Was seid ihr für brave Jungs ...«

»Sie sind ungezogen«, entgegnete Sara. »Keinen Käse mehr!«

Will lachte, als er sich wieder aufrichtete. »Man muss Hunde mit Käse füttern. In freier Wildbahn finden sie den nicht.« Sara wollte ihm eben widersprechen, aber er küsste sie so lange und so leidenschaftlich, dass sie den Käse prompt vergaß.

Will lächelte sie an. »Hast du was von deinem Cousin gehört?«

»Wir können sein Strandhaus die ganze Woche haben.« Aus

seinem Lächeln wurde ein Grinsen. Er nahm ihr die Leinen ab. Die Hunde benahmen sich deutlich besser, wenn Will sie führte. Sara staunte nicht zum ersten Mal darüber, wie viel besser Will mittlerweile aussah. Er war auf seinem eigentlichen Posten zurück. Er konnte die Nächte wieder durchschlafen. Er wirkte nicht mehr so verstört.

Will wartete, bis Sara die Haustür hinter ihnen geschlossen hatte, und ließ dann erst die Hunde von der Leine. Sie rannten in die Küche. Statt ihnen zu folgen, sagte Will zu Sara: »Nächste Woche ist Henrys Anklageverlesung.«

»Wir können den Strand verschieben, wenn …«

»Nein.«

Sie sah zu, wie er seine Taschen leerte und Schlüssel und Geld auf den Tisch legte. »Wie läuft der Fall?«

»Henry setzt sich zur Wehr, aber über DNS lässt sich bekanntlich schlecht streiten.« Er zog sein Holster vom Gürtel.

»Wie geht's dir? Wie war dein Tag?«

»Ich muss dir was sagen.«

Er sah sie argwöhnisch an. Sara konnte es ihm nicht verdenken. Er hatte in jüngster Zeit zu viele schlechte Nachrichten vernommen.

»Die toxikologischen Ergebnisse deines Vaters sind da.«

Will rückte einen Stift auf dem Tisch gerade. »Hat man irgendwas gefunden?«

»Er hatte Demerol im Blut. Allerdings nicht viel.«

Er sah sie skeptisch an. »Tabletten?«

»Klinische Stärke, injizierbar.«

»Wie viel ist nicht viel?«

»Er war ein großer, kräftiger Mann, daher ist es schwer zu sagen. Ich schätze, genug, um ihn schläfrig zu machen, ohne ihn völlig umzuhauen.« Sie fügte hinzu: »Man fand die Ampulle im Kühlschrank unter der Bar. Im Entsorgungsbehälter lag eine Spritze mit Rückständen. Auf beiden waren seine Fingerabdrücke.«

Will rieb sich mit der Hand über die Wange. »Er hat früher nie Drogen genommen. Das war doch sein großes Thema. Er war besessen in seiner Ablehnung.«

»Wir wissen beide, wie schlimm es im Gefängnis ist. Nicht wenige Insassen ändern darin ihre Meinung über Drogen.«

»Woher könnte er das Demerol bezogen haben?«

Sara suchte nach einer Erklärung. »Die Prostituierte, die ihn in seiner letzten Nacht besuchte, könnte es mitgebracht haben. Hat die Polizei sie eigentlich schon gefunden?«

»Nein«, antwortete Will. »Auch den Nagellack nicht.«

Sara wusste, dass Will lose Enden hasste. »Vielleicht hat sie ihn mitgehen lassen. Die meisten dieser Mädchen sind drogensüchtig. Sie haben nicht mit zwanzig, dreißig Männern am Tag Sex, weil es ihnen Spaß machen würde.«

»Was war die Todesursache?« Er scheute sich, das Wort auszusprechen. »Eine Überdosis?«

»Sein Herz war nicht im allerbesten Zustand. Du weißt, diese Dinge sind nicht immer ganz eindeutig. Der Medical Examiner konstatierte natürliche Ursachen, aber er könnte auch andere Substanzen eingenommen haben, er könnte irgendetwas inhaliert, geschluckt und dann schlecht darauf reagiert haben. Es ist unmöglich, allem nachzuspüren.«

»Hat Pete den Fall bearbeitet?«

»Nein, er hat sich krankschreiben lassen. Es war einer seiner Assistenten. Intelligenter Kerl. Ich vertraue ihm.«

Will rieb sich immer noch über die Wange. »Hat er gelitten?«

»Ich weiß es nicht«, gab sie zu. »Ich würde es dir gerne sagen.«

Betty kläffte. Sie sprang vor Wills Füßen herum. »Ich gebe ihr wohl besser was zu fressen.«

Er ging in die Küche. Sara folgte ihm. Anstatt die Schüsseln aufzuheben und die Dosen aus dem Schrank zu holen, blieb Will mitten im Raum stehen.

Auf seinem Küchentisch lag ein wattierter Umschlag. Ein grellroter Lippenstiftkuss zierte die Mitte. Sara erkannte sofort

Angie Trents Handschrift wieder. An jedem Morgen dieser Woche hatte sie eine Nachricht mit dem gleichen Lippenstiftkuss an ihrer Windschutzscheibe vorgefunden. Sie bezweifelte stark, dass Angie »Hure« auf die Nachricht für Will geschrieben hatte, aber sie fragte trotzdem: »Was will sie?«

»Ich habe keine Ahnung.« Will klang erst wütend, dann verteidigend, als könnte er seine Frau kontrollieren. »Ich habe die Schlösser ausgetauscht. Ich weiß nicht, wie sie hereingekommen ist.«

Sara antwortete gar nicht erst. Angie war eine ehemalige Polizistin. Sie wusste, wie man Schlösser knackte. Bei ihrer Arbeit im Sittendezernat hatte sie gelernt, wie man unbehelligt die Seiten wechselte.

»Ich werfe ihn in den Müll.«

Sara versuchte, sich ihre Verärgerung nicht anmerken zu lassen. »Ist schon in Ordnung.«

»Nein, ist es nicht.« Will nahm den Umschlag in die Hand. Er war nicht zugeklebt. Die Lasche klappte auf.

Sara schrak zurück, doch was da auf den Tisch klapperte, war kaum gefährlich. Zumindest nicht mehr.

Die Prostituierte im Four Seasons war der letzte Mensch, der Wills Vater lebend gesehen hatte. Sie hatte die anderen Mädchen gekannt. Sie hatte gewusst, wie sie sich anzogen, wo sie ihre Kunden auftrieben. Wichtiger noch, sie hatte gewusst, dass das Zurechtrücken ihres Huts direkt vor der Überwachungskamera ihre Aufmerksamkeit auf die frisch manikürten Fingernägel lenken würde.

Doch nicht genug damit.

Wie eine Katze, die eine tote Maus auf die Schwelle ihres Besitzers legte, hatte Angie Trent ein Souvenir vom Tatort mitgehen lassen, damit Will erführe, was sie für ihn getan hatte.

Eine Glasflasche. Mit einer spitzen weißen Verschlusskappe. Leuchtend rot.

Es war die fehlende Flasche Max-Factor-Nagellack.

DANKSAGUNG

Der Journalist und Autor Ben Hecht hat einmal gesagt: »Zu erfahren, was in der Welt vor sich geht, indem man Zeitung liest, wäre, als wollte man die Uhrzeit allein an einem Sekundenzähler ablesen.« Mit diesem Vergleich im Hinterkopf tauchte ich in die Archive des *Atlanta Journal* und der *Atlanta Constitution* ein, deren Ausgaben aus den 1970er Jahren mir einen faszinierenden Einblick in den Alltag der Bewohner Atlantas bescherten. Die *Atlanta Daily World* ergänzte das Bild in oftmals noch tiefergehenden Betrachtungen der gleichen Ereignisse. Die Zeitschrift *Atlanta* war wiederum eine großartige Quelle für deren historische Verortung – vor allen Dingen ihre »Best of«-Ausgaben und das irrsinnig komische Porträt des pulsierenden Riverbend-Viertels. Die damaligen Ausgaben der *Cosmopolitan* eröffneten mir Einblicke in Frisuren- und Promi-Welten und wiesen den Weg zur sexuellen Erfüllung – ganz anders, als die Zeitschrift heute ausgerichtet ist. Auch die *Newsweek*, *Time*, das *Ladies' Home Journal* und der Sears-Katalog bescherten mir hervorragende Antworten auf Bekleidungs- und Einrichtungsfragen. Auf AtlantaTimeMachine.com findet man Myriaden von Vorher-Nachher-Bildern einschlägiger Stadtansichten. Und schließlich gibt es auf YouTube eine alarmierend hohe Zahl an Videoclips mit Fernsehwerbespots aus den 1970ern, die mich teure Lebenszeit gekostet haben. Mein einziger Trost ist, dass ich vermutlich weniger Zeit darauf verwendet habe als diejenigen, die diese Videoclips hochgeladen haben.

Daniel Starer von *Research for Writers* beauftragte ich mit der Zusammenstellung des Materials für diesen Roman. Ich hatte eigentlich gedacht, dass ich mir auf diese Weise eine Menge Arbeit ersparen würde – bis das Ergebnis seiner Recherche kistenweise bei mir eintraf und ich begriff, dass ich all dieses Material nun selbst würde lesen müssen. (Eine vollständige Liste der Quellen ist auf meiner englischsprachigen Website hinterlegt.) Dan spürte übrigens auch einen Mann namens Robert Barnes auf, der 1975 einen Dokumentarfilm über die Atlanta Police Force gedreht hatte. Der in Atlanta geborene Robert war so freundlich, mir eine Kopie seines Films zur Verfügung zu stellen, der die damalige Skyline der Stadt zeigt sowie eine Menge Hubschrauberaufnahmen des Geschäftsbezirks und von Techwood Homes beinhaltet. Außerdem teilte er mit mir Erinnerungen an seine Jugend in Atlanta, wofür ich ihm sehr dankbar bin.

Ich verbrachte Stunden im Internet und im Atlanta History Center, in der Auburn Avenue Research Library, in der Bibliothek der Georgia Tech, in der Pullman-Bibliothek der Georgia State University und in der Library of Congress. (Angesichts all dieser Bibliotheken ist doch wohl offenkundig, dass der Berufsstand des Bibliothekars noch immer ein unverzichtbarer ist.)

Zu behaupten, dass ich im Atlanta History Center fündig wurde, wäre eine riesengroße Untertreibung. Dort und nirgends anders bin ich auf die erste Erwähnung von Patricia W. Remmingtons Schrift »Policing: the Occupation and the Introduction of Female Police Officers« (University Press of America, 1981) gestoßen. Für ihre Dissertation hatte Remmington 1975 ausführliche Studien innerhalb der städtischen Polizeibehörden betrieben. Sie fuhr auf Streife mit. Sie war bei Vernehmungen dabei. Sie wurde vorübergehend sogar mit einer Dienstwaffe ausgestattet. Ms. Remmingtons Studie eröffnete mir Einblicke in den Schichtbetrieb, in statistische Verteilungen, in Organisationsstruktur und sozioökonomische Details innerhalb der Polizei von Atlanta. Da ihr Interesse hauptsächlich den Beamtinnen galt, beinhaltete ihre Dissertation überdies Niederschriften von Interviews mit sowohl männlichen als auch weiblichen Ermittlern über die Rolle der Frau innerhalb der Polizei. Die strotzten von Codes, Abkürzungen und Slangausdrücken und nicht selten geschmacklosen Scherzen vonseiten der Beamten.

Die Dissertation war mein Sprungbrett, aber ich unterhielt mich auch persönlich mit einer Reihe von Frauen, die in den 70ern der Polizei beigetreten waren: Marla Simms vom GBI beispielsweise, die überdies eine unvergleichliche Geschichtenerzählerin ist. Ich möchte mich auch bei Dona Robertson, Barbara Lynch und Vickye Prattes bedanken, die den ganzen Weg nach Atlanta kamen, nur um mit mir zu sprechen. SL, EC und BB versorgten mich mit Insiderinformationen über die Funktionsweise (oder vielmehr das mangelnde Funktionieren) der unterschiedlichen Behörden Georgias. Und auch wenn Männer in diesem Buch nicht allzu gut wegkommen, möchte ich wie immer natürlich auch Director Vernon Keenan und John Bankhead vom GBI danken – nein, besser noch: allen Polizisten dort draußen, die auf uns aufpassen. Ihr tut wahrhaft Gutes.

Ich habe das Gefühl, Reginald Eaves, der in diesem Roman eine wichtige Rolle spielt, verdient eine besondere Erwähnung. Eaves war eine überaus kontroverse Figur in der Tagespolitik Atlantas. Er war 1978 in einen Manipulationsskandal verwickelt und musste seinen Schreibtisch bei der Polizei räumen, wurde dennoch 1980 in die Fulton-County-Kommission berufen, 1984 der Erpressung angeklagt und 1988 verurteilt. Nichtsdestotrotz muss man ihm zugutehalten, dass während seiner Amtszeit als Commissioner die Verbrechensrate in Atlanta erheblich sank. Er führte ein Nachwuchstrainingsprogramm ein, installierte ein nachvollziehbares Beförderungsprozedere und verfügte, dass sämtliche Beamte ein Kriseninterventionstraining durchlaufen sollten, um bei ihren Einsätzen besser gewappnet zu sein. Er konzentrierte seine Kräfte auf sogenannte schwarze Kriminalität, nach dem Motto: »Es spielt keine Rolle, wie arm du selbst bist. Man überfällt keine alte Dame auf der Straße und klaut ihr die Handtasche.« Genau dieser Leitsatz macht ihn für mich fast schon zum Inbegriff eines Politikers aus Atlanta.

Auch wenn immer noch viele denken, dass die 1970er das Jahrzehnt der freien Liebe und Freiheit im Allgemeinen gewesen wären, kämpften Frauen in dieser Zeit noch immer um ihre Gleichstellung. Ein Konto zu eröffnen, ein Auto zu kaufen oder gar ein Haus – sogar einen Mietvertrag zu unterschreiben war vielen Amerikanerinnen zu jener Zeit noch immer verwehrt, sofern nicht der Vater oder der Ehemann seine Zustimmung gab. (Und nein, da hatte New York City die Nase nicht deutlich vorn. Erst 1974 wurde die Geschlechterdiskriminierung auf dem Wohnungsmarkt gesetzlich unterbunden.) Die Pille war unverheirateten Frauen erst im Jahr 1972 zugänglich, und selbst danach hatte manch eine Schwierigkeiten, einen Arzt zu finden, der ihr ein Rezept ausstellte, und einen Apotheker, der das Rezept einlöste. Erst der *Sex Discrimination Act* (das Gleichstellungsgesetz) von 1975 als Ergänzung zum *Equal Pay Act* (Lohngleichheitsgesetz) von 1963, nach dem Frauen immer noch lediglich 62 Prozent des Gehalts eines Mannes für vergleichbare Arbeit erhielten, änderte etwas an dieser Schieflage. Das APD genau wie alle Polizeibehörden führte in der Folge gleiche Gehälter ein, sodass die Arbeit bei der Polizei zu den wenigen Beschäftigungen gehörte, die einer Frau sowohl wirtschaftliche als auch soziale Unabhängigkeit ermöglichte.

So viel zur fortschrittlichen Seite der Polizeiarbeit. Die meisten Männer – und viele Frauen – glaubten allerdings weiterhin, dass Frauen bei der Polizei nichts verloren hätten. All die Anekdoten über Leute, die angesichts einer Polizeibeamtin an einem Tatort erst einmal lachen mussten, entsprechen der Wahrheit. Frauen wurden ins Feuer geschickt, um zu scheitern, und dafür abgestraft, wenn sie sich gut bewährten. Und es gab noch immer zahlreiche Bereiche innerhalb des Polizeiapparats, zu denen Frauen keinen Zutritt hatten. Ich will hierfür nicht allein den Männern die Schuld geben. Ein Artikel in der *Atlanta Constitu-*